LES SCIENCES ET LA TECHNOLOGIE AU PRÉSCOLAIRE ET AU PRIMAIRE

Du même auteur

Explorer l'histoire des sciences et des techniques. Activités, exercices et problèmes, 2004. Québec, Éditions MultiMondes, 720 p.

Notions de culture scientifique et technologique. Concepts de base, percées historiques et conceptions fréquentes, 2001. Québec, Éditions MultiMondes, 432 p.

Problèmes de sciences et de technologie pour le préscolaire et le primaire, 1999. Québec, Éditions MultiMondes, 686 p.

La Didactique des sciences de la nature au primaire, 1997. Québec, Éditions MultiMondes, 472 p.

Introduction aux sciences de la nature. Concepts de base, percées historiques et conceptions fréquentes, 1996. Québec, Éditions MultiMondes, 204 p. (épuisé).

Marcel Thouin

LES SCIENCES ET LA TECHNOLOGIE AU PRÉSCOLAIRE ET AU PRIMAIRE

ÉDITIONS
MULTIMONDES

Révision linguistique: Dominique Johnson

ISBN 2-89544-063-8
Dépôt légal – Bibliothèque nationale du Québec, 2004
Dépôt légal – Bibliothèque nationale du Canada, 2004

ÉDITIONS MULTIMONDES
930, rue Pouliot
Sainte-Foy (Québec) G1V 3N9
CANADA
Téléphone: (418) 651-3885
Téléphone sans frais depuis l'Amérique du Nord: 1 800 840-3029
Télécopie: (418) 651-6822
Télécopie sans frais depuis l'Amérique du Nord: 1 888 303-5931
multimondes@multim.com
http://www.multim.com

DISTRIBUTION EN LIBRAIRIE AU CANADA
Diffusion Dimedia
539, boulevard Lebeau
Saint-Laurent (Québec) H4N 1S2
CANADA
Téléphone: (514) 336-3941
Télécopie: (514) 331-3916
general@dimedia.qc.ca

DISTRIBUTION EN FRANCE
Librairie du Québec
30, rue Gay-Lussac
75005 Paris
FRANCE
Téléphone: 01 43 54 49 02
Télécopie: 01 43 54 39 15
liquebec@noos.fr

DISTRIBUTION EN BELGIQUE
Librairie Océan
Avenue de Tervuren 139
B-1150 Bruxelles
BELGIQUE
Téléphone: +32 2 732.35.32
Télécopie: +32 2 732.42.74
g.i.a@wol.be

DISTRIBUTION EN SUISSE
SERVIDIS SA
Rue de l'Etraz, 2
CH-1027 LONAY
SUISSE
Téléphone: (021) 803 26 26
Télécopie: (021) 803 26 29
pgavillet@servidis.ch
http://www.servidis.ch

Les Éditions MultiMondes reconnaissent l'aide financière du gouvernement du Canada par l'entremise du Programme d'aide au développement de l'industrie de l'édition (PADIÉ) pour leurs activités d'édition. Elles remercient la Société de développement des entreprises culturelles du Québec (SODEC) pour son aide à l'édition et à la promotion.
Gouvernement du Québec – Programme de crédit d'impôt pour l'édition de livres – gestion SODEC.
Nous remercions le Conseil des Arts du Canada de l'aide accordée à notre programme de publication.

IMPRIMÉ AU CANADA/PRINTED IN CANADA

TABLE DES MATIÈRES

Avant-propos xix

Remerciements xxiii

Chapitre 1 – La didactique: vue d'ensemble 1

Définition de la didactique 1

Domaines d'intérêt de la didactique 2

Chapitre 2 – La nature de l'activité scientifique: correctionnisme et modélisation ... 5

Définition et structure des sciences et de la technologie 5

Une définition des sciences 5

Les visées communes des sciences 5

La structure des savoirs scientifiques 6

La recherche scientifique 7

Les sciences du quotidien et la rupture épistémologique 7

Les sciences et la technologie 8

Façons non scientifiques d'acquérir des connaissances 8

Le sens commun 9

L'autorité 9

L'expérience personnelle 9

La déduction 9

L'induction 9

Conception dogmatique des sciences 10

Conception anarchique des sciences 10

Conceptions rationalistes des sciences 11

Encadré: Qu'est-ce qui est scientifique? 12

Vérifier des théories 13

Essayer de réfuter des théories 13

Adopter ou rejeter des paradigmes 15

Corriger des théories 16

Langage et solution de problèmes en sciences 17

Le langage 17

La solution de problèmes 17

Modélisation ... 19
Une définition de la modélisation ... 19
Les étapes de la modélisation ... 20
Une critique de la modélisation ... 22

Chapitre 3 – Les savoirs au sujet de l'univers matériel : physique, chimie et technologie des sciences physiques ... 25
Physique ... 25
La matière ... 25
Les atomes ... 27
Les forces et les mouvements ... 28
L'énergie ... 29
La lumière ... 29
Le son ... 31
La chaleur ... 31
Le magnétisme et l'électricité ... 32
Chimie ... 33
Les éléments et les molécules ... 33
Les réactions chimiques ... 34
Les composés chimiques ... 36
Technologie des sciences physiques ... 37
Les techniques du mouvement ... 37
Les techniques de la lumière ... 38
Les techniques du son ... 39
Les techniques de la chaleur ... 39
Les techniques de l'électron ... 40
L'industrie chimique ... 41

Chapitre 4 – Les savoirs au sujet de la Terre et de l'Espace : sciences de la Terre, astronomie et technologie des sciences de la Terre et de l'Espace ... 45
Sciences de la Terre ... 45
La Terre dans l'Espace ... 45
La structure de la Terre ... 46
L'histoire de la Terre ... 48
Les roches et les minéraux ... 49

L'évolution des paysages ... 50
Les océans et les mers ... 51
L'atmosphère et le temps ... 52
Astronomie ... 54
Le Système solaire ... 54
Les étoiles et les galaxies ... 58
Technologie des sciences de la Terre et de l'Espace ... 60
La prospection minière ... 60
La prévision météorologique ... 60
Observer, mesurer et explorer l'Univers ... 61

Chapitre 5 – Les savoirs au sujet de l'univers vivant: biologie et technologie des sciences biologiques ... 63
Biologie ... 63
La cellule ... 63
La biochimie ... 64
La génétique et l'hérédité ... 65
L'évolution ... 66
La classification des êtres vivants ... 67
Les virus et les micro-organismes ... 67
Les champignons ... 68
Les végétaux ... 68
La biologie végétale ... 70
Les animaux ... 72
La biologie animale ... 78
L'écologie ... 83
Technologie des sciences biologiques ... 83
Le génie génétique ... 83
La protection de la nature ... 84

Chapitre 6 – Le constructivisme didactique: faire évoluer les conceptions des élèves ... 85
Quelques approches de l'enseignement et de l'apprentissage des sciences ... 85
La mémorisation de concepts ... 85
L'atteinte d'objectifs opératoires ... 86

L'investigation et la découverte 86
La maîtrise de compétences 87
Le constructivisme didactique 88
Conceptions des élèves: obstacles ou adjuvants? 91
Les caractéristiques des conceptions 91
Les obstacles épistémologiques 92
L'origine des conceptions 93
Encadré: Comment déterminer les conceptions de vos élèves? 94
Les primitives phénoménologiques (p-prims) 95
Exemples de conceptions fréquentes chez les élèves 96
Les conceptions fréquentes des élèves 96
Les mécanismes d'élaboration des conceptions 96
Les concepts scientifiques 97
Tableaux: Conceptions dans divers domaines des sciences et de la technologie 98

Chapitre 7 – La transposition didactique: du savoir savant au savoir scolaire 115
Les niveaux de transposition 115
Sélection des savoirs 116
Transformation des savoirs 116
La dogmatisation 116
La décontextualisation 117
La dépersonnalisation 117
La désyncrétisation (ou désorganisation) 117
La programmation 117
La reformulation 117
L'opérationnalisation 117

Chapitre 8 – Le contrat didactique: contrat implicite entre l'enseignant et l'élève 119
Contrat didactique 119
Dévolution des problèmes 120
Ruptures de contrat en didactique des sciences et de la technologie au primaire 121
Contrat didactique idéal en sciences et technologie au primaire 121

Chapitre 9 – Le *Programme de formation de l'école québécoise*: Sous-section « Science et technologie » 123

Présentation de la discipline 123

Encadré: « Science et technologie » ou « Sciences et techniques » ? 124

Encadré: Des compétences au primaire ? 126

Premier cycle du primaire 126

Compétence 126

Savoirs essentiels 128

Deuxième et troisième cycles du primaire 129

Compétence 1 129

Encadré: Existe-t-il des compétences transversales ? 130

Compétence 2 132

Encadré: Précisions au sujet de la compétence 2 133

Compétence 3 136

Encadré: Les langages: outil de communication et véhicules de la pensée 136

Repères culturels 138

Encadré: La culture au second plan ? 138

Savoirs essentiels 140

Encadré: Exemple de désyncrétisation des savoirs ? 140

Encadré: Trop de savoirs essentiels ? 146

Stratégies 147

Suggestions pour l'utilisation des technologies de l'information et de la communication 148

Chapitre 10 – Les activités de résolution de problème: l'essentiel du travail en sciences et technologie 149

Problèmes de type *boîte noire* 149

Encadré: Problèmes des élèves ou des enseignants ? 151

Canevas pour les activités de résolution de problème 151

Exemple de problème au sujet de l'univers matériel 155

Exemple de problème au sujet de la Terre et de l'Espace 158

Exemple de problème au sujet de l'univers vivant 161

Chapitre 11 – Les activités fonctionnelles: mise en situation des problèmes 165
Tour de table ... 166
Carte d'exploration ... 166
Mots croisés, mots cachés, mots mystères (utilisation) ... 166
Jeu de table (utilisation) ... 166
Jeu-questionnaire ... 167
Casse-tête (éléments concrets) ... 167
Collage ... 167
Dessin, schéma et diagramme (lecture) ... 167
Photo (lecture) ... 168
Enregistrement sonore (écoute) ... 168
Document vidéo (visionnement) ... 168
Affiche et dépliant (lecture) ... 168
Étiquette, brochure technique et guide (lecture) ... 169
Tableau et graphique (lecture) ... 169
Carte (lecture) ... 169
Échelle du temps (lecture) ... 170
Texte à long développement (lecture) ... 170
Le pour et le contre ... 170
Dénombrement ... 171
Calcul ... 171
Mesure ... 171
Observation ... 172
Sériation ... 172
Classification à partir de critères empiriques ... 172
Remue-méninges ... 173
Enquête ... 173
Visite industrielle (premier contact) ... 173
Visite d'un musée (premier contact) ... 173
Simulation (premier contact) ... 174
Modèle réduit ... 174
Sortie dans la nature (premier contact) ... 174

Collection 175
Activité avec manipulation 175
Fabrication 175

Chapitre 12 – Les activités de structuration : l'institutionnalisation des connaissances 177

Conférence (personne invitée) 178
Débat 178
Esprit martien 178
Classification (à partir d'une taxonomie) 179
Jeu de table (utilisation ou conception) 179
Mots croisés, mots cachés, mots mystères (utilisation ou conception) 179
Journal de bord 179
Travail de recherche en bibliothèque ou dans Internet 180
Visite industrielle (synthèse et application) 180
Visite d'un musée (synthèse et application) 180
Photo (lecture ou production) 181
Enregistrement sonore (écoute ou production) 181
Entrevue 181
Résumé 181
Fichier 181
Dossier 182
Dessin, schéma et diagramme (lecture ou production) 182
Carte (lecture ou production) 182
Tableau et graphique (lecture ou production) 183
Texte à long développement (lecture ou production) 183
Exposé 183
Affiche et dépliant (lecture ou production) 183
Étiquette, brochure technique et guide (lecture ou production) 184
Maquette 184
Simulation (synthèse et application) 184
Reportage (utilisation ou production) 185
Document vidéo (visionnement ou production) 185

Échelle du temps (lecture ou construction) 185
Casse-tête (éléments abstraits) 185
Activité avec manipulation (illustration et synthèse de concepts) 186
Fabrication (illustration et synthèse de concepts) 186
Réseau notionnel (ou trame conceptuelle) 186
Rapport 187
Olympiade scientifique 187
Expo-science 187

Chapitre 13 – Les problématiques : séquence didactique complète 189
Caractéristiques générales d'une bonne problématique 189
Réaliste 189
Significative et stimulante 189
Souple et adaptable 190
Cohérente 190
Rigoureuse 190
Canevas pour la conception de problématiques 190
Exemple de problématique au sujet de l'univers matériel 199
Exemple de problématique au sujet de la Terre et de l'Espace 205
Exemple de problématique au sujet de l'univers vivant 210

Chapitre 14 – Les langages des sciences et de la technologie : outils de communication et véhicules de la pensée 217
Trois langages employés en sciences et technologie 218
Le langage naturel 218
Le langage symbolique 218
Le langage graphique 219
Acquisition des langages des sciences et de la technologie 219
Tirer profit de la lecture d'un manuel scolaire 220
Acquérir un vocabulaire scientifique de base 220
Accroître son vocabulaire scientifique par la lecture 220
Apprendre à s'exprimer oralement 221
Prendre conscience de l'importance de bien rédiger 221
Articuler sa pensée par l'utilisation de liens grammaticaux 221

Apprendre à synthétiser de l'information 221
Observer et commenter 222
Connaître quelques symboles 222
Produire un tableau de résultats 222
Interpréter un tableau et tracer un graphique 222
Interpréter divers types de graphiques 223
Écouter, visualiser et traduire 223
Former un réseau de concepts 223

Chapitre 15 – Les repères culturels: mieux connaître l'histoire des sciences et des techniques pour mieux enseigner 225

Avantages d'une perspective historique 226
Façon d'intégrer l'histoire des sciences et des techniques à l'enseignement 228
Exemples de capsules historiques 231
Le radiomètre 231
La loi de Hooke 231
Le thermoscope 232
La pile électrique 233
Les lentilles et la chambre noire 235
La chromatographie sur papier 235
L'eau de Javel 236
La clepsydre 237
Les découvertes astronomiques de Galilée 237
Les constellations de l'hémisphère Nord du ciel 239
Les distances Terre-Lune et Terre-Soleil 240
Le gyroscope 241
Le séismoscope 241
Le pluviomètre 242
Les fossiles 243
La protection des aliments 243
La respiration des plantes 244
Les organismes microscopiques 245
L'épuration des eaux usées 246
Le diabète et la détection du sucre 247

La tour 248
Le parachute 249
Le disque microsillon 250
Le thermos 251
Les empreintes digitales 252
La saumure 252

Chapitre 16 – L'intégration des matières: les projets transdisciplinaires 255
Projets transdisciplinaires et activités disciplinaires 255
Quelques avantages des projets transdisciplinaires 256
Caractéristiques d'un projet transdisciplinaire 257
La transdisciplinarité 257
Le niveau conceptuel élevé des savoirs 257
Le lien avec les domaines généraux de formation 257
Des compétences disciplinaires semblables 257
Le lien avec des compétences transversales 258
Le réalisme 258

Chapitre 17 – Les technologies de l'information et de la communication: complément utile 259
TIC et questionnement de la nature 259
TIC et technologie 260
Logiciels de traitement de texte 260
Tableurs 261
Diaporamas électroniques 261
Logiciels de dessin 262
CD-ROM et les DVD 262
Logiciels de courrier électronique 262
Web 263
Logiciels de cartographie conceptuelle 263
Logiciels de simulation 264
Expérimentation assistée par ordinateur (ExAO) 264
Laboratoires virtuels 265
Robotique 266

Chapitre 18 – L'évaluation des apprentissages en sciences et technologie : principes et outils 267
Définition et rôles de l'évaluation 268
Le rôle d'aide à l'apprentissage 268
Le rôle de reconnaissance des compétences, des savoirs et des stratégies.... 269
Étapes de l'évaluation 269
La planification de l'évaluation 269
La prise d'information et son interprétation 269
Le jugement 270
La décision 270
La communication 270
Contexte de l'évaluation 270
Les objets d'évaluation 270
Les situations d'apprentissage et les situations d'évaluation 271
Les conditions de réalisation 271
Les tâches 271
Les critères d'évaluation 271
Principaux outils d'évaluation en sciences et technologie 271
La grille d'observation 272
La fiche d'appréciation 281
L'autoévaluation et l'évaluation par les pairs 282
Le carnet scientifique de l'élève 283
Le dossier d'apprentissage (portfolio) 284
Les questions orales et les échanges avec l'élève 285
Les questions écrites à correction objective 286
Les questions écrites à développement 288

Annexe 1 – Les difficultés d'enseignement et d'apprentissage en sciences et technologie 291
Difficultés relevant du secteur de la relation élève-savoir 291
Les difficultés liées aux conceptions fréquentes et aux obstacles épistémologiques 291
Les difficultés liées à la nouveauté des termes et des symboles 292
Les difficultés liées au degré d'abstraction du contenu 292

Difficultés relevant du secteur de la relation enseignant-savoir 293
Les difficultés liées à une mauvaise transposition didactique 293
Les difficultés liées aux obstacles didactiques 293
Difficultés relevant du secteur de la relation enseignant-élève 293
Les difficultés liées aux écarts aux démarches attendues 293
Les difficultés liées à la compréhension des consignes 294
Difficultés relevant du secteur central 294
Les difficultés liées au contrat didactique 294
Les difficultés liées à la conception des problématiques 295
Autres difficultés 295
Les difficultés en lecture 295
Les difficultés en mathématiques 295
Les difficultés liées aux peurs des élèves 296
Les difficultés d'ordre religieux et culturel 296

Annexe 2 – Faire des sciences et de la technologie en toute sécurité 297

Annexe 3 – Tableaux de conceptions fréquentes et d'activités 305
Nature de l'activité scientifique 305
Physique 306
Chimie 328
Technologie des sciences physiques 334
Sciences de la Terre 341
Astronomie 352
Technologie des sciences de la Terre et de l'Espace 358
Biologie 359
Technologie des sciences biologiques 390

Bibliographie 393

Index 399

AVANT-PROPOS

Enseigner les sciences et la technologie au préscolaire et au primaire a d'abord été conçu pour les étudiants des programmes de formation à l'éducation au préscolaire et à l'enseignement au primaire qui suivent des cours portant sur la didactique de ces matières scolaires. Il s'adresse également aux enseignants et aux conseillers pédagogiques ainsi qu'à toute personne que l'enseignement et l'apprentissage des sciences et des techniques intéressent. L'ouvrage est en partie basé sur le *Programme de formation de l'école québécoise*, publié par le ministère de l'Éducation du Québec, mais, étant donné que les programmes d'études d'un certain nombre de pays de la francophonie sont à plusieurs égards assez semblables, il pourra également être utile dans d'autres régions du monde.

Quelques mots, d'abord, au sujet du titre: pourquoi commence-t-il par le mot *enseigner?* Ne dit-on pas souvent, depuis quelque temps, que le milieu scolaire est en train de vivre une révolution, un changement de paradigme qui le fait passer de l'ère de l'enseignement à celle de l'apprentissage? L'enseignant n'est-il pas devenu un facilitateur, un initiateur, un simple guide dans l'univers des compétences et des savoirs scientifiques? L'enseignement n'est-il pas un concept dépassé? Sans nier le rôle central de l'élève dans ses apprentissages, et sans souhaiter non plus un retour à l'époque d'un enseignement centré sur les exposés magistraux, notre conviction, qui est la même que celle de la plupart des spécialistes de la didactique, est que le fait d'enseigner est autant, sinon plus, important à notre époque qu'à toutes les époques précédentes. Évidemment, l'enseignement ne se conçoit plus de la même façon et consiste principalement à concevoir et à piloter des situations, des problèmes et des activités pertinentes et stimulantes. Mais cette conception et ce pilotage sont extrêmement exigeants et demandent une participation et un engagement constants de la part de l'enseignant, dont la principale fonction sera toujours, par définition, d'enseigner.

Par ailleurs, le *Programme de formation de l'école québécoise* comporte une section intitulée « Domaine de la mathématique, de la science et de la technologie », qui se subdivise en une sous-section « Mathématique » (au singulier) et une sous-section « Science et technologie » (les deux mots au singulier également). Le titre de l'ouvrage ne devrait-il pas, alors, se lire « Enseigner la science et la technologie au préscolaire et au primaire » ? Il nous semble toutefois que l'expression « science et technologie » est un calque de l'anglais *science and technology*. Nous croyons qu'il serait préférable, en bon français, de parler de sciences, au pluriel, puisqu'il existe de nombreuses sciences, comme la physique, la chimie, l'astronomie, la géologie, la météorologie, la biologie, très différentes les unes des autres par leurs concepts, leurs théories et leurs approches. (La même remarque pourrait d'ailleurs s'appliquer au terme mathématique, étant donné que *les* mathématiques sont un ensemble de disciplines aussi diverses que l'algèbre, la statistique, la géométrie, la topologie, etc.) Et le terme *technologie* désigne souvent, en fait, au préscolaire et au primaire, de simples techniques qui reposent, selon les cas, sur des concepts de sciences physiques, de sciences biologiques ou de sciences de la Terre et de l'Espace et qui sont beaucoup plus à la portée des enfants du préscolaire et des jeunes du primaire que « l'étude des techniques, des machines et des outils employés dans l'industrie » que désignerait véritablement le mot *technologie* ? Le titre que nous avons choisi est donc un compromis qui se rapproche du titre officiel de la sous-section « Science et technologie » du *Programme de formation de l'école québécoise*, mais dans lequel le mot *sciences* est plutôt employé au pluriel et *technologie* désigne surtout un ensemble de techniques.

Le présent ouvrage, divisé en dix-huit chapitres et comportant trois annexes (dont une assez imposante) se caractérise par le fait que tous les aspects de la didactique, c'est-à-dire les savoirs, l'élève, l'enseignement et l'évaluation sont abordés selon une approche centrée sur l'évolution des conceptions fréquentes des jeunes. Cette approche découle de l'idée que les sciences sont une activité humaine qui consiste à résoudre les inconsistances qui peuvent exister entre diverses conceptions des objets, des êtres et des phénomènes du monde matériel et du monde vivant. L'ouvrage se distingue également par le fait que les savoirs sont présentés d'une façon facilement accessible, et ne nécessitent pas, pour être compris, de connaissances préalables approfondies en sciences ou en didactique. De plus, les nombreux aspects pratiques témoignent de l'importance accordée à la réalité concrète de l'école et de la salle de classe. Y sont suggérés, par exemple, un grand nombre d'activités, de problèmes et d'instruments de mesure adaptés à la clientèle et aux réalités spécifiques au préscolaire et au primaire.

Les ***chapitres 1 et 2*** tracent une vue d'ensemble de la didactique, des sciences, de la technologie et de la philosophie des sciences, présentent diverses conceptions de l'activité scientifique et comportent une définition de l'apprentissage des sciences qui découle logiquement de la conception correctionniste retenue.

Les ***chapitres 3, 4 et 5***, conçus sous forme d'aide-mémoire, définissent les principaux concepts relatifs à l'univers matériel, à la Terre et à l'Espace et à l'univers vivant auxquels il est utile de pouvoir se référer lorsqu'on s'intéresse à l'enseignement des sciences et de la technologie au primaire.

Les ***chapitres 6, 7 et 8*** abordent d'abord le constructivisme didactique, qui consiste à faire évoluer les conceptions des élèves, et traitent ensuite de deux théories fondamentales de la didactique des sciences: la théorie de la transposition didactique, qui porte sur le passage du savoir savant au savoir enseigné, et la théorie du contrat didactique, qui concerne les droits et les responsabilités des élèves et des enseignants.

Le ***chapitre 9***, qui reprend la sous-section « Science et technologie » du *Programme de formation de l'école québécoise* du ministère de l'Éducation du Québec, comporte quelques commentaires critiques.

Les ***chapitres 10, 11, 12 et 13***, les plus directement applicables en salle de classe, décrivent trois grands types d'activités qui peuvent être proposées aux élèves: les activités de résolution de problèmes, qui constituent l'essentiel du travail en sciences et technologie, les activités fonctionnelles, permettant une mise en situation des problèmes, et les activités de structuration, qui visent une indispensable institutionnalisation des connaissances. Ces chapitres exposent en outre des problématiques complètes comportant une séquence de ces trois types d'activités et en présentent quelques exemples.

Les ***chapitres 14, 15, 16 et 17*** traitent d'aspects périphériques mais néanmoins importants de l'enseignement des sciences et de la technologie: les langages des sciences et de la technologie, les repères culturels, qui incluent notamment le rôle essentiel de l'histoire des sciences et des techniques en enseignement de ces disciplines, l'intégration des matières, qui se vit souvent sous forme de projets multidisciplinaires, et enfin l'utilisation des technologies de l'information et de la communication.

Le ***chapitre 18*** aborde la question de l'évaluation des compétences, des savoirs et des stratégies en science et technologie. Il propose divers types d'instruments de mesure tels que les grilles d'observation, les fiches d'appréciation, le carnet scientifique de l'élève, les questions orales et les questions écrites.

Les ***trois annexes*** présentent les principales difficultés d'enseignement et d'apprentissage en sciences et technologie, des consignes et des suggestions visant à ce que les activités de sciences et de technologie se déroulent en toute sécurité ainsi que de nombreux tableaux constitués d'une liste exhaustive de conceptions fréquentes des élèves, des mécanismes d'élaboration de ces conceptions, de concepts scientifiques, et d'activités possibles.

Enseigner les sciences et la technologie au préscolaire et au primaire aura atteint son but s'il contribue à renouveler l'enseignement des sciences et de la technologie, au préscolaire et au primaire, dans une direction conforme aux orientations actuelles de la didactique des sciences.

Je tiens d'abord à remercier mes étudiants du programme de formation à l'éducation préscolaire et à l'enseignement primaire ainsi que mes étudiants des deuxième et troisième cycles de l'Université de Montréal dont les questions, les commentaires et les suggestions me permettent d'améliorer constamment mes cours, mes ateliers et mes séminaires de didactique des sciences et de la technologie.

J'exprime aussi ma gratitude aux enseignants et aux conseillers pédagogiques des commissions scolaires des régions de Laval, des Laurentides et de Lanaudière, et particulièrement les conseillers Nathalie Côté et Michel Pelletier pour la supervision de nos projets de conception d'activités, d'exercices et de problèmes en science et technologie au primaire. Je les remercie également de leur appui, de leurs conseils et de leurs encouragements.

Enfin, je suis très reconnaissant à Jean-Marc Gagnon et à Lise Morin, des Éditions MultiMondes, de la compétence, de l'enthousiasme et de la disponibilité qui ont grandement facilité la réalisation du présent ouvrage et de celle de mes ouvrages précédents.

CHAPITRE 1

LA DIDACTIQUE : UNE VUE D'ENSEMBLE

Ce bref chapitre vise à présenter la didactique ainsi que les principaux domaines auxquels elle s'intéresse.

Définition de la didactique

Le mot *didactique* existe depuis longtemps comme adjectif et désigne quelque chose qui vise à instruire. On peut parler, par exemple, d'un ouvrage ou d'un exposé didactique, ce qui met l'accent sur son côté linéaire et structuré et peut même, dans certains cas, avoir une connotation péjorative, comme dans le cas d'un roman ou d'un film considéré comme *trop didactique.*

Employé comme nom, *didactique* apparaît au XVIIe siècle, dans le titre de l'ouvrage de Coménius *Didactica magna* (La Grande Didactique), et au début du XXe siècle dans l'ouvrage de Lay *Experimentelle didaktik* (La Didactique expérimentale). Ce n'est toutefois qu'à partir de 1955 qu'on le retrouve dans un dictionnaire d'usage courant, le *Robert,* où ce mot signifie l'« art d'enseigner ».

De nos jours, le terme *didactique* est parfois employé comme synonyme de *pédagogie* et, dans ce sens, les expressions *pédagogie des sciences* et *didactique des sciences* sont équivalentes. Mais le champ de la didactique possède cependant, en raison de la grande influence des conceptions opératoires de l'intelligence formulées par Piaget, une connotation particulière qui l'associe à la psychologie cognitive et à l'épistémologie génétique. Ainsi, alors que la pédagogie s'intéresse à l'éducation globale des élèves et à des questions générales relatives, par exemple, à la gestion de classe, ou à des méthodes d'enseignement applicables à toutes les matières scolaires telles que l'apprentissage coopératif, la didactique s'intéresse plus proprement à l'instruction des élèves et à la construction, par ceux-ci, des savoirs scolaires de diverses disciplines.

En quelques mots, on pourrait définir la didactique comme une branche des sciences de l'éducation qui a pour objet la planification de situations pédagogiques qui favorisent l'apparition, le fonctionnement et la remise en question des conceptions successives de l'élève. La didactique étudie les problèmes particuliers que posent l'enseignement et l'apprentissage de diverses disciplines scolaires et s'intéresse tout particulièrement aux situations d'enseignement et d'apprentissage; elle s'appuie sur une analyse précise des savoirs. En ce sens, et tout comme dans le cas des sciences, il est d'ailleurs préférable de parler de didactiques, au pluriel, car bien qu'il puisse exister certains concepts communs à toutes les didactiques, la didactique du français, par exemple, étudie des problèmes différents de ceux de la didactique des mathématiques ou de la didactique des sciences. À la limite, on pourrait même affirmer que la didactique se démarque de la prétention de la pédagogie qu'il puisse exister des méthodes indépendantes de la matière scolaire enseignée, et se centre sur la spécificité des problèmes et des méthodes propres à chaque discipline. On notera par ailleurs que la didactique a surtout été conçue et développée dans le monde francophone et que, dans le cas particulier de la didactique des sciences, elle se fonde sur des concepts originaux, souvent très distincts de ceux qui sont utilisés dans le champ de la *science education* du monde anglophone.

La didactique comporte un volet théorique, qui vise à décrire et à expliquer les phénomènes d'enseignement et d'apprentissage, et un volet pratique, parfois connu sous le nom d'*ingénierie didactique*, qui vise à agir sur le système d'enseignement. Le présent ouvrage traite des deux volets, mais met l'accent sur l'ingénierie didactique propre à l'enseignement des sciences et de la technologie.

Domaines d'intérêt de la didactique

La didactique peut être représentée par un triangle dont les sommets sont les savoirs, l'élève et l'enseignant (Astolfi et autres, 1997).

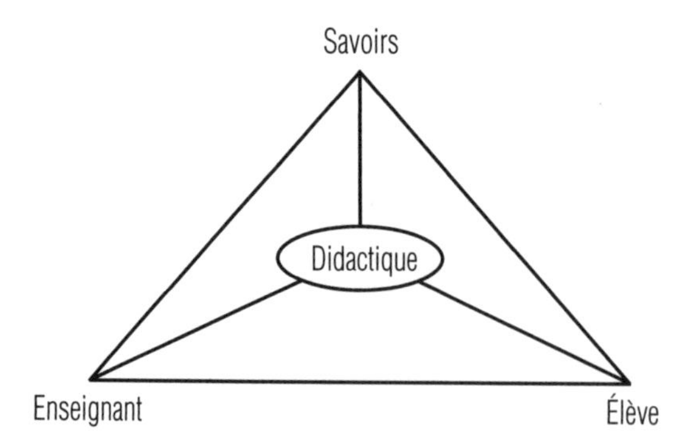

Les sommets de ce triangle didactique, considérés seuls, concernent des domaines de recherche autres que ceux de la didactique. En sciences et technologie, l'étude des savoirs relève des diverses disciplines scientifiques (physique, chimie, biologie, etc.) ainsi que de l'épistémologie, branche de la philosophie qui traite de la définition, du sens et de la légitimité des sciences. L'étude de l'élève relève de la psychologie de l'apprentissage. L'étude de l'enseignant et des modèles d'enseignement appartient à la psychosociologie et de la psychopédagogie.

La didactique, pour sa part, est représentée par quatre secteurs à l'intérieur de ce triangle :

Le secteur situé du côté de la relation entre l'élève et le savoir. C'est le secteur des stratégies d'appropriation dont relèvent des questions telles que les erreurs des élèves et les types d'activités qui peuvent leur être proposées. La didactique, qui ne considère pas l'élève comme une « boîte vide » ou une « *tabula rasa* », s'intéresse particulièrement aux façons dont il arrive à construire ses nouvelles connaissances sur la base de ses *conceptions initiales* qui constituent souvent des obstacles à l'apprentissage, mais qui peuvent parfois, au contraire, jouer le rôle d'adjuvants, qui l'aideront à mieux saisir certains concepts.

Le secteur situé du côté de la relation entre l'enseignant et le savoir. C'est le secteur de l'élaboration des contenus d'enseignement, dont relèvent des questions telles que le niveau de formulation des concepts et les pratiques sociales de référence. La didactique s'intéresse aussi à toutes les modifications, appelées *transpositions didactiques*, que subit le savoir savant afin de devenir un savoir scolaire. Elle touche aussi à la façon dont l'enseignant interprète et transmet le savoir décrit dans les programmes d'études et les manuels scolaires.

Le secteur situé du côté de la relation entre l'enseignant et l'élève. C'est le secteur des interactions didactiques, dont relèvent des questions telles que les coutumes et pratiques didactiques. La didactique s'intéresse particulièrement au *matériel didactique*, qui est l'ensemble des aides didactiques, documents et outils qui facilitent les interventions auprès de l'élève.

Le secteur central. C'est le secteur de la construction des situations didactiques dont relèvent des questions telles que le contrat didactique, ainsi que la structuration des connaissances. La didactique s'intéresse particulièrement à la conception de *situations-problèmes (ou problématiques)*, sujet qui constitue le cœur du présent ouvrage.

L'importance des trois relations. En didactique, les trois relations (élève-savoir, enseignant-savoir, enseignant-élève) doivent être considérées. Une attention exclusive accordée à la relation entre l'enseignant et le savoir risque de conduire à une pédagogie encyclopédique peu stimulante. Une attention exclusive accordée à la relation entre l'enseignant et l'élève risque de mener à une pédagogie sociale qui tourne à vide. Une attention exclusive accordée à la relation entre l'élève et le savoir risque de se traduire par une pédagogie exploratoire qui manque d'encadrement.

CHAPITRE 2

LA NATURE DE L'ACTIVITÉ SCIENTIFIQUE

Correctionnisme et modélisation

Le chapitre 2 présente diverses conceptions de la nature de l'activité scientifique. Il insiste particulièrement sur deux conceptions complémentaires, le correctionnisme et la modélisation.

Définition et structure des sciences et de la technologie

Une définition des sciences. Il existe un grand nombre de définitions des sciences. Trois niveaux peuvent être distingués dans ces diverses définitions. À un premier niveau, très général, les sciences désignent des ensembles organisés de connaissances relatives à certaines catégories de phénomènes. Il peut alors être question de sciences biologiques, de sciences sociales, de sciences politiques, de sciences physiques, de sciences de l'éducation, etc. À un deuxième niveau, les sciences désignent aussi, en plus de la définition précédente, une activité rationnelle et rigoureuse permettant de parvenir à des savoirs au sujet de phénomènes. Cette activité accorde souvent un rôle de premier plan à l'expérimentation. À un troisième niveau, le plus pertinent lorsqu'il est question de l'univers matériel, de la Terre et de l'Espace ainsi que de l'univers vivant, les sciences désignent cette activité rationnelle et rigoureuse, et les savoirs qu'elle permet d'acquérir. On parle alors de sciences telles que la physique, la chimie, l'astronomie, la géologie, la météorologie et la biologie. Cette définition comporte deux aspects : l'activité scientifique et les savoirs scientifiques. L'activité scientifique correspond à un ensemble d'actions : rechercher des similitudes, observer, émettre des hypothèses, résoudre des problèmes, etc. Les savoirs scientifiques sont le résultat de cette activité scientifique : les énoncés d'observation, les concepts, les lois, les théories et les modèles.

Les visées communes des sciences. Toutes les sciences comportent certaines caractéristiques communes. Les sciences cherchent d'abord à *décrire*, d'une façon systématique, des corps, des organismes ou des phénomènes. Dans son développement, toute science connaît généralement une première phase pendant laquelle la description occupe une place prépondérante. Aux XVIe et XVIIe siècles, par exemple, la botanique et de la biologie consistaient surtout à décrire et à classifier les plantes et les animaux. Les sciences visent ensuite à *expliquer*, en établissant des lois générales à partir des phénomènes observés. Ces lois sont vérifiées par des expériences contrôlées. Une science qui met de côté son rôle purement descriptif et qui commence à énoncer des lois explicatives qui peuvent être vérifiées d'une façon expérimentale atteint une certaine maturité. Parvenue à un stade de développement relativement avancé, elle peut alors *prédire* certains événements et phénomènes. Une excellente façon de vérifier la valeur d'une loi scientifique consiste à l'utiliser pour formuler une prédiction. Les prédictions de la découverte de la planète Neptune et de la déviation de la lumière d'une étoile par le Soleil en sont des exemples célèbres.

La structure des savoirs scientifiques. Les savoirs scientifiques forment une structure conceptuelle hiérarchisée. Les *énoncés d'observation* sont des énoncés formulés pour décrire des observations, des mesures ou diverses données tirées de la nature. On prétend parfois que les énoncés d'observation sont neutres, exempts de toute interprétation ou explication, et on leur donne parfois le nom de *faits*. Mais les énoncés d'observation n'ont de sens que par rapport à un système explicatif. Même un énoncé d'observation en apparence aussi neutre que « le Soleil se lève à l'est » implique une conception assez particulière des corps célestes et des points cardinaux.

Les *concepts* sont des représentations mentales générales et abstraites permettant d'organiser et de simplifier les perceptions et les connaissances. Mentionnons par exemple les concepts de cellule, d'organisme, de température, de temps, de densité, de pression. Contrairement à plusieurs concepts du langage courant, un concept scientifique peut être formulé à divers niveaux. Il faut savoir utiliser le niveau de formulation approprié dans une situation donnée. Il n'est pas très utile à un automobiliste de savoir que le concept « essence » peut être défini comme un liquide pétrolier artificiellement coloré distillant à 200 °C. Savoir qu'il s'agit d'un carburant est bien suffisant.

Les *lois* sont des énoncés qui organisent les énoncés d'observation et les concepts en un système logique et cohérent. Elles établissent des relations entre divers aspects du monde matériel ou du monde vivant. Mentionnons par exemple la troisième loi de Newton sur l'égalité entre l'action et la réaction ou les lois de Mendel sur l'hybridation et l'hérédité. Comme les concepts, les lois supposent une simplification de la réalité, et négligent certains facteurs considérés comme secondaires, ce qui implique un jugement de valeur sur le degré de complexité nécessaire. Par ailleurs, une hypothèse est une loi énoncée de façon provisoire qui devra être soumise à l'expérience.

Les *théories* sont des ensembles de lois organisés de façon systématique, qui donnent l'explication d'un grand nombre d'énoncés d'observation, qui permettent de faire des prédictions et qui constituent la base d'une science. Une certaine théorie, si rudimentaire soit-elle, précède toujours les énoncés d'observation, ce qui est le contraire de ce qui est souvent enseigné.

Les *modèles* sont des structures formalisées utilisées pour rendre compte d'un ensemble de faits d'observations, de concepts, de lois et de théories reliés de diverses façons. Mentionnons, par exemple, le modèle atomique ou le modèle animal de certaines maladies humaines. On peut souvent représenter un modèle à l'aide d'un diagramme ou d'une maquette qui le rend moins abstrait. Ces diagrammes et ces maquettes ne sont cependant que des supports de la pensée et risquent parfois de figer les conceptions. À titre d'exemple, nombre d'étudiants, même à l'université, conçoivent encore l'atome comme un système solaire miniature, ou l'électricité comme un liquide qui circule dans de petits tuyaux.

La recherche scientifique. Les sciences reposent sur des activités de recherche sans fin. Dans le cadre de ces recherches, une hypothèse est une explication susceptible d'être mise à l'épreuve. Une expérience est un test scientifique qui éprouve une hypothèse dans des conditions soigneusement préparées. Une variable, telle que la température ou la vitesse d'une réaction chimique, est quelque chose qui change, soit dans une expérience, soit dans la nature. La variable indépendante est la cause de la variation d'une variable dépendante. Une constante est un facteur qui ne change pas. Une corrélation est une relation mathématique entre deux variables. Des hypothèses corroborées peuvent se traduire en lois ou en théories, qui seront les meilleures explications disponibles à ce jour.

Les sciences du quotidien et la rupture épistémologique. Nous associons souvent les sciences à une activité d'expert, qui se déroule en laboratoire. Pourtant, il nous arrive tous, comme à monsieur Jourdain, dans le *Bourgeois gentilhomme*, qui faisait de la prose sans le savoir, de résoudre des problèmes ou de trouver des réponses à nos questions d'une façon scientifique. Faire varier tour à tour la quantité d'eau, de lumière et d'engrais d'une plante malade jusqu'à ce qu'elle se porte mieux, ou modifier la quantité de sucre ou de beurre d'une recette jusqu'à ce que le goût d'un gâteau nous plaise davantage, sont des exemples d'expérimentation contrôlée. Cela dit, il faut admettre, cependant, que les sciences exigent un effort intellectuel particulier. Outre qu'elles font appel à un langage symbolique et mathématique, elles impliquent souvent une profonde modification dans les façons d'envisager le monde qui constitue une véritable rupture épistémologique. Toute personne qui étudie les sciences doit remettre en question ses conceptions habituelles et reconstruire, peu à peu, des concepts plus abstraits et plus complexes. Par exemple, si on laisse tomber en même temps une grosse roche et une petite roche, celles-ci arrivent au sol au même moment. Certains objets très lourds flottent et d'autres objets très légers coulent. Voilà deux exemples de phénomènes qui peuvent conduire à remettre en question certaines conceptions.

Les sciences et la technologie. Bien que la technologie puisse être définie comme un ensemble de savoirs et de pratiques, fondé sur des principes scientifiques, dans un domaine de l'activité humaine, et qu'elle soit donc généralement présentée comme de la science appliquée, il n'existe pas de frontière étanche entre les sciences et la technologie. Évidemment, dans le cas classique, une découverte scientifique conduit à des applications techniques utiles dans la vie de tous les jours. La découverte du laser, par exemple, mena à de nombreuses applications techniques: lecture des codes barres à la caisse d'un magasin ou d'un supermarché, enregistrement et lecture de disques compacts, impression de textes, etc. Mais l'inverse, c'est-à-dire une découverte scientifique découlant de procédés techniques, est également très courant. Certaines techniques mises au point pendant des guerres, par exemple, puis étudiées plus en profondeur par la suite, permirent de nombreuses découvertes scientifiques. Pensons au radar, qui conduisit à la radioastronomie et à la résonance magnétique nucléaire. De plus, tout le domaine de l'instrumentation scientifique, représenté par des instruments tels que la lunette astronomique, le microscope, la balance, le thermomètre et le spectroscope, témoigne d'une véritable symbiose entre découverte scientifique et invention technologique.

Par conséquent, il ne faudrait pas tomber dans le piège d'un contraste facile entre des sciences désintéressées, intrinsèquement bonnes, et une technologie intéressée, à but lucratif, pouvant être la cause de problèmes sociaux ou environnementaux. Les sciences et la technologie sont intimement liées, au point d'être parfois présentées, de façon peut-être un peu abusive, comme une « technoscience » qui modifie constamment et en profondeur notre vision du monde et nos façons de vivre.

Façons non scientifiques d'acquérir des connaissances

L'activité scientifique est relativement récente dans l'histoire de l'humanité. Mais d'autres façons d'acquérir des connaissances, qui sont encore appliquées de nos jours, remontent à l'apparition de l'homme sur la Terre et aux plus anciennes civilisations.

Bien qu'elles puissent être valables dans certains contextes, ces façons d'acquérir des connaissances peuvent aussi faire obstacle à l'acquisition d'un mode de pensée scientifique.

Le sens commun. Parfois utile, le sens commun est souvent trompeur. La Terre n'est pas plate et le Soleil ne tourne pas autour de celle-ci.

L'autorité. Les sorciers, les rois, les prêtres, les ministres, les philosophes peuvent énoncer de profondes vérités, mais aussi de graves faussetés. Le prestige et la crédibilité accordés aux personnes en position d'autorité peuvent rendre leurs erreurs dangereuses. On a déjà prétendu, par exemple, que la prière était préférable à l'anesthésie ou à la vaccination.

L'expérience personnelle. Valable dans certains cas, l'expérience personnelle peut cependant conduire à des conclusions fausses. Vous avez mal à la tête après avoir bu de la bière, du vin, du cognac et du whisky? Ne blâmez pas le mélange, mais plutôt la quantité totale d'alcool consommée.

La déduction. Fondamentale en mathématiques, la déduction est une opération qui permet de formuler des énoncés qui découlent logiquement de prémisses. Un bon exemple est la géométrie euclidienne, entièrement déduite des cinq postulats de base suivants:

- On peut mener une droite entre deux points.
- On peut prolonger un segment de droite indéfiniment.
- À partir d'un point et d'un intervalle quelconque, on peut décrire une circonférence.
- Les angles droits sont tous égaux entre eux.
- Par un point donné, on ne peut mener qu'une seule parallèle à une droite donnée.

Le théorème de Pythagore, par exemple, selon lequel, dans un triangle rectangle, le carré de l'hypoténuse est égal à la somme des carrés des deux autres côtés, peut être déduit de ces postulats. La déduction a une portée limitée en sciences parce qu'elle ne permet pas de découvrir autre chose que les conséquences de ce qui est déjà connu.

L'induction. Facette importante de l'activité scientifique, l'induction est une opération qui permet de formuler des énoncés généraux à partir d'un certain nombre de cas particuliers. Comme on ne peut presque jamais observer tous les cas particuliers, il y a donc un risque constant d'erreur.

Conception dogmatique des sciences

Les théories scientifiques sont parfois considérées et présentées comme des vérités irréfutables. Cette conception dogmatique des sciences, qui remonte à certains philosophes de l'Antiquité grecque tels que Platon, qui s'est poursuivie dans les enseignements de Descartes, au XVIIe siècle, au sujet d'idées claires, distinctes et garanties par Dieu («Je pense, donc je suis») et qui est encore véhiculée par une partie de la communauté scientifique, est souvent transmise par l'éducation scientifique. Selon cette conception, il existe une correspondance exacte entre les régularités du monde réel et les théories scientifiques, et il est possible de construire un système de connaissances parfaitement consistant et donc à l'abri des contre-exemples et des exceptions. Les théories scientifiques sont comme des photographies aériennes du territoire occupé par la réalité.

Cette conception dogmatique, largement répandue dans le grand public, donne aux sciences des allures de foi religieuse (le «scientisme»), à laquelle on adhère avec ferveur ou de laquelle on s'éloigne avec crainte ou mépris.

Les cours de sciences, surtout au secondaire, obligent souvent les élèves à mémoriser les théories scientifiques contemporaines, à apprendre comment utiliser des équipements de laboratoire et à acquérir l'habileté à manier des formules mathématiques qui leur permettront de parvenir aux conclusions attendues d'expériences déjà toutes programmées. Dans ce contexte, ceux-ci apprennent rarement à remettre en question des conceptions scientifiques personnelles ou des théories scientifiques officielles.

Conception anarchique des sciences

À l'extrême opposé de cette conception dogmatique, et sans doute en partie en réaction à celle-ci, s'est instaurée une conception anarchique des sciences. Selon cette conception, qui remonte à Friedrich Nietzsche au XIXe siècle, et qui a été soutenue plus récemment par Paul K. Feyerabend (1979, 1989), il n'existe pas de méthode scientifique rationnelle et constante, et aucun critère ne peut garantir la correspondance entre nos connaissances scientifiques et le monde réel. D'après cette conception, l'objectivité et la vérité n'existent tout simplement pas et le hasard tient pour beaucoup dans l'explication des processus d'acquisition de la connaissance. Les contradictions entre les diverses lois ou théories scientifiques sont les témoins de nos limites intellectuelles. Loin d'être des photographies aériennes, les théories scientifiques ne sont que des gribouillis parmi d'autres.

Tout comme la conception dogmatique, cette conception anarchique est répandue dans cette partie importante du grand public qui, désabusée par les promesses non tenues du scientisme, considère que tout se vaut, et accorde la même crédibilité et la même valeur à l'astrologie comme à l'astronomie, à la numérologie comme à l'arithmétique, à l'homéopathie comme à la pharmacologie et à la télépathie comme à la télémétrie.

Le système d'éducation n'échappe pas à cette tendance et certaines affirmations qui se retrouvent parfois dans les manuels scolaires et autres documents pédagogiques donnent parfois l'impression que leurs auteurs considèrent que toutes les idées sont équivalentes.

Conceptions rationalistes des sciences

Entre ces deux extrêmes que sont la conception dogmatique et la conception anarchique se situent plusieurs conceptions selon lesquelles les sciences sont des constructions mentales qui résultent d'une interaction constante entre le monde réel et l'esprit humain: les sciences découlent d'un processus d'adaptation infinie à notre environnement. Toutes ces conceptions, qualifiées de *rationalistes*, postulent qu'il existe une logique de la découverte scientifique et que les sciences ne ressemblent ni à des religions révélées, ni à des connaissances ésotériques. En d'autres mots, les théories scientifiques ne sont pas des photographies ou des gribouillis; ce sont des cartes, tracées selon une certaine logique. De la même façon qu'il peut exister des cartes routières, des cartes topographiques, des cartes géologiques, des cartes météorologiques et plusieurs autres types de cartes d'un même territoire, il existe plusieurs lois et théories scientifiques qui permettent chacune de décrire et d'expliquer certains aspects de la réalité.

Puisqu'il existe une logique dans la découverte scientifique, toutes les conceptions rationalistes impliquent qu'il est possible d'apprendre à apprendre et qu'il est possible d'apprendre à faire des sciences.

Qu'est-ce qui est scientifique?

Certains philosophes des sciences présentent des critères généraux de scientificité qui sont compatibles avec la plupart des conceptions rationalistes de l'activité scientifique.

1. **La non-contradiction**: Une théorie scientifique ne peut être contradictoire, sans quoi elle serait insignifiante ou absurde, puisqu'une affirmation et sa négation auraient le même statut.
2. **La complétude**: Une théorie scientifique doit couvrir tout le champ qui constitue son domaine d'étude. Par exemple, une théorie atomique doit décrire correctement la structure de tous les éléments du tableau périodique, et pas seulement celle de quelques éléments.
3. **La limitation (ou le confinement des objets)**: Une théorie scientifique doit cependant se limiter à un domaine d'étude bien circonscrit. Une théorie qui prétendrait décrire et expliquer l'ensemble du monde matériel, du monde vivant et du monde des idées ne serait pas scientifique.
4. **La prédictivité**: Une théorie scientifique doit être en mesure de prédire les événements dont elle prétend décrire et expliquer le mécanisme. Par exemple, la prédiction faite par Einstein que la position apparente de certaines étoiles serait différente, pendant une éclipse de Soleil, corrobore sa théorie de la relativité générale.
5. **La fécondité**: Une théorie scientifique doit être féconde, fertile, c'est-à-dire qu'elle doit faire progresser la discipline à laquelle elle se rattache, produire des hypothèses pertinentes pour des faits nouveaux et parfois même conduire à des applications technologiques.
6. **La vérifiabilité**: Une théorie scientifique doit être vérifiable, c'est-à-dire qu'elle ne doit pas être composée d'énoncés tellement vagues qu'ils sont toujours vrais (tels que les horoscopes rédigés par bon nombre d'astrologues).
7. **L'analyticité (ou la présence d'une structure logique)**: Une théorie scientifique doit établir une structure analytique de relations entre les énoncés d'observation, les concepts et les lois dont elle est constituée. Cette structure peut souvent s'exprimer sous la forme d'énoncés mathématiques (de type algébrique, vectoriel, statistique, etc.).
8. **La simplicité**: Une théorie scientifique doit demeurer relativement simple et « élégante », autrement il est fort probable, comme l'histoire des sciences l'a montré à maintes reprises, que la communauté scientifique soit en train de faire fausse route. On peut penser, par exemple, au modèle géocentrique du Système solaire, qui, autrefois, devenait de plus en plus complexe pour tenir compte de tous les mouvements apparents des planètes.

Les paragraphes suivants présentent quelques conceptions rationalistes. Lorsqu'on les examine dans l'ordre où elles ont été énoncées, on se rend compte que, sans nier l'existence et l'importance du monde réel, ces conceptions accordent une importance de plus en plus grande, dans l'élaboration des théories scientifiques, à l'esprit humain.

Vérifier des théories. Une des conceptions les plus répandues des sciences est le *vérificationnisme*, qui porte aussi les noms d'*empirisme classique*, d'*inductivisme* et de *positivisme*. Cette conception remonte à l'époque des travaux de Galilée et de Newton et fut énoncée par Francis Bacon au début du XVIIe siècle. Elle fut également défendue par les philosophes du groupe du positivisme logique de Vienne au début du XXe siècle.

Selon cette conception, il existe une « méthode scientifique » qui peut être décrite selon les étapes suivantes : 1) L'observation minutieuse de la nature permet d'établir un certain nombre de faits. 2) L'induction permet d'établir des lois et des théories générales à partir des cas particuliers observés. 3) L'expérimentation permet de faire des observations supplémentaires qui aident à prouver, à vérifier les lois et les théories (d'où le nom de *vérificationnisme*). 4) La déduction permet d'énoncer des explications et des prédictions qui découlent de ces lois et théories.

Un grand nombre de programmes d'études et de manuels scolaires reposent, explicitement ou implicitement, sur une conception vérificationniste des sciences. Les méthodes d'enseignement et d'apprentissage proposées suivent des étapes uniformes, de façon linéaire : observation, hypothèse, expérimentation, résultats, interprétation, conclusion. Ces étapes sont parfois résumées par le sigle OHERIC qui permet de les retenir facilement.

Cette conception se bute cependant à un problème logique fondamental. L'observation et la vérification, même répétées, ne permettent d'étudier que des cas particuliers, et les théories générales établies par induction ne peuvent donc jamais être absolument certaines. On peut très bien affirmer, par exemple, que tous les canaris observés sont jaunes et affirmer également que les canaris ne sont pas tous jaunes. De plus, l'étude de la façon dont les scientifiques travaillent permet rapidement de constater qu'ils appliquent rarement une démarche uniforme et linéaire.

Essayer de réfuter des théories. Le vérificationnisme a été graduellement abandonné par les philosophes des sciences, d'abord à cause des problèmes logiques dont il vient d'être fait mention, mais aussi en raison d'une modification de la façon d'envisager le rôle de l'observation et celui de la théorie.

En effet, il est devenu de plus en plus évident, en étudiant comment les scientifiques travaillent, que les observations effectuées, de même que les énoncés formulés à la suite de ces observations, dépendent toujours des conceptions de l'observateur. Un étudiant en médecine qui observe des radiographies ou un étudiant en astronomie qui observe des galaxies pour la première fois ne voient pas la même chose que des spécialistes, non pas à cause d'un manque d'attention, mais parce qu'ils n'interprètent pas ce qui se trouve dans leur champ visuel en fonction des mêmes conceptions ou de la même base théorique. En d'autres termes, une théorie, si sommaire soit-elle, précède toujours l'observation et permet d'interpréter l'objet, l'être vivant ou le phénomène observé.

Un des premiers philosophes des sciences à proposer une conception des sciences plus en accord avec ces rôles différents de l'observation et de la théorie fut Karl R. Popper (1978), dans un livre d'abord publié en 1934. Sa conception, le *réfutationnisme*, a encore une grande influence sur les conceptions actuelles des sciences.

Selon cette conception, des lois et des théories sont de nature scientifique dans la mesure où elles sont théoriquement réfutables. Par exemple, un énoncé du genre « Il est possible que vous ayez de la chance si vous achetez un billet de loterie aujourd'hui » n'est pas scientifique, puisque, peu importe ce qui vous arrive, il reste vrai. En revanche, des énoncés tels que « Le Soleil tourne autour de la Terre » ou « La Terre tourne autour du Soleil » sont de nature scientifique, puisqu'il est théoriquement possible d'essayer de démontrer qu'ils sont faux. Cependant, un grand nombre d'observations qui concordent avec une théorie ne la prouvent pas, ne la vérifient pas, puisqu'il demeure toujours possible que des observations subséquentes ne concordent pas. Par contre, une observation qui n'est pas en accord avec une théorie la réfute entièrement (d'où le nom de réfutationnisme). Une théorie scientifique n'est donc vraie que jusqu'à preuve du contraire.

Toutefois, cette conception présente également des difficultés. Il peut arriver, en effet, que ce soient les énoncés formulés à la suite d'observations qui soient faux et non les lois ou les théories scientifiques que ces énoncés d'observation croient devoir réfuter. Par exemple, la théorie de l'héliocentrisme, selon laquelle toutes les planètes tournent autour du Soleil, qui avait été proposée par Aristarque de Samos, vers 250 av. J.-C., et par Nicolas Copernic, en 1543, aurait dû être réfutée par l'impossibilité, constatée par Tycho Brahé vers 1580, de mesurer des mouvements de parallaxe pour les étoiles proches. En effet, une conséquence observable de l'héliocentrisme devait être un mouvement oscillatoire annuel des étoiles proches, par rapport aux étoiles plus éloignées, mouvement causé par la rotation de la Terre autour du Soleil, mais il semblait impossible de l'observer. L'héliocentrisme semblait donc réfuté et cette théorie aurait pu être abandonnée, comme le fit d'ailleurs Tycho Brahé qui proposa, en 1588, un modèle mi-héliocentrique, mi-géocentrique dans lequel les planètes, sauf la Terre, tournent autour du Soleil, et le Soleil, les planètes et la Lune tournent autour de la Terre. L'héliocentrisme de Nicolas Copernic devint pourtant une théorie largement acceptée dès la seconde moitié du XVIIe siècle, avant même que les premières parallaxes stellaires puissent enfin être mesurées, au XIXe siècle, avec les nouveaux et puissants télescopes disponibles à l'époque.

Bien que le réfutationnisme ait maintenant cédé la place à de nouvelles conceptions des sciences, le principe selon lequel des énoncés qui sont toujours vrais, simplement en raison de la façon dont ils sont formulés, ne sont pas de nature scientifique et le principe selon lequel des observations répétées ne sont pas nécessairement une garantie de vérité conservent toute leur pertinence.

Adopter ou rejeter des paradigmes. Au cours des années 60, le philosophe Thomas S. Kuhn (1983) proposa, dans son livre maintenant célèbre *La structure des révolutions scientifiques*, une conception selon laquelle le progrès scientifique est une révolution qui résulte de l'abandon d'une structure théorique et de son remplacement par une nouvelle structure. Kuhn donne le nom de *paradigmes* à ces structures théoriques.

Selon cette conception, la science progresse en suivant le processus suivant:

Préscience — > science normale — > crise-révolution — >
nouvelle science normale — > nouvelle crise — > etc.

La science normale est caractérisée par le fait que les travaux de la communauté scientifique s'articulent autour d'un paradigme qui est constitué des lois et des théories scientifiques acceptées ainsi que des méthodes de travail reconnues. Une crise et une révolution sont caractérisées par le rejet du paradigme, et le remplacement de celui-ci par un nouveau paradigme. Chaque paradigme interprète le monde d'une façon qui lui est propre. Par exemple, selon le paradigme de Maxwell, la théorie de l'électromagnétisme impliquait l'existence d'un éther emplissant tout l'espace. Selon le paradigme d'Einstein, cette théorie est remplacée par la théorie de la mécanique quantique, qui implique l'existence de photons de matière et d'énergie qui se déplacent dans le vide.

Une des faiblesses de la position de Kuhn, cependant, est une incohérence interne. En effet, Kuhn affirme que, selon sa conception, la valeur d'une théorie scientifique peut être jugée de façon objective. En d'autres termes, il affirme que sa conception n'est pas relativiste et que la valeur d'une théorie ne varie pas d'un individu à l'autre ou d'une communauté à l'autre. Pourtant, il affirme également que des considérations esthétiques, selon lesquelles une théorie est plus élégante ou plus simple qu'une autre, jouent un rôle décisif, ce qui est une position nettement relativiste.

Cette conception a cédé la place à une conception moins relativiste, mais l'idée qu'il survient parfois des révolutions et des changements de paradigmes conserve sa pertinence.

Corriger des théories. Une des conceptions des sciences considérée comme la plus adéquate, à l'heure actuelle, est une conception qui peut être appelée le *correctionnisme.* Selon cette conception, proposée par le philosophe Serge Robert (1993), la science est une activité humaine qui consiste à:

1) Se représenter le monde au moyen d'un langage permettant d'exprimer des concepts et des relations entre ces concepts.
2) Corriger constamment (d'où le nom de *correctionnisme*) ces concepts et ces relations de cause à effet pour éliminer les problèmes de consistance à l'intérieur de trois ordres de langage ou entre ces trois ordres de langage: l'ordre descriptif (les énoncés d'observation et les classifications), l'ordre explicatif (les relations de cause à effet exprimées sous forme de lois et de théories) et l'ordre justificatif (les modèles et les façons de connaître).

Par exemple, la théorie de Descartes, au sujet de la lumière, expliquait la réflexion en postulant que la lumière est formée de particules, comme des balles qui rebondissent, tandis que la théorie de Huygens expliquait la réfraction, qui dépend de la densité du milieu à travers lequel la lumière passe, en postulant que la lumière est une onde, comme des vagues à la surface de l'eau. La théorie de Descartes présentait donc un problème de consistance entre l'hypothèse des particules (ordre explicatif) et la réfraction (ordre descriptif), tandis que la théorie de Huygens présentait un problème de consistance entre l'hypothèse des ondes (ordre explicatif) et la réflexion (ordre descriptif). La théorie actuelle, selon laquelle la lumière est à la fois une particule et une onde, présente maintenant un problème de consistance plus théorique, à l'intérieur de l'ordre explicatif, puisque la lumière est maintenant expliquée de deux façons qui semblent incompatibles.

Selon la conception correctionniste, une science n'est ni vraie ni fausse, ni vérifiable, ni falsifiable, mais elle a néanmoins une valeur objective, et non pas seulement une valeur relative. Une théorie scientifique est meilleure qu'une autre si elle diminue le nombre de problèmes de consistance entre les trois ordres de langage ou à l'intérieur des trois ordres de langage.

Langage et solution de problèmes en sciences

La conception correctionniste a plusieurs implications importantes concernant l'apprentissage des sciences. Une de ces implications concerne la nature même de cet apprentissage, qui doit porter sur l'acquisition d'un langage et sur la solution de problèmes de consistance.

Le langage des sciences est constitué d'un vocabulaire qui permet d'exprimer des énoncés d'observations et des concepts, et d'une grammaire qui permet d'exprimer des relations entre des concepts sous forme de lois, de théories et de modèles. Même les lois et les théories rudimentaires que sont les conceptions fréquentes chez les enfants, les adolescents ou les adultes nécessitent, pour pouvoir être exprimées, un langage assez complexe.

La solution de problèmes, en sciences, consiste à éliminer des inconsistances, des contradictions entre des observations, des définitions, des classifications, des lois, des théories ou des modèles. Comme on l'a déjà mentionné à la section précédente, les inconsistances peuvent se situer à l'intérieur d'un ordre de langage ou entre deux ordres de langage.

Pour donner un autre exemple, on a longtemps pensé que le Soleil était une boule de feu, une masse de matière qui brûlait de la même façon que de l'essence et du bois. Mais alors, si le Soleil est une boule de feu, pourquoi ne détecte-t-on qu'une très faible proportion d'oxygène lorsqu'on fait l'analyse spectroscopique de la lumière émise pas les éléments qu'il contient? Le problème soulevé par cette question est une inconsistance entre l'ordre descriptif des énoncés d'observation (faible proportion d'oxygène) et l'ordre explicatif de la théorie scientifique (le dégagement d'une grande quantité de chaleur et de lumière est causé par une combustion, c'est-à-dire une réaction chimique avec l'oxygène). L'inconsistance a été éliminée et le problème a été résolu lorsqu'on a découvert le mécanisme de la fusion nucléaire, au cours de laquelle se dégagent de grandes quantités d'énergie et qui ne fait pas intervenir de réaction chimique avec l'oxygène. La nouvelle théorie est donc maintenant en accord avec la faible proportion d'oxygène dans le Soleil.

Apprendre une science, c'est donc:

- *Apprendre un langage permettant d'exprimer des énoncés d'observation et des concepts (ordre descriptif), des lois et des théories (ordre explicatif), des modèles et des façons de connaître le monde (ordre justificatif).*
- *Apprendre à résoudre des problèmes de consistance à l'intérieur des trois ordres de langage ou entre ces trois ordres de langage.*

Examinons cinq exemples des divers types de problèmes possibles:

1. Problème de consistance à l'intérieur de l'ordre descriptif

Problème: Les poissons respirent à l'aide de branchies et pondent des œufs. Les baleines sont des poissons qui respirent à l'aide de poumons et donnent naissance à des petits complètement développés.

Solution: Les baleines ne sont pas des poissons, mais des mammifères.

2. Problème de consistance entre l'ordre descriptif et l'ordre explicatif

Problème: Le feu est produit par une substance spéciale qui se dégage des matériaux combustibles lorsqu'ils brûlent (ordre explicatif). Il existe de nombreuses substances dont la masse augmente après la combustion (ordre descriptif).

Solution: Le feu n'est pas produit par une substance spéciale, mais résulte d'une réaction chimique avec l'oxygène de l'air (ordre explicatif).

3. Problème de consistance à l'intérieur de l'ordre explicatif

Problème: La malaria est une maladie causée par la mauvaise qualité de l'air des régions chaudes et humides. C'est une maladie causée par la piqûre d'un insecte.

Solution: La malaria est une maladie causée par un micro-organisme transmis par la piqûre d'un insecte qui vit dans les régions chaudes et humides.

4. Problème de consistance entre l'ordre explicatif et l'ordre justificatif

Problème: Les horloges des avions supersoniques retardent de quelques millièmes de seconde par rapport aux horloges qui restent sur terre parce que le temps est fonction de la vitesse (ordre explicatif). Selon la conception classique formulée par Newton, l'Univers a trois dimensions spatiales et le temps et la vitesse sont indépendants (ordre justificatif).

Solution: Selon la conception relativiste formulée par Einstein, le temps est une quatrième dimension de l'Univers et est fonction de la vitesse (ordre justificatif).

5. Problème de consistance à l'intérieur de l'ordre justificatif

Problème: Une théorie scientifique est une certitude (conception dogmatique des sciences). Une théorie scientifique n'est qu'une conjecture parmi d'autres (conception anarchique des sciences).

Solution: Une théorie scientifique n'est ni vraie, ni fausse, mais est meilleure qu'une autre théorie si elle diminue les problèmes de consistance.

Modélisation

Une définition de la modélisation. Selon un point de vue assez proche de la conception correctionniste dont il vient d'être question, l'activité scientifique peut aussi être présentée comme une activité de modélisation, c'est-à-dire une activité qui consiste à construire les modèles physiques ou théoriques les plus cohérents possible pour résoudre les problèmes que posent la description, l'explication et la prédiction dans tous les domaines des sciences physiques et biologiques.

Dans le langage courant, le mot *modèle* comporte de nombreuses significations. Il peut désigner quelque chose ou quelqu'un à imiter, comme dans le cas d'un modèle d'écriture pour de jeunes élèves, d'un «élève modèle» ou du modèle vivant d'un artiste, de même que le produit de l'imitation, comme lorsqu'il est question du modèle en plâtre d'une statue. Il peut désigner l'archétype, par exemple lorsqu'on dit que le Tartuffe de Molière est le modèle de l'hypocrite. Il peut désigner la catégorie, comme dans le cas d'un modèle de voiture. Il peut enfin désigner le moule ou la matrice, comme lorsqu'il s'agit d'un modèle de savon ou d'un modèle de l'objet à exécuter, comme dans le cas du modèle en bois ou du modèle réduit d'un nouvel avion.

En sciences, le mot *modèle* a surtout un sens instrumental et désigne un dispositif de recherche d'un degré de complexité équivalant au phénomène, à l'organisme ou au système étudié. Certains modèles sont surtout physiques, tels le modèle du pendule qui peut représenter et expliquer un grand nombre de phénomènes d'oscillation, ou le modèle de la drosophile (une espèce de mouche) qui peut représenter et expliquer plusieurs concepts et lois de la génétique. D'autres modèles sont plutôt théoriques, dialectiques et parfois même mathématiques, comme les modèles à compartiments (avec des cases et des flèches) beaucoup utilisés en biologie ou le modèle mathématique de Malthus (1766-1834) au sujet des accroissements de la production et de la population. Il existe enfin des modèles mixtes, tels que les jeux (dames, échecs, cartes, go, etc.), qui peuvent, par exemple, constituer d'intéressants modèles de la dynamique d'une population ou d'un conflit armé.

Voici quelques exemples de modèles dont il est souvent question en sciences et technologie au primaire :

1. Dans le domaine de l'univers matériel, on peut mentionner le *modèle de l'eau qui circule dans un tuyau* pour expliquer la conductivité électrique et thermique, le *modèle des vagues à la surface de l'eau* pour les ondes sonores et lumineuses, le *modèle des particules* pour la réflexion et la réfraction de la lumière, le *modèle de l'eau qui chauffe dans une casserole* pour les courants de convection dans un liquide ou un gaz, le *modèle de l'aimant* pour les attractions et les répulsions électriques et magnétiques, le *modèle de mains qui poussent* pour la pression ainsi que le *modèle des machines simples* (levier, plan incliné, vis, poulie, treuil) pour de nombreux outils, machines et dispositifs.
2. Dans le domaine de la Terre et de l'Espace, on peut mentionner le *modèle du moule* pour les fossiles, le *modèle des solides géométriques* pour les cristaux, le *modèle de la tectonique des plaques* pour la dérive des continents, la formation des montagnes, les séismes et le volcanisme, le *modèle du cycle de l'eau* pour les précipitations, le *modèle de l'abrasion* pour l'érosion, le *modèle de l'éclair d'électricité statique* pour la foudre, le *modèle de la turbine* pour l'énergie hydroélectrique, le *modèle du globe terrestre* pour la rotation de la Terre sur elle-même et pour les saisons, le *modèle du Système solaire* pour l'orbite de la Terre autour du Soleil et le déplacement des planètes dans le ciel, le *modèle du vortex* pour les ouragans, les tornades et la forme des galaxies, ainsi que le *modèle du ventilateur et de l'aspirateur* pour les zones de haute pression et de basse pression dans l'atmosphère.
3. Dans le domaine de l'univers vivant, on peut mentionner le *modèle de la cellule* pour l'unité de base des êtres vivants, le *modèle de la fleur simple* pour l'anatomie des végétaux, le *modèle du mammifère* pour l'anatomie des animaux, le *modèle de la chambre noire* pour l'anatomie de l'œil, le *modèle du microphone* pour l'anatomie de l'oreille, les *modèles du têtard et du papillon* pour les métamorphoses, les *modèles de la pyramide et de la chaîne alimentaire* pour les interactions entre les êtres vivants, le *modèle du déguisement* pour le mimétisme, le *modèle du recyclage* pour les cycles biogéochimiques ainsi que le *modèle de la serre* pour le réchauffement climatique.

Les étapes de la modélisation. La construction d'un modèle scientifique comporte plusieurs étapes, qui rappellent un peu celles de la « méthode scientifique » ou de la « méthode expérimentale » classiques dont il a été question ci-dessus dans la présentation de la conception vérificationniste de l'activité scientifique, ce qui explique d'ailleurs que la modélisation soit parfois présentée comme l'état actuel, modernisé pour tenir compte de préoccupations plus récentes, de cette « méthode ». Pour illustrer ces étapes, qui s'inspirent des travaux de Jean-Marie Legay (1997), nous emprunterons l'exemple de ce dernier sur la modélisation du trafic routier.

La première étape consiste à faire une *analyse de la situation*, qui fixe et décrit le cadre dans lequel s'effectuera la modélisation. Cette analyse comporte de la collecte de données et des recherches préliminaires. Dans notre exemple, la situation consiste à essayer de prévoir le trafic routier entre deux villes A et B, dans le contexte où aucune route ne relie actuellement ses villes et où une route sera construite entre elles.

La deuxième étape consiste à *poser le problème* de façon claire, pertinente et accessible, ce qui n'est pas facile, car la tentation est parfois grande de ratisser trop large et de poser des problèmes vastes et irréalistes. Dans notre exemple, le problème consiste à trouver le modèle le plus simple et le plus élégant possible qui tienne compte des facteurs essentiels dont dépendra le trafic routier sur la route reliant les deux villes.

La troisième étape consiste à faire le *choix d'un point de vue*. Ce choix est beaucoup plus important qu'il n'y paraît de prime abord, parce qu'il aura une influence déterminante sur le type de modèle qui sera défini ainsi que sur les applications qui pourront en découler. Par exemple, dans le cas d'une épidémie de malaria, le choix d'un point de vue médical, d'un point de vue zoologique, d'un point de vue écologique ou d'un point de vue économique mènera à des recherches et à des modélisations très différentes les unes des autres. Dans notre exemple du trafic routier, le point de vue choisi pourrait être celui du génie civil, pour concevoir un modèle permettant de prévoir le débit de la circulation et le type de route nécessaire.

La quatrième étape consiste à *exprimer les hypothèses ou les postulats* sur lesquels s'appuiera le modèle. Cette étape permet de définir le champ exact d'application du modèle, la liste des variables dont on tient compte et la valeur donnée à certains paramètres. Dans notre exemple du trafic routier, on postule, pour simplifier, que tous les individus des populations des deux des villes sont équivalents et effectueront à peu près le même nombre de déplacements en voiture, comme conducteurs ou comme passagers.

La cinquième étape consiste à *formaliser le modèle*. Cette formalisation commence souvent par une phase plus qualitative, qui consiste à construire des diagrammes munis de flèches qui posent les variables retenues et les relations entre elles. Il peut arriver que la modélisation s'arrête là, mais elle se poursuit généralement par la construction d'un objet, d'un modèle physique ou, dans le cas d'un modèle mathématique, par une première approximation d'une formule possible. Dans notre exemple, une première approximation d'un modèle mathématique pourrait être que le trafic sera proportionnel au produit de la population de la ville A (Pa) par la population de la ville B (Pb). Plus la population des deux villes est grande, plus il y aura de trafic routier entre elles.

La sixième étape consiste à *raffiner le modèle et donner des valeurs aux paramètres.* Cette étape est facilitée de nos jours, dans bien des domaines, par le recours à des programmes informatiques et à des logiciels de simulation. Dans notre exemple, le modèle pourrait être raffiné pour tenir compte de la distance entre les deux villes. On pourrait supposer, comme dans le cas d'une attraction gravitationnelle ou électrique, que le trafic serait inversement proportionnel à la distance au carré entre les deux villes, c'est-à-dire que plus la distance entre les deux villes est grande, plus le débit du trafic routier sur la nouvelle route sera faible. On pourrait aussi prévoir un coefficient K de l'« attractivité » des deux villes entre elles, auquel il faudra plus tard donner une valeur appropriée. Notre modèle mathématique sera donc :

$$\text{Trafic} = K\,(Pa \bullet Pb)/d^2$$

La septième et dernière étape consiste à *confronter les résultats prévus par le modèle aux données de l'expérience.* Plus l'accord est bon, plus le modèle est compatible avec le phénomène étudié. Un désaccord entraîne des modifications aux paramètres, parfois des modifications au modèle et, dans certains cas, le rejet total du modèle. Dans notre exemple de modèle du trafic routier, l'accord est satisfaisant entre le trafic prévu par le modèle et le trafic observé, et ce modèle mathématique est souvent utilisé.

Une critique de la modélisation. Un bon modèle présente les mêmes caractéristiques qu'une bonne théorie scientifique (voir l'encadré plus haut), c'est-à-dire la non-contradiction, la complétude, la limitation (ou le confinement des objets), la prédictivité, la fécondité, la vérifiabilité, l'analyticité (ou la présence d'une structure logique) et la simplicité.

Mais la modélisation comporte parfois des difficultés. Il peut arriver, par exemple, que le modèle devienne une *convention* que personne n'ose plus remettre en question, comme la mécanique de Newton, l'atome de Bohr ou le « cœur-pompe ». Dans certains cas extrêmes, comme celui du modèle géocentrique du Système solaire, on tombe même dans le mythe. Il peut arriver aussi que l'on fasse une *extension abusive du domaine de validité* du modèle. On applique alors le modèle à des situations auxquelles il n'est pas adapté, par exemple lorsqu'on assimile un modèle semblable à celui du Système solaire à la description de l'atome.

Il est donc important, pour les scientifiques, de savoir reconnaître les situations où un modèle est devenu stérile et ne permet plus de progresser, celles où le modèle commence à engendrer des contradictions et enfin celles où le modèle présente des manques ou des faiblesses qui ne permettent pas de répondre à des questions importantes.

Dans bien des cas, plusieurs points de vue et plusieurs modèles sont nécessaires pour dégager la meilleure compréhension du système étudié. Ce dernier commentaire conduit à privilégier un enseignement des sciences qui s'éloigne d'une recherche de la «bonne réponse» ou de la «bonne solution» et qui permette aux élèves d'aborder les problèmes selon plusieurs approches et d'en trouver plusieurs solutions.

LES SAVOIRS AU SUJET DE L'UNIVERS MATÉRIEL

Physique, chimie et technologie des sciences physiques

Le chapitre 3 présente les savoirs relatifs à l'univers matériel qui devraient faire partie de la culture générale de tout enseignant du primaire (Thouin, 2001). Certains de ces savoirs ne sont pas abordés directement dans le *Programme de formation* ou les manuels scolaires du primaire, mais on y fait fréquemment allusion.

Physique

La physique a pour objet d'étude les propriétés générales de la matière, de l'espace et du temps, et établit des lois qui rendent compte de phénomènes naturels relatifs aux forces, aux mouvements, à la lumière, au son, à la chaleur, au magnétisme et à l'électricité.

La matière

Notions de base. La matière est la substance qui constitue les corps. Elle possède des propriétés physiques et chimiques. Toute matière est composée de particules très petites, les *atomes*, souvent groupées en *molécules*, dont la variété des arrangements produit les différents types de matière. La *masse*, qui se mesure en kilogrammes, correspond à la quantité de matière d'un corps. Le *poids*, qui se mesure en newtons, indique la force qu'exerce la gravitation sur le corps. Sur la Terre, une masse de 1 kg pèse 9,8 N. Sur la Lune, cette même masse de 1 kg ne pèse plus que 1,56 N, soit environ 6 fois moins, tandis que sur Jupiter elle pèse 25,87 N, soit 2,64 fois plus. On confond souvent la masse et le poids, car on mesure couramment les poids en grammes ou en kilogrammes, alors qu'il faudrait plutôt les mesurer en newtons. La *masse volumique* se trouve en divisant la masse d'un objet par son volume. Par exemple, la masse volumique de l'eau est de 1 g/cm^3 et la masse volumique du fer est de 7,86 g/cm^3. La *densité* donne le rapport de la masse volumique d'un objet avec la masse volumique de l'eau. Par exemple, puisque la masse volumique du fer est

7,86 fois plus grande que celle de l'eau, sa densité est donc de 7,86. On peut noter que les objets plus denses que l'eau, c'est-à-dire les objets dont la densité est plus grande que 1, coulent dans l'eau, tandis que les objets moins denses que l'eau, c'est-à-dire les objets dont la densité est plus petite que 1, flottent à la surface de l'eau.

Les états de la matière. La matière peut exister à l'état solide, liquide ou gazeux. À l'état solide, les atomes ou les molécules se déplacent lentement et sont maintenus ensemble par des forces électromagnétiques importantes. À l'état liquide, les atomes ou les molécules se déplacent plus rapidement, sont plus éloignés les uns des autres et les forces qui les lient sont plus faibles. À l'état gazeux, les atomes ou les molécules se déplacent très rapidement dans toutes les directions. La matière peut passer de l'état solide à l'état liquide (*fusion*), de l'état solide à l'état gazeux (*sublimation*), de l'état liquide à l'état solide (*solidification*), de l'état liquide à l'état gazeux (*évaporation*) et de l'état gazeux à l'état liquide (*condensation*). Un solide qui fond ou un liquide qui s'évapore acquiert de l'énergie, et un liquide qui se solidifie ou un gaz qui se condense libère de l'énergie sans que la température change : cette énergie se nomme la *chaleur latente.*

Les mélanges et les solutions. Une substance peut être un *élément* chimique pur (exemples : hydrogène, fer, or, carbone, soufre, chlore, hélium), un *composé* chimique (exemples : eau, sel de table, glucose, bicarbonate de sodium) ou un *mélange* de composés qui, eux-mêmes, ne sont pas combinés chimiquement (exemple : la terre noire est un mélange de minéraux, de matière organique et d'eau). La plupart des matériaux et des aliments sont des mélanges. Certains corps, comme l'eau et l'huile, sont non miscibles : celles-ci se divisent en couches séparées après qu'on les a mélangées. Les corps qui composent un mélange peuvent être séparés par des procédés physiques tels que la *distillation* et la *filtration.* Un *colloïde* est un mélange dans lequel de petites particules – beaucoup plus grosses toutefois que des atomes ou des molécules – de l'un des corps sont uniformément réparties dans l'autre. Le verre teinté, par exemple, est un colloïde solide fait de particules de métal réparties dans du verre. L'encre de Chine est un colloïde formé de particules de noir de fumée dans l'eau et stabilisé par de la gomme arabique. Certains mélanges, tels que de l'eau sucrée ou de l'eau salée, sont parfaitement homogènes. Il s'agit alors d'une *solution,* dans laquelle un corps est dissous dans un autre. Le *solvant* est le corps qui dissout et le *soluté* celui qui est dissous. De l'eau sucrée est une solution liquide, un alliage d'or et de cuivre est une solution solide. Le lait est une solution colloïdale composée de sucres et de minéraux en solution dans de l'eau et de petites particules de matières grasses en suspension. Une membrane semi-perméable qui sépare deux solutions permet de dissocier un solvant d'un soluté par *osmose*: le solvant s'écoule vers la solution la plus concentrée. L'air et l'eau sont les corps les plus répandus sur la Terre. L'air est un mélange d'azote (78 %), d'oxygène (21 %), d'argon (0,93 %) et de dioxyde de carbone (0,03 %). L'eau est un composé d'hydrogène et d'oxygène (H_2O). L'eau dure (ou eau calcaire) contient des sels minéraux en solution.

Quelques propriétés physiques de la matière. L'*élasticité* est la capacité d'un solide à retrouver sa forme initiale après avoir été comprimé ou étiré. Selon la loi de Hooke, l'extension d'un corps élastique est proportionnelle à la tension appliquée. La *ductilité* est la capacité d'un solide à se déformer sans se briser: l'or, par exemple, est très ductile. La *malléabilité* est la capacité d'un solide à être comprimé sans se briser. La *viscosité* est la capacité d'un liquide à résister à l'écoulement. La *dureté* est la capacité d'un solide à résister aux rayures. La *tension superficielle* désigne une force qui agit à la surface d'un liquide. Elle résulte de l'attraction électrique entre les molécules de ce liquide. La tension superficielle de l'eau permet à certains insectes, comme le gerris, de marcher à sa surface. La *capillarité* est la montée d'un liquide dans un tube étroit. Elle résulte de l'adhérence entre le liquide et le tube et de la tension superficielle au sommet de la colonne de liquide.

Les atomes

Notions de base. Les atomes sont les plus petits constituants des éléments chimiques. Un atome contient un noyau constitué de *protons* de charge électrique positive, de *neutrons* qui sont neutres et d'*électrons* de charge électrique négative en mouvement très rapide autour du noyau. Un atome qui n'est pas combiné chimiquement avec d'autres atomes comporte le même nombre de protons et d'électrons: il est donc électriquement neutre.

Les réactions nucléaires désignent les modifications subies par les noyaux des atomes. Ces réactions sont la *fission*, qui se produit quand le noyau d'un gros atome (exemple: uranium) éclate et libère de l'énergie, la *fusion*, qui se produit quand les noyaux de petits atomes (exemple: hydrogène) se combinent et libèrent de l'énergie, et la *désintégration radioactive.* Le Soleil est une énorme masse d'hydrogène en fusion continue. L'électricité peut être produite par des centrales nucléaires à fission. Le *réacteur nucléaire* est la partie de la centrale où se trouve le combustible nucléaire et où circule le réfrigérant. Ce dernier capte la chaleur pour transformer de l'eau en vapeur d'eau qui fait tourner les turbines. Les centrales à fusion sont encore au stade expérimental. La *radioactivité* est la propriété de certains éléments de perdre spontanément de leur masse par l'émission de particules ou de rayonnements électromagnétiques. Ainsi, la mesure de radioactivité d'un isotope du carbone, le carbone 14, permet de déterminer l'âge de vestiges anciens.

Les forces et les mouvements

Les forces. On ne voit pas les forces, mais c'est par leur présence que les objets s'arrêtent, changent de vitesse ou de direction, se plient, s'étirent, se tordent ou changent de forme. Tous les corps matériels s'attirent entre eux grâce à la force de la *gravitation.* Le *poids,* qui se mesure en newtons, est la force qu'exerce la Terre sur une masse. La *force centripète* maintient un objet sur une trajectoire circulaire. La *poussée* désigne la force exercée vers le haut sur un objet immergé dans un fluide (un liquide ou un gaz) ; selon le *principe d'Archimède,* cette poussée est égale au poids du fluide déplacé.

La pression (qui se mesure en pascals) est la force exercée par unité de surface par un gaz, un liquide ou un solide. D'après la *loi de Pascal,* la pression agit également dans toutes les parties d'un fluide et dans toutes les directions. Un *baromètre* permet de mesurer la pression atmosphérique.

Le mouvement peut être décrit par les *trois lois de Newton.* D'après la *première loi,* ou loi sur l'inertie, tout corps persévère dans l'état de repos ou de mouvement uniforme dans lequel il se trouve, sauf si une force agit sur lui. Cette loi semble parfois fausse à la surface de la Terre en raison des forces de frottement. D'après la *deuxième loi,* une force constante appliquée sur un corps produit une accélération inversement proportionnelle à la masse de ce corps. En d'autres termes, la même force constante accélère davantage un corps peu massif qu'un corps très massif. Cette loi est représentée par la formule $F = ma$, où F désigne la force, m la masse et a l'accélération. À première vue, on pourrait penser que c'est en raison de cette deuxième loi qu'une plume tombe moins vite qu'un marteau. En réalité, s'il n'y avait pas d'atmosphère pour ralentir la chute de la plume, elle tomberait avec la même accélération que le marteau. En effet, même si la plume est moins lourde que le marteau, cette différence de poids est négligeable par rapport à la force de gravitation engendrée par l'énorme masse de la Terre. D'après la *troisième loi,* les forces agissent toujours par paire : une action et une réaction. Par exemple, la Terre attire la Lune, mais la Lune attire aussi la Terre, comme le phénomène des marées, qui découle de cette attraction, permet de la constater. Selon la loi de l'isochronisme des petites oscillations du *pendule,* la durée d'oscillation (ou période) d'un pendule ne dépend ni de l'amplitude de l'oscillation ni du poids du pendule, mais seulement de la longueur du fil. Un *corps aérodynamique* se meut aisément dans un fluide.

Les machines simples, telles que les leviers, les plans inclinés, les vis, les poulies et les treuils, permettent de modifier la direction d'une force ou de l'amplifier. Un *vilebrequin* transforme un mouvement de va-et-vient en un mouvement de rotation, et une *came* transforme un mouvement de rotation en un mouvement de va-et-vient.

L'énergie

Notions de base. L'énergie est la capacité d'effectuer une action. L'*énergie potentielle* est de l'énergie emmagasinée. L'*énergie cinétique* est l'énergie d'un objet en mouvement. Selon le principe de conservation de l'énergie, toutes les formes d'énergie, soit l'*énergie mécanique,* l'*énergie électrique,* l'*énergie chimique,* l'*énergie rayonnante,* l'*énergie nucléaire* et l'*énergie thermique* peuvent se transformer en d'autres formes d'énergie, sans que de l'énergie soit créée ni perdue. Dans le cas de l'*énergie nucléaire* et selon le principe plus général de la conservation de la matière et de l'énergie, une masse peut se transformer en énergie. Le *travail* est la quantité d'énergie reçue par un système en mouvement. La *puissance* est le rapport du travail au temps mis pour l'accomplir.

Les ondes sont un mode de transfert de l'énergie dans la matière et l'espace. L'*amplitude* est le déplacement maximal de la matière au passage de l'onde. La *longueur d'onde* est la distance séparant deux crêtes successives. La *fréquence,* mesurée en hertz, est le nombre d'oscillations par unité de temps.

Le rayonnement électromagnétique comprend toute une famille d'ondes qui sont formées des oscillations de champs électriques et magnétiques. Contrairement aux ondes sonores, celles-ci peuvent se déplacer dans le vide. Par ordre de longueur d'onde décroissante (ou de fréquence croissante), on classe les *ondes radio,* les *micro-ondes,* les *ondes radar* les *ondes infrarouges* (la chaleur), la *lumière visible* rouge, la lumière visible jaune, la lumière visible bleue, les *ondes ultraviolettes,* les *rayons X,* les *rayons gamma* et les *rayons cosmiques.* D'une façon générale, plus la longueur d'onde est courte (ou plus la fréquence est élevée), plus ces ondes sont dangereuses. Leur vitesse dans le vide est de 300 000 km/s. Ces ondes peuvent aussi être décrites sous forme de particules appelées *photons.*

La lumière

Notions de base. La lumière est un rayonnement émis par des corps portés à haute température ou excités, et qui est perceptible par les yeux. La lumière est formée d'ondes électromagnétiques qui se déplacent dans le vide à la vitesse de 300 000 km/s. Cependant, plus le milieu que la lumière traverse est dense, plus la vitesse de propagation diminue. Un faisceau de lumière blanche peut être décomposé en bandes colorées, qui forment un *spectre*, au moyen d'un prisme. Les sept couleurs du spectre sont le violet, l'indigo, le bleu, le vert, le jaune, l'orangé et le rouge. La *réflexion* est un changement de direction de la lumière qui se produit à la surface de tous les objets éclairés. La *réfraction* est le changement de direction de la lumière passant d'un milieu dans un autre. L'*incandescence* est l'émission de lumière par une substance chauffée. La *luminescence* est l'émission de lumière par un corps non chauffé : la *phosphorescence* est une luminescence avec un certain retard, tandis que la *fluorescence* est une luminescence instantanée. La *diffusion* est l'éparpillement de la lumière par de minuscules particules. La lumière bleue est plus dispersée vers la Terre par les molécules d'oxygène et d'azote de l'air que la lumière d'autres couleurs, ce qui explique pourquoi le ciel est bleu. L'*interférence*, qui est la combinaison constructive ou destructive de deux rayons lumineux, est responsable des couleurs observées sur les bulles de savon et les flaques d'huile.

Les couleurs sont les effets produits par les diverses longueurs d'onde de la lumière sur nos yeux. Certains objets émettent de la lumière d'une couleur déterminée (exemple : un projecteur bleu), mais la plupart des objets paraissent colorés parce qu'ils réfléchissent certaines couleurs et en absorbent d'autres. L'*addition des couleurs* est l'obtention d'une couleur par un mélange de lumières de différentes couleurs. La *soustraction des couleurs* est l'obtention d'une couleur par un mélange de pigments. Par addition, les couleurs primaires sont le rouge, le vert et le bleu et les couleurs secondaires sont le jaune, le cyan et le magenta. Par soustraction, les couleurs primaires sont le jaune, le cyan et le magenta et les couleurs secondaires sont le rouge, le vert et le bleu. Le spectre de la lumière émise ou absorbée par une substance permet de la reconnaître.

Les miroirs et les lentilles. Des images peuvent être produites par des rayons lumineux réfléchis par des miroirs ou réfractés par des lentilles. Un *miroir convexe*, à la surface bombée, donne une image plus petite que l'objet, car il est divergent. Un *miroir concave*, à la surface creuse, donne une image plus grande, car il est convergent. À l'inverse, une *lentille convexe*, aux faces bombées, est convergente et donne une image plus grande, alors qu'une *lentille concave*, aux faces creuses, donne une image plus petite, car elle est divergente. L'*hypermétropie*, qui est une difficulté à voir les objets rapprochés parce que l'image se forme derrière la rétine, est corrigée par des lentilles convexes, tandis que la *myopie*, qui est une difficulté à voir les objets éloignés parce que l'image se forme devant la rétine, est corrigée par des lentilles concaves. La *presbytie*, qui est une diminution du pouvoir d'accommodation du cristallin, est corrigée par des lentilles à double foyer. La *fibre optique* est une fibre de verre qui réfléchit la lumière vers l'intérieur de la fibre et transporte des signaux lasers.

Le son

Le son est une vibration acoustique qui crée des sensations auditives. Il se propage sous forme d'onde dans des gaz, des liquides ou des solides. Le son ne peut pas se propager dans le vide. Si l'on compare une onde sonore à des vagues sur l'eau, la distance entre deux vagues est la *longueur d'onde*, l'inverse du temps qui s'écoule entre le passage de deux vagues est la *fréquence* et la hauteur des vagues est l'*amplitude*. La *hauteur* est liée à la longueur d'onde et à la fréquence, le *volume* se rapporte à l'amplitude et le *timbre* est la qualité spécifique du son. Une *harmonique* est un son plus faible de fréquence deux, trois ou quatre fois plus élevée que le son principal. L'*acoustique* est l'étude du son. L'*effet Doppler* est une variation de la hauteur d'un son causée par le mouvement de la source sonore. L'*écho* est la répétition d'un son attribuable à la réflexion de l'onde sonore. Un *ultrason* a une fréquence trop élevée pour être audible. Les échographies sont faites à l'aide d'ultrasons. La *vitesse* du son dans l'air est d'environ 1 100 km/h. L'*intensité* du son se mesure en décibels.

La chaleur

Notions de base. La chaleur est une forme d'énergie qui élève la température, qui dilate, fait fondre ou décompose les corps. Le *rayonnement thermique* est un flux de chaleur, sous forme de rayons infrarouges, capable de se transmettre dans le vide. Un *conducteur thermique*, tel que le cuivre ou l'aluminium, transmet la chaleur, tandis qu'un *isolant thermique*, tel que le plastique, le bois ou l'air, arrête la chaleur. La *convection* est un flux de chaleur à travers un fluide (liquide ou gaz). Par exemple, il se forme des courants de convection dans une casserole d'eau bouillante. La *dilatation* est l'augmentation du volume d'un corps chauffé, et la *contraction* est le rétrécissement subi par un objet que l'on refroidit. La *température* croît avec l'agitation des atomes ou des molécules d'un corps. Elle se mesure en degrés Celsius ou en kelvins. Le *zéro absolu* (–273 °C ou 0 K) est la température la plus froide possible dans l'Univers. Un *thermos* contient une enveloppe intérieure réfléchissante et un espace vide entre cette enveloppe et l'enveloppe extérieure.

La thermodynamique est l'étude de la chaleur et du travail obtenu par sa transformation. La *loi de Boyle-Mariotte* nous indique que le volume d'un gaz est inversement proportionnel à sa pression, la *loi de Gay-Lussac* nous indique que le volume d'un gaz est proportionnel à sa température absolue et la *loi de Charles* nous indique que la pression d'un gaz est proportionnelle à sa température absolue. Le *premier principe de la thermodynamique* stipule que, dans le passage d'une forme d'énergie à une autre, la quantité d'énergie avant et après est la même. Le *deuxième principe de la thermodynamique* (celui de l'entropie) stipule que, dans le passage d'une forme d'énergie à une autre, ou lorsqu'on utilise de l'énergie pour faire un travail, une certaine quantité d'énergie s'échappe sous forme de chaleur, qu'il est impossible de récupérer complètement, et qui est donc perdue : il y a augmentation de l'*entropie* du système.

Le magnétisme et l'électricité

Le magnétisme. Tout aimant a deux pôles, un *pôle nord* et un *pôle sud.* Les pôles opposés s'attirent, tandis que les pôles semblables se repoussent. La Terre est un énorme aimant, qui crée le *champ magnétique terrestre,* dont les pôles magnétiques Nord et Sud, qui se déplacent lentement d'année en année, sont situés près des pôles géographiques Nord et Sud. Une *boussole* est une aiguille aimantée posée sur un pivot qui s'oriente dans le sens nord-sud. Un *électroaimant* est un aimant qui fonctionne au moyen de l'électricité. L'aimantation d'un objet par un aimant est l'*induction magnétique.*

L'électricité statique est une forme d'électricité dans laquelle les charges sont immobiles. Par exemple, en passant un peigne dans nos cheveux, des électrons passent des cheveux au peigne, mais restent ensuite sur ce dernier. On peut détecter une charge électrique à l'aide d'un *électroscope.* Des objets ayant des charges opposées s'attirent, tandis que des objets ayant des charges de même signe se repoussent. L'apparition d'une charge électrique dans un corps en raison de la présence d'un autre corps chargé est l'*induction électrostatique.* La *foudre* est une violente décharge d'électricité statique qui se produit au cours d'un orage. La charge électrique se mesure en *coulombs.*

Le courant électrique est la circulation de charges électriques à travers une substance. Dans le *courant continu,* comme le courant produit par une pile, les électrons ne circulent que dans une seule direction, tandis que dans le *courant alternatif,* comme le courant domestique, les électrons changent de direction plusieurs fois par seconde. Un *circuit série* ne comporte pas de dérivation, alors qu'un *circuit parallèle* comporte une dérivation. Les *conducteurs,* comme les métaux, le graphite et les solutions, laissent circuler l'électricité tandis que les *isolants,* comme les plastiques, le bois et la porcelaine, empêchent le passage de l'électricité. Tous les conducteurs, sauf les supraconducteurs, ont une résistance et convertissent une partie de l'électricité en chaleur. Un *fusible,* qui protège un circuit électrique, contient un matériau conducteur qui chauffe et brûle si l'intensité du courant devient trop grande. L'intensité du courant se mesure en *ampères,* la tension en *volts,* la puissance en *watts* et la résistance en *ohms.*

Chimie

La chimie a pour objet d'étude la structure et la composition des substances, leurs propriétés et leurs transformations. Plusieurs techniques industrielles sont des applications des lois de la chimie.

Les éléments et les molécules

Les éléments chimiques sont des substances qui ne comportent qu'un seul type d'atome. Chaque élément est représenté par une ou deux lettres qui constituent son *symbole chimique.* Une grande proportion des éléments est composée de *métaux.* Les atomes d'un élément n'ont pas tous le même poids, car certains contiennent plus de neutrons; les *isotopes* sont les versions différentes d'un même élément.

La classification périodique. Les éléments peuvent être classés dans un tableau, appelé *tableau périodique,* en fonction des similarités et des différences qui existent entre eux. Les propriétés de chaque élément sont déterminées par la répartition des électrons en couches dans les atomes. Les principaux groupes d'éléments sont l'*hydrogène* (H), les *alcalins,* tels que le sodium (Na) et le potassium (K), les *métaux alcalino-terreux,* tels que le magnésium (Mg) et le calcium (Ca), les *métaux de transition,* tels que le titane (Ti), le fer (Fe), le cuivre (Cu), l'argent (Ag), l'or (Au) et le mercure (Hg), les *autres métaux,* tels que l'aluminium (Al), l'étain (Sn) et le plomb (Pb), les *non-métaux,* tels que le carbone (C), l'azote (N), l'oxygène (O) et le soufre (S), les *halogènes,* tels que le fluor (F), le chlore (Cl) et l'iode (I), et les *gaz inertes,* tels que l'hélium (He) et le néon (Ne). L'uranium (U) et le plutonium (Pu) quant à eux sont des éléments radioactifs qui font partie du groupe des *actinides.*

Les molécules sont des groupes d'atomes d'un ou de plusieurs éléments. Un *composé chimique* est formé d'un ensemble de molécules identiques. La *formule chimique* indique la manière dont les éléments se combinent dans les molécules d'un composé (exemples: oxygène: O_2; eau: H_2O; sel de table [chlorure de sodium]: NaCl; glucose: $C_6H_{12}O_6$; acide acétique [que l'on trouve dans le vinaigre]: CH_3CO_2H; bicarbonate de sodium: $NaHCO_3$). Selon la *loi des proportions définies,* les éléments forment des molécules dans les proportions précises données par la formule chimique de cette molécule. La *valence* d'un atome est le nombre possible des atomes d'une nature donnée qui peuvent se lier chimiquement à un atome déterminé. Le carbone, par exemple, est dit *quadrivalent* parce qu'il peut se lier chimiquement à quatre atomes d'hydrogène.

Les liaisons chimiques. Les deux types de liaisons chimiques entre les atomes d'une molécule sont les *liaisons covalentes* (exemple: le méthane, CH_4), dans lesquelles il y a mise en commun d'un ou de plusieurs électrons, ou les *liaisons ioniques* (exemple: chlorure de sodium, NaCl), dans lesquelles l'un des atomes cède à l'autre un ou plusieurs électrons. Un *ion positif* (exemple: Na^+) est un atome ou un groupe d'atomes ayant perdu un ou plusieurs électrons, ce qui leur donne une charge électrique positive, tandis qu'un *ion négatif* (exemple: Cl^-) est un groupe d'atomes ayant gagné un ou plusieurs électrons, ce qui leur donne une charge électrique négative. L'*électronégativité* d'un élément indique dans quelle mesure il a tendance à gagner ou à perdre des électrons. Il existe des forces attractives de nature électrique entre les molécules, telle que la force responsable de la tension superficielle de l'eau.

Les cristaux sont des solides caractérisés par une disposition régulière de leurs constituants. Tout cristal appartient à l'un des sept grands types de *systèmes cristallins,* parmi lesquels se trouvent le système cubique (exemple: sel de table), le système rhomboédrique (exemple: calcite) et le système orthorhombique (exemple: quartz). L'*isomorphisme* est la propriété des substances de composition chimique analogue d'avoir des cristaux de mêmes formes. Une substance *amorphe,* comme le verre, ne cristallise pas et n'a pas de structure interne régulière. Les *cristaux liquides* sont des liquides possédant des propriétés analogues à celles des cristaux, comme la façon de réfléchir ou de réfracter la lumière.

Les réactions chimiques

Notions de base. Une réaction chimique, qui peut être représentée par une *équation chimique,* transforme des substances, appelées *réactifs,* en d'autres substances, appelées *produits.* Par exemple, le vinaigre (acide acétique) et la craie (carbonate de calcium) réagissent pour former un sel, de l'eau et du gaz carbonique:

$$2CH_3CO_2H + CaCO_3 \longrightarrow (CH_3CO_2)_2Ca + H_2O + CO_2$$

Au cours d'une réaction chimique, la masse des produits est toujours égale à la masse des réactifs; c'est le principe de *conservation de la masse.* Certaines réactions chimiques sont *réversibles,* c'est-à-dire que les transformations s'effectuent des réactifs vers les produits et aussi des produits vers les réactifs, tandis que d'autres sont *irréversibles.* Lorsqu'une réaction est réversible, un *équilibre chimique* s'établit entre la réaction des produits vers les réactifs et la réaction des réactifs vers les produits. Par ailleurs, certaines réactions sont *endothermiques,* c'est-à-dire qu'elles absorbent de la chaleur, tandis que d'autres sont *exothermiques,* c'est-à-dire qu'elles libèrent de la chaleur. Un *catalyseur* est une substance qui accélère une réaction chimique mais reste elle-même inchangée. Au cours d'une *fermentation,* l'amidon ou le sucre se transforme en éthanol et en dioxyde de carbone. Pendant une *oxydation,* l'oxygène se combine avec une substance et produit par exemple de la corrosion ou de la combustion. Une *réduction* est une réaction au cours de laquelle une substance perd de l'oxygène (exemple: le minerai de fer, chauffé avec du carbone, perd son oxygène et devient du fer). L'*hydrolyse* est la décomposition chimique d'un corps sous l'action de l'eau (exemple: pendant la digestion, les esters, tels que les graisses et les huiles, sont décomposés sous l'action de l'eau pour former des acides organiques et des alcools). L'*estérification,* réaction inverse de l'hydrolyse, est la formation d'un ester à partir d'un acide organique, tel qu'un acide aminé, et d'un alcool. Au cours d'une *pyrolyse* une substance se décompose sous l'action de la chaleur seule (exemple: un four de cuisine à pyrolyse, appelé aussi *four auto-nettoyant,* peut être porté à une température très haute, ce qui détruit les salissures de cuisson).

Le feu. Une *flamme* est formée du gaz luminescent produit au moment de la combustion de matériaux inflammables. Une *combustion spontanée* démarre sans que l'on ait enflammé quoi que ce soit. Les *explosions* sont souvent causées par des combustions très rapides. Les *extincteurs* étouffent le feu en empêchant l'oxygène d'arriver au matériau.

L'électrochimie s'intéresse à l'électricité produite par les réactions chimiques. Une *pile* engendre du courant grâce à une réaction chimique. Inversement, un courant électrique peut décomposer un composé chimique pendant le processus appelé *électrolyse.* Dans une *pile à combustible,* l'énergie libérée par la réaction chimique entre un combustible (exemples: hydrogène, méthane, essence) et l'oxygène fait circuler des électrons et produit un courant électrique. La *galvanoplastie* consiste à recouvrir des objets d'une mince couche de métal par électrolyse.

Les acides et les bases. Un *acide* est un composé qui donne des ions hydrogène (H^+) lorsqu'il est dissous dans l'eau (exemples d'acides: acide chlorhydrique, acide sulfurique, acide nitrique, acide acétique, acide citrique). Une *base* est un composé qui neutralise un acide (exemples de bases: hydroxyde de sodium, hydroxyde de potassium, ammoniac, méthylamine). Un *sel* est un composé formé par un acide et une base ou un acide et un métal. Par exemple, le vinaigre (acide acétique) et le bicarbonate de sodium (base) réagissent pour former un sel, de l'eau et du gaz carbonique:

$$CH_3CO_2H + NaHCO_3 \text{ — > } CH_3CO_2Na + H_2O + CO_2$$

Le *pH* est la mesure de l'acidité. Une substance neutre a un pH de 7, un acide un pH inférieur à 7 et une base un pH supérieur à 7. Le tournesol, qui change de couleur selon le taux d'acidité, est un indicateur du pH. Plusieurs acides, bases et sels ont la propriété de rendre l'eau conductrice; ce sont des *électrolytes*.

Les composés chimiques

La chimie minérale porte sur les composés qui sont des corps dans lesquels des atomes de deux ou de plusieurs éléments sont combinés. Quelques exemples de composés minéraux: l'ammoniac (NH_3), le carbonate de calcium ($CaCO_3$), le dioxyde de carbone (CO_2), le monoxyde de carbone (CO), le sulfate de cuivre ($CuSO_4$), l'oxyde d'azote (N_2O), l'acide chlorhydrique (HCl), le peroxyde d'hydrogène (H_2O_2), le nitrate de potassium (KNO_3) et le chlorure de sodium (NaCl).

La chimie organique a pour objet des composés, souvent relativement complexes, dans lesquels des atomes de *carbone* se combinent avec d'autres éléments. Les atomes de carbone sont en effet quadrivalents et ont la propriété de former de longues chaînes ainsi que des anneaux (ou cycles). Les principaux types de composés organiques sont les hydrocarbures, tels que le méthane (CH_4) et le propane (C_3H_8), les hydrates de carbone, tels que le glucose ($C_6H_{12}O_6$) ou le lactose ($C_{12}H_{22}O_{11}$), les alcools, tels que l'éthanol (C_2H_5OH) et le méthanol (CH_3OH), les esters, tels que les graisses et les huiles, et les acides carboxyliques, tels que l'acide acétique (CH_3COOH) et l'acide citrique ($C_3H_5O\ (COOH)_3$). Les *isomères* sont des composés organiques qui possèdent la même formule chimique, mais présentent des propriétés physiques et chimiques différentes en raison de la façon dont les atomes sont agencés (exemple: l'éthanol et l'éther diméthylique ont, tous deux, deux atomes de carbone, six atomes d'hydrogène et un atome d'oxygène dans leur formule chimique). Les *molécules chirales* sont des molécules organiques qui ont la même formule chimique et des structures analogues parfaitement symétriques. La *stéréochimie*, qui concerne l'arrangement tridimensionnel des atomes dans les molécules, s'intéresse à de nouvelles molécules telles que les fullerènes, qui comportent un grand nombre d'atomes de carbone disposés en forme de ballon.

L'analyse chimique permet de trouver la composition d'une substance ou d'un mélange. Dans l'*analyse qualitative*, grâce à laquelle il est possible de déterminer les éléments ou les composés que contiennent une substance ou un mélange, on applique des méthodes telles que des réactions chimiques ou la *chromatographie*, qui consiste à faire passer une solution du mélange dans un papier ou à faire passer le mélange en phase gazeuse dans une colonne contenant un matériau absorbant. Dans l'*analyse quantitative* on emploie des méthodes telles que la *spectroscopie*, qui permet d'analyser la lumière émise ou absorbée par la substance, ou l'*analyse volumétrique*, qui sert à mesurer la quantité d'un réactif nécessaire à une réaction chimique avec la substance.

La synthèse chimique permet de produire des composés identiques à ceux que l'on trouve dans la nature (exemples: la vitamine C, l'insuline) et de créer de nouveaux composés (exemple: les plastiques). La synthèse de certaines substances, telles que l'ammoniac pour la fabrication d'engrais, a donné lieu à de grands progrès. Toutefois, l'utilisation de nouveaux composés doit toujours se faire avec prudence. Le dichloro-diphényl-trichloréthane, par exemple, mieux connu sous le nom de DDT, était un insecticide puissant et efficace, mais qui s'avéra extrêmement nocif pour les animaux à sang chaud.

Technologie des sciences physiques

Les techniques du mouvement

Les machines automatiques, parmi lesquelles on trouve les robots industriels, peuvent réaliser certaines tâches sans l'aide d'êtres humains. Plusieurs de ces machines comportent des *capteurs*, qui détectent des données physiques telles que la pression, la chaleur, la lumière, le mouvement, la vitesse ou un champ magnétique, des *servomécanismes*, qui exécutent un certain programme, et un *mécanisme de contrôle*, qui est souvent un microprocesseur ou un ordinateur. Un dispositif de *rétroaction*, tel qu'un thermostat, permet à une machine de se réguler elle-même.

Les moyens de transport permettent de se déplacer sur terre, dans l'eau et dans les airs. La plupart des *automobiles* fonctionnent en brûlant de l'essence, de l'huile ou du gaz naturel. Leur moteur à combustion interne comporte plusieurs cylindres dans lesquels coulissent des pistons, qui font tourner un vilebrequin. Leur boîte de vitesses, qui modifie le rapport entre la vitesse de rotation du moteur et celle de l'arbre de transmission, sert à modifier la puissance transmise aux roues. Leur système d'échappement, qui contient un pot catalytique, évacue les gaz brûlés et les transforme en gaz moins toxiques. Les *navires* flottent parce qu'ils sont moins denses que l'eau, c'est-à-dire parce qu'ils sont moins lourds que le volume d'eau qu'ils déplacent. Leur *ligne de charge*, qui varie selon la salinité et la température de l'eau, indique jusqu'où le navire peut s'enfoncer dans l'eau avec sa charge maximale. Les *sous-marins* peuvent descendre à de grandes profondeurs ou remonter à la surface selon leur densité, qui varie en fonction de la quantité d'eau contenue dans des réservoirs. L'*hydrofoil*, qui est un aileron immergé, permet d'élever la coque de certains types de bateaux au-dessus du niveau de l'eau, ce qui diminue la résistance de l'eau au mouvement. L'*aéroglisseur* est soulevé par un coussin d'air produit par des turbines, ce qui réduit la friction entre l'appareil et l'eau ou le sol. Tandis que les *ballons* et les *dirigeables* flottent dans l'air, parce qu'ils contiennent de l'air chaud ou un gaz moins dense que l'air situé à basse altitude, les *avions* et les *hélicoptères* sont munis d'ailes ou de pales d'un rotor qui engendrent une *portance*. Les avions sont propulsés par des *moteurs à hélice*, qui produisent une poussée en modifiant la pression de l'air, ou par des *moteurs à réaction*, qui projettent des gaz à haute vitesse vers l'arrière, ce qui crée une réaction vers l'avant. Certains avions à réaction peuvent voler à des vitesses supersoniques, c'est-à-dire à des vitesses plus grandes que la vitesse du son, qui est d'environ 1 100 km/h.

Les techniques de la lumière

L'éclairage se fait principalement au moyen d'ampoules électriques et de tubes à décharge. Une *ampoule électrique* contient un gaz non réactif et un filament qui brille lorsqu'il est chauffé par le passage du courant électrique. Un *tube à décharge* (lampe au néon, à vapeur de sodium ou lampe à fluorescence) contient un gaz dans lequel circule un courant électrique. Une *lampe à fluorescence* contient de la vapeur de mercure qui émet un rayonnement ultraviolet. Ce rayonnement frappe une couche de phosphore et donne de la lumière blanche par fluorescence. Le *laser* émet un faisceau de rayons lumineux cohérents, qui sont tous en phase et se propagent tous de la même façon.

Les principaux instruments d'optique sont l'appareil photo, la caméra de cinéma et la caméra vidéo qui enregistrent les images sur une pellicule ou qui les transforment en signaux électriques. Le projecteur projette une image sur un écran, le *microscope* forme une image agrandie au moyen d'une lentille composée, le *microscope électronique* projette un faisceau d'électrons au lieu de la lumière, le *télescope* à réfraction ou à réflexion permet l'observation d'objets éloignés, particulièrement dans le ciel, les *jumelles* sont une paire de petits télescopes à réfraction, le *kaléidoscope* forme des images symétriques au moyen de miroirs et le *périscope* permet de voir des objets situés hors du champ visuel. La *pellicule photographique* argentique est formée de couches de sels d'argent sensibles à l'intensité de la lumière (photo noir et blanc) ou aux couleurs bleu, vert et rouge (photo couleur). Une *cellule photoélectrique* transforme la lumière en électricité. Un *hologramme* est une photographie en trois dimensions d'un objet obtenue en utilisant les interférences produites par deux faisceaux lasers, un qui provient de l'appareil laser, l'autre réfléchi par l'objet photographié. Les *fibres optiques*, à l'intérieur desquelles circule de la lumière emprisonnée par réflexion interne, peuvent transmettre simultanément des millions de signaux sur une grande distance.

Les techniques du son

L'enregistrement du son peut se faire de façon *analogique*, en convertissant le son en motif magnétique (bande magnétique) ou en sillons ondulants (disque vinyle), ou de façon *numérique*, en convertissant le son sous forme de séquences de nombres (bande magnétique numérique ou disque compact). Sur un *disque compact*, les nombres sont représentés par des millions de petits trous percés dans une surface en aluminium. Le *microphone* convertit le son en courant électrique, tandis que le *haut-parleur* convertit le courant électrique en son. Le *téléphone*, qui comporte un microphone et un haut-parleur, transmet des messages parlés en convertissant le son en signal électrique et le signal électrique en son. Le *téléphone cellulaire* (ou téléphone portable) est un transmetteur et récepteur radio dont le signal passe par la station d'une aire délimitée appelée *cellule*. Le *télécopieur* transmet des documents écrits par l'intermédiaire d'une ligne téléphonique. La *radio* est l'émission et la réception des sons transformés en signaux électriques puis en modulation d'amplitude (AM) ou en modulation de fréquence (FM) d'une onde porteuse électromagnétique. Le *sonar*, qui permet de faire de la détection sous-marine, émet des ondes sonores pour repérer, localiser et reconnaître des objets immergés.

Les techniques de la chaleur

Le chauffage et la réfrigération. Le *chauffage* se fait à l'aide de résistances électriques, d'un combustible ou de panneaux solaires. La *réfrigération* (réfrigérateurs et climatiseurs) se fait à l'aide du changement de phase et de pression d'un fluide appelé *réfrigérant*: le réfrigérant liquide devient vapeur à basse pression en utilisant la chaleur à l'intérieur du réfrigérateur, et le réfrigérant gazeux devient liquide grâce à une pompe. Une *pompe à chaleur* extrait de la chaleur à l'air extérieur et réchauffe l'intérieur d'un bâtiment. Les *moteurs thermiques* sont des machines qui convertissent l'énergie calorifique produite par une combustion en énergie mécanique. Un *four à micro-ondes* réchauffe les aliments en produisant une onde électromagnétique qui fait vibrer leurs molécules d'eau.

Les moteurs. Un *moteur à combustion interne,* comme le moteur d'une voiture ou d'un avion, brûle le carburant à l'intérieur du moteur. Les principaux types de moteurs à combustion interne sont le moteur à quatre temps, le moteur à deux temps, le moteur rotatif et le turboréacteur. Un *moteur à combustion externe,* comme la turbine à vapeur d'un paquebot, brûle le carburant à l'extérieur du moteur.

Les techniques de l'électron

La production de l'électricité peut se faire de plusieurs façons. Une *pile simple* contient deux tiges ou plaques, appelées *électrodes,* faites de métaux différents et placées dans une substance acide appelée *électrolyte.* Les métaux réagissent avec l'électrolyte, ce qui fait circuler des électrons dans le circuit auquel est branchée la pile. Une *pile solaire,* ou *pile photovoltaïque* produit de l'électricité sous l'effet de la lumière. Une *centrale thermique* brûle un combustible pour former de la vapeur d'eau qui fait tourner des turbines couplées aux générateurs. Une *centrale nucléaire* procède à des réactions nucléaires pour la même fin. Dans une *centrale hydroélectrique,* on utilise l'énergie mécanique de l'eau pour faire tourner les turbines. Un *générateur,* qui est constitué d'une bobine de fil électrique qui tourne dans le champ magnétique d'un aimant (ou d'un aimant qui tourne à l'intérieur d'un enroulement), transforme l'énergie mécanique en énergie électrique.

L'électronique, qui concerne tous les dispositifs qui fonctionnent à partir de signaux électriques, permet de construire de nombreux composants des ordinateurs. Une *diode* est un composant électronique qui ne laisse passer le courant que dans un seul sens. Une *triode* permet de couper, de laisser passer ou d'amplifier un courant électrique. Un *transistor* fonctionne comme une triode, mais est beaucoup plus petit et plus efficace. Un *circuit intégré,* également appelé *microprocesseur* ou *puce,* est un composant électronique qui contient des milliers de transistors. Dans un *tube cathodique,* un faisceau d'électrons crée des points de lumière sur un écran fluorescent. La *télévision* est la transmission d'images et de sons au moyen d'ondes radio. Les *satellites de télécommunications,* qui servent de relais au téléphone et à la télévision, sont en orbite géostationnaire, ce qui signifie qu'ils sont toujours au-dessus d'un même point situé à la surface de la Terre. Un *ordinateur* est un appareil électronique qui traite de l'information et des données. Le *matériel* est l'appareil lui-même, tandis que les *logiciels* sont des programmes permettant à l'ordinateur d'accomplir certaines tâches bien précises. L'*intelligence artificielle* désigne la capacité qu'ont certains ordinateurs de résoudre des problèmes comme des êtres humains, notamment au moyen de systèmes experts.

L'industrie chimique

L'industrie fabrique plusieurs produits naturels et synthétiques dont nous avons besoin. Elle utilise des matières premières telles que l'air, l'eau, le pétrole, le charbon, les minerais et les plantes. Un *procédé chimique*, tel que le procédé Haber qui produit de l'ammoniac en faisant réagir de l'azote et de l'hydrogène, sert à fabriquer un produit particulier. L'*extraction* du minerai se fait souvent par des procédés de flottation, de lessivage et de raffinage. Le *recyclage* permet de réduire les besoins en matières premières.

Les produits naturels sont fabriqués directement à partir de matériaux naturels, par des méthodes parfois très anciennes. Les *huiles* de lubrification sont tirées du pétrole, mais plusieurs huiles sont d'origine animale ou végétale. La *margarine* est souvent de l'huile hydrogénée, c'est-à-dire de l'huile végétale ou animale qu'on a fait réagir avec de l'hydrogène, mais il existe également des margarines d'huile végétale non hydrogénée. Le *parchemin* est une peau d'animal spécialement traitée pour l'écriture. Le *papier* est fait de fibres naturelles pressées en feuilles minces. Le *ciment* s'obtient en mélangeant de la chaux (hydroxyde de calcium, $Ca(OH)_2$), de l'argile, du sable et de l'eau. Le *verre* s'obtient en chauffant du sable, de la soude et de la chaux. L'*émail* est une mince couche de verre recouvrant un objet métallique. La *céramique*, terme générique qui désigne les terres cuites, les poteries, les faïences et la porcelaine, est faite d'argile et d'autres minéraux. La *térébenthine* s'obtient par distillation de la résine de pin ou de mélèze. Les *cosmétiques* sont fabriqués à partir de substances dérivées des plantes, du pétrole et des minéraux. Le *caoutchouc naturel* est fait de latex, liquide extrait de l'hévéa (arbre). La *vulcanisation*, qui consiste à ajouter du soufre au caoutchouc et à le faire chauffer, permet d'augmenter sa résistance et son élasticité.

Les textiles sont faits de fibres d'origine animale, végétale ou obtenues par un procédé chimique. Ces fibres sont parfois collées, comme dans le cas du feutre, mais habituellement tissées. Les *fibres synthétiques* sont obtenues à partir de cellulose et de certains plastiques.

Les produits synthétiques, qui remplacent souvent des produits naturels, sont obtenus par des procédés chimiques. La *peinture* est un mélange de pigments en suspension dans une huile mêlée à de l'eau ou à un solvant. L'*adhésif* est une substance qui réagit avec l'oxygène de l'air ou perd de l'eau (ou du solvant) puis forme des liaisons très fortes. Le *savon* s'obtient en faisant bouillir des graisses et des huiles avec une base forte. Une molécule de savon possède une extrémité *hydrophile* attirée par l'eau et une extrémité *hydrophobe* attirée par les graisses. Le *détergent* est un savon synthétique. La *poudre à canon* est faite d'un mélange de nitrate de potassium, de carbone et de soufre. La *dynamite* est faite de nitroglycérine. L'*eau de Javel* contient de l'hypochlorure de sodium qui produit du chlore, agent de blanchiment.

Les matières plastiques peuvent être des composés chimiques d'origine animale ou végétale, tels que la soie artificielle produite à partir de la cellulose d'une plante, mais sont pour la plupart des dérivés du pétrole ou du charbon. Elles sont formées de *polymères*, très longues molécules dont la structure donne au matériau ses propriétés. Les *thermoplastiques* ramollissent quand on les chauffe et durcissent quand on les refroidit, ce qui permet de les mouler. Les *silicones* sont des plastiques fabriqués à partir de silicium. Les *laminés*, qui entrent dans la fabrication des pare-brise des voitures, sont faits de verre feuilleté comportant des couches alternées de verre et de plastique. Quelques exemples de plastiques : l'acrylique, la bakélite, le caoutchouc synthétique, le celluloïd, le néoprène, le nylon, le polyéthylène, le polystyrène et la rayonne.

Les combustibles fossiles, tels que le charbon, le gaz naturel et le pétrole, résultent de la putréfaction de plantes et d'animaux qui vivaient il y a des millions d'années. Le *gaz naturel* contient surtout du méthane et sert à la fabrication de propane, de butane et de méthanol. Le *charbon*, constitué des restes fossiles de forêts, a pour dérivés le coke, le gaz de houille et le goudron. Le *pétrole*, formé de restes de plantes et d'animaux aquatiques, a pour dérivés l'essence, le naphta, le kérosène, le gazole, le mazout, les lubrifiants et le bitume. Une *raffinerie* fabrique ces dérivés par le procédé de la *distillation fractionnée* qui consiste à faire condenser les gaz obtenus en chauffant le pétrole.

Les métaux jouent un rôle important dans l'industrie car aucun autre matériau n'est aussi solide ni aussi facile à façonner. La *fusion*, qui consiste à chauffer un minerai, permet de séparer les métaux des non-métaux (oxygène, soufre) du minerai. La *trempe*, qui consiste à refroidir un métal très rapidement, rend les objets en métal plus solides. Un *alliage* est un mélange de métaux ou d'un métal avec un non-métal. Quelques exemples d'alliages : le laiton (cuivre et zinc), le bronze (cuivre et étain), l'acier inoxydable (fer, chrome, carbone) et le duralumin (cuivre et aluminium).

Le fer et l'acier sont parmi les matériaux industriels les plus importants. L'*acier* est un alliage fait de fer auquel on a ajouté de 0,1 % à 1,5 % de carbone. Le fer et la fonte sont produits dans un *haut-fourneau,* grande cuve conçue pour l'extraction du métal contenu dans un minerai, à partir de minerai de fer, de coke et de chaux. L'acier est produit dans un *convertisseur* à partir de fonte et d'air sous pression. La *galvanisation* est un procédé qui consiste à déposer une couche de zinc sur le fer ou l'acier pour empêcher celui-ci de rouiller.

LES SAVOIRS AU SUJET DE LA TERRE ET DE L'ESPACE

Sciences de la Terre, astronomie et technologie des sciences de la Terre et de l'Espace

Le chapitre 4 expose les savoirs relatifs à la Terre et à l'Espace qui devraient faire partie de la culture générale de tout enseignant du primaire (Thouin, 2001). Tout comme dans le cas des savoirs relatifs à l'univers matériel, certains de ces savoirs ne sont pas abordés directement dans le *Programme de formation* ou les manuels scolaires du primaire, mais on y fait fréquemment allusion.

Sciences de la Terre

La Terre dans l'Espace

La forme et la taille de la Terre. La Terre est une *sphère* légèrement aplatie d'un diamètre d'environ 12800 kilomètres. Son volume est de 1080 milliards de kilomètres cubes et sa masse est de 6 × 1024 kilogrammes. Elle tourne sur elle-même en 24 heures. La Terre fait le tour du Soleil en 365 jours et 6 heures, d'où la nécessité des années bissextiles, qui ont un jour de plus tous les quatre ans. La façon la plus courante de représenter la surface de la Terre sur une carte plane est la *projection de Mercator*, qui consiste à projeter le globe sur un cylindre. Cette projection respecte les formes des continents, mais agrandit les régions situées près des pôles.

Les calottes glaciaires. La *calotte glaciaire du pôle Nord* est formée de glace qui flotte sur l'océan Arctique ou qui repose sur des îles telles que le Groenland ou les îles de Baffin. La *calotte glaciaire du pôle Sud* est formée de glace qui repose en bonne partie sur un continent, l'Antarctique. Les *icebergs* sont des morceaux de glace qui se détachent des calottes glaciaires.

Les saisons sont causées par l'*inclinaison* de 23° de l'axe de rotation de la Terre par rapport à une perpendiculaire à son plan de rotation autour du Soleil. À cause de cette inclinaison, les rayons du soleil frappent le sol plus ou moins directement selon le mois de l'année. Quand c'est l'été dans l'hémisphère Nord, c'est l'hiver dans l'hémisphère Sud, et inversement. Le *solstice d'été,* vers le 21 juin, est le jour le plus long dans l'hémisphère Nord et le plus court dans l'hémisphère Sud. Le *solstice d'hiver,* vers le 21 décembre, est le jour le plus court dans l'hémisphère Nord et le plus long dans l'hémisphère Sud. À l'*équinoxe de printemps,* vers le 21 mars, et l'*équinoxe d'automne,* vers le 21 septembre, le jour et la nuit ont alors la même durée de 12 heures partout dans le monde.

Les latitudes, les longitudes et les fuseaux horaires. Tout point sur la surface du globe peut être situé à l'aide de sa latitude et de sa longitude. Les *latitudes* sont des cercles imaginaires, les parallèles, définis à partir de l'équateur. Les *longitudes* sont de grands cercles, les méridiens, qui passent tous par les pôles. Le méridien d'origine, de longitude 0°, passe par la ville de Greenwich, en Angleterre. La ville de Montréal, par exemple, est située à une latitude de 45° Nord et de 73° Est. De plus, le globe a été divisé en 24 *fuseaux horaires.* Ainsi, quand il est 6h à Montréal, il est 12h à Paris et 20h à Tokyo. La ligne de changement de date est située dans l'océan Pacifique.

La structure de la Terre

L'intérieur de la Terre. La densité des roches à la surface de la Terre est d'environ 2,8, tandis que la densité de la Terre entière est de 5,5, ce qui montre que la densité de certaines parties de l'intérieur est beaucoup plus grande. La structure de la Terre peut être déduite de la façon dont se propagent les *ondes sismiques* produites par les tremblements de terre. En partant du centre, la Terre est formée d'un *noyau interne* solide, d'un *noyau externe* liquide, d'un *manteau* de roches partiellement fondues, qui constitue 80 % du volume total de la Terre, et d'une mince *croûte terrestre* dont l'épaisseur varie entre 10 kilomètres sous les océans et 60 kilomètres sous les montagnes. Étant donné qu'aucun forage n'a jamais dépassé une profondeur de 14 kilomètres, on ne connaît avec précision que la composition de la partie supérieure de la croûte terrestre. Les principaux éléments chimiques qui se trouvent dans les roches de la croûte sont l'*oxygène* et le *silicium,* sous forme de silicates qui forment des composés avec l'aluminium, le sodium, le potassium et le titane. On croit généralement que les principaux éléments du manteau sont aussi l'*oxygène* et le *silicium* qui forment des composés avec le fer et le magnésium auxquels s'ajoute, à des profondeurs plus grandes, le soufre de composés tels que le sulfure de magnésium. Pour ce qui est du noyau, on pense qu'il est surtout constitué de *fer,* avec un peu de nickel, et des traces de divers autres éléments. Une partie de l'intense chaleur de l'intérieur de la Terre est une chaleur résiduelle, causée par l'accrétion de matière lors sa formation.

La désintégration continue d'un certain nombre d'éléments radioactifs, présents dans la croûte, le manteau et le noyau, libère aussi de la chaleur.

Le magnétisme terrestre. La Terre possède un champ magnétique engendré par la circulation du fer liquide de son noyau externe. Elle possède donc, comme tout aimant, un pôle magnétique Nord et un pôle magnétique Sud. Ces pôles magnétiques, qui se déplacent lentement, sont situés un peu à côté des pôles géographiques et la *déclinaison* nous donne l'angle entre le Nord géographique et le Nord magnétique. L'étude du magnétisme des roches de la Terre montre que plusieurs *inversions magnétiques* se sont produites au cours des temps géologiques, et le pôle magnétique Nord actuel a été, pendant de longues périodes, le pôle magnétique Sud. Des *aurores polaires* (boréales dans l'hémisphère Nord et australes dans l'hémisphère Sud) se produisent lorsque des particules électrisées en provenance du Soleil, détournées vers les régions polaires sous l'action du champ magnétique terrestre, se heurtent aux atomes de la haute atmosphère, émettant une lumière jaune-vert.

La tectonique des plaques. Autrefois, il y a environ 220 millions d'années, tous les continents ne formaient qu'un seul super-continent, appelé la *Pangée*, qui était entouré par un seul super-océan, la *Panthalassa.* Ce super-continent se sépara d'abord en deux continents, le *Gondwana* au sud et la *Laurasie* au nord, qui eux-mêmes se divisèrent pour former les continents actuels. De nos jours, on remarque, par exemple, que la côte est de l'Amérique du Sud s'emboîte parfaitement dans la côte ouest de l'Afrique, car ces deux continents sont des morceaux de l'ancien Gondwana. La croûte terrestre est fragmentée en neuf *grandes plaques* et en une douzaine de plaques plus petites, qui continuent à se déplacer sous l'effet de courants de convection de la matière du manteau de la Terre. Lorsque deux plaques se dirigent l'une vers l'autre, l'une peut glisser sous l'autre et s'enfoncer dans l'intérieur de la Terre, dans une *zone de subduction*, mais elles peuvent aussi s'élever l'une contre l'autre, dans une *zone de collision*, formant ainsi de grandes chaînes de montagnes. Sous les océans, du magma chaud remonte vers la surface de la croûte terrestre, à certains endroits, et les plaques s'écartent lentement l'une de l'autre, ce qui produit une expansion des fonds océaniques et forme des structures connues sous le nom de *dorsales médio-océaniques* qui comportent des volcans sous-marins. Les plus importantes *failles* dans l'écorce terrestre se situent à la jonction de deux plaques tectoniques.

Les volcans et les séismes. Les *volcans* sont une région de la croûte terrestre où jaillissent en surface des roches fondues qui constituent le magma. Actuellement, environ 1 300 volcans sont actifs à la surface de la Terre. Plusieurs de ces volcans sont situés au-dessus des failles entre les plaques tectoniques, mais il existe également des volcans de point chaud, comme ceux de la chaîne des îles de l'État de Hawaii, qui sont éloignés des failles. Bon nombre de volcans, tels que le Kilimandjaro en Tanzanie, à la frontière du Kenya, ou le Fuji Yama au Japon, ont une forme conique caractéristique. Certaines éruptions volcaniques projettent de grandes quantités de cendres. La ville de Pompéi, par exemple, fut entièrement ensevelie lors de l'éruption du Vésuve, en 79. Les *geysers* sont causés par l'ébullition d'eau souterraine au contact du magma. Les *séismes* (ou tremblements de terre) les plus intenses résultent de mouvements brusques de deux plaques tectoniques l'une contre l'autre. Les ondes sismiques partent d'une région en profondeur appelée foyer. L'*épicentre* est le point de la surface située juste au-dessus du *foyer*. L'intensité d'un séisme peut se mesurer d'après ses effets, à l'aide de l'échelle de Mercalli (ou de l'échelle MSK, version améliorée de l'échelle de Mercalli) ou d'après la quantité d'énergie libérée, à l'aide de l'échelle de Richter. Le *sismographe* permet d'enregistrer la durée et l'amplitude des ondes sismiques. Lorsqu'il se produit en pleine mer, un séisme peut former un *tsunami*, ou raz-de-marée, dont les vagues peuvent atteindre 30 mètres de hauteur près de côtes.

Les montagnes. À l'exception de quelques volcans isolés, la plupart des montagnes font partie de chaînes de montagnes. La plupart de ces chaînes de montagnes sont des *plissements montagneux* qui résultent de la collision entre des plaques tectoniques. Des montagnes peuvent également se former quand des *blocs montagneux* se soulèvent entre deux failles. La forme des montagnes s'arrondit avec le temps, sous l'effet de l'érosion.

L'histoire de la Terre

L'origine de la Terre. La Terre existe depuis environ 4,6 milliards d'années. Comme les autres planètes, elle résulte probablement d'une accrétion, ou agglomération, de gaz et de poussières qui étaient en orbite autour du Soleil. La pression de cette accrétion, ajoutée à la radioactivité de certains éléments, dégageait une intense chaleur et pendant très longtemps la surface de la Terre comportait une multitude de volcans actifs libérant une épaisse fumée. L'atmosphère primitive, dénuée d'oxygène, comportait principalement de la vapeur d'eau, du méthane et de l'ammoniac. Ces deux derniers composés, dissociés par la lumière solaire, furent peu à peu remplacés par du gaz carbonique et de l'azote. L'oxygène apparut il y a environ un milliard d'années, après que des végétaux primitifs ont commencé la photosynthèse.

Les couches de roches et les fossiles. La distribution, la position et la nature des fossiles contenus dans les couches de roches, ou *strates*, de l'écorce terrestre fournissent de précieux indices concernant l'histoire de la Terre. Selon le *principe de* *superposition*, dans un empilement de strates, les plus anciennes sont en bas et les plus jeunes en haut, sauf s'il y a des plis ou des failles dans l'empilement étudié. Selon le *principe de recoupement*, si une faille ou une intrusion de magma solidifié se trouve dans une couche de roches, elle est plus récente que ces roches. Certaines strates contiennent des *fossiles*, qui sont des roches sédimentaires ayant la forme de plantes et d'animaux ayant vécu il y a des millions d'années. Un fossile peut être un simple *moule*, en creux, d'un animal ou d'une plante qui se sont décomposés, ou une *empreinte* formée par des minéraux qui ont pris la place de l'animal ou de la plante dans le moule. Les premiers fossiles datent d'environ 570 millions d'années.

Le temps géologique est divisé en intervalles, qui comportent eux-mêmes des subdivisions. Les intervalles les plus longs sont les *ères*, qui se divisent en *périodes*, puis parfois en époques et en âges. Les dinosaures, par exemple, dominaient la Terre il y a quelque 160 millions d'années, à l'ère mésozoïque (ou ère secondaire) et à la période jurassique. La *datation*, ou détermination de l'âge des fossiles et des autres roches, se fait principalement au moyen de techniques basées sur la vitesse de désintégration de certains atomes radioactifs tels que l'uranium ou le rubidium.

Les roches et les minéraux

Les roches. Il existe trois grands types de roches dans l'écorce terrestre. Les *roches magmatiques* (ou ignées), formées par les volcans (exemples: granit, basalte), les *roches sédimentaires*, formées par l'entassement de fragments résultant de l'érosion et de la mort d'organismes vivants (exemples: argile, grès, calcaire, dolomie), et les *roches métamorphiques* formées lorsque d'autres roches sont soumises à des pressions et à des températures élevées (exemples: marbre, ardoise, schiste, gneiss).

Les minéraux sont des cristaux de composés chimiques présents dans les roches. Il en existe plus de mille. Les plus abondants sont les *silicates*, formés principalement d'oxygène et de silicium combinés avec des éléments métalliques. Le mica, à structure feuilletée, est un type de silicate. D'autres minéraux importants sont les *sulfures* et les *sulfates*, à base de soufre, les *carbonates*, à base de carbone, et les *oxydes*, à base d'oxygène, presque tous combinés à des éléments métalliques. Les minéraux se caractérisent par leur densité, leur couleur, leur éclat, leur transparence, leur clivage, qui est la façon dont ils se fendent, et leur dureté. L'*échelle de Mohs* permet de mesurer la dureté des minéraux, les moins durs ayant une dureté de 1 (exemple: talc) et les plus durs une dureté de 10 (exemple: diamant).

Les pierres précieuses. Certaines roches contiennent des pierres précieuses, ou gemmes, sous forme de cristaux. La plupart se forment dans les conditions de températures et de pressions élevées de certaines parties de l'écorce terrestre. Les diamants, les émeraudes, les rubis et les saphirs sont des pierres précieuses, tandis que le quartz, l'améthyste, le jaspe et l'onyx sont des pierres semi-précieuses.

L'évolution des paysages

L'érosion. Les roches s'altèrent et se désagrègent avec le temps. Cette érosion peut être causée par des *processus physiques*, tels que les variations de température, l'action de la glace et de l'eau ou l'action combinée du vent et du sable. Elle peut aussi être causée par des *processus chimiques* qui modifient la composition des roches, comme l'oxydation avec l'oxygène de l'air ou la dissolution par des acides faibles présents dans l'eau. Elle peut aussi être engendrée par des *processus biologiques*, tels que la pression exercée par les racines des arbres ou l'attaque d'un sol par les acides de l'humus. La vitesse d'érosion varie selon la composition des roches et le climat.

L'eau qui tombe des nuages, sous forme de pluie ou de neige, s'infiltre en partie dans le sol. Certaines roches, telles que le sable ou le gravier, laissent passer l'eau facilement et sont dites *perméables*, tandis que d'autres, comme l'argile, empêchent l'infiltration de l'eau; elles sont dites *imperméables*. Quand l'eau s'infiltre dans le sol, elle le sature, en certains endroits, et forme la *nappe phréatique*, d'où peut être puisée de l'eau douce. Une *source* est de l'eau de la nappe phréatique qui sort parfois du sol au pied d'une pente. Dans un désert, la présence d'une source crée une *oasis*.

Les cours d'eau. Une partie de l'eau qui tombe des nuages coule à la surface du sol et forme des ruisseaux, des rivières et des fleuves. La région où se rejoignent l'ensemble des eaux d'écoulement liées à un cours d'eau constitue un *bassin versant*. Généralement, les jeunes rivières et les fleuves coulent en ligne droite dans une vallée en forme de V, aux pentes escarpées. Avec le temps, les rivières et les fleuves forment des *méandres* dans une vallée plus large, aux pentes plus douces. Près de son embouchure, un fleuve dépose souvent de nombreux sédiments, ce qui forme alors une *plaine alluviale*, et parfois un *delta*, tels que ceux du Nil ou du Mississippi.

Les régions arides, où les précipitations sont rares, n'ont pas ou peu de végétation et sont donc exposées à l'action du soleil et du vent. Certains déserts, tels que le Sahara, sont situés dans des régions chaudes du globe, mais d'autres déserts, tels que l'Antarctique – qui reçoit à peine plus de précipitations que le Sahara – sont situés dans des régions froides. L'érosion la plus active dans les régions arides est l'*érosion éolienne*, processus physique d'usure, de transport et de dépôt engendré par le vent. Les vastes étendues de sable de certains déserts forment des *dunes* dont les formes varient (paraboles, croissants, tas, vagues) selon la quantité de sable et la variabilité du vent.

Les étendues de glace. Près des pôles se trouvent de grandes étendues de glace, appelées *inlandsis*, qui forment les calottes polaires. L'inlandsis du Groenland, par exemple, couvre une immense surface continentale. Dans certaines chaînes de montagnes se trouvent d'immenses masses de glace, appelées *glaciers*, qui s'écoulent lentement sous l'action de la gravité. À certaines époques, la Terre a été beaucoup plus froide qu'elle ne l'est aujourd'hui et, dans l'hémisphère Nord, la glace recouvrait d'immenses portions de l'Amérique du Nord et de l'Europe. Le dernier *âge glaciaire* s'est achevé il y a 10000 ans. Les inlandsis et les glaciers causent une *érosion glaciaire* importante qui se caractérise par des lacs remplis d'eau de fonte, des vallées en auge, des fjords, des surfaces de roches arrondies ainsi que par des blocs erratiques et des amas de roche ou de sable laissés par les glaces disparues.

Le sol est le mélange meuble superficiel de débris rocheux et organiques. Les *débris organiques*, qui sont des restes de plantes et d'animaux attaqués par des bactéries et des champignons, constituent l'*humus*, essentiel à la croissance des plantes. Il existe divers systèmes de classification des sols. Le système américain «Soil Taxonomy» classe les sols en fonction de leur pH, de leur texture, de leur couleur et de leur structure. Voici quelques exemples de sols de ce système:

Histosol: Sol humide riche en débris végétaux.

Oxisol: Sol riche en oxydes de fer et d'aluminium qui lui donnent une couleur rouge.

Alfisol: Sol riche en argile.

Spodisol: Sol sableux avec une couche supérieure grise des forêts conifères.

Mollisol: Sol fertile à couche supérieure noire (terre noire).

Aridisol: Sol sec contenant beaucoup de sable et de calcaire.

Les océans et les mers

Les océans et les mers couvrent 71% de la surface du globe et contiennent 1,3 milliard de kilomètres cubes d'eau. La profondeur moyenne des mers et des océans est de 3730 m. Pourtant, toutes proportions gardées, si nous représentons la Terre par une boule de billard, les océans et les mers ne forment qu'une mince couche de buée. On trouve cinq grands océans sur la Terre: l'océan Atlantique, l'océan Pacifique, l'océan Indien, l'océan Austral et l'océan Arctique. Il existe également des mers, plus petites, telles que la mer Méditerranée, la mer Baltique ou la mer Rouge. L'eau des mers et des océans est salée, mais la salinité des mers peu profondes, sous des climats chauds, est plus élevée que celle des océans. Les océans sont traversés par de multiples *courants froids et courants chauds*, tels que le Gulf Stream, courant chaud qui adoucit le climat de l'Europe occidentale. La plupart des continents sont entourés par un *plateau continental* sous-marin plus ou moins étendu. Le relief des fonds océaniques, très accidenté, comporte des volcans, des chaînes de montagnes et des canyons. Il comporte également des *abysses*, qui sont des fosses sous-marines qui peuvent atteindre une profondeur de plus de 10 000 mètres. Les *marées* sont causées par la force d'attraction gravitationnelle de la Lune sur l'eau des océans. Il y a deux marées hautes et deux marées basses toutes les 24 heures.

L'atmosphère et le temps

L'atmosphère est formée des gaz qui entourent la Terre. L'air, qui constitue l'atmosphère, est un mélange d'*azote* (78 %), d'*oxygène* (21 %), d'*argon* (0,93 %) et de *dioxyde de carbone* (0,03 %) ainsi que de concentrations infimes de néon, de krypton, de xénon, d'hélium, d'oxyde nitreux et de méthane. Entre le sol et une altitude de 12 kilomètres se trouve la *troposphère*, où se forment la majorité des nuages, qui est généralement plus chaude près du sol et se refroidit avec l'altitude. Entre 12 et 50 kilomètres se trouve la *stratosphère*, au sommet de laquelle est située la couche d'ozone, de quelques kilomètres d'épaisseur, qui protège la Terre des rayons ultraviolets du Soleil. Entre 50 et 80 kilomètres se trouve la *mésosphère*, où brûlent la plupart des météorites. Entre 80 et 700 kilomètres se trouve la *thermosphère*, où se forment les aurores polaires. L'*ionosphère* est une partie de la thermosphère, entre 100 et 300 kilomètres d'altitude, qui contient des particules ionisées, c'est-à-dire électriquement chargées, qui réfléchissent les ondes radio vers la Terre. Au-delà de 700 kilomètres se trouve l'*exosphère*, où la densité de l'air est presque nulle.

La pression et le vent. La pression atmosphérique, dont la valeur moyenne est de 1 013 millibars (mbar), change constamment, surtout en raison de l'échauffement irrégulier de l'air. Les zones de hautes pressions, où le temps est généralement beau, sont des *anticyclones* et les zones de basses pressions, où le temps est généralement mauvais, sont des *dépressions.* En surface, le vent souffle des zones de hautes pressions vers les zones de basses pressions, mais il est dévié vers la droite dans l'hémisphère Nord et vers la gauche dans l'hémisphère Sud par la *force de Coriolis* qui résulte de la rotation de la Terre. Par conséquent, dans l'hémisphère Nord, les vents soufflent dans le sens des aiguilles d'une montre autour des anticyclones et dans le sens contraire des aiguilles d'une montre autour des dépressions, alors que c'est l'inverse dans l'hémisphère Sud. La force du vent se mesure à l'aide des 13 degrés de l'*échelle de Beaufort*, sur laquelle le 0 correspond à l'absence totale de vent et le 12 aux vents d'un ouragan. La plupart des régions sont soumises à un *vent dominant*, qui est celui qui souffle le plus souvent. À Montréal, par exemple, le vent dominant vient de l'ouest. Il existe trois grandes *cellules de circulation* des vents dominants dans chaque hémisphère. Dans l'hémisphère Nord, notamment, se trouvent la cellule polaire, où les vents dominants de surface soufflent du nord vers le sud, la cellule des latitudes moyennes, où les vents dominants de surface soufflent de l'ouest vers l'est, et la cellule de Hadley, entre le tropique et l'équateur où les vents de surface, nommés *alizés*, soufflent du nord-est vers le sud-ouest. Ces cellules sont séparées par des *courants jets*, étroite ceinture de vents d'ouest à haute altitude dont la vitesse peut atteindre 370 km/h.

Les nuages et les précipitations. L'humidité est la quantité de vapeur d'eau contenue dans l'air. Lorsqu'elle est exprimée en pourcentage, il s'agit de l'*humidité relative*, qui est la proportion de la quantité maximale possible de vapeur d'eau à cette température. En effet, plus l'air est chaud, plus il peut absorber de vapeur d'eau et devient *saturé* quand il ne peut plus absorber de vapeur d'eau. L'évaporation de l'eau des océans, des mers, des lacs et des cours d'eau de même que la transpiration des plantes produisent de la vapeur d'eau qui se condense pour former des nuages, qui donnent ensuite des précipitations sous forme de pluie et de neige : c'est le *cycle de l'eau*. Il existe plusieurs types de nuages, tels que les *cirrus*, à haute altitude, formés de cristaux de glace, les *stratus*, grands nuages en grappe parfois responsables des longues périodes de pluie ou de neige ; les *cumulus*, souvent blancs et ronds, et les *cumulonimbus*, responsables des orages. L'eau peut tomber des nuages sous diverses formes : bruine (pluie très fine), pluie, neige, grésil (mélange de pluie et de neige), grêle (billes de glace) et verglas (pluie qui gèle au contact du sol).

Les masses d'air et les tempêtes. Un changement dans la direction du vent annonce souvent un changement du temps, car cela correspond à l'arrivée d'une nouvelle masse d'air à la température et aux taux d'humidité différents. Les principales masses d'air sont les masses d'air *polaire maritime* qui donnent des ciels couverts en hiver et clairs en été, les masses d'air *tropical maritime*, chaud et humide, qui donnent parfois de longues averses, les masses d'air *tropical continental*, qui donnent du temps chaud et sec, et les masses d'air *arctique continental*, qui donnent des ciels très clairs, mais des températures froides. Quand une masse d'air chaud avance au-dessus d'une masse d'air froid, il se forme alors un *front chaud* qui apporte une température chaude et humide et des précipitations continues. Quand une masse d'air froid avance sous une masse d'air chaud, il se forme alors un *front froid* qui cause un orage frontal aux précipitations abondantes, mais de courte durée, suivi d'une chute de la température. Les *orages*, souvent associés à des nuages de type cumulonimbus qui peuvent atteindre plus de 15 kilomètres d'altitude, causent des éclairs, du tonnerre, des pluies torrentielles et parfois de la grêle. Les *éclairs* résultent d'une décharge d'électricité statique formée par la friction entre les gouttes d'eau, dans les nuages d'orage, et le *tonnerre* est causé par l'expansion brusque de l'air chauffé à 25 000 °C par le passage de l'éclair. Les *ouragans*, appelés aussi *cyclones* et *typhons*, se forment au-dessus des mers tropicales chaudes et sont constitués d'une immense spirale de nuages pouvant atteindre 800 kilomètres de diamètre et dans laquelle les vents peuvent souffler à 360 km/h. Les *tornades*, orages de petite taille caractérisés par une colonne d'air ascendant, peuvent renfermer des vents qui peuvent atteindre 400 km/h.

Les climats. Un climat se caractérise principalement par ses températures moyennes mensuelles plus ou moins élevées et ses précipitations moyennes mensuelles plus ou moins abondantes. Les trois grandes zones climatiques du globe sont les régions polaires, les régions tempérées et les régions tropicales. Dans les *régions polaires*, le Soleil est toujours bas sur l'horizon et ne se lève pas pendant plusieurs semaines ou plusieurs mois, selon la latitude. Les *régions tempérées* connaissent des étés chauds et des hivers froids. Les *régions tropicales* sont très chaudes : certaines sont des déserts, car elles sont situées sous des anticyclones qui maintiennent l'air sec ; d'autres sont des jungles luxuriantes, les pluies y étant régulières et abondantes ; d'autres sont influencées par des vents de mousson qui leur donnent une saison sèche et une saison des pluies. Partout sur la Terre, les régions côtières, au *climat océanique*, connaissent souvent un climat plus humide et plus variable que les régions continentales, tandis que les régions montagneuses subissent habituellement le *climat de montagne* plus froid et plus humide que celui des plaines à basse altitude.

Astronomie

Le Système solaire

Le Système solaire, qui s'est formé il y a environ 5 milliards d'années, comprend 9 planètes qui gravitent selon des orbites elliptiques autour d'une étoile, le Soleil. Ces planètes sont Mercure, Vénus, la Terre, Mars, Jupiter, Saturne, Uranus, Neptune et Pluton. Plusieurs planètes possèdent une ou plusieurs lunes. Mars, par exemple, en compte 2, Jupiter 16 et Saturne 18.

Planète	Diamètre (en milliers de kilomètres)	Distance moyenne au Soleil (en millions de kilomètres)	Durée d'une révolution	Nombre de lunes
Mercure	4,8	57,9	88 jours	0
Vénus	12,1	108,2	225 jours	0
Terre	12,7	149,6	365 jours	1
Mars	6,7	227,9	687 jours	2
Jupiter	142,9	778,3	12 ans	62
Saturne	120,5	1 426,9	29 ans	31
Uranus	51,1	2 870,9	84 ans	37
Neptune	49,5	4 497,0	165 ans	13
Pluton	2,2	5 913,5	249 ans	1

La distance entre la Terre et le Soleil est d'environ 1 500 000 kilomètres, soit une *unité astronomique.* Les astéroïdes et les comètes, beaucoup plus petits, gravitent aussi autour du Soleil.

Le Soleil est une étoile de grosseur et de température moyennes. Son diamètre est de 1 500 000 kilomètres, son volume est d'environ 1 300 000 fois celui de la Terre et sa masse est presque 330 000 fois celle de la Terre. Comme les autres étoiles, le Soleil est constitué principalement d'*hydrogène* en fusion thermonucléaire. Cette fusion dégage une grande quantité de chaleur et de lumière, qui met environ 8 minutes pour parvenir à la Terre. La température de la surface du Soleil est de 5 500 °C et atteint environ 15 000 000 °C au centre. Des *taches* sombres sont parfois visibles sur la surface du Soleil : ce sont des régions un peu plus froides (4 500 °C) où se produisent des orages magnétiques. Ces orages sont plus fréquents tous les 11 ans du cycle de l'activité solaire. Le Soleil, qui s'est formé il y 5 milliards d'années, possède suffisamment d'hydrogène et d'hélium pour durer encore autant d'années.

Mercure est la planète la plus rapprochée du Soleil. Difficile à repérer, elle est parfois visible près de l'horizon, juste avant le lever du Soleil ou juste après le coucher. Elle ressemble à notre Lune. Sur Mercure, il n'y a pas d'atmosphère, pas d'eau et sa surface est criblée de cratères. Du côté du Soleil, la température de sa surface est de 400 °C, tandis que du côté opposé elle est de – 200 °C.

Vénus est la planète la plus brillante du ciel. Selon sa position sur son orbite, elle est visible à l'ouest, après le coucher du Soleil, ou à l'est, avant son lever. Elle est entourée d'épais nuages d'acide sulfurique qui réfléchissent très bien la lumière du Soleil et expliquent qu'elle soit si brillante. La surface de Vénus comporte des montagnes, des plateaux, des cratères et des traces d'activité volcanique. En raison des nuages qui créent un effet de serre, la température à la surface de Vénus est de 480 °C.

La Terre est surnommée la « planète bleue », car 71 % de sa surface est recouverte d'eau, qui paraît bleue parce qu'elle réfléchit la couleur du ciel. Particularité unique dans le Système solaire, la distance à laquelle elle se trouve du Soleil permet à l'eau d'y demeurer liquide, ce qui a permis le développement de la vie. Son atmosphère, composée d'azote, d'oxygène et d'autres gaz, tels que l'ozone, entretient la vie et agit également comme un bouclier protecteur contre les rayons nocifs du Soleil. Dans le calendrier, l'année correspond au temps que met la Terre pour faire le tour du Soleil (365 jours, 6 heures, 9 minutes et 9,5 secondes soit 365,25 jours). L'axe de rotation de la Terre sur elle-même est incliné de 23° par rapport à son plan de rotation autour du Soleil, ce qui explique qu'il y ait des saisons. De plus, la région du ciel vers laquelle pointe cet axe de rotation change lentement avec le temps, phénomène connu sous le nom de *précession des équinoxes*.

La Lune est un satellite naturel de la Terre. Elle est criblée d'une multitude de *cratères* qui ont été produits par des astéroïdes et des comètes qui se sont écrasés sur sa surface peu après sa formation. La Lune possède également des *mers*, qui sont de grandes coulées de lave refroidie. Les *phases* de la Lune sont causées par le fait qu'elle tourne autour de la Terre en 28 jours, et par la façon dont la partie éclairée peut être vue à partir de la Terre. Une *éclipse du Soleil* se produit quand la Lune passe exactement entre le Soleil et la Terre. Une *éclipse de Lune* se produit quand la Terre passe exactement entre le Soleil et la Lune. Dans le calendrier, le mois correspond, de façon très approximative, au temps que met la Lune à faire le tour de la Terre.

Mars est surnommée la « planète rouge » car elle se distingue, dans le ciel étoilé, par sa teinte rougeâtre. Cette couleur s'explique par le fait que la surface est couverte d'une fine poussière d'oxyde de fer, composé chimique communément appelé *rouille*. À l'exception des calottes polaires, qui contiennent une petite quantité de dioxyde de carbone et d'eau à l'état solide, la surface de Mars est un désert qui comporte des cratères, des vallées profondes, des dunes et des montagnes. Très ténue, l'atmosphère de Mars se compose surtout de gaz carbonique. Plus froide que celle de la Terre, la température de sa surface varie entre 20 °C et –70 °C, selon les heures et les régions.

Les astéroïdes. Entre Mars et Jupiter se trouve une ceinture des milliers de petites planètes nommées *astéroïdes*. Ce sont des fragments de roches qui orbitent autour du Soleil, des restes d'une planète qui aurait explosé ou de résidus laissés lors de la formation du Système solaire. Les plus gros ont un diamètre de quelques centaines de kilomètres.

Jupiter est la plus grosse planète du Système solaire. Son volume est d'environ 1 400 fois celui de la Terre. C'est une immense boule de gaz qui entoure un noyau de roche et de métal. Les gaz visibles à la surface de Jupiter, qui créent des vents atteignant près de 400 km/h, se composent d'hydrogène et d'hélium, avec de minuscules cristaux de méthane et d'ammoniac en suspension. Jupiter possède une grande *tache rouge* qui a toujours été visible, depuis les premières observations au télescope au XVIIe siècle. C'est un ouragan gigantesque qui durera peut-être encore plusieurs siècles. Une des lunes de Jupiter possède des volcans en activité.

Saturne est presque aussi grosse que Jupiter. C'est également une immense boule de gaz qui entoure un noyau de roche et de métal. Très spectaculaire au télescope, elle possède des milliers d'*anneaux*, très rapprochés les uns des autres. Ces anneaux sont formés d'une multitude de morceaux de roche et de glace en orbite autour de la planète. L'origine de ces anneaux est encore inexpliquée, mais ce pourrait être un satellite détruit par une comète ou un météorite, ou des matériaux n'ayant jamais pu se former en satellite.

Uranus, une autre immense boule de gaz qui entoure un noyau de roche et de métal, a un axe de rotation très incliné. Ce sont les pôles et non l'équateur qui font face au Soleil. Uranus a une couleur verdâtre en raison d'une grande concentration de méthane dans sa haute atmosphère. Elle possède aussi de petits anneaux, difficiles à observer. Un des satellites d'Uranus, Miranda, dont la surface est très accidentée, possède une falaise de 10 kilomètres de hauteur.

Neptune ressemble beaucoup à Uranus, mais elle possède une atmosphère plus mouvementée dans laquelle se trouve une grande tache sombre, semblable à la tache rouge de Jupiter. Elle est également entourée d'anneaux.

Pluton est une boule de méthane glacée. Son orbite est très elliptique, et elle est parfois moins éloignée du Soleil que Neptune.

Les comètes sont des boules de glace et de roche qui tournent autour du Soleil sur des orbites très elliptiques. Près du Soleil, les comètes se réchauffent et forment une traînée de poussière et de gaz. La queue d'une comète atteint parfois une longueur de 50 millions de kilomètres. La plus célèbre des comètes est la comète de

Halley, qui revient tous les 76 ans. (Son dernier passage a eu lieu en 1986.) Les comètes proviennent du nuage d'Oort, nuage sphérique de plusieurs milliards de comètes situé au-delà de Pluton.

Les météorites. En plus des comètes et astéroïdes situés entre Mars et Jupiter, il existe un peu partout dans le Système solaire des milliards de fragments de matière plus petits qui entrent parfois dans l'atmosphère de la Terre, où la friction avec l'air les fait brûler, formant une *étoile filante*.

Les étoiles et les galaxies

Les étoiles se distinguent d'abord les unes des autres par leur luminosité apparente, ou *magnitude*. Selon l'échelle des magnitudes, la plupart des étoiles visibles à l'œil nu ont une magnitude comprise entre 0 (les plus brillantes) et 6 (les moins brillantes) ; cette magnitude n'a aucun rapport avec la luminosité réelle des étoiles, cependant, car certaines étoiles sont beaucoup plus proches du Système solaire que d'autres. Les étoiles se distinguent aussi par leur couleur. Le *diagramme de Hertzprung-Russell*, dont l'axe horizontal représente la couleur et la température, et l'axe vertical la luminosité réelle, permet de classer les étoiles. Le Soleil, au centre de ce diagramme, est une étoile jaune, de température et de luminosité moyennes. La majorité des étoiles de l'Univers se situent le long de la séquence principale de ce diagramme, qui va des étoiles rouges (dans le coin inférieur droit), les moins lumineuses, vers les étoiles bleues (dans le coin supérieur gauche), les plus lumineuses. Il existe également des étoiles qui n'appartiennent pas à la série principale. Ce sont les *géantes rouges*, qui peuvent être des centaines de fois plus grandes que le Soleil, et les *naines blanches*, dont certaines ne sont pas plus grandes que la Terre. Les étoiles naissent dans des *nébuleuses* de poussière et de gaz qui se condensent sous l'effet de la gravité. Avant de mourir, une étoile de luminosité moyenne, comme le Soleil, deviendra une géante rouge, qui engloutira plusieurs planètes, puis une naine blanche qui se refroidira lentement. Une étoile meurt lorsqu'elle a brûlé tout son hydrogène. Il arrive parfois que certaines étoiles laissent échapper une immense quantité de gaz en fusion, ce qui les rend très brillantes, formant temporairement une *nova*. D'autres étoiles terminent leur vie dans une gigantesque explosion, engendrant une supernova qui laisse ensuite des débris de matière visibles durant des milliers d'années.

Les constellations. Pour se retrouver dans le ciel étoilé, les êtres humains qui observaient le firmament, autrefois, relièrent entre elles les étoiles les plus brillantes visibles à l'œil nu pour dessiner des objets ou des personnages de légende. Ces dessins sont appelés les *constellations*. Ce système a été conservé, de nos jours, et le ciel est maintenant divisé en 88 constellations qui représentent des personnages de la mythologie, des animaux et des objets inanimés. Certaines constellations ne sont visibles que dans l'hémisphère Nord, et d'autres ne le sont que dans l'hémisphère Sud. Les constellations du *Zodiaque* sont les constellations dans lesquelles semblent se déplacer le Soleil et les planètes au cours de l'année. Dans l'hémisphère Nord, l'*étoile Polaire*, dans la constellation de la Petite Ourse, se situe dans le prolongement de l'axe de rotation de la Terre, au-dessus du pôle Nord, et nous indique donc le nord. Dans l'hémisphère Sud, la constellation de la *Croix du Sud* se trouve près du prolongement de l'axe de rotation de la Terre, au-dessus du pôle Sud, et nous indique donc le sud.

Les galaxies. Le Soleil est l'une des centaines de milliards d'étoiles d'une galaxie appelée la *Voie lactée* ou simplement la *Galaxie*. Toutes les étoiles visibles dans le ciel sont situées dans la Galaxie. Il existe, dans l'Univers, des milliards d'autres amas semblables, souvent de forme spirale, appelés *galaxies*. Notre voisine, la galaxie d'Andromède, visible à l'œil nu comme une petite tache de lumière, ressemble beaucoup à notre Galaxie. On compte environ 200 milliards d'étoiles dans notre Galaxie, mais des galaxies elliptiques géantes peuvent en contenir plus de 1 000 milliards.

La taille de l'Univers. En astronomie, les distances se mesurent en *années-lumière*, soit la distance parcourue par la lumière dans le vide en une année, à la vitesse de 300 000 km/s, soit 9 465 000 000 000 kilomètres. Alpha du Centaure, l'étoile la plus proche du Système solaire, se situe à 4 années-lumière, ce qui représente 263 000 fois la distance entre la Terre et le Soleil. Notre Galaxie a un diamètre d'environ 100 000 années-lumière, et la galaxie d'Andromède, la plus proche de la nôtre, est située à environ 2,5 millions d'années-lumière. Les astronomes distinguent des galaxies situées jusqu'à 13 milliards d'années-lumière. Nous les voyons donc aujourd'hui telles qu'elles étaient il y a 13 milliards d'années.

L'origine de l'Univers est expliquée par la théorie du *Big Bang*, selon laquelle l'Univers est apparu il y a environ 15 milliards d'années, à la suite d'un événement semblable à l'explosion d'un point de matière et d'énergie qui donna naissance aux galaxies. L'*expansion de l'Univers* et la présence de micro-ondes cosmiques résiduelles corroborent cette théorie.

Trous noirs, pulsars et quasars. Il arrive parfois qu'une étoile massive explose, ce qui forme alors, pour un temps assez court, une *supernova* extrêmement brillante. Un *trou noir*, qui est le reste de cette explosion, est un objet tellement dense que même la lumière ne peut s'échapper de sa force d'attraction gravitationnelle. Un *pulsar*, qui est le reste de l'explosion d'une étoile moyenne, est une étoile à neutrons qui tourne rapidement sur elle-même. Les *quasars*, situés aux confins de l'Univers, sont considérés comme des galaxies naissantes. Ils émettent un puissant rayonnement d'ondes radio et d'ondes lumineuses.

Technologie des sciences de la Terre et de l'Espace

La prospection minière

Il existe plusieurs méthodes pour localiser des hydrocarbures et des minerais. Les méthodes *géologiques*, telles que la télédétection par satellite, visent à découvrir les grandes zones minérales. Les méthodes *géochimiques*, qui consistent à tester des échantillons de roche, peuvent révéler la proximité de certains gisements. Les méthodes *géophysiques* sont basées sur les variations de diverses propriétés physiques : la magnétométrie porte sur les variations du champ magnétique, la gravimétrie sert à mesurer les variations de densité, la prospection électrique a pour objet les variations de la conductivité et la prospection sismique sert à enregistrer les variations dans la propagation d'ondes. Enfin, quand des ressources ont été localisées, un forage permet de faire une vérification directe.

La prévision météorologique

La prévision météorologique est l'étude des phénomènes atmosphériques en vue de la prévision du temps. Pour prévoir le temps, il faut connaître à chaque instant la *pression atmosphérique* (indiquée par le baromètre), la *température* (affichée sur le thermomètre), le *taux d'humidité* (donné par l'hygromètre), la direction et la vitesse des *vents* (signalées par la girouette et anémomètre) dans les diverses zones de l'atmosphère, ainsi que la quantité de *précipitations* au sol (mesurée par le pluviomètre). L'étude de l'évolution des divers types de nuages et des fronts, chauds ou froids, est également importante. Il existe environ 10 000 *stations météo* à la surface de la Terre, dont plusieurs sont entièrement automatisées, auxquelles s'ajoutent les centaines de *ballons-sondes* lancés chaque jour ainsi qu'un grand nombre de *satellites météorologiques* d'observation et de retransmission qui communiquent toutes leurs données aux divers centres de l'Organisation météorologique mondiale où des super-ordinateurs, programmés à partir de modèles mathématiques de prévision, calculent l'évolution du temps.

Observer, mesurer et explorer l'Univers

Plusieurs instruments, techniques et appareils permettent de mieux connaître l'Univers. Le *télescope réfracteur*, appelé aussi *lunette astronomique*, est muni d'une grande lentille primaire qui fait dévier les rayons lumineux, par réfraction, vers de petites lentilles qui constituent l'oculaire. Le *télescope réflecteur* possède un grand miroir concave qui fait dévier les rayons lumineux, par réflexion, vers un autre petit miroir, puis vers un oculaire. La lumière perçue peut également être décomposée à l'aide de prismes, ce qui permet alors d'observer (par *spectroscopie*) ou de photographier (par *spectrographie*) le spectre des radiations émises par les objets observés et d'analyser leur composition chimique. Grâce au *radiotélescope*, on peut capter les ondes radios émises par des étoiles et des galaxies. Un *radar* permet d'envoyer des ondes radio vers des objets tels que la Lune ou les planètes et de capter les ondes réfléchies par leur surface, ce qui fait en sorte, par exemple, qu'on puisse distinguer leur relief.

Une des techniques les plus anciennes pour mesurer les distances dans l'Univers consiste à mesurer la distance à l'aide de la *parallaxe*, c'est-à-dire à partir du déplacement apparent d'un corps observé depuis de deux points différents. On peut, par exemple, mesurer la distance d'une étoile observée à partir de deux points situés de part et d'autre de l'orbite de la Terre autour du Soleil à l'aide du déplacement apparent de cette étoile par rapport aux étoiles plus éloignées. Le *radar*, qui sert à mesurer le temps entre l'émission d'une onde et la réception de l'onde réfléchie, permet également de calculer des distances à l'intérieur du Système solaire. La mesure de distances beaucoup plus grandes, telles que les distances des autres galaxies, se fait principalement à l'aide d'une certaine catégorie d'étoiles géantes, les *céphéides*, dont la période de pulsation est proportionnelle à leur luminosité réelle. Par ailleurs, la vitesse de déplacement d'une étoile ou d'une galaxie peut se mesurer à l'aide de l'*effet Doppler*, qui est une modification apparente, attribuable à son mouvement, de la longueur d'onde de la lumière émise par l'étoile ou la galaxie.

Un *satellite artificiel* en orbite autour de la Terre est en fait un projectile, lancé par une fusée, qui retombe en suivant la courbure de la planète. Il tourne donc autour de la Terre sans qu'aucune énergie soit utilisée. Une *station spatiale* est un gros satellite dans lequel plusieurs astronautes peuvent séjourner pour de longues périodes. Une *sonde spatiale* est un projectile habité ou inhabité lancé vers un autre corps céleste.

LES SAVOIRS AU SUJET DE L'UNIVERS VIVANT

Biologie et technologie des sciences biologiques

Le chapitre 5 expose les savoirs relatifs à l'univers vivant qui devraient faire partie de la culture générale de tout enseignant du primaire (Thouin, 2001). Comme dans le cas des savoirs relatifs à l'univers matériel ou à la Terre et à l'Espace, certains de ces savoirs ne sont pas abordés directement dans le *Programme de formation* ou les manuels scolaires du primaire, mais on y fait fréquemment allusion.

Biologie

La biologie a pour objet d'étude la vie et le fonctionnement des êtres vivants.

La cellule

La cellule végétale est l'élément constitutif fondamental des végétaux. Elle capte l'énergie du Soleil et produit sa propre nourriture, à partir de gaz carbonique et d'eau, grâce à l'action de la *chlorophylle.* Entourée d'une *paroi cellulaire rigide* et d'une *membrane plasmique,* elle renferme un *noyau* et des *organites* dont les principaux sont les chloroplastes, lesquels contiennent la chlorophylle. La plupart de cellules végétales comportent des vacuoles remplies de suc. Étant donné qu'elle produit sa propre nourriture, la cellule végétale est dite *autotrophe.*

La cellule animale est l'élément constitutif fondamental des animaux. Elle tire son énergie des aliments. Elle est constituée d'une *membrane plasmique* souple, de *cytoplasme,* d'un *noyau,* qui renferme les *chromosomes,* et de divers *organites.* Les principaux organites présents dans le cytoplasme sont les mitochondries, qui assurent la respiration, le réticulum endoplasmique, qui fabrique des protéines, des lipides et des hormones ainsi que l'appareil de Golgi, qui collecte et protège des enzymes et des hormones. Étant donné qu'elle ne peut produire sa propre nourriture et qu'elle doit tirer son énergie des aliments, la cellule animale est dite *hétérotrophe.*

Le mouvement des molécules, dans une cellule, se fait principalement par *diffusion*, quand les molécules se dispersent uniformément, ou par *osmose*, quand les molécules d'eau d'une solution traversent une membrane en direction de la solution la plus concentrée.

Les tissus et les organes sont formés de groupes de cellules. Les principaux types de tissus sont le *tissu musculaire*, le *tissu nerveux*, le *tissu conjonctif* (exemples : os, cartilage, sang) et le *tissu épithélial* (exemple : peau).

La biochimie

La biochimie a pour objet d'étude les constituants de la matière vivante et leurs réactions chimiques.

Les glucides sont une famille de molécules formées de carbone, d'oxygène et d'hydrogène. Le *glucose* est le glucide le plus commun chez les êtres vivants, le *fructose* un glucide présent dans les fruits et le *lactose* un glucide présent dans le lait. L'*amidon*, qui sert de réserve d'énergie pour les plantes, est composé de chaînes de divers glucides. La *cellulose*, qui forme les parois cellulaires des végétaux, est constituée de chaînes de glucose.

Les lipides isolent et stockent de l'énergie, dans le cas de *graisses* et des *huiles*, et forment des revêtements imperméables, dans le cas des *cires*. L'alimentation comporte souvent une proportion trop élevée de lipides.

Les vitamines et les minéraux sont indispensables, en petites quantités, pour certaines réactions chimiques à l'intérieur de l'organisme. Chez les personnes qui n'ont pas une alimentation équilibrée, le manque de vitamines A et D ainsi que le manque de calcium et de fer sont les *carences* les plus fréquemment observées.

L'eau est absolument indispensable à la vie. La proportion d'eau contenue dans le corps humain est d'environ 70 %. L'alimentation doit assurer un apport important et constant en eau, pour renouveler toute celle qui est évacuée par l'urine et la sueur.

Les protéines sont constituées de chaînes d'*acides aminés*. Elles permettent de construire les tissus et, dans le cas des enzymes, de contrôler des réactions chimiques. L'immunoglobuline est une protéine particulièrement importante, qui protège l'organisme contre les bactéries et les virus. Les végétariens qui ne consomment pas les bonnes combinaisons d'acides aminés souffrent de carences en protéines.

L'énergie et la respiration. Les êtres vivants se procurent leur énergie au moyen d'une réaction chimique qui fait intervenir les glucides, au moment de la respiration.

Dans le cas d'une *respiration aérobie*, le glucose se combine avec l'oxygène pour former du gaz carbonique et de l'eau. Dans le cas d'une *respiration anaérobie*, comme dans le cas de la *fermentation lactique* qui se produit pendant un exercice vigoureux, le glucose libère de l'énergie en produisant de l'acide lactique, ce qui rend les muscles douloureux. La *fermentation alcoolique*, utilisée pour fabriquer du vin et de la bière, notamment, est un type de respiration anaérobie qui se produit chez certains végétaux.

Les acides nucléiques sont des composés organiques complexes porteurs d'information. Le principal acide nucléique est l'*ADN* (acide désoxyribonucléique), qui consiste en deux brins torsadés qui forment une double hélice et qui sont liés entre eux par des paires de *bases* azotées. L'ADN d'une seule cellule humaine mesurerait près de deux mètres, s'il était déroulé, et contient l'équivalent en information de 600 000 pages d'écriture. L'*ARN* (acide ribonucléique) est un autre acide nucléique essentiel.

La génétique et l'hérédité

Le code génétique est un code chimique constitué par l'arrangement particulier de très longues *séquences de bases azotées* dans les molécules d'ADN et d'ARN. Un *gène* est un petit segment d'ADN qui indique aux cellules de l'organisme comment fabriquer certaines protéines. L'ADN des cellules humaines comporte près de 40 000 gènes. Chaque gène est composé de *codons* et chacun de ces codons est formé de trois bases azotées choisies parmi les quatre sortes de bases azotées possibles. Une *carte génétique* permet de représenter la répartition des gènes sur les chromosomes. En génétique, il est important de savoir distinguer le *phénotype*, qui regroupe les caractéristiques visibles d'un être vivant, du *génotype*, qui est sa composition génétique. Les gènes présents dans le génotype ne sont pas tous exprimés dans le phénotype, mais peuvent se manifester dans les générations suivantes.

Les chromosomes sont des structures qui renferment l'ADN d'une cellule. Chaque espèce d'être vivant a un nombre précis de chromosomes dans ses cellules: c'est le *nombre chromosomique*. Une cellule humaine contient 46 chromosomes. Les généticiens utilisent beaucoup, pour leurs recherches, une petite mouche à fruits, la drosophile, car elle ne contient que quatre chromosomes de très grande taille et se reproduit très rapidement.

L'hérédité est le lien qui existe entre les générations successives d'être vivants. Dans les cellules humaines, un *gène* se présente sous deux ou plusieurs formes appelées *allèles*. Les *allèles dominants* font partie du génotype (le bagage génétique) et sont également exprimés dans le phénotype (les caractéristiques visibles), tandis que les *allèles récessifs*, qui sont masqués par les allèles dominants, font partie du génotype mais ne sont souvent pas exprimés dans le phénotype. Un allèle récessif (exemple: allèle des yeux bleus) masqué par un allèle dominant (exemple: allèle des yeux bruns) ne peut s'exprimer, dans un individu de la génération suivante, que s'il est associé à un allèle récessif identique.

L'évolution

La théorie actuelle de l'évolution, qui permet de comprendre les changements subis au cours des temps géologiques par les lignées animales et végétales de même que l'apparition d'espèces nouvelles, est une version moderne de la théorie avancée par Charles Darwin. Cette théorie, basée sur le processus de la sélection naturelle, s'oppose au *fixisme*, selon lequel les êtres vivants sont immuables, et au *transformisme*, selon lequel les caractères acquis se transmettent aux descendants. La théorie de l'évolution permet de comprendre la classification des êtres vivants. Par exemple, les animaux qui se ressemblent, tels que les grands singes et les êtres humains, ont un ancêtre commun. Cet ancêtre et d'autres animaux semblables avaient également un ancêtre commun, et ainsi de suite jusqu'aux formes de vies animales les plus simples.

L'histoire de la vie. La Terre existe depuis quelque 4,5 milliards d'années. Le premier être vivant, une bactérie, est probablement apparu il y a 3,8 milliards d'années environ. Depuis, de nombreuses formes de vie ont prospéré et disparu, laissant des *fossiles* comme vestiges. L'échelle des temps géologiques se subdivise en éons, en ères, en périodes et en étages. Par exemple, l'ère mésozoïque contient la période jurassique, il y a environ 200 millions d'années, pendant laquelle les dinosaures prospéraient à la surface de la Terre.

L'origine de la vie. La vie est probablement apparue dans les *mers*, qui contenaient de nombreux composés chimiques émis par des éruptions volcaniques. Des réactions chimiques survenant au hasard, durant des millions d'années, finirent par créer des composés capables de se copier, ce qui mena à la première vie véritable, un micro-organisme très simple.

L'évolution de l'homme. Les êtres humains existent depuis plus d'un million d'années. Notre espèce, *Homo sapiens*, existe depuis environ 300 000 ans, mais elle fut précédée par d'autres espèces de primates de la famille des hominidés, telles que l'espèce des *australopithèques* et l'espèce *Homo habilis*. De nos jours, les deux espèces animales les plus étroitement apparentées à l'espèce *Homo sapiens* sont les chimpanzés et les gorilles. Environ 99 % de leur bagage génétique est identique à celui des êtres humains. Ces trois espèces ont un ancêtre commun qui vivait il y a 5 millions d'années.

La classification des êtres vivants

Les êtres vivants sont classés en *règne*, en *embranchement*, en *classe*, en *ordre*, en *famille*, en *genre* et en *espèce*. Par exemple, le loup fait partie du règne animal, de l'embranchement des cordés, de la classe des mammifères, de l'ordre des carnivores, de la famille des canidés, du genre Canis et de l'espèce Lupus. Le système de classification moderne comprend cinq grands règnes : les *procaryotes*, qui sont des unicellulaires sans noyau (exemples : bactéries, algues bleues), les *protistes*, qui sont des unicellulaires avec noyau dont certains présentent des caractéristiques « végétales » (exemple : diatomées) et d'autres des caractéristiques « animales » (exemple : amibes), les *champignons*, qui ne font pas de photosynthèse, les *végétaux*, qui fabriquent leur propre nourriture par photosynthèse, et les *animaux*. L'analyse de l'ADN permet de raffiner les classifications. Elle permet de montrer, par exemple, que les hippopotames sont relativement proches des dauphins et des baleines, et que ces animaux ont probablement un ancêtre commun.

Les virus et les micro-organismes

Les virus, qui ne sont pas considérés comme des êtres vivants, sont des fragments d'acide nucléique entourés d'une capside, enveloppe formée de protéines. Un *virus* doit parasiter une cellule pour pouvoir se reproduire. Les virus provoquent de nombreuses maladies chez les végétaux et les animaux.

Les unicellulaires sans noyau qui constituent le règne des *procaryotes* comprennent les bactéries et les cyanobactéries (algues bleues). Les *bactéries* sont des cellules complètes renforcées par une épaisse paroi cellulaire. Certaines sont utiles, comme celles qui vivent dans notre système digestif ou celles qu'on utilise pour la fabrication du yaourt, et d'autres sont nuisibles, comme celles qui causent des maladies infectieuses. Les bactéries peuvent être classifiées selon leurs formes ou selon leurs sources nutritives. Selon leurs formes, il existe des bactéries de forme sphérique appelées *coques* (exemple : le streptocoque responsable de certaines pneumonies), de forme cylindrique appelées *bacilles* (exemples : le bacille *Escherichia coli* de l'intestin et le bacille de la tuberculose) et de forme spirale appelées *spirilles* (exemples : les spirilles du choléra et de la syphilis). Selon leurs sources nutritives, il existe des bactéries *autotrophes* qui, comme les végétaux, peuvent synthétiser des molécules organiques, et les *hétérotrophes* qui, comme les animaux, doivent se nourrir de composés organiques déjà synthétisés. Les *cyanobactéries* ou algues bleues, différentes des algues unicellulaires qui font partie du règne des protistes, vivent grâce à la photosynthèse.

Les unicellulaires avec noyau, qui constituent le règne des *protistes*, se subdivisent en deux embranchements : celui des algues unicellulaires, qui ont des caractéristiques « végétales », et celui des protozoaires, qui présentent des caractéristiques « animales ». En été, par exemple, les algues unicellulaires rendent les eaux stagnantes vertes et les gaz libérés par certains protozoaires leur donnent une odeur caractéristique. L'embranchement des *algues unicellulaires* comprend les sous-embranchements des chlorophycées, des zygophycées, des clarophycées et des englenophycées qui sont toutes des « algues vertes », des rhodophycées qui sont des « algues rouges », des chrysophycées, des phéophycées ou « algues brunes » et des diatomées, protégées par une coque en silice.

L'embranchement des *protozoaires* comprend les sous-embranchements des zooflagellés, des rhizopodes (exemples : amibes, dont une espèce cause une maladie, la dysenterie amibienne ; foraminifères, qui possèdent une coquille perforée), des actinopodes (exemple : radiolaires, constituant la majeure partie du plancton marin), des sporozoaires, des microsporidies et des infusoires ciliés (exemple : paramécie). L'hématozoaire est un protozoaire qui provoque la malaria.

Les champignons

Les champignons, qui ne sont ni des plantes ni des animaux et qui constituent un règne distinct, tirent leur subsistance de la matière organique, vivante ou morte, et se reproduisent au moyen de spores. Les *moisissures*, les *levures* et le pénicillium (qui sert à fabriquer la pénicilline) sont de minuscules champignons. Le règne des champignons se subdivise en trois grandes classes : les *phycomycètes*, telles que la moisissure blanche du pain, les *ascomycètes*, telles que le pénicillium et les truffes, et les *basidiomycètes*, tels que le charbon du blé et tous les champignons qui comportent un pied et un chapeau (exemple : amanite). Les *lichens* sont des végétaux qui résultent de l'association d'un champignon avec une algue vivant en symbiose.

Les végétaux

Les végétaux sont des êtres vivants généralement pourvus de chlorophylle et fixés au sol, à la sensibilité et la mobilité faibles, et qui se nourrissent de gaz carbonique et de sels minéraux. En voici une classification simplifiée.

L'embranchement des bryophytes regroupe les végétaux dépourvus de racines et de système vasculaire qui se multiplient en disséminant de minuscules paquets de cellules appelés *spores*. Il comprend entre autres classes les *hépatiques* et les *mousses*.

L'embranchement des ptéridophytes comprend les végétaux pourvus de racines et d'un système vasculaire constitué de vaisseaux qui captent dans le sol et transportent dans toute la plante les substances indispensables à sa croissance. Les ptéridophytes ne produisent pas de graines et se reproduisent au moyen de spores, comme les bryophytes. Cet embranchement comprend entre autres classes les lépidophytes ou lycopsidées (lycopodes), plantes à l'aspect de mousses qui poussent dans les lieux humides et ombragés, les arthrophytes ou calmophytes ou sphénopsidées (prêles), plantes sans fleurs à l'aspect de pinceaux, et les ptérophytes ou filicopsidés (fougères), plantes sans fleurs qui se déroulent en grandissant.

L'embranchement des spermaphytes rassemble les végétaux pourvus de racines et d'un système vasculaire qui se reproduisent au moyen de graines. Il comprend principalement la classe des gymnospermes et la classe des angiospermes. La plupart des *gymnospermes* sont des arbres qui produisent leurs graines dans des cônes. Cette classe comprend notamment l'ordre des ginkgoale (ginkgos), dernier survivant d'un ordre ancien de gymnospermes, l'ordre des cycadales (cycas), gymnospermes ayant la forme d'un petit palmier, et l'ordre des coniférales.

L'ordre des coniférales comprend entre autres familles les pinacées (pins, sapins, mélèzes, cèdres), les taxodiacées (séquoias), les taxacées (ifs, torreyes) et les cupressacées (cyprès, genévriers, thuyas).

La classe des *angiospermes* regroupe les végétaux qui produisent des graines se développant dans un organe protecteur, l'ovaire. Cette classe comprend la sous-classe des *monocotylédones,* plantes dont les graines renferment un seul cotylédon, un lobe foliacé qui joue le rôle de réserve de nourriture, et la sous-classe des *dicotylédones,* plantes dont les gaines renferment deux cotylédons.

La sous-classe des monocotylédones comprend:

- la famille des liliacées (lis, tulipes, muguets, ails, poireaux, aloès) ;
- la famille des orchidacées (orchidées) ;
- la famille des poacées (bambous, blés, maïs, avoines, riz) ;
- la famille des iridacées (iris, glaïeuls, crocus) ;
- la famille des arécacées (palmiers) ;
- la famille des broméliacées (ananas) ;

- la famille des cypéracées (souchets, laîches, scirpes) ;
- la famille des joncacées (joncs, luzules) ;
- la famille des musacées (bananiers) ;
- la famille des amaryllidacées (perce-neige, narcisses, agaves) ;

La sous-classe des dicotylédones comprend:

- la famille des renonculacées (boutons-d'or, renoncules, dauphinelles, anémones) ;
- la famille des brassicées (choux pommés, choux-fleurs, brocolis) ;
- la famille des cactacées (cactus) ;
- la famille des papavéracées (coquelicots, pavots) ;
- la famille des rosacées (roses, pommiers, poiriers, cerisiers, pruniers, fraisiers) ;
- la famille des fagacées (hêtres, chênes, châtaigniers) ;
- la famille des magnoliacées (magnolias) ;
- la famille des apiacées (persils, carottes, panais) ;
- la famille des solanacées (pommes de terre, tomates, aubergines, piments, poivrons) ;
- la famille des lamiacées ou labiées (menthes) ;
- la famille des astéracées ou composées (marguerites, laitues, tournesols) ;
- la famille des fabacées (pois, haricots) ;
- la famille des salicacées (saules, peupliers) ;
- la famille des cucurbitacées (courges, concombres, melons, citrouilles) ;
- la famille des protéacées (protées) ;
- la famille des malvacées (cotonniers) ;
- la famille des anacardiacées ou térébenthacées (manguiers, pistachiers).

La biologie végétale

La biologie végétale porte sur la façon dont les végétaux se maintiennent en vie et se reproduisent.

L'anatomie végétale. La plupart des végétaux terrestres possèdent une tige feuillée et un réseau de racines. Il existe des feuilles alternes, opposées et en verticilles. Certains végétaux possèdent des rhizomes, des tubercules ou des bulbes qui sont trois types de tiges souterraines. Le bois est formé de cellules renforcées de *lignine*, substance qui donne sa rigidité au bois.

La photosynthèse est un processus au moyen duquel les végétaux utilisent l'énergie lumineuse pour fabriquer du glucose à partir de gaz carbonique et d'eau, en libérant de l'oxygène:

$$6CO_2 + 6H_2O \longrightarrow C_6H_{12}O_6 + 6O_2$$

La photosynthèse comporte une phase lumineuse et une phase obscure. Au cours de la *phase lumineuse,* qui nécessite de la lumière, les molécules d'eau sont décomposées pour former de l'adénosine-triposphate (ATP) qui transporte de l'énergie. Au cours de la *phase obscure,* qui peut se réaliser dans l'obscurité, l'énergie de l'ATP sert à produire du glucose. La phase obscure utilise une petite quantité d'oxygène et libère aussi une petite quantité de gaz carbonique, ce qui réduit un peu la production totale d'oxygène par les végétaux. Le principal pigment présent dans la photosynthèse est la *chlorophylle,* de couleur verte. Les autres pigments comprennent le carotène, de couleur orange, les xanthophylles, jaunes, et la phycoérythrine, rouge, qui sont habituellement masqués par la chlorophylle, mais qui deviennent visibles quand celle-ci se dégrade, ce qui explique le changement de couleur des feuilles de plusieurs arbres et plantes.

Les systèmes de transport permettent la circulation de diverses substances à l'intérieur de la plante. La sève monte dans le système vasculaire grâce à la *capillarité,* à la *pression racinienne,* causée par l'entrée d'eau dans les racines (par osmose), et à la *traction de transpiration,* engendrée par l'évaporation de l'eau à la surface des feuilles.

La croissance des plantes. Les plantes ne peuvent se déplacer, mais elles ont recours à des types de croissance particuliers pour réagir à leur environnement. Par exemple, la croissance de certaines plantes se fait en direction de la lumière (*phototropisme*) et les racines de certaines plantes poussent dans la direction de la pesanteur (*géotropisme*) ou dans la direction où il y a le plus d'eau (*hydrotropisme*). Il existe des plantes qui vivent un an (*annuelles*), deux ans (*bisannuelles*) ou plus de deux ans (*vivaces*).

La structure des fleurs. Le *pistil,* partie femelle de la fleur, porte les *ovules.* Les *étamines,* partie mâle, produisent du *pollen.* Chez plusieurs plantes, comme le lis, le pistil et les étamines sont dans la même fleur. Chez certaines plantes, comme le concombre, le pistil et les étamines sont dans des fleurs différentes. Chez d'autres plantes, comme l'actinidia (qui produit le kiwi), le pistil et les étamines sont dans des fleurs différentes et sur des pieds différents. Il existe des fleurs uniques, en capitule, en épi, en ombelle et en grappe.

La pollinisation et les graines. La pollinisation est le transfert du pollen des parties mâles aux parties femelles. De nombreuses plantes sont capables d'autofécondation. Cependant, elles ne produisent pas beaucoup de variation génétique et plusieurs plantes ont développé des méthodes de *pollinisation croisée*, d'une plante à une autre de la même espèce, qui impliquent l'action d'animaux (surtout les insectes), du vent ou de l'eau. Les graines, formées par les ovules fécondés, contiennent les provisions de nourriture nécessaires pour assurer le début de la croissance de la plante.

Les fruits. Le terme fruit, qui s'applique à la noix de coco, au concombre et au pois, par exemple, désigne la partie de la plante qui contient des graines. Dans un *fruit simple*, comme le bleuet, la baie est formée de l'ovaire unique d'une seule fleur. Dans un *fruit multiple*, comme l'orange, chaque quartier provient d'un des ovaires d'une même fleur. Dans un *fruit composé*, comme l'ananas, les ovaires proviennent de plusieurs fleurs. Les pommes et les fraises sont de *faux fruits*. Le vrai fruit, dans une pomme, est le trognon situé à l'intérieur du réceptacle charnu, et les vrais fruits, sur une fraise, sont les petits akènes éparpillés à la surface. Outre qu'elles peuvent se multiplier à l'aide de fruits et de graines, plusieurs plantes peuvent se reproduire par *bouturage* de la feuille, de la racine ou de la tige, par *marcottage* ordinaire ou aérien, par division et par *greffage*.

Les animaux

Les animaux sont des êtres vivants organisés, doués de mobilité, de sensibilité et se nourrissant de substances organiques. En voici une classification simplifiée.

L'embranchement des spongiaires comprend les éponges, invertébrés marins très simples dépourvus d'organes qui filtrent l'eau pour en extraire les particules alimentaires et qui sont parfois confondus avec des plantes. L'espèce d'éponge la plus connue est celle qui peut être utilisée comme éponge de toilette, qui absorbe une grande quantité d'eau et est douce au toucher.

L'embranchement des cnidaires, qui regroupe d'autres invertébrés marins simples, comprend la classe des hydrozoaires (hydres), la classe des scyphozoaires (méduses), qui nagent en contractant et en relâchant leur ombrelle, et la classe des anthozoaires (anémones de mer, coraux).

L'embranchement des plathelminthes qui sont des invertébrés, souvent parasites, comprend entre autres classes les trématodes (douves) et les cestodes (ténias). La douve du foie infeste le bétail tandis que le ténia du porc s'installe parfois dans l'intestin de l'être humain.

L'embranchement des nématodes, qui sont des invertébrés, comprend diverses espèces de vers au corps rond, sans anneaux, qui vivent dans l'eau, sur terre ou parasitent d'autres organismes.

L'embranchement des mollusques, qui sont des invertébrés au corps mou et humide, parfois protégés par une coquille, comprend entre autres classes les gastéropodes (escargots et limaces), les pélécypodes (palourdes et moules) et les céphalopodes (pieuvres et calmars).

L'embranchement des annélides, qui sont des invertébrés, comprend plusieurs espèces de vers segmentés regroupés dans la classe des polychètes (arénicoles) et la classe des clitellates (lombrics et sangsues).

L'embranchement des arthropodes, qui sont des invertébrés articulés pourvus d'un exosquelette, comprend d'abord le sous-embranchement des trachéates, qui inclut, entre autres classes les diplopodes (mille-pattes) et la classe des hexapodes contenant principalement la sous-classe des *insectes* qui constituent les trois quarts de toutes les espèces animales sur Terre. Le corps de tous les insectes est divisé en trois parties: la tête, où se trouvent les pièces buccales et les organes sensoriels, le thorax auquel sont reliées les trois paires de pattes et les ailes, et l'abdomen, qui renferme l'appareil digestif et les organes reproducteurs. Parmi les principaux ordres de la sous-classe des insectes se trouvent:

- l'ordre des éphéméroptères (éphémères):
- l'ordre des isoptères (termites);
- l'ordre des orthoptères (sauterelles et grillons);
- l'ordre des dermaptères (perce-oreilles);
- l'ordre des odonates (libellules);
- l'ordre des hémiptères (punaises);
- l'ordre des coléoptères (coccinelles, hannetons);
- l'ordre des siphonaptères (puces);
- l'ordre des diptères (mouches et moustiques);
- l'ordre des hyménoptères (fourmis, abeilles, guêpes);
- l'ordre des lépidoptères (papillons).

L'embranchement des arthropodes comprend aussi le sous-embranchement des *crustacés*, qui renferme la classe des branchiopodes (puces d'eau), la classe des cirripèdes (anatifes), crustacés marins, et la classe des malacostracés (homards, crabes, crevettes et cloportes).

L'embranchement des arthropodes rassemble finalement le sous-embranchement des chélicérates qui comprend entre autres classes les mérostomes (limules) et les *arachnides* (araignées, scorpions, acariens, tiques).

L'embranchement des échinodermes, qui sont des invertébrés marins dont le corps présente une symétrie radiale, comprend la classe des holothurides (concombres de mer), la classe des échinides (oursins et dollars des sables), la classe des astérides (étoiles de mer, ophiures) et la classe des crinoïdes (lys de mer, comatules).

Divers embranchements mineurs, tels que les brachiopodes (lingules) et les hémicordés (balanoglosses), regroupent d'autres invertébrés qui sont tous de petits organismes marins.

L'embranchement des cordés, animaux possédant un tube neural dorsal, comprend le sous-embranchement des urocordés (tuniciers), le sous-embranchement des céphalocordés (lancelets), qui regroupent tous deux des invertébrés aquatiques, et, surtout, le sous-embranchement des vertébrés.

Ce sous-embranchement des vertébrés renferme la super-classe des agnathes, poissons sans mâchoire (lamproies), et la super-classe des gnathostomes, vertébrés avec mâchoire.

Dans la super-classe des gnathostomes se trouvent deux classes de *poissons*, qui sont des vertébrés au corps profilé et muni d'écailles qui vivent dans l'eau et respirent par des branchies. Il y a la classe des chondrichthyens, ou poissons cartilagineux (requins, raies).

Il y a aussi la classe des ostéichthyens, ou poissons osseux qui se subdivisent en trois super-ordres:

- les crossoptérygiens, des poissons à mâchoire lobée, représentés par une seule espèce vivante (cœlacanthe);
- les dipneustes, des poissons pulmonés qui respirent aussi bien par leurs branchies que par leurs poumons (lépidosiènes);
- les actinoptérygiens, des poissons à nageoires rayonnées dont font partie la plupart des poissons actuels. Ce super-ordre comprend principalement les ordres suivants:
  - l'ordre des brachioptérygiens (polyptères);
  - l'ordre des chondrostéens (esturgeons);
  - l'ordre des holostéens (lépisostées).

Il renferme également plusieurs ordres de poissons osseux téléostéens tels que:

- l'ordre des ostéoglossiformes (mormyres, arapaïmas);
- l'ordre des élopiformes (tarpons);
- l'ordre des anguilliformes (anguilles);
- l'ordre des clupéiformes (harengs, sardines, aloses);
- l'ordre des cypriniformes (carpes);
- l'ordre des salmoniformes (brochets, saumons, truites);
- l'ordre des myctophiformes (poissons-lanternes);
- l'ordre gadiformes (morues);
- l'ordre des orphidiiformes (aurins);
- l'ordre des lophiiformes (baudroies);
- l'ordre des cyprinodontiformes (guppys);
- l'ordre des athériniformes (exocets);
- l'ordre des gastérotéiformes (épinoches);
- l'ordre des syngnathiformes (hippocampes);
- l'ordre des perciformes (perches, maquereaux);
- l'ordre des pleuronectiformes (soles, plies, turbots);
- l'ordre des tétraodontiformes (tétrodons).

Dans la super-classe des gnathostomes se trouve aussi la classe des *amphibiens* ou batraciens, qui furent les premiers vertébrés à développer des pattes à la place des nageoires et à se déplacer sur la terre sèche. Cette super-classe comprend l'ordre des urodèles (salamandres, tritons), l'ordre des anoures (grenouilles, crapauds) et l'ordre des apodes (cécilies).

La super-classe des gnathostomes renferme également la classe des *reptiles*, vertébrés à la peau écailleuse et aux œufs hermétiquement clos, qui comprend la sous-classe des archosauriens (crocodiles, alligators), la sous-classe des anapsidés (tortues) et la sous-classe de lépidosauriens (lézards, serpents, sphénodons). Tous les dinosaures, qui disparurent il y a 65 millions d'années, étaient des reptiles.

La super-classe des gnathostomes contient également la classe des *oiseaux*, vertébrés pourvus de plumes qui pondent des œufs protégés par une coquille, qui comprend les ordres suivants:

- l'ordre des psittaciformes (perroquets, perruches, cacatoès);
- l'ordre des struthioniformes (autruches);

- l'ordre des rhéiformes (nandous) ;
- l'ordre des casuariiformes (casoars, émeus) ;
- l'ordre des aptérygiformes (kiwis) ;
- l'ordre des tinamiformes (tinamous) ;
- l'ordre des sphénisciformes (manchots) ;
- l'ordre des gaviiformes (plongeons, huards) ;
- l'ordre des podicipédiformes (grèbes) ;
- l'ordre des procellariiformes (pétrels, albatros, puffins) ;
- l'ordre des pélécaniformes (pélicans, fous, cormorans, frégates) ;
- l'ordre des ciconiiformes (hérons, butors, flamants, ibis, spatules, cigognes) ;
- l'ordre des ansériformes (canards, oies, cygnes) ;
- l'ordre des falconiformes (aigles, faucons, vautours, buses, éperviers) ;
- l'ordre des galliformes (dindes, faisans, perdrix, paons) ;
- l'ordre des gruiformes (grues, râles, foulques, outardes) ;
- l'ordre des charadriiformes (pluviers, goélands, sternes, pingouins) ;
- l'ordre des ptéroclidiformes (gangas) ;
- l'ordre des columbiformes (colombes, pigeons) ;
- l'ordre des cuculiformes (coucous, coureurs des routes) ;
- l'ordre des strigiformes (chouettes, hiboux, effraies) ;
- l'ordre des caprimulgiformes (engoulevents, guacharos) ;
- l'ordre des apodiformes (colibris, martinets) ;
- l'ordre des coliiformes (colious) ;
- l'ordre des trognoniformes (quetzals) ;
- l'ordre des coraciiformes (martins-pêcheurs, huppes, calaos) ;
- l'ordre des piciformes (pics, jacamars, toucans) ;
- l'ordre des passériformes (alouettes, hirondelles, grives, fauvettes, moineaux, pinsons, étourneaux, corbeaux, paradisiers).

Enfin, dans la super-classe des gnathostomes se trouve la classe des *mammifères,* vertébrés qui possèdent des poils et allaitent leurs petits, qui comprend d'abord la sous-classe des protothériens, mammifères pondant des œufs (ordre des monotrèmes: ornithorynques) et la sous-classe des thériens, comprenant deux super-ordres. Le premier est le super-ordre des *marsupiaux,* dont les petits terminent leur développement dans une poche ventrale (kangourous, opossums, koalas).

Le second est le super-ordre des euthériens, mammifères placentaires qui se développent dans l'utérus de la mère, qui comprend entre autres:

- l'ordre des insectivores (musaraignes, taupes, hérissons);
- l'ordre des chiroptères (chauves-souris);
- l'ordre des carnivores, qui comprend entre autres familles les canidés (chiens, loups, renards), les ursidés (ours), les mustélidés (belettes, hermines, mouffettes, visons, loutres), les procyonidés (ratons laveurs), les félidés (chats, tigres, lions), les hyænidés (hyènes), les otariidés (otaries), les phocidés (phoques), les odobénidés (morses), les fissipèdes (pandas), ces derniers étant des carnivores qui se sont adaptés à un régime végétal;
- l'ordre des rongeurs, qui comprend entre autres familles les caviomorphes (cobayes), les hystricomorphes (porcs-épics), les myomorphes (rats, souris) et les sciuromorphes (écureuils, castors);
- l'ordre des xénarthres, qui comprend entre autres familles les myrmécophagidés (fourmiliers), les bradipodidés (aïs ou paresseux à trois doigts) et les dasypodidés (tatous);
- l'ordre des pholidotes (pangolins);
- l'ordre des tubulidentés (oryctéropes);
- l'ordre des perissodactyles, animaux à sabots (ongulés) qui ont un nombre impair de doigts à chaque pied, qui comprend entre autres familles les équidés (chevaux, ânes, zèbres), les rhinocérotidés (rhinocéros), et les tapiridés (tapirs);
- l'ordre des artiodactyles, animaux à sabots (ongulés) qui ont un nombre pair de doigts à chaque pied, qui comprend entre autres familles les camélidés (dromadaires, chameaux), les giraffidés (girafes), les cervidés (chevreuils, daims, élans ou orignaux), les bovidés (vaches, moutons, chèvres) et les tayassuidés (pécaris);
- l'ordre des proboscidés, animaux au «nez long», qui comprend uniquement la famille des éléphantidés (éléphants);
- l'ordre des odontocètes, «baleines à dents», qui comprend entre autres familles les delphinidés (dauphins, orques), les physétéridés (cachalots) et les monodontidés (narvals, bélougas);
- l'ordre des mysticètes, «baleines à moustaches», qui comprend entre autres familles les rorquals, les baleines grises et les baleines franches;

- l'ordre des primates, mammifères qui possèdent des doigts et des orteils flexibles ainsi que des yeux dirigés vers l'avant, qui comprend deux sous-ordres. Le premier est le sous-ordre des promisiens (lémurs, tarsiens, loris). Le second est le sous-ordre des anthropoïdes qui comprend :
  - la super-famille des cébidés, ou singes du Nouveau-Monde (ouistitis, tamarins, hurleurs) ;
  - la super-famille des cercopithèques, ou singes de l'Ancien-Monde (mandrills, macaques, babouins) ;
  - la super-famille des hominoïdes (gibbons, orangs-outans, gorilles, chimpanzés, êtres humains). Les chimpanzés sont les plus proches parents actuels des êtres humains.

La biologie animale

La biologie animale porte sur la façon dont les animaux se maintiennent en vie et se reproduisent.

L'alimentation. Contrairement aux végétaux qui peuvent fabriquer leur propre nourriture, les animaux doivent manger pour survivre. Selon leur régime alimentaire, ils sont dits *herbivores* (végétaux), *carnivores* (viande), *omnivores* (végétaux et viande), *détritivores* (détritus), *suceurs* (liquides de plantes ou d'animaux), *filteurs* (petits organismes dans l'eau) ou *saprophages* (substances autour de l'animal). Les êtres humains adultes, omnivores, ont besoin d'un apport alimentaire quotidien d'environ 2500 calories (ou 10400 joules), mais ce nombre est plus élevé pour ceux dont l'activité physique est intense.

Les dents et les mâchoires. La denture d'un être humain compte 20 dents de lait, puis 32 dents définitives. Les quatre types de dents sont les *incisives*, les *canines*, les *prémolaires* et les *molaires*. Les défenses des éléphants sont des dents spécialisées qui s'allongent à partir de la mâchoire.

L'appareil digestif décompose les aliments, au moyen d'*enzymes*, en substances simples utilisables par le corps. Ces enzymes sont sécrétées par les glandes salivaires, l'estomac, l'intestin grêle, le pancréas et le foie. Les *ruminants* mâchent leur nourriture une deuxième fois après qu'elle est passée par la panse, une des poches de leur estomac.

Les échanges gazeux. Tous les animaux absorbent de l'oxygène et rejettent du gaz carbonique. Ces échanges gazeux se font au moyen de *spiracles* (petits trous permettant à l'air d'entrer dans les trachées d'un insecte), de *branchies* (fins replis qui permettent des échanges de gaz avec l'eau) ou de *poumons.* Les oiseaux possèdent des sacs aérifères qui augmentent l'efficacité de leurs poumons.

Les poumons mettent en contact l'air et le sang. L'inhalation et l'exhalation se font au moyen du *diaphragme* et des muscles de la cage thoracique. La *trachée,* qui va de la gorge aux poumons, se subdivise en *bronches,* bronchioles et alvéoles, où ont lieu les échanges gazeux.

Le cœur maintient la circulation du sang dans le corps d'un animal. Le cœur humain est subdivisé en quatre cavités: les deux *oreillettes* et les deux *ventricules.* Chaque cavité subit une phase de contraction (systole) et une phase de décontraction (diastole).

L'appareil circulatoire, composé de vaisseaux sanguins, transporte le sang dans tout le corps d'un animal. Chez certains animaux, tels que les poissons, le sang circule en une seule boucle du cœur vers tout le corps: c'est la *circulation simple.* Chez les oiseaux et les mammifères, le sang circule dans deux boucles distinctes, soit une boucle pour les poumons et une boucle pour le reste du corps: c'est la *double circulation.*

Le sang apporte aux cellules de l'oxygène et des nutriments provenant des aliments digérés, et évacue les déchets. La partie liquide du sang est le *plasma.* Le sang comporte des *globules rouges,* dont l'*hémoglobine* capte l'oxygène ou le gaz carbonique, des *globules blancs,* qui défendent le corps contre les micro-organismes, et des *plaquettes,* qui réparent les vaisseaux sanguins abîmés.

Combattre la maladie. Le système immunitaire doit constamment défendre le corps contre des virus, des bactéries, des champignons et des protistes. Il le fait au moyen des *lymphocytes* (globules blancs), qui engloutissent les micro-organismes ou produisent des *anticorps* pour les neutraliser. Les *allergies* sont causées par une réponse immunitaire excessive à certaines substances.

L'homéostasie, ou stabilité dans un être vivant, repose sur divers systèmes de régulation. Par exemple, les reins régulent le volume d'eau et débarrassent le sang de certains déchets; la transpiration, la vasodilatation et la vasoconstriction, de même que le frissonnement, régulent la température du corps.

Les hormones sont des messagers chimiques sécrétés par des *glandes* et transportés par le sang pour agir à distance sur d'autres cellules du corps. Mentionnons les hormones de croissance, sécrétées par l'*hypophyse,* les hormones sexuelles femelles, sécrétées par les *ovaires* et l'hypophyse, les hormones sexuelles mâles, sécrétées par les *testicules* et l'hypophyse, et l'*adrénaline,* qui prépare au danger, sécrétée par les *glandes surrénales.*

Les squelettes. Tous les animaux ont besoin d'un support pour maintenir la forme de leur corps et pour se déplacer. Il existe des *squelettes hydrostatiques* (exemple: pression du liquide dans les cavités d'un ver), des *exosquelettes* (exemple: carapace d'un insecte) et des *endosquelettes* en cartilage (exemple: squelette du requin) ou en os (exemple: squelette du chat). La moelle des os produit les globules rouges du sang. Les principales parties du squelette de plusieurs vertébrés sont le crâne, la colonne vertébrale, la cage thoracique, le bassin et les membres.

La peau est le plus grand organe du corps. Elle constitue une barrière résistante et imperméable qui protège contre les bactéries nuisibles, les blessures et les rayons nocifs du Soleil. La partie externe est l'*épiderme* et la partie interne le *derme*. Les poils et les ongles sont des excroissances de la peau. La tête d'un être humain adulte compte entre 100 000 et 150 000 cheveux, qui sont un type de poils.

Les muscles sont faits de cellules cylindriques, les fibres musculaires. Les *muscles lisses*, comme ceux qui font progresser les aliments dans le canal alimentaire, ne sont pas soumis à un contrôle conscient. Les *muscles striés*, comme ceux des membres, sont soumis à un contrôle conscient. La fatigue musculaire est causée par une accumulation d'acide lactique.

Les mouvements. Les diverses formes de locomotion sont le mouvement ciliaire (cils vibratiles de la paramécie), le mouvement flagellaire (flagelle du spermatozoïde), le mouvement longitudinal (ondulation musculaire de l'escargot), la propulsion par réaction (contraction de la cavité palléale de la pieuvre), le mouvement ondulatoire (serpent, requin), la nage, la marche, le vol plané (écureuil volant) et le vol ramé (oiseaux).

Les nerfs, qui conduisent les messages d'une partie du corps à l'autre sont formés de *neurones*. La jonction entre deux neurones est une *synapse*.

Le système nerveux central d'un vertébré est constitué de l'encéphale et de la moelle épinière. Le système nerveux périphérique est constitué des nerfs reliant le système nerveux central au reste du corps. Il existe des neurones sensitifs (exemple: neurones de l'œil) des neurones moteurs (exemple: neurones des muscles) et des neurones d'association (exemple: neurones du cerveau).

L'encéphale d'un animal est le centre de commande de son système nerveux. Ses principales parties sont le *bulbe rachidien*, qui contrôle des processus involontaires (exemple: la respiration), le *cervelet*, qui coordonne des mouvements inconscients (exemple: certains mouvements de la posture et de la marche), l'*hypothalamus*, qui contrôle l'état du corps (exemple: la température) et le *cerveau*, divisé en deux hémisphères, qui régule les actions volontaires ainsi que la mémoire, l'apprentissage et la sensation.

La vue est l'un des sens les plus importants. Les yeux captent la lumière grâce à des cellules appelées *photorécepteurs.* La plupart des crustacés et des insectes ont des yeux composés, soit à plusieurs *facettes.* Chez les vertébrés, la lumière est concentrée par le cristallin sur la rétine, qui contient des photorécepteurs appelés *cônes* (perception des couleurs) et *bâtonnets* (perception de l'intensité lumineuse), et les signaux sont transmis au cerveau par les nerfs. Dans les yeux d'une personne myope, qui a de la difficulté à voir les objets éloignés, le cristallin courbe trop les rayons lumineux, alors que dans les yeux d'une personne presbyte, qui a de la difficulté à voir les objets rapprochés, il ne les courbe pas assez.

L'ouïe est le sens qui détecte les sons. Les invertébrés ont souvent des « oreilles » n'importe où sur le corps, comme la sauterelle qui a des organes auditifs situés sur les pattes antérieures. Les vertébrés ont des oreilles qui se divisent en *oreille externe* (pavillon, conduit auditif, tympan), une *oreille moyenne* (marteau, enclume, étrier) et une *oreille interne* (labyrinthe, canaux semi-circulaires).

Le toucher et l'équilibre renseignent un animal sur son environnement immédiat et sur la position de son corps. Le toucher est assuré par des *mécanorécepteurs,* tels que les corpuscules de Vater-Pacini, qui détectent de fortes pressions. L'équilibre, dont les organes sont situés dans l'oreille interne chez les mammifères, informe un animal de la façon dont il se tient ainsi que de ses mouvements.

Le goût et l'odorat sont des sens qui détectent des composés chimiques. La langue humaine dispose de *chimiorécepteurs* situés dans des papilles gustatives, qui peuvent distinguer les quatre *goûts* de base suivants : sucré, acide, salé et amer. Le nez humain contient des chimiorécepteurs situés dans des cils olfactifs qui peuvent détecter, dans les substances volatiles, les sept *odeurs* de base suivantes : camphrée, musquée, florale, mentholée, éthérée, âcre, putride. La *flaveur* d'un aliment résulte des perceptions combinées du goût et de l'odorat.

La communication. Les animaux communiquent pour rester en contact avec d'autres membres de leur espèce et pour avertir leurs rivaux ou leurs ennemis de se tenir à l'écart. La communication *tactile* est importante pour les animaux qui mènent une vie souterraine (chiens de prairie, termites). La communication *chimique* permet à certains insectes d'attirer un partenaire, à l'aide de phéromones, et à certains mammifères de délimiter leur territoire. La communication *sonore* est particulièrement importante pour les oiseaux, qui produisent des sons à l'aide de leur syrinx, et pour plusieurs mammifères, qui utilisent leurs cordes vocales. La communication *visuelle*, basée sur des formes, des couleurs ou des mouvements, peut être très élaborée, comme la danse des abeilles qui indique où se trouve la nourriture.

Le comportement est un mode de réponses d'un animal au monde extérieur. Un comportement peut être *instinctif*, comme le tissage d'une toile par une araignée, ou *acquis*, comme l'utilisation d'un outil par un chimpanzé. Un comportement d'empreinte est un comportement acquis au début de la vie d'un animal. Parmi les comportements instinctifs particuliers, on peut mentionner l'hibernation, la migration, la défense d'un territoire, la parade nuptiale et le soin parental.

La reproduction animale est *asexuée*, quand elle n'implique qu'un parent unique, ou *sexuée*, quand chacun des deux parents produit des cellules sexuelles dans ses gonades (organes sexuels), qui formeront des zygotes (œufs fécondés). Le *clonage* d'animaux tels que la grenouille ou la brebis est une technique de reproduction asexuée qui consiste à obtenir un ou plusieurs animaux identiques au premier à partir du noyau d'une cellule quelconque du premier. Les animaux *ovipares* se reproduisent par ponte d'œufs, et les *vivipares* donnent naissance à des petits vivants. Les animaux *ovovivipares* se reproduisent par des œufs, mais ils les conservent dans leurs voies génitales jusqu'à l'éclosion des jeunes.

La reproduction humaine. Contrairement à beaucoup d'animaux, les êtres humains se reproduisent très lentement. Le temps de *gestation* du fœtus est de 266 jours et il faut plusieurs années à un bébé pour devenir adulte.

Le développement. L'ovule fécondé, ou *embryon*, se développe par différenciation progressive des cellules, en passant d'abord par les stades de morula (massif de cellules en forme de mûre), de blastula (sphère creuse) et de gastrula (blastula repliée sur elle-même). Chez l'être humain, l'embryon se nomme *fœtus* à partir du troisième mois. Plusieurs animaux acquièrent des caractères sexuels primaires et secondaires qui différencient le mâle de la femelle.

La métamorphose est un changement important subi par certains animaux, en particulier certains invertébrés et les amphibiens, en grandissant. Une *métamorphose incomplète* est une modification progressive de la forme du corps au moyen de mues successives : une sauterelle, par exemple, mue cinq fois avant d'être adulte. Une *métamorphose complète* est une modification totale du corps : une coccinelle, par exemple, passe par les stades de larve et de nymphe avant de parvenir à l'état adulte. Une larve de grenouille ou de crapaud est un têtard.

L'écologie

Notions de base. L'écologie a pour objet d'étude l'*environnement,* qui comprend l'ensemble du monde vivant, et la *biosphère,* qui s'étend des profondeurs de l'océan aux basses couches de l'atmosphère. Elle s'intéresse particulièrement aux écosystèmes, qui sont des communautés d'être vivants dans leur environnement, aux habitats, qui sont des endroits où vivent des espèces, et aux niches écologiques, qui décrivent les rôles d'êtres vivants dans leur environnement.

Un cycle biogéochimique est la circulation d'un élément chimique entre l'environnement et les êtres vivants. Les principaux cycles sont le cycle de l'*eau* (mer, atmosphère, terre), le cycle du *carbone* (gaz carbonique, plantes, animaux), le cycle de l'*azote* (nitrates, plantes, animaux) et le cycle du *phosphore* (phosphates, plantes, animaux).

Les chaînes alimentaires montrent comment la nourriture et l'énergie passent d'une espèce à l'autre. Les *producteurs* (exemple: plantes) transforment des substances simples en nourriture. Les *consommateurs primaires* (exemple: lièvres) mangent des producteurs, tandis que les *consommateurs secondaires* (exemple: renards) mangent des producteurs ou des consommateurs primaires. Les *décomposeurs* (exemple: bactéries) décomposent les restes d'autres êtres vivants. La *biomasse* est la masse totale de matière vivante dans un milieu.

Les interactions. La plupart des êtres vivants dépendent d'autres espèces pour leur survie. Un *prédateur* est un animal qui en mange d'autres, qu'on appelle ses *proies.* La *symbiose* est une relation entre deux espèces (exemple: le lichen est formé d'un champignon et d'une algue). Le *commensalisme* est une relation symbiotique dans laquelle une espèce est bénéficiaire, sans que l'autre en retire un avantage ou un inconvénient (exemple: le poisson-clown se nourrit des aliments laissés par l'anémone de mer). Le parasite (exemple: puces) est une espèce qui vit aux dépens de son hôte. Un vecteur est un animal qui transporte un parasite.

Technologie des sciences biologiques

Le génie génétique

Le génie génétique est un ensemble de techniques qui permettent la manipulation des gènes. Les applications les plus récentes du génie génétique sont la *thérapie génique,* pour soigner certaines maladies héréditaires, et la création de nouveaux organismes, appelés *organismes transgéniques* ou *organismes génétiquement modifiés* (OGM) qui présentent des caractéristiques intéressantes pour l'agriculture, l'élevage ou la santé. Il existe maintenant, par exemple, des plantes qui résistent mieux à certains insectes, des truites transgéniques à croissance accélérée et du tabac « humanisé », qui produit de l'hémoglobine humaine. La création et la multiplication d'organismes transgéniques prêtent toutefois à controverse, car il n'est pas impossible qu'elles présentent des risques pour l'environnement et la santé.

La protection de la nature

La protection de la nature dépend d'une gestion judicieuse des ressources pour protéger la *biodiversité* du monde naturel. Les pluies acides, causées par des polluants atmosphériques à base de soufre et d'azote, la déforestation, l'effet de serre, qui est un piégeage de la chaleur par le gaz carbonique, la diminution de la couche d'ozone, entraînée par l'utilisation de certains gaz, l'eutrophisation, qui est l'introduction d'engrais dans des écosystèmes aquatiques, l'abus d'herbicides et de pesticides, ainsi que la production de nombreux produits non biodégradables, sont les principales menaces à l'environnement. Le *recyclage* systématique des déchets, l'utilisation d'*énergie renouvelable* peu polluante (énergie éolienne et énergie solaire), plutôt que d'énergie non renouvelable et polluante (combustibles fossiles, énergie nucléaire) et la création de zones protégées (parcs nationaux, réserves naturelles) sont les éléments clés d'un développement durable et d'une bonne gestion de la planète.

LE CONSTRUCTIVISME DIDACTIQUE

Faire évoluer les conceptions des élèves

Le chapitre 6 présente quelques approches de l'enseignement et de l'apprentissage des sciences et de la technologie et s'arrête plus longuement sur le constructivisme didactique, qui vise à faire évoluer les conceptions des élèves. Il se termine par plusieurs exemples de conceptions non scientifiques fréquentes chez les élèves du primaire.

Quelques approches de l'enseignement et de l'apprentissage des sciences

Il existe un certain nombre de façons de classifier les diverses approches de l'enseignement et de l'apprentissage des sciences et de la technologie. La typologie contenue dans cette section n'a rien d'exhaustif, mais donne tout de même un aperçu des approches les plus courantes. Cette typologie permet de souligner l'importance d'aller au-delà d'une classification rudimentaire et dichotomique du genre « approche traditionnelle » contre « approche moderne » qui est trop souvent implicite dans nombre de discussions sur l'éducation. Bien que certaines de ces approches soient apparues il y a longtemps, elles sont toutes contemporaines, au sens où elles sont encore toutes appliquées, à des degrés divers, dans le monde.

La mémorisation de concepts. L'approche centrée sur la mémorisation de concepts est la plus ancienne. Elle consiste à retenir un ensemble de définitions, de concepts, de lois et de théories scientifiques. Cette approche repose principalement sur les présentations à caractère magistral faites par l'enseignant et sur la lecture de manuels. Si on la compare à des approches plus modernes, on constate qu'elle place davantage l'accent sur des processus cognitifs simples, tels que la mémorisation et la compréhension, et néglige des processus plus complexes, comme l'analyse et la synthèse. On note aussi qu'elle n'attribue qu'un rôle accessoire à l'expérimentation, qui prend souvent la forme de simples démonstrations. On observe enfin qu'elle n'accorde que peu d'importance au développement de savoir-faire tels que des habiletés motrices ou des compétences.

Pour toutes ces raisons, la mémorisation de concepts est souvent perçue comme une approche totalement anachronique, et parfois même comme une approche complètement absurde. Pourtant, sans souhaiter un retour aux méthodes du XIXe siècle, l'acquisition de définitions et de concepts constitue, selon la conception correctionniste de l'apprentissage des sciences présentée au deuxième chapitre, un volet fondamental de l'enseignement et de l'apprentissage des sciences qui est souvent négligé par des approches plus modernes. Sans la connaissance d'un vocabulaire de base, l'élève est incapable de concevoir, d'exprimer et d'analyser les problèmes qui constituent l'objet d'étude de toute discipline scientifique.

L'atteinte d'objectifs opératoires. L'approche centrée sur l'atteinte d'objectifs opératoires est une application, à l'éducation, des théories de la psychologie béhavioriste. Selon cette approche, l'apprentissage est défini comme un ensemble de comportements observables, qui sont eux-mêmes décrits au moyen d'objectifs opératoires. Ces objectifs sont habituellement groupés en trois grands domaines : le domaine cognitif, le domaine affectif et le domaine psychomoteur. Chacun de ces domaines peut être détaillé par des taxonomies qui permettent de classifier les objectifs selon des degrés de difficulté croissants. Cette approche repose sur une grande variété de méthodes d'enseignement, mais toutes ces méthodes se caractérisent par le découpage du contenu en petites étapes connues sous le nom d'objectifs spécifiques (De Landsheere, 1992).

Cette approche se distingue de l'approche centrée sur la mémorisation de concepts par le fait que, à l'intérieur du domaine cognitif des programmes de sciences, se retrouvent des objectifs liés à l'application, à l'analyse, à la synthèse ou l'évaluation qui dépassent les simples mémorisation et compréhension de concepts. Elle s'en différencie également par la présence, dans les programmes, d'objectifs relatifs aux attitudes (domaine affectif) et aux habiletés motrices (domaine psychomoteur).

Bien que certains programmes d'études et de manuels scolaires s'en inspirent encore, cette approche basée sur l'atteinte d'objectifs opératoires est généralement considérée comme dépassée, car les théories contemporaines stipulent que l'apprentissage est une structure de représentations mentales, plutôt qu'un ensemble de comportements observables.

L'investigation et la découverte. Dans l'approche centrée sur l'investigation et la découverte, qui découle des travaux de Bruner (1960), l'apprentissage est perçu comme un processus actif, centré sur la manipulation et la découverte. Selon cette conception, la structure abstraite des savoirs scientifiques peut être abordée de façon concrète et intuitive par des activités d'investigation à partir de matériel concret. De plus, les stratégies de l'investigation et de la découverte conçues dans un domaine des sciences peuvent être appliquées, par l'élève, dans d'autres domaines ainsi que dans d'autres disciplines. Cette approche peut se traduire par plusieurs méthodes d'enseignement, mais une des méthodes privilégiées est l'utilisation de centres d'intérêt, qui permettent à l'élève de vivre des explorations dirigées à partir de matériel mis à sa disposition.

Malgré son côté attrayant et stimulant, pour les élèves, certaines critiques peuvent être formulées:

- Cette approche se traduit parfois, en pratique, par des activités qui prennent l'allure de recettes, dans lesquelles l'élève n'a qu'à suivre les étapes d'un mode d'emploi pour effectuer des manipulations, des observations et des « découvertes » déjà prévues.
- Cette approche postule un passage facile et direct des activités de manipulation aux structures abstraites du savoir scientifique qui n'est pas vérifié par les recherches en didactique des sciences.
- Cette approche postule également un transfert, à d'autres domaines des sciences et à d'autres disciplines, des stratégies d'investigation et de découverte qui, toujours selon les recherches récentes, ne s'effectue pas nécessairement.
- Cette approche, tout comme l'approche centrée sur l'atteinte d'objectifs opératoires et l'approche par compétences, néglige ou simplifie le rôle d'obstacle et le rôle structurant des conceptions initiales des élèves.

La maîtrise de compétences. L'approche dominante, depuis quelques années, est l'approche par compétences (Brien, 1994; Tardif, 1992) qui est parfois présentée comme une application, au domaine de l'éducation, des théories de la psychologie cognitive. Cette approche par compétences a d'abord été appliquée au collégial professionnel, mais est maintenant appliquée à tous les ordres d'enseignement, du préscolaire à l'université. C'est l'approche qui a été retenue dans le *Programme de formation de l'école québécoise* du ministère de l'Éducation du Québec.

Selon cette approche, l'apprentissage est considéré comme une activité qui consiste, pour un élève, à acquérir une base de connaissances qui permet la résolution de plusieurs types de problèmes. Les préalables que possède l'élève lui permettent, ou lui facilitent, l'acquisition de cette base de connaissances. Celle-ci est constituée de connaissances déclaratives, telles que des concepts et des propositions, utilisées pour se représenter les objets et les faits d'un domaine donné, et de connaissances procédurales, telles que des règles d'action et des procédures, qui permettent d'agir sur la réalité.

Ces connaissances permettent à l'élève d'acquérir des compétences, c'est-à-dire qu'elles lui permettent de développer la capacité d'accomplir certaines tâches. Il peut s'agir de compétences de type reproduction, qui permettent d'accomplir des tâches connues, pour lesquelles l'élève dispose d'un plan, ou de compétences de type production, plus exigeantes, pour lesquelles il ne dispose pas d'un tel plan. L'acquisition d'une compétence, qu'elle soit de type reproduction ou de type production, implique une motivation suffisante, chez l'élève, une phase de montage, pendant laquelle il acquiert les connaissances déclaratives et procédurales nécessaires, et une phase de rodage, pendant laquelle il applique ses connaissances.

L'approche basée sur la maîtrise de compétences ressemble un peu à l'approche reposant sur l'atteinte d'objectifs opératoires, mais elle s'en distingue par le fait qu'elle ne concerne pas uniquement les comportements que les élèves devront manifester, mais également les façons dont les élèves parviendront à ces comportements.

Bien que l'approche par compétences soit sans doute préférable, par exemple, aux approches basées sur la mémorisation ou l'atteinte d'objectifs opératoires, certaines critiques peuvent toutefois être formulées :

- Cette approche procède à une analyse des connaissances que l'élève possède, avant un nouvel apprentissage, uniquement à la lumière des préalables nécessaires et néglige leur rôle d'obstacle, ainsi que leur rôle structurant.
- Cette approche ne tient pas compte du fait qu'il est souvent aussi important pour l'élève d'acquérir, ne serait-ce que temporairement, des incompétences que d'acquérir des compétences. Le déséquilibre cognitif fait partie intégrante de l'apprentissage, particulièrement en sciences.
- Cette approche, basée sur la capacité à accomplir certaines tâches, est mieux adaptée à des domaines techniques, dont le savoir-faire est la composante principale, qu'à des domaines scientifiques, qui reposent d'avantage sur le savoir et qui n'impliquent pas nécessairement de montage et de rodage.

Le constructivisme didactique. La conception de l'enseignement et de l'apprentissage sur laquelle s'appuient les recherches récentes en didactique des sciences est habituellement connue sous le nom de *constructivisme* ou de *socio-constructivisme*. Pour l'essentiel, cette conception est basée sur le principe que l'élève, placé au cœur des apprentissages scolaires, doit reconstruire et s'approprier le savoir. Mais ce terme, employé à toutes les sauces, désigne parfois des notions tellement différentes que certaines précisions s'imposent.

De nos jours, bon nombre d'éducateurs, du primaire à l'université, se réclament du constructivisme, mais les manifestations concrètes de ce prétendu constructivisme se limitent souvent à des aspects affectifs ou superficiels tels que l'importance accordée à la motivation et à l'autonomie de l'élève, à la richesse de l'environnement et au travail en équipe. À la limite, tout enseignement qui n'est pas magistral ou transmissif et toute activité qui permet à l'élève d'être le moindrement actif, comme lorsqu'il fait des «recherches» à la bibliothèque ou dans Internet, portent l'étiquette «constructiviste». Cette vision du constructivisme est évidemment trop simpliste.

Par ailleurs, en philosophie des sciences et en épistémologie, le constructivisme désigne une conception de l'activité scientifique, une conception à propos du savoir et des rapports entre les énoncés d'observation et les théories. Selon cette conception, qui pourrait être nommée *constructivisme épistémologique*, le monde réel ne peut être perçu ni connu directement et les concepts, les lois et les théories scientifiques sont des constructions de l'esprit humain. Mais cette conception, surtout dans ses versions les plus radicales, est controversée: le fait que les scientifiques raisonnent au moyen de concepts abstraits n'implique pas nécessairement que le monde réel doive s'effacer à l'arrière-plan.

La vision du constructivisme sur laquelle s'appuie la didactique des sciences et qui pourrait être nommée *constructivisme didactique* concerne beaucoup plus la façon dont les élèves apprennent que la façon dont les scientifiques travaillent. Le constructivisme didactique, qui consiste principalement à susciter une *évolution des conceptions* ou, dit autrement, un *changement conceptuel*, place l'élève au cœur de ses apprentissages en lui permettant de s'approprier graduellement le savoir. Il a pour origine les travaux de Gaston Bachelard (1938) et de Jean Piaget (1970). Selon Piaget, aucune connaissance n'est le résultat d'un simple enregistrement d'information. Les connaissances sont plutôt le résultat d'une structuration, d'une reconstruction par le sujet. Selon Bachelard, toute connaissance s'élabore en remettant en question des connaissances antérieures qui font souvent obstacle.

Le constructivisme didactique, proche parent de la conception correctionniste des sciences présentée au deuxième chapitre, tend vers deux grands types d'apprentissage. Il vise d'abord l'apprentissage d'un *langage* permettant d'exprimer des énoncés d'observation, des concepts, des lois, des théories, des modèles et des façons de connaître le monde. Ce langage comporte un vocabulaire et une grammaire qui lui sont propres. Les activités permettant à l'élève de nommer des objets, des êtres vivants et des phénomènes (vocabulaire), et d'exprimer des relations entre ces objets, ces êtres vivants et ces phénomènes (grammaire) sont donc importantes en sciences et technologie.

Le constructivisme didactique vise ensuite et surtout l'apprentissage de stratégies de *résolution de problèmes.* Cet apprentissage, encore plus important que le précédent, s'accomplit par le moyen d'activités, dont plusieurs sont des situations-problèmes (ou problématiques), qui permettent un travail cognitif sur une ou plusieurs conceptions. Ces activités de résolution de problème permettent aux élèves d'examiner le contexte particulier dans lequel leur conception peut avoir une certaine utilité, et, surtout, d'observer avec attention les inconsistances qui peuvent exister entre leurs diverses conceptions, ou entre leurs conceptions et des concepts scientifiques. La prise de conscience de ces inconsistances peut déclencher deux grands types de conflits cognitifs, soit les conflits de centrations et les conflits sociocognitifs, qui aideront l'élève à remettre ses conceptions en question et qui, par la suite, en favoriseront l'évolution.

Les *conflits de centrations* surviennent, chez un élève, lorsqu'il prend conscience des inconsistances qui existent entre deux ou plusieurs de ses propres conceptions. Par exemple, un élève peut se rendre compte qu'il pense que les objets légers flottent et que les objets lourds coulent, mais que le traversier qu'il a pris pendant ses vacances flottait très bien, malgré son poids énorme. On peut noter ici que, lorsque l'accent est placé sur les conflits de centrations vécus individuellement par chaque élève, on parle alors de *constructivisme* au sens strict.

Les *conflits sociocognitifs* surviennent, dans un groupe, lorsque deux ou plusieurs élèves se rendent compte que leurs conceptions sont différentes. Des conflits sociocognitifs peuvent également survenir quand un ou plusieurs élèves voient que leurs conceptions diffèrent des conceptions qui sont généralement admises par la communauté scientifique. Lorsque l'accent est placé sur les conflits sociocognitifs ainsi que sur les interactions vécues par les élèves entre eux et avec leur milieu, on parle alors de *socio-constructivisme* plutôt que de simple *constructivisme.*

La résolution, partielle ou totale, de ces inconsistances permet aux conceptions des élèves d'évoluer. Les problèmes proposés aux élèves devront être bien dosés pour éviter les écueils que seraient une trop grande facilité ou une trop grande difficulté. En effet, comme l'a bien montré Lev Vygotski (1985), l'enseignement doit se situer dans une *zone proximale* où les activités, les exercices et les problèmes sont assez difficiles pour constituer des défis stimulants, sans toutefois être ardus au point d'être perçus comme insurmontables.

Conceptions des élèves : obstacles ou adjuvants ?

Chacun, enfant ou adulte, éprouve le besoin de comprendre et d'expliquer le monde qui l'entoure : « Les objets légers flottent et les objets lourds coulent » ; « Le ciel est bleu à cause du reflet des océans » ; « Le courant électrique est un liquide qui circule dans les fils » ; « Les avions volent parce qu'ils sont plus légers que l'air » ; « Les métaux ne brûlent pas » ; « Le Soleil tourne autour de la Terre » ; « Les éclairs et le tonnerre sont causés par le choc des nuages » ; « Les baleines sont des poissons ». Voilà autant de conceptions fréquentes qui ne correspondent pas aux lois et aux théories de la science actuelle, mais qui permettent néanmoins d'expliquer, de façon plus ou moins adéquate, certains aspects de l'univers matériel ou de l'univers vivant. Plusieurs recherches ont montré que les élèves et les étudiants, quel que soit leur âge, possèdent de nombreuses conceptions, souvent inspirées du sens commun, relativement à divers domaines des sciences et de la technologie.

Les caractéristiques des conceptions. Ces conceptions, qui amènent souvent les élèves à donner des réponses fausses à des questions portant sur les sciences, témoignent pourtant de modes de raisonnement organisés, qui présentent une certaine pertinence dans l'explication de plusieurs phénomènes naturels, ce qui explique d'ailleurs qu'elles *persistent* fréquemment jusqu'à l'âge adulte et qu'elles *résistent* à l'enseignement des sciences tel qu'il est donné actuellement dans la plupart des écoles du monde (Resnick, 1982). Par exemple, si un élève est convaincu qu'il existe un « haut » et un « bas » dans l'Univers, on aura beau lui avoir montré des photographies de la Terre et un globe terrestre, il risque fort de continuer à croire qu'une roche lancée dans les airs n'aura pas la même trajectoire dans l'hémisphère Sud que dans l'hémisphère Nord. Il n'y a d'ailleurs pas nécessairement de correspondance entre une conception d'un élève et sa réponse à une question. Par exemple, si vous demandez à un élève quel serait son poids sur la Lune, il peut fort bien vous répondre que son poids serait moindre, ce qui est une réponse vraie, en s'imaginant toutefois que c'est parce que la Lune est pleine de trous, ce qui est une conception non scientifique. À l'inverse, un autre élève pourrait vous dire qu'il serait deux fois moins lourd sur la Lune, simplement parce qu'il a mal retenu le rapport des accélérations gravitationnelles entre la Lune et la Terre, ce qui suppose néanmoins une représentation scientifique du concept de poids.

Ces conceptions sont également très *personnelles* et, même si tous les élèves d'une classe sont devant le même phénomène naturel, ils peuvent faire des observations et en donner des interprétations très diverses. Chaque élève est influencé par ses idées et ses attentes et reconstruit à sa façon le monde qui l'entoure. Par ailleurs, ces conceptions peuvent parfois sembler *incohérentes* et il arrive que les élèves donnent des interprétations différentes, parfois même contradictoires, de phénomènes scientifiques équivalents (Driver, 1989). Les interprétations et les prédictions ponctuelles et indépendantes les unes des autres peuvent sembler très bien fonctionner, en pratique, et l'élève ne voit pas la nécessité de recourir à un modèle permettant d'unifier les phénomènes équivalents. Il importe aussi de préciser que ces conceptions conduisent à des *explications adéquates,* dans certains contextes, mais fausses dans d'autres contextes. Le fait de croire, par exemple, que la chaleur est un gaz permet d'expliquer pourquoi, par une journée très chaude, une pièce se réchauffe quand on ouvre la fenêtre, mais ne permet pas d'expliquer comment la chaleur peut se propager dans le vide, à la vitesse de la lumière. Enfin, certaines conceptions des élèves traduisent des *capacités d'adaptation* qui permettent tout de même un certain progrès cognitif. La conception de feu, par exemple, peut successivement désigner une substance précise, une énergie, puis une réaction chimique. Aucune de ces conceptions ne correspond au concept scientifique de feu, mais la conception du feu en tant que réaction chimique dénote une nette évolution par rapport à celle de feu en tant que substance précise.

Les obstacles épistémologiques. Les conceptions des élèves peuvent souvent être groupées sous l'une ou l'autre des catégories formées par les obstacles épistémologiques. Voici quelques exemples de ces obstacles épistémologiques adaptés de ceux d'abord proposés par Bachelard (1938). L'*obstacle animiste* consiste à expliquer un phénomène en attribuant une « âme » ou une volonté aux objets. L'élève dira par exemple que, lorsqu'il marche, la Lune le suit parce qu'elle veut rester avec lui, plutôt que d'invoquer un effet de perspective. L'*obstacle verbal* porte sur l'explication d'un phénomène au moyen de mots. Au Moyen Âge, par exemple, on disait que l'opium faisait dormir parce qu'il contenait un « principe dormitif ». De nos jours, le fait de dire qu'un médicament soulage la douleur parce qu'il contient un analgésique n'explique pas grand-chose non plus. Dans l'*obstacle classificatif,* on tente d'expliquer un phénomène au moyen d'une classification. L'élève dira, par exemple, que les singes ont un cerveau développé parce que ce sont des primates, plutôt que de se rendre compte que c'est le contraire, à savoir que le cerveau développé est une des caractéristiques qui permet de classer un animal parmi les primates. L'*obstacle de* *l'univocité des relations* consiste à expliquer un phénomène par une causalité linéaire simple. L'élève qui connaît le baromètre dira, par exemple, qu'il pleut parce que la pression atmosphérique est basse, sans comprendre que plusieurs autres facteurs, tels que le taux d'humidité ou le passage d'un front, expliquent le fait qu'il pleuve. L'*obstacle tautologique* repose sur l'explication d'un phénomène en affirmant que les choses sont ainsi parce qu'elles sont ainsi. L'élève dira, par exemple, que les marsupiaux vivent en Australie parce que c'est leur habitat naturel. L'*obstacle subjectiviste* consiste à expliquer un phénomène par une volonté subjective. L'élève dira, par exemple, que les pingouins vivent dans l'Arctique et dans l'Antarctique parce qu'ils aiment le froid, alors que c'est beaucoup plus le régime alimentaire des pingouins que leur « préférence » pour le froid qui explique leur présence dans ces régions du globe. Dans l'*obstacle de l'unicité des points de vue,* on apporte une explication à un phénomène à partir d'un seul point de vue. L'élève dira, par exemple, que l'orignal traverse la route, sans penser qu'on pourrait dire aussi que la route traverse le territoire de l'orignal. L'*obstacle anthropomorphique* concerne l'explication d'un phénomène en supposant que des plantes ou des animaux pensent comme les êtres humains ou ressentent les mêmes émotions que les êtres humains. L'élève dira, par exemple, que les oiseaux chantent parce qu'ils sont joyeux, plutôt que d'affirmer qu'ils chantent pour délimiter leur territoire ou attirer un partenaire. Enfin l'*obstacle substantialiste* consiste à expliquer un phénomène en ayant recours à une substance. L'élève dira, par exemple, que la chaleur est une substance qui circule facilement dans les objets métalliques, alors que la chaleur est plutôt une forme d'énergie.

L'origine des conceptions des élèves est multiple. Un très grand nombre de conceptions sont basées sur le *sens commun* et sur les *apparences* immédiatement perceptibles. Plusieurs conceptions sont indissociables du *développement général de l'intelligence* et tous les enfants du stade préopératoire, par exemple, recourent à des explications de type animiste ou anthropomorphique. Certaines de ces explications proviennent de l'*environnement social* de l'élève. La famille, les amis, la télévision, le cinéma, l'Internet proposent, explicitement ou implicitement, un grand nombre de conceptions plus ou moins scientifiques. D'autres sont liées à la *personnalité affective* de l'élève et du travail de l'inconscient, telles que, par exemple, les conceptions qui sont les reflets de craintes relatives à des mauvais esprits ou à des monstres. Enfin, certaines conceptions ont probablement une origine *historique,* telles que, par exemple, les croyances en l'influence des signes du zodiaque, directement héritées de l'histoire particulière de l'astrologie et de l'astronomie en Occident (Astolfi et Develay, 1989).

Comment déterminer les conceptions de vos élèves?

Voici quelques techniques, inspirées de celles qui sont proposées par G. De Vecchi (1992), que vous pouvez appliquer:

Posez des questions à vos élèves au sujet de certains phénomènes qu'ils ont l'occasion de constater dans leur vie de tous les jours.

Demandez à vos élèves de commenter une illustration, une photo, une vidéo que vous leur présentez en tant qu'élément déclencheur.

Demandez à vos élèves de dessiner des êtres vivants, des objets ou des phénomènes naturels, et demandez-leur de commenter leur dessin, oralement ou par écrit.

Demandez à vos élèves de vous donner leur propre définition de certains concepts scientifiques.

Proposez à vos élèves de raisonner par la négative ou l'inverse. (Exemples: « Et si le Soleil n'existait pas? » « Et si nous pouvions digérer la cellulose des plantes? »)

Faites la démonstration d'une expérience de physique, de chimie ou de biologie dont les résultats sont surprenants, et demandez à vos élèves d'expliquer ce qu'ils ont constaté.

Placez vos élèves devant des explications contradictoires de divers phénomènes scientifiques et laissez-les en discuter entre eux.

Demandez à vos élèves ce qu'ils pensent de certaines conceptions que vous connaissez ou qui ont été énoncées par des élèves d'une autre classe.

Demandez à vos élèves ce qu'ils pensent d'une croyance de l'Antiquité ou du Moyen Âge. (Exemple: « Que pensez-vous de la théorie selon laquelle le Soleil tourne autour de la Terre? »)

L'enseignement et l'apprentissage des sciences devraient tenir compte des conceptions des élèves. (Champagne, 1992; Duit, 1991). Au lieu d'être fondés sur un ensemble de savoirs choisis et répartis selon la logique théorique d'une progression scientifique ou psychologique, ils devraient constamment s'appuyer sur les modèles explicatifs des élèves et se donner pour but global de favoriser une réflexion à partir des conceptions et une évolution des conceptions. Cette évolution a d'autant plus de chance de se produire que la confrontation de l'élève avec certains phénomènes ou certaines informations lui permet de ressentir une *insatisfaction* à l'égard de ses conceptions habituelles, que les nouvelles conceptions présentées lui paraissent *intelligibles* et *plausibles* et, enfin, que les nouvelles conceptions lui paraissent *fécondes*, c'est-à-dire qu'elles permettent d'expliquer des phénomènes qui paraissaient difficilement explicables à l'aide des conceptions habituelles (Strike et Posner, 1982).

L'apprentissage des sciences, dont le succès repose sur un certain paradoxe, nécessite habituellement une rupture par rapport au monde des conceptions habituelles, mais doit néanmoins prendre racine dans ces mêmes conceptions.

Les primitives phénoménologiques (p-prims). Par ailleurs, même si les conceptions des élèves sont habituellement considérées comme des obstacles à l'apprentissage, certaines recherches (diSessa, 1993; Potvin, 2002) montrent qu'elles peuvent parfois jouer le rôle d'*adjuvants* (un adjuvant est quelque chose qui aide) qui facilitent les apprentissages. Selon cette perspective, qui s'applique surtout aux sciences physiques, certaines conceptions des élèves, bien qu'elles soient des explications primitives et en partie fausses – appelées *primitives phénoménologiques ou «p-prims»* –, permettent néanmoins de coordonner entre elles diverses observations et peuvent servir de base valide à la construction, par l'élève, de concepts scientifiques plus complexes. L'apprentissage se situe alors en continuité, plutôt qu'en rupture, par rapport aux conceptions des élèves.

Voici quelques exemples de ces primitives phénoménologiques: La *p-prim d'Ohm* – nommée ainsi en raison de sa ressemblance avec la loi d'Ohm en électricité qui lie la différence de potentiel, l'intensité du courant et la résistance –, stipule qu'un agent quelconque agit pour produire un résultat contre une résistance. Par exemple, le moteur d'un aspirateur est l'agent qui produit le résultat d'aspirer malgré la résistance produite par le poids des grains de poussière. La *p-prim «force qui fait bouger»* veut que le mouvement qui résulte d'une force est toujours dans le même sens que cette force. La *p-prim «résistance spontanée»* spécifie qu'un gros objet produit toujours, dans toute circonstance, une plus grande résistance au mouvement. La *p-prim de l'atténuation* précise que l'amplitude d'un mouvement ou d'un phénomène diminue naturellement avec le temps, sans intervention extérieure. Dans la *p-prim du réchauffement,* un phénomène prend un certain temps avant de se manifester complètement. La *p-prim de l'intensité inverse de la distance* stipule qu'une force ou une énergie est plus intense si elle est moins éloignée. La *p-prim de la fixation* indique que deux influences opposées mais égales «bloquent» un objet en place. *La p-prim support* précise qu'un objet sert de support à un autre objet qui est posé sur lui. La *p-prim de l'équilibre* veut que des forces, des énergies ou des actions s'équilibrent ou se compensent. Dans la *p-prim de l'annulation,* deux influences opposées s'annulent et disparaissent. Enfin, la *p-prim du mouvement vers l'avant* prétend que le «devant» des objets est toujours dans la direction du mouvement.

Cette perspective de la continuité essaie, dans la mesure du possible, de conserver intactes les *p-prims* et cherche à les faire évoluer en modifiant les composantes défectueuses ou mal appliquées.

Exemples de conceptions fréquentes chez les élèves

La présente section comporte, sous forme de tableaux, des exemples de conceptions fréquentes en physique, en chimie, en astronomie, en sciences de la Terre et de l'Espace, en biologie et en technologie. Une liste plus exhaustive de conceptions accompagnées d'exemples d'activités qui permettent de le faire évoluer se trouve à l'annexe 3.

Les conceptions fréquentes des élèves figurent dans la première colonne des tableaux. Certaines des conceptions peuvent sembler trop avancées pour des élèves du primaire. Il faut signaler, cependant, que de nos jours certains élèves sont exposés à de multiples sources d'information scientifique et possèdent une culture scientifique surprenante, malgré la naïveté de certaines de leurs conceptions sous-jacentes. De plus, les conceptions des élèves sont souvent, aussi, celles des adultes qui sont responsables de leur formation et certaines conceptions simples ne peuvent se comprendre sans établir de liens avec les conceptions plus complexes et le cadre conceptuel auxquels elles se rattachent.

Les mécanismes d'élaboration des conceptions sont présentés dans la deuxième colonne des tableaux. Que l'origine d'une conception soit, par exemple, le sens commun, le développement de l'intelligence ou l'environnement social, certains mécanismes généraux d'élaboration, que les élèves énoncent pour justifier leur façon de penser, sont indiqués. Il s'agit de l'inférence, de la restriction, de l'extension, de l'établissement d'un lien direct entre deux idées et de la formation d'une catégorie mentale générale. L'*inférence* consiste à passer d'une idée à une autre idée qui est jugée pertinente en raison de son lien avec la première. Par exemple, l'élève qui sait que les animaux et les êtres humains expirent du gaz carbonique et que les voitures et les usines rejettent aussi du gaz carbonique pourrait être porté à inférer que l'air contient une proportion importante de gaz carbonique. En fait, la proportion de gaz carbonique dans l'air est minime, de l'ordre de 0,03 %. La *restriction* porte sur l'application d'une connaissance à un domaine plus restreint que celui auquel il peut réellement se rapporter. Par exemple, l'élève qui sait qu'une carabine recule vers l'arrière lorsqu'on tire une balle peut penser que la troisième loi de Newton, qui stipule que l'action d'une force dans une direction implique la réaction d'une force dans une direction opposée, ne concerne que des objets en mouvement. En fait, la loi action = réaction s'applique à toutes les forces. Si une tasse posée sur une table ne tombe pas sur le sol, c'est parce que la table oppose une force égale à la force d'attraction gravitationnelle qui agit sur la tasse. L'*extension* quant à elle, consiste à appliquer une connaissance à un domaine plus vaste que celui auquel il peut réellement se rapporter. Par exemple, l'élève qui a déjà fait l'expérience de mélanger des jus de fruits ou des gouaches de diverses couleurs peut penser que tous les liquides se mélangent très bien les uns aux autres. En fait, certains liquides, tels que l'eau et l'huile, par exemple, ne se mélangent pas. L'*établissement d'un lien direct* entre deux idées peut être illustré par l'exemple suivant: L'élève qui sait que l'ébullition de l'eau est plus vive quand la température de l'élément d'une cuisinière est plus élevée peut penser que l'eau en ébullition vive est plus chaude que l'eau en ébullition lente. En fait, on peut facilement vérifier, avec un thermomètre, que la température de l'eau en ébullition vive est la même que la température de l'eau en ébullition lente, soit 100 °C. Enfin, la *formation d'une catégorie mentale générale* pour plusieurs objets, êtres vivants ou phénomènes, peut être illustrée par l'exemple suivant: L'élève qui sait qu'il est possible de faire tenir un trombone à la surface de l'eau, en le déposant doucement, peut penser qu'il s'agit d'un exemple d'objet qui flotte, comme un cure-dent ou une allumette qui flotte à la surface de l'eau. En fait, le trombone métallique, contrairement au cure-dent ou à l'allumette, est plus dense que l'eau et ne flotte pas, mais est simplement retenu à la surface par la tension superficielle de l'eau.

Ces mécanismes d'élaboration ne sont pas parfaitement étanches, et l'élaboration de certaines conceptions peut s'expliquer à la fois, par exemple, par une extension et par la formation d'une catégorie générale. De plus, bien qu'ils aient été corroborés auprès de plusieurs élèves et enseignants, les mécanismes d'élaboration des conceptions sont plus subjectifs que les conceptions elles-mêmes, puisque leur description repose, en dernière analyse, sur notre propre interprétation.

Les concepts scientifiques correspondant aux conceptions sont présentés dans la troisième colonne des tableaux.

PHYSIQUE

La matière

Conceptions fréquentes	Mécanismes d'élaboration	Concepts scientifiques
	Notions de base	
Une bouteille qui ne contient plus de boisson gazeuse est totalement vide.	Restriction basée sur l'impression que l'air et le vide sont identiques.	Une bouteille qui ne contient plus de boisson gazeuse contient de l'air.
L'eau en ébullition vive est plus chaude que l'eau en ébullition lente.	Établissement d'un lien direct entre la température de l'élément chauffant et la température de l'eau.	La température de l'ébullition, vive ou lente, est de 100 °C.
	Les états de la matière	
Les gaz et les liquides ne sont pas de la matière.	Restriction basée sur le fait que des objets solides sont habituellement présentés comme des exemples de matière.	Toutes les substances, à l'état gazeux, solide ou liquide, sont de la matière.
Les objets mous fondent plus facilement que les objets durs.	Établissement d'un lien direct entre la dureté d'un objet et l'attraction entre les atomes ou les molécules dont il est composé.	Il n'y a pas de relation entre la dureté d'un objet et sa température de fusion.
Tous les liquides deviennent solides à 0 °C.	Restriction basée sur la température de solidification de l'eau.	Plusieurs liquides courants, tels que l'alcool et l'essence, deviennent solides à des températures inférieures à 0 °C.
	Les mélanges et les solutions	
Le sel ou le sucre dissous dans l'eau disparaissent.	Inférence basée sur le fait que le sel ou le sucre dissous dans l'eau sont invisibles.	Une substance dissoute est toujours présente et redevient visible après évaporation du liquide.
Tous les liquides peuvent se mêler les uns aux autres.	Extension, à tous les liquides, des résultats d'une expérience telle que le mélange d'alcool et d'eau.	Certains liquides, tels que l'eau et l'huile, sont non miscibles.

Les forces et les mouvements

Conceptions fréquentes	Mécanismes d'élaboration	Concepts scientifiques
	Les forces	
Les objets légers flottent et les objets lourds coulent.	Restriction basée sur les expériences usuelles de flottaison avec de petits objets.	Il existe des objets légers qui coulent et des objets lourds qui flottent

Les objets lourds tombent plus vite que les objets légers.	Inférence basée sur l'impression que l'attraction gravitationnelle terrestre est fonction du poids des objets attirés par la Terre.	Les objets légers qui opposent peu de résistance à l'air tombent avec la même accélération que les objets lourds.
Si l'on incline un verre qui contient de l'eau, la surface de l'eau va s'incliner.	Inférence basée sur l'impression que la surface de l'eau et les côtés du verre doivent rester perpendiculaires.	La surface de l'eau demeure parallèle au sol.
Les objets qui flottent dans un liquide flottent dans tous les liquides.	Formation d'une catégorie mentale générale pour tous les liquides.	Il existe des objets, tels que les œufs, qui flottent dans l'eau salée mais ne flottent pas dans l'eau douce.
	La pression	
La pression de l'air ou de l'eau ne s'exerce que de bas en haut.	Restriction basée sur l'expérience des effets de la pression exercée par le poids d'un objet.	Une pression s'exerce dans toutes les directions.
	Le mouvement	
Quand on a la tête en bas, dans un manège qui nous fait tourner, on ne tombe pas parce qu'on est attaché.	Établissement d'un lien direct entre le fait de ne pas tomber et le port d'une ceinture de sécurité.	On ne tombe pas en raison de l'accélération de rotation qui nous pousse contre le siège du manège.
	Les machines simples	
Pour qu'un objet tienne en équilibre, le point d'appui doit nécessairement se situer au centre.	Restriction basée sur l'observation d'objets de masse homogène placés en équilibre.	Un objet tient en équilibre si le point d'appui est sous le centre de gravité, qui n'est pas nécessairement le centre de l'objet.

La lumière

Conceptions fréquentes	Mécanismes d'élaboration	Concepts scientifiques
	Notions de base	
Seuls les miroirs réfléchissent la lumière.	Restriction basée sur l'observation de la formation d'une tache de lumière, sur un mur, à l'aide d'un miroir.	Tous les objets visibles qui n'émettent pas de lumière réfléchissent de la lumière.
	Les couleurs	
Un filtre de couleur ajoute de la couleur au faisceau blanc d'un projecteur.	Inférence attribuable à l'impression que la lumière blanche ne contient aucune couleur.	Un filtre enlève toutes les couleurs de la lumière blanche, sauf la sienne.
Le mélange de toutes les couleurs donne toujours du noir.	Restriction basée sur des expériences de mélange de couleurs par soustraction (gouache, crayons, etc.).	Par addition, le mélange de toutes les couleurs donne du blanc.

Le son

Conceptions fréquentes	Mécanismes d'élaboration	Concepts scientifiques
En frappant plus fort sur un objet, on change la hauteur du son émis par cet objet.	Établissement d'un lien direct entre l'amplitude et la fréquence d'un son.	En frappant plus fort sur un objet, l'amplitude du son produit est plus grande, mais la fréquence reste la même.
La vitesse du son est la même que la vitesse de la lumière.	Inférence basée sur l'impression que la vitesse du son et la vitesse de la lumière sont deux vitesses très grandes, presque infinies.	La vitesse du son est très inférieure à la vitesse de la lumière.

La chaleur

Conceptions fréquentes	Mécanismes d'élaboration	Concepts scientifiques
	Notions de base	
La glace fond plus rapidement dans de l'air à 10 °C que dans de l'eau à 10 °C.	Inférence basée sur l'impression que les gaz réchauffent mieux que les liquides.	La glace fond plus rapidement dans de l'eau à 10 °C que dans de l'air à 10 °C.
Des matériaux tels que l'aluminium sont de bons isolants thermiques.	Inférence basée sur la sensation de froid que procurent les métaux au toucher. Inférence basée sur l'utilisation fréquente du papier d'aluminium pour conserver des aliments frais.	L'aluminium est un très mauvais isolant thermique et n'empêche pas les objets ou les aliments qu'il contient de se réchauffer.
Toutes les substances se contractent en passant de l'état liquide à l'état solide.	Inférence basée sur l'observation de cire qui se solidifie.	Il est vrai que presque toutes les substances se contractent, sauf l'eau et le bismuth.
Une augmentation ou une diminution de la quantité de chaleur entraîne toujours une augmentation ou une diminution de la température.	Inférence basée sur l'observation de la température d'eau que l'on fait chauffer ou refroidir à des températures éloignées des points de fusion ou de vaporisation.	Au cours des changements d'état, la température demeure la même, bien que la substance gagne ou perde de la chaleur.
	Les lois de la thermodynamique	
Il est possible de fabriquer des dispositifs qui fonctionnent sans arrêt, même sans moteur (dispositifs de mouvement perpétuel).	Extension basée sur l'observation de pendules et de vire-vents.	Aucun dispositif de mouvement perpétuel ne fonctionne, car il y a toujours une partie de l'énergie qui se dissipe sous forme de chaleur.

Le magnétisme et l'électricité

Conceptions fréquentes	Mécanismes d'élaboration	Concepts scientifiques
	Le magnétisme	
Tous les métaux sont attirés par un aimant.	Formation d'une catégorie mentale générale pour les propriétés magnétiques de tous les métaux.	Plusieurs métaux, tels que l'aluminium, le cuivre et l'argent, ne sont pas attirés par un aimant.
Un aimant ne peut agir à travers un obstacle.	Inférence basée sur l'impression que le champ magnétique ne traverse pas les objets.	Un aimant agit facilement à travers des matériaux tels que le papier, le plastique et le bois.
	L'électricité statique	
Les objets chargés d'électricité statique s'attirent ou se repoussent parce qu'ils sont aimantés.	Formation d'une catégorie mentale générale pour les phénomènes électriques et magnétiques.	Les objets chargés ne sont pas magnétiques, mais possèdent une charge positive ou négative.
Les objets chargés n'attirent que d'autres objets chargés.	Inférence basée sur l'impression qu'un objet neutre ne contient aucune charge électrique.	Les objets chargés attirent aussi des objets neutres, parce qu'ils modifient, par induction, la position des électrons des objets neutres.
	Le courant électrique	
Il est suffisant de relier une seule borne d'une pile à une seule borne d'une ampoule pour que cette dernière s'allume.	Inférence basée sur l'établissement d'une analogie entre l'électricité et un carburant qui provient d'un réservoir.	Il faut relier les deux bornes de la pile aux deux bornes de l'ampoule pour que cette dernière s'allume.
Seuls les fils électriques sont conducteurs.	Restriction basée sur la façon la plus fréquente de conduire le courant électrique.	Tous les objets métalliques, le graphite et plusieurs solutions sont de bons conducteurs.
Seuls les métaux sont conducteurs.	Restriction basée sur le fait que les métaux sont les conducteurs les plus fréquemment utilisés.	Certains matériaux, tels que le graphite, et certaines solutions, telles qu'une solution de sel de table, sont de bons conducteurs.
Il y a moins de courant qui retourne à la pile qu'il y en a qui en sort.	Inférence basée sur l'impression que le courant électrique est une sorte de carburant qui est en partie consommé par les ampoules et d'autres appareils électriques d'un circuit.	Il y a la même quantité d'électrons qui sortent de la pile et qui y retournent.
Le magnétisme et l'électricité sont deux phénomènes indépendants.	Restriction basée sur l'observation de phénomènes magnétiques et électriques indépendants.	Le déplacement d'un champ magnétique peut créer un courant électrique et un courant électrique crée un champ magnétique.

CHIMIE

Les éléments

Conceptions fréquentes	Mécanismes d'élaboration	Concepts scientifiques
	Notions de base	
Toutes les substances pures, telles que l'eau distillée, sont des éléments.	Formation d'une catégorie mentale générale pour les substances pures et les éléments.	Plusieurs substances pures, telles que l'eau distillée et l'alcool, sont des composés.
	Le tableau périodique	
Tous les métaux sont solides, durs et brillants.	Extension, à tous les métaux, des caractéristiques de métaux tels que l'aluminium, le cuivre ou l'argent.	Il existe des métaux mous et mats, tels que le sodium et le potassium, ou liquides, tels que le mercure.

Les composés

Conceptions fréquentes	Mécanismes d'élaboration	Concepts scientifiques
	Les molécules	
Les composés et les éléments dont ils sont formés ont des propriétés semblables.	Inférence basée sur l'impression que les propriétés des éléments s'additionnent dans les composés.	Certains composés comestibles sont formés de deux poisons. Le sel de table, par exemple, est formé de chlore et de sodium.
Il n'y a pas de différence entre un composé et un mélange.	Inférence basée sur l'impression d'une certaine homogénéité macroscopique.	Il y a d'assez forts liens chimiques entre les atomes d'un composé, ce qui n'est pas le cas dans un mélange.

Les réactions chimiques

Conceptions fréquentes	Mécanismes d'élaboration	Concepts scientifiques
	Notions de base	
Le papier journal jaunit à cause de la lumière.	Inférence basée sur le fait que le papier journal exposé au soleil jaunit rapidement.	Le papier journal jaunit parce qu'il réagit avec l'oxygène de l'air. La présence de lumière accélère cette réaction.
Les métaux ne brûlent pas.	Restriction basée sur le fait que plusieurs ustensiles de cuisine sont en métal.	Certains métaux, tels que le sodium et le magnésium, brûlent très facilement.

	Le feu	
De la fumée s'échappe d'une bouilloire lorsque l'eau bout.	Formation d'une catégorie mentale générale pour toutes les substances d'allure vaporeuse.	C'est de la vapeur d'eau, invisible, et de l'eau sous forme liquide, qui forme de la buée, qui s'échappent d'une bouilloire.
Seule l'eau peut permettre d'éteindre un feu.	Restriction basée sur la substance la plus couramment utilisée pour éteindre des feux.	Un feu peut aussi être éteint à l'aide d'une couverture, de sable ou de mousse carbonique.
	Les acides et les bases	
Seuls les papiers de tournesol peuvent servir d'indicateurs de pH.	Inférence basée sur l'impression que les indicateurs de pH sont des produits chimiques difficiles à produire.	Le jus de chou rouge et le thé, par exemple, peuvent également servir d'indicateurs de pH.

Les composés organiques

Conception fréquente	Mécanisme d'élaboration	Concept scientifique
Tous les alcools sont comestibles.	Extension, à tous les alcools, des propriétés de l'éthanol.	Certains alcools, tels que le méthanol, sont des poisons.

TECHNOLOGIE DES SCIENCES PHYSIQUES

Conceptions fréquentes	Mécanismes d'élaboration	Concepts scientifiques
	Les techniques du mouvement	
Les montgolfières sont remplies d'hélium.	Inférence basée sur l'expérience de l'effet de l'hélium dans un ballon.	Les montgolfières sont remplies d'air chaud.
Les navires sont plus lourds que le poids du volume d'eau qu'ils déplacent.	Inférence basée sur le fait que l'acier est beaucoup plus lourd que l'eau.	Les navires sont moins lourds que le poids de l'eau qu'ils déplacent, sans quoi ils ne pourraient flotter.
	Les techniques du son	
Les émissions de radio et de télévision arrivent par les fils électriques.	Inférence basée sur le fait que les postes de radio et de télévision sont branchés sur le secteur, et parfois aussi sur un réseau câblé.	Sauf dans le cas de la réception par câble, les émissions de radio et de télévision arrivent par des ondes électromagnétiques qui se propagent dans l'air.
	L'industrie chimique	
Le beurre et la margarine sont tous deux fabriqués avec des produits laitiers.	Formation d'une catégorie mentale générale pour la matière première de tous les produits qui ont l'apparence et la consistance du beurre.	Le beurre est fabriqué à partir de la crème, mais la margarine est fabriquée à partir d'huile végétale.

Le savon dissout les graisses.	Inférence basée sur une façon fréquente de décrire l'action du savon.	Le savon ne dissout pas les graisses, mais permet de les enlever car ses molécules possèdent une extrémité qui adhère aux matières grasses.
Il n'existe pas de vêtements en plastique.	Restriction basée sur l'impression que tous les plastiques sont durs et rigides.	Plusieurs fibres synthétiques, telles que l'acrylique, le nylon et le polyester, sont faites de plastiques.

SCIENCES DE LA TERRE

Conceptions fréquentes	Mécanismes d'élaboration	Concepts scientifiques
	La forme et la taille de la Terre	
Il fait jour ou nuit en même temps sur toute la surface de la Terre.	Formation d'une catégorie mentale pour le jour ou la nuit en tout lieu de la Terre.	Une moitié de la surface de la Terre est éclairée par le Soleil, tandis que l'autre moitié se trouve dans l'obscurité.
Il faut une horloge ou une montre pour savoir l'heure qu'il est.	Inférence basée sur la façon habituelle de savoir l'heure qu'il est.	Il est possible d'estimer l'heure à partir de la position du Soleil ou des étoiles dans le ciel.
	La structure de la Terre	
Les continents sont immobiles.	Restriction basée sur le fait que le mouvement des continents est presque imperceptible à l'échelle de la vie humaine.	Les continents, portés par les plaques tectoniques, dérivent d'environ 1 cm par an.
	Les roches et le sol	
Toutes les roches sont très dures.	Extension, à toutes les roches, de la dureté de roches courantes.	Il existe des roches, telles que les roches composées de talc ou de gypse, qui peuvent être facilement rayées avec un ongle.
	Les océans	
Le fond des océans est plat partout.	Établissement d'un lien direct entre la surface et le fond de l'océan.	Le relief du fond des océans est aussi accidenté que celui des continents.
Les marées sont causées par la rotation de la Terre.	Inférence basée sur l'impression que l'eau des océans ne suit pas tout à fait la rotation de la Terre.	Les marées sont causées par l'attraction gravitationnelle de la Lune.

	Les calottes glaciaires	
La portion émergée d'un iceberg est aussi grande que sa portion immergée.	Inférence basée sur l'observation de navires.	La portion émergée ne représente que le cinquième du volume d'un iceberg.
Les calottes glaciaires du pôle Nord et du pôle Sud reposent toutes deux sur un continent.	Inférence basée sur l'observation de l'accumulation de la neige et de la glace en hiver.	Seul le pôle Sud repose sur un continent. Les glaciers du pôle Nord flottent sur l'océan Arctique.
	Le magnétisme terrestre	
La position du pôle magnétique Nord et du pôle magnétique Sud est immuable et identique à la position des pôles géographiques.	Formation d'une catégorie mentale générale pour les pôles géographiques et les pôles magnétiques.	Les pôles magnétiques se déplacent constamment par rapport aux pôles géographiques.
	Les saisons	
Les saisons dépendent de la distance entre la Terre et le Soleil.	Inférence basée sur l'expérience de la chaleur ressentie à différentes distances d'un feu.	Les saisons dépendent de l'inclinaison de l'axe de rotation de la Terre par rapport au plan de son orbite autour du Soleil.
Les saisons ont lieu aux mêmes périodes dans l'hémisphère Nord et l'hémisphère Sud.	Extension, à toute la Terre, du calendrier des saisons de l'hémisphère Nord.	Quand c'est l'été dans l'hémisphère Nord, c'est l'hiver dans l'hémisphère Sud, et inversement.
	Les gaz qui forment l'air	
La vapeur d'eau rend le ciel bleu.	Établissement d'un lien direct entre le fait que l'eau paraît souvent bleue et la couleur du ciel.	Le ciel est bleu parce que l'air diffuse mieux la lumière bleue et serait bleu même si l'air ne contenait pas de vapeur d'eau.
L'air est formé uniquement d'oxygène.	Inférence basée sur la connaissance de l'importance de l'oxygène.	L'air est un mélange d'azote et d'oxygène.
	Les couches de l'atmosphère	
On respire mieux au sommet de hautes montagnes. parce que l'air y est raréfié.	Inférence basée sur le fait que l'air des montagnes n'est pas pollué.	Il est plus difficile de respirer au sommet de hautes montagnes,

ASTRONOMIE

Conceptions fréquentes	Mécanismes d'élaboration	Concepts scientifiques
	Le système solaire	
Tous les points lumineux visibles la nuit, dans le ciel, sont des étoiles.	Formation d'une catégorie mentale générale pour tous les points lumineux visibles dans le ciel.	Certains points lumineux sont des planètes ou des satellites.
La surface de toutes les planètes serait assez solide pour pouvoir y marcher.	Extension basée sur la surface de la Terre et de la planète Mars.	Plusieurs planètes, telles que Jupiter et Saturne, sont de grosses boules gazeuses et n'ont pas de surface solide.
	Les phases de la Lune et les éclipses	
La Lune est plus grosse que les étoiles.	Inférence basée sur le diamètre apparent de la Lune et des étoiles.	Les étoiles sont des milliers de fois plus grosses que la Lune.
La Lune émet de la lumière et de la chaleur comme le Soleil et les étoiles.	Formation d'une catégorie mentale générale pour la nature de tous les astres.	La Lune n'émet aucune lumière et aucune chaleur.
Pendant une éclipse de Lune, le Soleil nous cache la Lune.	Extension, aux éclipses de Lune, d'un mécanisme semblable à celui qui cause les éclipses du Soleil.	Pendant une éclipse de Lune, la Terre cache le Soleil à la Lune.
Les cratères de la Lune sont les restes d'anciens volcans.	Formation d'une catégorie mentale générale pour les cratères lunaires et les cratères volcaniques terrestres.	Les cratères de la Lune résultent d'impacts de météorites.
	Des milliards de galaxies et d'étoiles	
La position des étoiles dans le ciel est la même durant toute la nuit.	Inférence basée sur l'impression que les étoiles sont fixées à une voûte céleste immobile.	En raison de la rotation de la Terre, la position des étoiles change, pendant la nuit, de la même façon que celle du Soleil change pendant le jour.
Les étoiles sont plus brillantes à la campagne car l'air est moins pollué.	Établissement d'un lien direct entre la luminosité des étoiles et la présence de polluants dans l'air.	Bien que l'absence de pollution joue un rôle, les étoiles sont plus brillantes surtout parce qu'il y a moins de lumière.
	La taille de l'Univers	
La lumière des étoiles nous parvient instantanément.	Inférence basée sur l'impression que la vitesse de la lumière est infinie.	La lumière de la plupart des étoiles visibles à l'œil nu prend des dizaines et souvent des centaines d'années à nous parvenir.

TECHNOLOGIE DES SCIENCES DE LA TERRE ET DE L'ESPACE

Conceptions fréquentes	Mécanismes d'élaboration	Concepts scientifiques
	Les prévisions météorologiques	
Une précipitation d'un centimètre de neige contient la même quantité d'eau qu'une précipitation d'un centimètre de pluie.	Inférence basée sur l'impression que toutes les précipitations sont équivalentes.	Une précipitation de dix centimètres de neige contient la même quantité d'eau qu'une précipitation d'un centimètre de pluie.
Les nuages sont formés de vapeur d'eau.	Inférence basée sur une description fréquente des nuages et sur l'impression qu'il est possible de voir de la vapeur d'eau.	La vapeur d'eau est invisible et les nuages sont formés de gouttelettes d'eau ou de petits cristaux de glace.
Un front chaud amène du beau temps et un front froid amène du mauvais temps.	Inférence basée sur la connotation positive du mot *chaud* et la connotation négative du mot *froid*.	Les fronts chauds et les fronts froids amènent tous deux du mauvais temps.

BIOLOGIE

La cellule

Conception fréquente	Mécanisme d'élaboration	Concept scientifique
	Notions de base	
La cellule végétale est identique à la cellule animale.	Formation d'une catégorie mentale générale pour toutes les cellules vivantes.	La cellule végétale possède une paroi cellulaire rigide et fait la photosynthèse, ce qui n'est pas le cas de la cellule animale.

Les composés de la matière vivante

Conceptions fréquentes	Mécanismes d'élaboration	Concepts scientifiques
	Notions de base	
Seuls les êtres vivants peuvent produire les composés de la matière vivante.	Restriction basée sur l'impression que les composés de la matière vivante entrent dans une catégorie distincte.	Plusieurs composés organiques, tels que l'urée, la vitamine C et l'hormone de croissance, peuvent être synthétisés en laboratoire.
	Les protéines	
Seuls la viande et le poisson contiennent des protéines.	Restriction basée sur l'importance accordée à la viande et au poisson dans le régime alimentaire usuel.	Les produits laitiers, les céréales, les noix et plusieurs végétaux, tels que le soja, sont de bonnes sources de protéines.

	Les vitamines et les minéraux	
La peau produit de la vitamine C sous l'action du Soleil.	Établissement d'un lien direct entre la vitamine C, souvent associée à la saveur de l'orange, et le Soleil.	La peau produit de la vitamine D sous l'action du Soleil.

La transmission des caractères héréditaires

	L'hérédité	
Un homme et une femme qui ont les yeux bruns ne peuvent pas avoir d'enfants qui ont les yeux bleus.	Inférence basée sur l'impression que le phénotype est toujours directement lié au génotype.	Un homme et une femme aux yeux bruns, qui possèdent l'allèle récessif des yeux bleus, peuvent avoir des enfants qui ont les yeux bleus.

L'évolution

Conceptions fréquentes	Mécanismes d'élaboration	Concepts scientifiques
	La théorie actuelle de l'évolution	
L'évolution se fait toujours nécessairement dans le sens d'une amélioration des espèces.	Inférence basée sur une façon fréquente de présenter la théorie de l'évolution.	Certaines espèces évoluent parfois dans le sens d'une simplification, comme le monotrope, plante qui a perdu sa chlorophylle au cours de son évolution.
	L'évolution des êtres humains	
Les êtres humains sont les descendants d'une espèce de singe semblable à celle des chimpanzés.	Inférence basée sur la croyance répandue que « l'homme descend du singe ».	Les êtres humains et les grands singes qui existent à l'heure actuelle ont un ancêtre commun qui vivait il y a plus de 15 millions d'années.

La classification des êtres vivants

Conceptions fréquentes	Mécanismes d'élaboration	Concepts scientifiques
Les chauves-souris sont des oiseaux et les baleines sont des poissons.	Inférence basée sur l'habitat et l'apparence extérieure des chauves-souris, des oiseaux, des baleines et des poissons.	Les chauves-souris et les baleines sont des mammifères.
Les champignons appartiennent au règne des végétaux.	Inférence basée sur les ressemblances entre certains champignons et certaines plantes.	Les champignons ne sont pas des végétaux et font partie d'un règne distinct.

Les micro-organismes

Conception fréquente	Mécanisme d'élaboration	Concept scientifique
	Les bactéries et les virus	
Toutes les bactéries sont nuisibles.	Restriction basée sur la connaissance de bactéries dangereuses.	Il existe des bactéries utiles, comme celles qui sont utilisées dans la fabrication du yaourt et du fromage.

Les végétaux

Conceptions fréquentes	Mécanismes d'élaboration	Concepts scientifiques
	Les plantes sans fleurs avec spores	
Les taches brunes sous les feuilles des fougères sont des moisissures.	Extension aux fougères de la nature fréquente de taches sur les plantes.	Les taches brunes sous les feuilles des fougères sont des spores.
Toutes les espèces d'algues vivent dans la mer.	Restriction basée sur l'habitat le plus connu des algues.	Il existe des espèces d'algues qui vivent dans les eaux douces et d'autres espèces qui vivent sur des rochers ou des troncs d'arbres.
	Les plantes sans fleurs avec graines	
Tous les conifères gardent leurs aiguilles en hiver.	Extension basée sur le fait que la plupart des conifères gardent leurs aiguilles en hiver.	Certains conifères, tels que le mélèze, perdent leurs aiguilles à l'automne.
	Les champignons	
Tous les champignons sont relativement gros, semblables aux champignons comestibles communs.	Formation d'une catégorie mentale générale pour tous les champignons.	Il existe des champignons de très petite taille.

La biologie végétale

Conceptions fréquentes	Mécanismes d'élaboration	Concepts scientifiques
	L'anatomie végétale	
Tout le tronc d'un arbre est formé de cellules vivantes.	Formation d'une catégorie mentale générale pour toutes les parties d'un être vivant.	Seule une mince couche située entre l'écorce et le tronc est formée de cellules vivantes. Tout le reste du tronc est composé de cellules mortes.
	La photosynthèse	
Les plantes utilisent et rejettent les mêmes gaz que le système respiratoire des animaux.	Extension, aux plantes, de la respiration animale.	La plante utilise du gaz carbonique et rejette de l'oxygène.

Les plantes n'ont pas besoin d'oxygène, elles ne font qu'en produire.	Restriction basée sur le fait que les plantes sont souvent présentées comme des producteurs d'oxygène.	Pendant la nuit, les plantes utilisent un peu d'oxygène et rejettent un peu de gaz carbonique.
	La circulation des substances	
La sève monte jusqu'aux feuilles uniquement par capillarité.	Inférence basée sur l'impression que la capillarité est le seul mécanisme qui puisse expliquer la montée de la sève.	La capillarité ne peut faire monter l'eau que de quelques centimètres. La traction de transpiration est donc nécessaire.
	La croissance des plantes	
Les plantes sont des êtres inertes, qui ne réagissent pas à leur environnement.	Inférence basée sur l'impression que les plantes sont immobiles et ne semblent pas posséder de sens (vue, ouïe, odorat, goût, toucher) comme les animaux.	L'existence d'un phototropisme, d'un géotropisme et d'un hydrotropisme montre que la plante réagit à son environnement.
	Les fleurs	
Les fleurs de toutes les plantes possèdent un pistil et des étamines.	Extension, à toutes les plantes, de la structure de certaines fleurs bien connues.	Certaines plantes ont des fleurs qui ne renferment qu'un pistil ou que des étamines.
	Les fruits	
Pour faire pousser des bananes, on utilise les graines noires qui sont à l'intérieur.	Extension basée sur la présence de vraies graines dans presque tous les fruits.	Ces points noirs sont des ovules avortés. La fécondation ne se fait plus chez les bananes et on utilise des techniques de reproduction asexuée.

Les animaux

Conceptions fréquentes	Mécanismes d'élaboration	Concepts scientifiques
	Les invertébrés simples	
Certains invertébrés simples, comme l'éponge et la méduse, sont des végétaux.	Inférence basée sur l'apparence extérieure de certains invertébrés simples.	L'anatomie des invertébrés simples est très différente de celle des végétaux.
	Les arthropodes	
L'araignée et le mille-pattes sont des insectes.	Formation d'une catégorie mentale générale pour tous les petits animaux qui ressemblent à des insectes.	L'araignée est un arachnide et le mille-pattes un myriapode.
	Les poissons	
Les poissons possèdent des poumons.	Extension, à tous les vertébrés, du système respiratoire des amphibiens, des reptiles et des mammifères.	Les poissons ne possèdent pas de poumons, mais possèdent des branchies.

	Les reptiles	
Les œufs des reptiles sont semblables à ceux des amphibiens.	Formation d'une catégorie mentale générale pour les œufs de tous les animaux à sang froid.	Les œufs des reptiles, contrairement à ceux des amphibiens, sont des œufs amniotiques hermétiquement clos, ce qui rend les reptiles mieux adaptés à une vie sur la terre ferme.
	Les oiseaux	
Les oiseaux sont plus légers que l'air.	Inférence basée sur l'impression que tout ce qui vole est moins dense que l'air.	La masse volumique d'un oiseau est beaucoup plus grande que celle de l'air.
	Les mammifères	
Un animal qui pond des œufs ne peut pas être un mammifère.	Restriction basée sur l'impression que les poissons, les amphibiens, les reptiles et les oiseaux sont les seuls vertébrés qui pondent des œufs.	Il existe trois espèces de mammifères qui pondent des œufs, dont la plus connue est l'ornithorynque.
La poche ventrale des marsupiaux sert simplement à transporter et à tenir au chaud les petits.	Restriction basée sur le rôle de la poche ventrale dans les histoires et les contes pour enfants.	La poche ventrale des marsupiaux permet surtout le développement des petits qui naissent incomplètement développés.
	Les primates	
Les gorilles sont les plus proches parents des êtres humains.	Inférence basée sur l'impression que la taille des gorilles est une caractéristique déterminante de la parenté avec les êtres humains.	Les chimpanzés sont les plus proches parents des êtres humains.

La biologie animale

Conceptions fréquentes	Mécanismes d'élaboration	Concepts scientifiques
	Les squelettes	
Les seuls squelettes sont les squelettes osseux internes.	Restriction basée sur la connaissance du squelette osseux interne.	Il existe aussi des exosquelettes, des squelettes hydrostatiques et des endosquelettes cartilagineux.
	La circulation du sang	
Tous les animaux ont un (et un seul) cœur.	Restriction basée sur l'anatomie des animaux les plus connus.	Certains animaux, tels que les éponges, n'ont pas de cœur, tandis que d'autres animaux, tels que les vers de terre, en ont dix.

La respiration		
Les poissons remontent à la surface de l'eau pour respirer.	Inférence basée sur le fait que l'eau ne semble pas contenir d'air.	Les poissons respirent l'air dissous dans l'eau.
Un insecte tombé à l'eau peut respirer pourvu qu'il ait la tête hors de l'eau.	Extension, à tous les animaux, de la façon dont les amphibiens, les reptiles et les mammifères respirent.	La présence d'orifices respiratoires sur tout le corps d'un insecte risque de causer sa mort par noyade s'il tombe à l'eau.
L'appareil digestif		
La salive sert uniquement à humecter les aliments.	Inférence basée sur le rôle le plus évident de la salive.	Le goût du pain devient plus sucré à mesure qu'une enzyme de la salive commence à digérer l'amidon.
Le système nerveux		
Le cerveau humain est formé de quelques milliers de neurones.	Inférence basée sur l'impression que les neurones sont relativement gros.	Le cerveau humain contient quelque mille milliards de neurones.
La vue		
Le sens de la vue permet toujours de percevoir notre environnement tel qu'il est.	Extension basée sur la fiabilité du sens de la vue dans la plupart des situations courantes.	La vue dépend autant de l'analyse des images par le cerveau que des yeux.
L'ouïe		
Les oreilles de tous les animaux sont situées de chaque côté de leur tête.	Restriction basée sur l'anatomie des vertébrés les plus connus.	Plusieurs espèces d'insectes, par exemple, ont des organes auditifs situés sur leurs pattes antérieures.
Le toucher et l'équilibre		
L'oreille ne sert qu'à entendre.	Restriction basée sur la fonction la plus connue de l'oreille.	L'oreille interne joue aussi un grand rôle dans la perception de l'équilibre.
Le goût et l'odorat		
La langue est seule responsable des perceptions de la flaveur des aliments.	Restriction causée par la connaissance du rôle de la langue dans le goût.	La langue ne perçoit que les goûts acide, sucré, salé et amer et ne perçoit pas les nuances de la flaveur.
Le système immunitaire et la régulation		
Les reins sont la partie du système digestif qui produit les déchets liquides.	Inférence basée sur l'impression que le système digestif se divise en deux parties, une qui produit des déchets solides et l'autre qui produit des déchets liquides.	Les reins ne font pas partie du système digestif et sont des organes qui débarrassent le sang de ses déchets.

	La métamorphose	
Les papillons sont les seuls insectes à subir une métamorphose.	Restriction basée sur le fait que la métamorphose du papillon est la plus connue.	Il n'y a pas que les papillons qui subissent une métamorphose. La coccinelle, par exemple, passe aussi par les états de larve et de nymphe.

L'environnement

Conception fréquente	Mécanisme d'élaboration	Concept scientifique
	Les chaînes alimentaires	
Les décomposeurs jouent surtout un rôle de nettoyage.	Restriction basée sur le rôle le plus évident des décomposeurs.	Les décomposeurs ne font pas que nettoyer. Ils jouent le rôle fondamental de retourner les matières premières dans l'environnement.

TECHNOLOGIE DES SCIENCES BIOLOGIQUES

Conception fréquente	Mécanisme d'élaboration	Concept scientifique
	La protection de l'environnement	
Tous les produits enfouis dans la terre peuvent se décomposer.	Extension, à tous les déchets, de la décomposition de certains déchets organiques.	Certains produits ne se décomposent pas.

LA TRANSPOSITION DIDACTIQUE

Du savoir savant au savoir scolaire

Les savoirs scientifiques et technologiques enseignés à tous les ordres d'enseignement, et particulièrement au primaire, sont bien différents de résultats des savoirs produits récemment par la communauté scientifique. En effet, les concepts, les lois et les théories transmis aux élèves ne sont pas seulement des simplifications des concepts, des lois et des théories de diverses disciplines scientifiques, mais le résultat de reconstructions qui les modifient et qui transposent le savoir savant en savoir scolaire. Cette reconstruction, qui a d'abord été étudiée dans le domaine de la didactique des mathématiques, porte le nom de *transposition didactique* (Chevallard, 1985).

Les niveaux de transposition

La transposition didactique intervient à plusieurs degrés:

- les scientifiques font des recherches et des études dont les conclusions sont le *savoir produit*;
- le savoir produit par les scientifiques est en partie censuré par la communauté scientifique elle-même, et devient ainsi le *savoir diffusé*;
- ce savoir diffusé fait l'objet d'une sélection et d'une transformation, en fonction des valeurs du système éducatif, et devient le *savoir à enseigner*, qui se retrouve dans le programme officiel;
- étant donné que chaque enseignant possède une culture, une expérience et des méthodes qui lui sont propres et qu'il fait sa propre interprétation du savoir à enseigner, le *savoir enseigné* diffère du savoir à enseigner. Une partie seulement, souvent la partie la plus opératoire, des savoirs appris est vérifiée et constitue les *savoirs évalués*;
- Enfin, peu d'élèves ont des résultats parfaits ou excellents lorsqu'ils sont évalués et seule une partie du savoir évalué peut être considérée comme le *savoir appris*.

La didactique des sciences s'intéresse particulièrement à la transposition didactique qui transforme le savoir diffusé par la communauté scientifique en savoir à enseigner à l'école. Les deux principaux processus qui interviennent, dans cette transposition, sont la *sélection* et la *transformation* des savoirs. Cette sélection et cette transformation sont surtout effectuées par les auteurs de programmes, de manuels et de matériel didactique. Dans certains cas, elles peuvent même aboutir à des savoirs scolaires qui n'ont pas d'équivalent dans le savoir scientifique moderne (exemples: la géométrie finie, le modèle planétaire de l'atome, la classe des poissons, etc.).

Sélection des savoirs

Il est impossible d'enseigner «toutes» les sciences et la technologie, surtout au primaire où le but visé est un éveil aux sciences. Il faut donc faire certains choix en fonction, par exemple, des buts poursuivis par le système éducatif et le programme de formation. Ainsi, un programme d'études peut mettre davantage l'accent sur les sciences physiques que sur les sciences biologiques ou accorder une plus grande importance aux applications qu'aux aspects théoriques. Il est évident, par ailleurs, que certains concepts jugés trop difficiles ne sont pas abordés au primaire et, à l'inverse, que certains concepts de base qui ne posent plus de problèmes aux scientifiques, tels que le concept de la flottabilité ou le concept du levier, peuvent constituer des aspects importants du programme. Les sciences et la technologie enseignées au primaire sont donc une représentation assez particulière du savoir scientifique, et cette représentation est choisie en fonction des finalités de l'enseignement primaire.

Transformation des savoirs

Les conditions dans lesquelles le savoir est transmis se distinguent de celles dans lesquelles il est produit, et entraînent une structuration particulière. Par conséquent, les savoirs scolaires ne sont pas organisés de la même façon que les savoirs savants. Les problèmes abordés en sciences et technologie, avec les élèves, et les relations établies entre les concepts enseignés diffèrent des problèmes et des relations qui préoccupent les scientifiques. Cette transformation des savoirs savants en savoirs scolaires peut prendre une ou plusieurs des formes suivantes.

La dogmatisation. Tout savoir scientifique est susceptible d'être remis en question si de nouvelles questions, de nouveaux problèmes ou de nouvelles données jettent un doute sur les modèles généralement admis par la communauté scientifique. Ce sont ces remises en question qui font progresser le savoir scientifique. Mais la transformation des savoirs scientifiques en savoirs scolaires a souvent pour effet de donner aux sciences et à la technologie un caractère dogmatique, c'est-à-dire de les présenter comme un ensemble de faits établis et de théories certaines, prouvées de façon indiscutable.

La décontextualisation. Souvent, l'origine, le contexte de production, l'utilité, les applications pratiques des concepts, des lois et des théories scientifiques ne sont pas abordés avec les élèves. Le savoir est alors décontextualisé et les élèves risquent de se demander pourquoi il leur faut apprendre ce qui leur est enseigné.

La dépersonnalisation. Le savoir scientifique est souvent présenté en faisant abstraction de l'histoire des sciences. L'élève ne sait rien de la vie et des motivations des scientifiques à qui l'on doit les découvertes enseignées et n'est pas informé des idées dominantes à diverses époques. Il peut donc avoir l'impression que les sciences et la technologie n'existent que dans les livres ou qu'elles sont le résultat du travail de chercheurs anonymes parfaitement neutres et objectifs, à l'abri de toute rivalité personnelle ou idéologique.

La désyncrétisation (ou désorganisation). Les sciences et la technologie sont des disciplines syncrétiques, c'est-à-dire qu'elles forment des ensembles organisés d'énoncés d'observation, de concepts, de lois, de théories et de modèles qui sont le résultat d'une longue évolution. Les programmes d'études, les manuels et les activités proposées en classe, organisés selon une logique différente, peuvent facilement masquer la cohérence et la logique de l'organisation des savoirs.

La programmation. Les programmes d'études en sciences et technologie organisent souvent le savoir scientifique en chapitres, en blocs ou en sections relativement indépendants les uns des autres. Cette programmation du savoir, qui est l'inverse de sa désyncrétisation, obéit toutefois à une logique beaucoup plus scolaire que scientifique.

La reformulation. Les savoirs sélectionnés comme objets à enseigner aux élèves sont reformulés en fonction de compétences, de repères culturels, de savoirs et de stratégies. Cette reformulation peut avoir pour résultat de trier, de découper et de classer les savoirs scientifiques d'une façon très différente de celle de la communauté scientifique.

L'opérationnalisation. Les savoirs scolaires se traduisent souvent par des activités et des exercices facilement vérifiables au moment d'évaluer les apprentissages des élèves. Cette opérationnalisation peut cependant limiter les savoirs scolaires à des aspects relativement secondaires des savoirs savants. Elle risque aussi, parfois, de transformer l'enseignement et l'apprentissage en un processus difficilement compatible avec une véritable reconstruction du savoir par les élèves.

La sélection et la transformation des savoirs qui caractérisent les transpositions didactiques ne sont ni bonnes ni mauvaises, et elles sont inévitables. Il serait impossible, en effet, surtout au primaire, d'enseigner directement les savoirs de la communauté scientifique. Mais certaines transpositions didactiques sont mieux réussies que d'autres, particulièrement lorsqu'elles évitent une décontextualisation, une dogmatisation, une dépersonnalisation, une désyncrétisation et une opérationnalisation trop radicales des savoirs scientifiques.

Par conséquent, l'enseignement des sciences devrait, dans la mesure du possible :

- présenter les sciences et la technologie d'une façon non dogmatique qui respecte la nature de ces activités qui impliquent de continuelles remises en question des savoirs ;
- placer les concepts, les lois et les théories scientifiques dans un contexte signifiant pour les élèves ;
- personnaliser le savoir scientifique et technique en accordant une place importante à l'histoire des sciences et à la biographie de scientifiques célèbres ;
- structurer les programmes et les manuels d'une façon qui respecte le plus possible le syncrétisme des disciplines scientifiques ;
- reformuler et opérationnaliser les savoirs sans les dénaturer, en permettant aux élèves de vivre une véritable reconstruction du savoir.

LE CONTRAT DIDACTIQUE

Contrat implicite entre l'enseignant et l'élève

Il arrive parfois, surtout à l'université, que certains professeurs appliquent une « pédagogie du contrat » avec leurs étudiants. Cette façon de procéder, qui peut prendre la forme d'un contrat écrit, consiste pour le professeur et chacun de ses étudiants à s'entendre sur les attentes qui correspondent aux divers résultats possibles. Par exemple, l'étudiant qui opte pour une note élevée s'engage à effectuer des travaux d'une qualité et d'une envergure beaucoup plus grandes que celui qui vise une note faible.

Contrat didactique

La notion de contrat didactique, d'abord proposée par Guy Brousseau (1986) en didactique des mathématiques, est très différente de ce type de contrat explicite. Le contrat didactique désigne plutôt l'ensemble implicite des obligations réciproques entre l'enseignant et l'élève. Chacun a des droits et des responsabilités qui ne sont pas clairement énoncés, mais qui font partie des rôles de l'enseignant et de l'élève.

La réussite des élèves dépend, dans une large mesure, du respect des termes du contrat didactique. Par conséquent, la didactique s'intéresse particulièrement à tout ce qui peut entraîner une rupture du contrat et aux façons d'éviter ces ruptures. Par exemple, le fait, pour un enseignant, d'enseigner directement les réponses aux questions habituellement posées aux examens constituerait une rupture du contrat puisqu'une telle pratique dévaloriserait la responsabilité de la construction du savoir par l'élève.

Le caractère implicite du contrat didactique a des incidences paradoxales. Un bon enseignant doit être compétent et être bien préparé, mais il ne doit pas donner aux élèves toute l'information et toutes les explications nécessaires pour accomplir les tâches (activités, exercices et problèmes) qu'il leur propose, autrement ces tâches deviendraient trop faciles ou trop automatiques et il n'y aurait pas de véritable apprentissage. D'ailleurs, bien que les élèves et les étudiants réclament souvent plus d'information et d'explications, pour pouvoir accomplir les tâches le plus facilement possible, presque tous ressentent un certain malaise devant les enseignants et les professeurs qui donnent trop vite les réponses aux questions et les solutions des problèmes ou devant ceux qui accordent systématiquement d'excellentes notes, quelles que soient la qualité ou l'envergure du travail effectué. Ce malaise démontre bien que les élèves et les étudiants reconnaissent, plus ou moins consciemment, qu'ils sont en bonne partie responsables de leurs apprentissages.

On peut donc dire, de façon générale, que le contrat didactique définit le « métier d'élève » tout autant qu'il définit la profession enseignante. Une école où les enseignants et les élèves refuseraient de jouer leur rôle et d'assumer leurs responsabilités finirait vite par s'effondrer.

Dévolution des problèmes

Il découle de ce qui vient d'être présenté que l'enseignant, en plus du fait qu'il doit bien jouer son rôle, doit trouver les meilleures façons de faire en sorte que l'élève joue bien le sien et s'engage véritablement dans les tâches qui lui sont proposées. La dévolution désigne l'ensemble des moyens par lesquels l'enseignant suscite l'engagement et la mobilisation des élèves.

Les situations, les activités, les exercices et les problèmes sur lesquels l'élève se penchera ne sont souvent pas les siens, car il n'est pas réaliste de penser que l'élève se posera toujours les bonnes questions ou pensera à faire les bonnes activités au bon moment. Toutefois, ces diverses tâches, si elles sont bien conçues et bien adaptées, susciteront l'intérêt de l'élève, constitueront des défis stimulants à relever et seront non seulement bien acceptées par l'enfant, mais seront éventuellement perçues comme des tâches qui lui appartiennent vraiment. Les concepts, les moyens et les stratégies mis en œuvre par l'élève pour accomplir ces tâches et relever ces défis constitueront son apprentissage.

La conviction de plusieurs spécialistes de la didactique est que la dévolution est la clé permettant de résoudre un grand nombre de problèmes de motivation et de comportement chez les élèves, et ce même dans les milieux les plus difficiles et les plus défavorisés. Par conséquent, peut-être faudrait-il qu'une bonne partie des heures passées à enseigner la « gestion de classe » aux futurs enseignants soit plutôt consacrée à acquérir la compétence à concevoir, dans toutes les matières scolaires, des situations didactiques vraiment stimulantes pour les élèves.

Ruptures de contrat en didactique des sciences et de la technologie au primaire

En didactique des sciences et de la technologie au primaire, de nombreuses ruptures de contrat peuvent être observées dans le milieu scolaire. Nous en proposons quelques exemples :

- certains enseignants négligent ou omettent complètement l'enseignement des sciences et de la technologie en prétextant, par exemple, que l'enseignement du français et des mathématiques est le plus important et qu'ils n'ont pas ou très peu de temps pour cette discipline ;
- certains enseignants consacrent suffisamment de temps aux sciences et à la technologie, mais ne le font pas de la façon prévue et offrent très peu d'occasions à leurs élèves d'acquérir et de développer la compétence à résoudre des problèmes. Les activités scientifiques consistent uniquement, par exemple, à regarder des vidéos, à lire des textes ou à faire des recherches en bibliothèque ou dans Internet. L'école ne possède aucun matériel scientifique ou, pire encore, du matériel scientifique est disponible mais n'est jamais utilisé ;
- certains enseignants n'ont jamais fait l'effort d'enrichir leur culture scientifique et technologique, et enseignent des notions fausses aux élèves, comme un enseignant qui dirait, par exemple, que les saisons sont causées par l'orbite elliptique de la Terre autour du Soleil et par la variation de distance qui en découle ;
- certains enseignants n'évaluent pas consciencieusement les apprentissages en sciences et en technologie et, pour se simplifier la vie, accordent à peu près la même note à tous leurs élèves ;
- certains élèves (ce qui est heureusement une situation assez rare au primaire) perturbent le déroulement des activités de sciences et de technologie au point qu'il devient presque impossible pour l'enseignant de les superviser adéquatement.

Contrat didactique idéal en sciences et technologie au primaire

Par conséquent, nous pourrions définir les grandes lignes d'un contrat didactique idéal, en sciences et technologie au primaire, de la façon suivante :

- les enseignants ont la responsabilité d'enseigner le nombre d'heures de sciences et de technologie prévues par le programme de formation ;

- les enseignants ont la responsabilité d'enseigner les sciences et la technologie de la façon prévue par le programme, en proposant à leurs élèves des problèmes stimulants qui doivent être résolus en manipulant du matériel concret. Pour ce faire, ils doivent cependant pouvoir compter sur le fait que leur école mette à leur disposition un minimum de matériel scientifique ;
- les enseignants doivent acquérir et mettre régulièrement à jour une culture scientifique et technologique de base. La lecture de livres des sciences pour les jeunes, la visite de musées scientifiques, de même que la lecture de magazines ou l'écoute d'émissions de radio ou de télé de vulgarisation scientifique sont d'excellentes façons d'y parvenir ;
- les enseignants ont la responsabilité d'évaluer adéquatement les apprentissages en sciences et en technologie ;
- l'élève a la responsabilité de faire les efforts raisonnables nécessaires pour accomplir les tâches proposées.

LE *PROGRAMME DE FORMATION DE L'ÉCOLE QUÉBÉCOISE*

Sous-section « Science et technologie »

Le chapitre 9 présente le texte intégral de la sous-section « Science et technologie » du *Programme de formation de l'école québécoise*, publié par le ministère de l'Éducation du Québec (2001). Les encadrés renferment nos commentaires et nos précisions ; ils ne font donc pas partie du document officiel du Ministère.

Présentation de la discipline

L'apprentissage de la science et de la technologie est essentiel pour comprendre le monde dans lequel nous vivons et pour s'y adapter. Les développements scientifiques et technologiques sont présents partout et l'élève doit y être très tôt initié. Il est important qu'il saisisse la différence entre les phénomènes naturels et les objets fabriqués, mais surtout qu'il prenne conscience de l'évolution du rapport que l'homme a entretenu avec la nature à travers les âges, comment il en est venu à mieux la comprendre et en expliquer les divers phénomènes, comment aussi différents procédés de fabrication ont été conçus et améliorés à travers les âges.

Domaines distincts, mais néanmoins complémentaires, la science et la technologie se développent en étroite relation. La science vise à décrire et à expliquer le monde. Elle recherche les relations qui permettent de faire des prédictions et de déterminer les causes de phénomènes naturels. De son côté, la technologie applique les découvertes de la science tout en contribuant à son développement : elle lui fournit de nouveaux outils ou instruments, mais aussi de nouveaux défis et objets d'étude. Elle cherche à modifier le monde et à l'adapter aux besoins des êtres humains.

« Science et technologie » ou « Sciences et techniques » ?

Tel qu'il est mentionné dans l'introduction du présent ouvrage, le *Programme de formation de l'école québécoise* comporte une section intitulée « Domaine de la mathématique, de la science et de la technologie », qui se subdivise en une sous-section « Mathématique » (au singulier) et une sous-section « Science et technologie » (au singulier également). L'expression « science et technologie » n'est-elle pas un calque de l'anglais *science and technology*? En bon français, ne serait-il pas préférable de parler de *sciences*, au pluriel, puisqu'il existe de nombreuses sciences, comme la physique, la chimie, l'astronomie, la géologie, la météorologie, la biologie, très différentes les unes des autres par leurs concepts, leurs théories et leurs approches ? (La même question pourrait d'ailleurs s'appliquer au terme *mathématique*, étant donné que *les* mathématiques sont un ensemble de disciplines aussi diverses que l'algèbre, la statistique, la géométrie, la topologie, etc.) Et ce terme *technologie* ne désigne-t-il pas, en fait, que de simples techniques qui sont beaucoup plus à la portée des jeunes du préscolaire et du primaire que « l'étude des techniques, des machines et des outils employés dans l'industrie » que désignerait véritablement le mot *technologie*? Il aurait donc été préférable que le ministère de l'Éducation donne à cette sous-section du *Programme* le titre « Sciences et techniques » ou, à défaut, « Sciences et technologie ».

Le présent programme constitue une initiation à l'activité scientifique et technologique. Il privilégie des contextes d'apprentissage qui mettent l'élève en situation de recourir à la science et à la technologie. Ces disciplines font appel à des démarches de l'esprit telles que le questionnement, l'observation méthodique, le tâtonnement, la vérification expérimentale, l'étude des besoins et des contraintes, la conception de modèles et la réalisation de prototypes. Elles sollicitent également la créativité, le souci de l'efficacité, la rigueur, l'esprit d'initiative et le sens critique. C'est en s'engageant dans ce type de démarches, à travers l'exploration de problématiques tirées de son environnement, que l'élève sera graduellement amené à mobiliser les modes de raisonnement auxquels font appel l'activité scientifique et l'activité technologique, à comprendre la nature de ces activités et à acquérir les langages qu'elles utilisent.

À travers cette initiation, le programme vise à développer la culture scientifique et technologique de l'élève. La science et la technologie sont omniprésentes dans notre quotidien. Il est important d'en prendre conscience et d'apprécier leur apport à l'évolution de la société. Pour cela, il faut d'abord en percevoir les manifestations dans notre environnement immédiat et s'initier à des façons particulières d'entrer en contact avec les phénomènes qui nous entourent. Il faut aussi en retracer l'évolution à travers l'histoire et identifier les facteurs de divers ordres qui influencent leur développement. Enfin, il faut adopter la distance critique nécessaire pour reconnaître les valeurs qui les fondent et les enjeux sociaux qui en découlent, pour en reconnaître les limites et en mesurer les impacts aussi bien positifs que négatifs dans notre vie.

Bien que la science et la technologie ne soient pas inscrites à la grille-matière du premier cycle du primaire, il importe d'initier l'élève de premier cycle à leurs rudiments à travers l'observation, la manipulation, le questionnement ou les modes de raisonnement logique tels que la classification et la sériation. À cet âge, les enfants se montrent généralement intéressés par de nombreux phénomènes reliés au monde qui les entoure. L'élève du premier cycle sera donc amené à s'initier à l'activité scientifique et technologique en développant la compétence: «Explorer le monde de la science et de la technologie». Cet apprentissage devra se réaliser à travers les autres disciplines et les domaines généraux de formation.

Le programme de science et technologie de deuxième et de troisième cycle prend appui sur ces apprentissages fondamentaux et s'articule autour de trois compétences.

Compétence 1: Proposer des explications ou des solutions à des problèmes d'ordre scientifique ou technologique.

Compétence 2: Mettre à profit les outils, objets et procédés de la science et de la technologie.

Compétence 3: Communiquer à l'aide des langages utilisés par la science et la technologie.

Ces compétences mettent l'accent sur des aspects distincts, mais néanmoins complémentaires de la science et de la technologie. Comme toute activité humaine, celles-ci s'inscrivent dans un contexte social, culturel et historique qui les marque mais qu'elles influencent en retour. Elles correspondent à une façon particulière d'appréhender le monde. La première compétence est reliée à l'appropriation des modes de raisonnement qui permettent d'aborder des problématiques d'ordre scientifique et technologique. Les deux autres sont étroitement reliées à la nature même des activités qu'elles permettent d'instrumenter, tant sur le plan de la réalisation que de la communication. Comprendre la nature des outils, objets et procédés auxquels la science et la technologie font appel est essentiel pour en mesurer les impacts aussi bien positifs que négatifs. Communiquer à l'aide des langages qu'elles utilisent permet d'assurer une continuité entre les connaissances acquises et celles qui naîtront des échanges avec les autres. Ces compétences se développent toutes trois en prenant appui sur des repères culturels qui permettent d'associer les apprentissages disciplinaires à divers champs de l'activité humaine et de les situer dans un contexte social et historique susceptible d'en éclairer le sens.

Des compétences au primaire?

La place faite aux compétences, dans le nouveau *Programme de formation*, est controversée. Certains auteurs la trouvent excessive (Boutin et Julien, 2000). Le modèle axé sur les compétences a d'abord été appliqué, au Québec, à l'enseignement professionnel, auquel il est probablement le mieux adapté. Bien que ce modèle soit souvent présenté comme une manifestation du constructivisme ou du socioconstructivisme, il n'est pas vraiment compatible avec ces approches. De plus, il semble contradictoire de chercher à développer des «compétences» chez des élèves du primaire, surtout quand on sait que bon nombre de disciplines de cet ordre d'enseignement visent une initiation, comme le dit explicitement, par exemple, l'introduction de la section «Science et technologie». Enfin, tel qu'il est mentionné au chapitre 6, l'enseignement des sciences vise à provoquer des déséquilibres, des remises en question qui entraînent parfois plus d'incompétence que de compétence. Dans la section «Science et technologie» du programme, on peut toutefois se réjouir du fait que la première compétence porte sur la résolution de problèmes, notion fondamentale en didactique des sciences, tout en restant perplexe devant le peu d'importance accordée à l'évolution des conceptions des élèves.

Premier cycle du primaire

(Note: Au Québec, le premier cycle du primaire regroupe les élèves de première et de deuxième année qui ont en moyenne 6 ou 7 ans.)

Compétence

Explorer le monde de la science et de la technologie.

Sens de la compétence

Explicitation

Explorer le monde de la science et de la technologie, c'est se familiariser avec des façons de faire et de raisonner, s'initier à l'utilisation d'outils ou à la mise en forme de matériaux à l'aide de procédés simples et apprivoiser divers éléments des langages utilisés par la science et la technologie. L'élève développe cette compétence en apprenant à manipuler des objets pour en découvrir les propriétés ou les caractéristiques. Il observe des phénomènes de son environnement immédiat, formule des questions et fait appel à ses sens pour trouver des réponses. Il élabore des expériences en recourant à des techniques ou à des procédés simples et il formule des explications ou propose des solutions en faisant appel à des éléments du langage scientifique ou technologique. Grâce à ces activités, il s'engage graduellement dans une démarche de construction de connaissances scientifiques et technologiques. Il apprend peu à peu à différencier ces deux types de connaissances tout en reconnaissant leur complémentarité. Il acquiert également un certain nombre d'habiletés et d'attitudes préalables aux apprentissages qu'il sera amené à réaliser au cours des deuxième et troisième cycles. En prenant conscience des gestes qu'il pose ou des procédés qu'il utilise, il s'initie graduellement à une dimension importante de la culture scientifique et technologique.

À l'éducation préscolaire, l'enfant a déjà eu l'occasion de se sensibiliser à des jeux d'expérimentation, au tâtonnement et à la manipulation de matériaux faciles à travailler ou à transformer. Les apprentissages à réaliser au premier cycle se situent dans le prolongement des acquis du préscolaire, tout en constituant une initiation plus systématique aux savoirs qu'il sera appelé à intégrer aux cycles suivants.

Contexte de réalisation

Cette compétence se développe à travers les autres programmes disciplinaires, mais particulièrement par l'intermédiaire des domaines généraux de formation, sources de nombreux questionnements qui peuvent être abordés sous l'angle de la science et de la technologie. L'élève est placé dans un environnement stimulant qui pique sa curiosité et sollicite sa participation active en mettant à sa disposition des matériaux, des instruments ou des outils à sa portée.

Cheminement de l'élève

En explorant des problématiques simples, issues de situations de la vie quotidienne, l'élève apprend à se questionner, à observer, à décrire, à manipuler, à concevoir, à construire, à proposer des explications ou des solutions, à chercher des moyens de les valider. Il s'approprie graduellement, à travers la description ou l'explication des phénomènes qu'il observe, des éléments des langages propres à la science et à la technologie. Au cours d'échanges avec ses camarades, il partage des informations, confronte ses idées et justifie ses explications. Il apprend à réfléchir aux gestes qu'il pose et à leur impact sur son environnement immédiat.

Composantes de la compétence

- Se familiariser avec des façons de faire et de raisonner propres à la science et à la technologie.
- S'initier à l'utilisation d'outils et de procédés simples.
- Apprivoiser des éléments des langages propres à la science et à la technologie.

Critères d'évaluation

- Utilisation d'un langage approprié à la description de phénomènes ou d'objets de son environnement immédiat.
- Formulation d'explications ou de pistes de solutions.

Attentes de fin de cycle

L'élève est capable de formuler des questions et de proposer des explications à divers phénomènes reliés à son environnement immédiat. Il effectue des expériences simples en vue de répondre à une question ou de solutionner un problème. Il sait faire la distinction entre le monde naturel et les objets fabriqués. Il comprend le fonctionnement d'objets simples qui sont relativement faciles à manipuler. Il a spontanément recours à des éléments des langages de la science et de la technologie pour formuler des questions, proposer des explications, expliquer des façons de faire, décrire des objets et en expliquer le fonctionnement.

Savoirs essentiels

Les savoirs essentiels du premier cycle portent sur des concepts et phénomènes simples de l'environnement immédiat. La liste ci-après n'est ni prescriptive ni exhaustive, mais donne un aperçu de ce qui peut être abordé à cette étape du développement de l'élève.

L'univers matériel

- Classification d'objets selon leurs propriétés et caractéristiques *(ex. : forme, taille, couleur, texture, odeur, etc.)*
- Conservation de la matière *(ex. : masse, forme, surface, quantité liquide, longueur)*
- Mélanges
- Substances miscibles et non miscibles *(ex. : eau et lait ; eau et huile)*
- Substances solubles et non solubles
- Absorption
- Perméabilité et imperméabilité
- État solide, liquide, gazeux ; changements d'état *(ex. : évaporation)*
- Friction *(ex. : pousser sur un objet, faire glisser un objet, faire rouler un objet)*
- Transparence *(ex. : translucidité, opacité)*
- Aimants (caractéristiques et utilisations)
- Produits domestiques courants *(ex. : propriétés, usages, symboles de sécurité)*
- Objets techniques usuels

- Description des pièces et des mécanismes d'un objet technique
- Identification des besoins à l'origine d'un objet technique

La Terre et l'Espace

- Lumière et ombre
- Température *(instruments de mesure et saisons)*
- Eau sous toutes ses formes *(nuages, pluie, rivières, lacs, océans)*
- Système Terre, Lune, Soleil

L'univers vivant

- Anatomie externe de l'homme
- Techniques alimentaires *(ex. : fabrication du beurre, du pain)*
- Croissance d'une plante *(besoins de la plante)*
- Alimentation d'animaux domestiques et sauvages
- Adaptation d'un animal à son milieu *(ex. : anatomie, comportement)*
- Utilisation du vivant pour la consommation *(alimentation, logement, produits d'usage courant)*

Deuxième et troisième cycles du primaire

(Note: Au Québec, le deuxième cycle du primaire regroupe les élèves de troisième et de quatrième année, qui ont en moyenne 8 ou 9 ans, et le troisième cycle du primaire comprend les élèves de cinquième et de sixième année, qui ont en moyenne 10 ou 11 ans.)

Compétence 1

Proposer des explications ou des solutions à des problèmes d'ordre scientifique ou technologique.

Sens de la compétence

Explicitation

La science et la technologie s'efforcent de résoudre les problèmes qui proviennent de multiples questions dont les réponses ne sont pas parfaitement claires ou satisfaisantes et elles s'appuient, pour ce faire, sur des habiletés comme l'observation, la mesure, l'interprétation des données et la vérification. Ces activités visent à expliquer le monde et à l'adapter aux besoins des êtres humains. Elles doivent répondre à des questions qui surgissent de l'observation attentive de l'environnement ainsi que des difficultés de s'y adapter. Plusieurs de ces questions et difficultés sont issues de situations de la vie courante. Elles peuvent déboucher sur des problèmes relativement simples ou s'inscrire dans le cadre de problématiques plus vastes et souvent plus complexes.

Pour parvenir à proposer des explications ou des solutions à des problèmes d'ordre scientifique et technologique, il faut d'abord apprendre à se questionner. Les problèmes ne se présentent pas d'eux-mêmes et s'engager dans des activités de nature scientifique ou technologique ne peut se réduire à appliquer des méthodes. Il faut souvent faire preuve d'ouverture d'esprit et de créativité pour identifier des problématiques pertinentes et circonscrire, à l'intérieur de celles-ci, des problèmes qui se prêtent à l'observation et à l'analyse. En substance, la compétence se développe par la capacité d'explorer divers aspects de son environnement, d'interroger la nature à l'aide de stratégies d'exploration appropriées, de recueillir des données pertinentes et de les analyser en vue de proposer des explications pertinentes ou de fournir des solutions à des problèmes. Il s'agit d'une compétence dont le développement peut être tôt initié, mais qui continuera de se développer tout le long de la scolarité.

Liens avec les compétences transversales

Lorsqu'il propose des explications ou des solutions à des problèmes d'ordre scientifique et technologique, l'élève fait appel à plusieurs compétences transversales, notamment d'ordre intellectuel et méthodologique. En recourant aux modes de raisonnement propres à la science et à la technologie, il sollicite tout particulièrement la pensée créatrice, la résolution de problèmes et le jugement critique. À travers ses démarches d'observation, de manipulation et de collecte de données, il est appelé à développer des méthodes de travail efficaces.

Existe-t-il des compétences transversales ?

La notion de compétence transversale est loin de faire l'unanimité. Bernard Rey (1996), par exemple, bien qu'il admette l'existence de compétences fragmentaires qui sont mobilisées dans plusieurs disciplines scolaires, conteste l'existence de véritables compétences transversales. Il n'existe pas de méthode indépendante d'un contenu. L'élève qui possède une procédure, une méthode ou une structure acquise dans une situation ne peut pas toujours l'appliquer à une situation différente qui n'a pas le même sens. La compétence à « résoudre des problèmes » d'ordre grammatical ou syntaxique en français, par exemple, n'a pas grand-chose à voir avec la compétence à « résoudre des problèmes » portant sur des opérations mathématiques. Toute compétence est par essence limitée et rattachée à un domaine précis. D'ailleurs, dans toute discipline, le problème des novices est souvent d'appliquer des compétences générales à des situations auxquelles elles ne sont pas adaptées.

Contexte de réalisation

Placé dans des situations qui l'amènent à se questionner, l'élève apprend à cerner des problématiques qu'il a lui-même reconnues ou qui lui sont proposées. À l'aide d'observations et de manipulations simples, il aborde divers problèmes en utilisant des instruments, outils ou techniques adaptés à la situation. Il a recours à des sources d'information et à des personnes qui l'aident à trouver des idées, des explications ou des solutions. Il explore des pistes de solutions, formule les propositions de solutions, les met en œuvre et en évalue les résultats. Il s'interroge, réfléchit, se documente, échange avec les autres, manipule du matériel, fait des essais et des erreurs. Ce faisant, il construit ses propres connaissances, apprivoise des concepts qui lui permettent de mieux comprendre son environnement et développe petit à petit des façons de faire propres au travail scientifique et au travail technologique. Il développe également sa culture générale, par le biais des fondements historiques et des aspects sociaux et éthiques de la science et de la technologie. Il prend conscience des impacts et des limites de ces activités.

Cheminement de l'élève

Au cours du *deuxième cycle*, l'élève aborde des problématiques et des problèmes relativement simples liés à son environnement. Lors d'observations, de manipulations et de productions, il fait des découvertes, confronte ses représentations, propose des explications et recherche des solutions. Au cours du *troisième cycle*, il aborde des problématiques et des problèmes liés à un environnement. Lors d'observations, de manipulations, de conceptions et de réalisations plus complexes, il établit avec plus de facilité et de justesse des liens entre ses explications et ses pistes de solutions. Il se rend compte qu'il existe souvent plusieurs solutions possibles. Il apprend à reconnaître, à l'intérieur d'une problématique, la part respective de la science et de la technologie. Il fait appel à des connaissances plus élaborées, tant scientifiques que technologiques, et développe des habiletés plus complexes.

Composantes de la compétence

- Identifier un problème ou cerner une problématique.
- Recourir à des stratégies d'exploration variées.
- Évaluer sa démarche.

Critères d'évaluation

- Description adéquate du problème ou de la problématique d'un point de vue scientifique ou technologique.

- Utilisation d'une démarche appropriée à la nature du problème ou de la problématique.
- Élaboration d'explications pertinentes ou de solutions réalistes.
- Justification des explications ou des solutions.

Attentes de fin de cycle

Deuxième cycle

À la fin du deuxième cycle, l'élève explore des problématiques qui font appel à des approches et stratégies relativement simples et concrètes. Il se documente, planifie son travail, prend des notes en fonction de certains paramètres. Il valide son approche en tenant compte de quelques éléments d'ordre scientifique ou technologique. Il distingue encore difficilement, dans une problématique, ce qui relève de la science et ce qui relève de la technologie.

Troisième cycle

À la fin du troisième cycle, l'élève explore des problématiques qui font appel à des approches et stratégies plus complexes et parfois un peu plus abstraites. Il se documente, planifie son travail, recueille des données en fonction de paramètres plus nombreux. Il valide son approche en tenant compte d'un plus grand nombre d'éléments. Il intègre, dans son analyse de la problématique, des dimensions à la fois scientifiques et technologiques.

Compétence 2

Mettre à profit les outils, objets et procédés de la science et de la technologie.

Sens de la compétence

Explicitation

Pour étudier le monde qui nous entoure, la science fait appel à une multitude de techniques, d'instruments et de procédés qui renvoient tout autant à des outils matériels qu'à des représentations mentales. Ils vont des plus simples *(par ex. : mesurer une longueur à l'aide d'une règle)* aux plus complexes *(par ex. : calculer une masse volumique)*, et des plus concrets *(par ex. : ajuster un engrenage)* aux plus abstraits *(par ex. : concevoir un plan)*. De son côté, la technologie, tout en bénéficiant de l'apport des connaissances scientifiques, élabore de nouveaux outils ou procédés dont on ne peut évaluer *a priori* toutes les utilisations possibles. Elle ne se réduit pas à une simple application des découvertes scientifiques puisque la création d'objets techniques précède souvent la formulation de théories scientifiques, comme le démontre l'histoire de la science et de la technologie. Par ailleurs, des objets, techniques ou procédés initialement conçus pour certains usages et dans certains contextes peuvent donner lieu à d'autres usages, dans d'autres contextes. Connaître ces outils et procédés, apprendre à les exploiter, identifier les divers contextes dans lesquels on peut en faire usage et en évaluer les répercussions ou les retombées dans diverses sphères de l'activité humaine représentent des dimensions importantes de la culture scientifique et technologique.

Mettre à profit les objets, outils et procédés de la science et de la technologie, c'est entre autres choses les exploiter pour se construire des représentations tangibles du monde qui nous entoure ou pour affiner la compréhension que l'on en a. C'est aussi se prononcer sur des questions relatives aux usages sociaux de la science et de la technologie et participer de façon plus éclairée aux choix qui conditionnent le présent et l'avenir de la société. Cette compétence se manifeste par des actions concrètes telles que tracer des plans, construire des environnements et des prototypes, mesurer des quantités, observer des objets petits ou éloignés, etc. Elle se manifeste aussi par la capacité à reconnaître divers usages des outils, objets ou procédés de la science et de la technologie dans différents contextes et à en reconnaître les impacts positifs ou négatifs, notamment sur la vie quotidienne.

Précisions au sujet de la compétence 2

Les précisions suivantes peuvent être apportées au sujet de la compétence 2 :

Les outils, objets et procédés de la science et de la technologie désignent l'ensemble des instruments et des méthodes utilisés par les scientifiques et les technologues. Plus particulièrement :

- les outils sont surtout les instruments de mesure et d'analyse ;
- les objets sont surtout les installations et l'équipement de laboratoire et d'atelier (ou de salle de classe, dans le cas d'une école) ;
- les procédés sont surtout l'observation, la formulation d'hypothèses, les expériences, le contrôle des variables, le tracé de graphiques et de diagrammes, les calculs statistiques et la fabrication de prototypes.

Contexte de réalisation

L'élève fait appel à cette compétence dans des contextes variés. Quand il explore des problématiques, il est naturellement amené à recourir à divers outils et procédés scientifiques ou technologiques, que ce soit pour tracer des plans, mesurer, expérimenter, recueillir des données, simuler des phénomènes, concevoir des tableaux de résultats et tracer des graphiques, etc. Par ailleurs, d'autres activités telles que la réalisation d'une collection, la lecture, la visite d'un musée scientifique, d'une industrie ou d'une usine, la présentation d'un exposé, lui permettent d'utiliser des instruments d'observation, de prendre des notes, de représenter des données sous diverses formes (tableaux, graphiques, diagrammes, etc.) et de communiquer de l'information. Lorsqu'il apprend à reconnaître et à utiliser divers objets, outils ou procédés techniques, il est appelé à les relier à leur contexte, à en découvrir les usages variés, à en retracer l'évolution à travers l'histoire. Ce peut être l'occasion de s'interroger sur la manière dont certains objets influencent notre façon de vivre (p. ex.: évolution des moyens de transport, des systèmes de chauffage et d'éclairage, des appareils électroménagers, etc.) et sur les conséquences reliées à leur usage.

Liens avec les compétences transversales

Mettre à profit les objets, outils et procédés de la science et de la technologie suppose la capacité d'en faire usage, ce qui sollicite tout particulièrement les compétences d'ordre méthodologique. Cette compétence fait aussi largement appel au jugement critique puisqu'elle suppose la capacité d'apprécier les enjeux éthiques reliés à leur usage.

Cheminement de l'élève

Au cours du *deuxième cycle*, l'élève se familiarise avec des outils, techniques, instruments et procédés relativement simples et concrets. Il commence à découvrir les avantages de s'appuyer sur autre chose que les cinq sens et les méthodes usuelles de la vie courante. Au cours du *troisième cycle*, il se familiarise avec des outils, techniques, instruments et procédés plus complexes et plus abstraits. Il s'intéresse aux procédés de conception, de production et de mise en marché. Il maîtrise l'utilisation d'outils, d'instruments et de procédés simples. Il apprécie de plus en plus les avantages de ces outils, instruments et procédés, mais il commence également à prendre conscience de leurs limites.

Composantes de la compétence

- S'approprier les rôles et fonctions des outils, techniques, instruments et procédés de la science et de la technologie.
- Relier divers outils, objets ou procédés technologiques à leurs contextes et à leurs usages.
- Évaluer l'impact de divers outils, instruments ou procédés.

Critères d'évaluation

- Association des instruments, outils et techniques aux utilisations appropriées.
- Utilisation appropriée d'instruments, outils ou techniques.
- Conception et fabrication d'instruments, d'outils ou de modèles.
- Identification des impacts reliés à l'utilisation de divers outils, instruments ou procédés.

Attentes de fin de cycle

Deuxième cycle

À la fin du deuxième cycle l'élève utilise des outils, techniques, instruments et procédés relativement simples et concrets. Il en exploite le potentiel de base et porte un jugement sommaire sur les résultats qu'il obtient. Il conçoit des outils, instruments et techniques rudimentaires. Il connaît les exemples les plus manifestes de l'apport de la science et de la technologie aux conditions de vie de l'homme.

Troisième cycle

À la fin du troisième cycle l'élève utilise des outils, techniques, instruments et procédés plus complexes et abstraits qu'au cycle précédent. Il en exploite davantage le potentiel. Il porte un jugement plus nuancé sur les résultats qu'il obtient. Il conçoit des outils, instruments et techniques plus élaborés. Il reconnaît quelques grandes sphères d'application de la science et de la technologie, telles que l'informatique, la biotechnologie, le génie médical, la pharmacologie, la transformation et l'exploitation de l'énergie, la robotique, l'astronautique, etc.

Compétence 3

Communiquer à l'aide des langages utilisés en science et en technologie.

Sens de la compétence

Explicitation

La communication constitue une facette essentielle de l'activité scientifique et technologique. La recherche et le dépouillement de plusieurs types de documents, la présentation claire et complète de résultats et la confrontation d'idées sont des dimensions omniprésentes du travail des scientifiques, des ingénieurs, des technologues et des techniciens. Cette communication fait appel à plusieurs langages qui permettent d'exprimer des concepts, des lois, des théories et des modèles, à l'aide notamment du formalisme des mathématiques. Ces langages sont constitués de termes courants, dont certains revêtent une signification particulière, de termes et d'expressions spécialisés ainsi que de modes de représentation tels que des symboles, des diagrammes, des tableaux et des graphiques.

Cette compétence consiste à interpréter et à émettre des messages en utilisant différentes composantes des langages propres à la science et à la technologie. L'élève emploie divers modes de représentation tels les dessins, les schémas, les graphiques, les symboles. La maîtrise des langages et des modes de représentation utilisés en science et technologie progresse tout au long de l'apprentissage. Elle favorise une structuration et une expression de plus en plus articulées de sa pensée.

Les langages : outils de communication et véhicules de la pensée

Comme il en est question au chapitre 14, les langages des sciences et de la technologie comprennent le *langage naturel*, constitué de termes courants et de termes scientifiques employés dans des énoncés qui sont régis par la syntaxe usuelle, le *langage symbolique*, formé d'un ensemble de symboles et des règles qui régissent leur agencement, et le *langage graphique*, fait d'un ensemble d'éléments visuels soumis aussi à des règles d'agencement. Il importe de souligner que ces langages ne sont pas que des outils de communication, mais sont aussi des véhicules de la pensée. On oublie trop souvent que le langage, et particulièrement le langage écrit, avant d'être un message, introduit la rigueur dans le classement des choses et la mise en ordre des idées.

Liens avec les compétences transversales

En accordant de l'attention à l'exactitude et à la clarté de sa communication, aux supports qu'il utilise et aux individus auxquels il s'adresse, l'élève développe certaines compétences transversales, plus particulièrement celle qui touche l'habileté à communiquer et celle qui se rapporte à l'exploitation de l'information.

Contexte de réalisation

La communication intervient au cours d'activités variées. L'élève peut faire appel à divers modes de représentation pour soutenir un questionnement, comprendre les idées des autres, fournir une démonstration, proposer une explication. Il utilise divers éléments des langages propres à la science et à la technologie pour expliquer des phénomènes, décrire des objets, des procédés ou des outils. Il est invité à inclure dans sa communication des références d'ordre historique et culturel.

Cheminement de l'élève

Au *deuxième cycle* l'élève utilise des éléments du langage courant et du langage symbolique pour exprimer ses idées, ses explications et ses solutions relatives à des problèmes, concepts ou problématiques de science et de technologie. Il s'approprie graduellement les éléments du langage courant et du langage symbolique qui sont utilisés dans leur acception scientifique et technologique et il y recourt de façon adéquate lorsqu'il participe à des discussions avec ses pairs ou lorsqu'il propose une idée, une explication ou une solution. Il associe les nouveaux éléments pris dans leur acception scientifique et technologique aux éléments du langage courant, d'une part, et les nouveaux éléments liés à la science et à la technologie à ceux du langage symbolique (règles, syntaxe, termes, symboles, dessins, schémas, graphiques) d'autre part.

Au *troisième cycle* l'élève poursuit son appropriation des langages liés à la science et à la technologie en s'appuyant sur les apprentissages réalisés au cours du deuxième cycle. Il fait une utilisation de plus en plus juste des éléments constitutifs du langage courant et du langage symbolique lorsqu'il échange son point de vue avec ses pairs. Il fait preuve à la fois de créativité et de rigueur dans le choix et l'utilisation des modes de représentation les plus pertinents.

Composantes de la compétence

- S'approprier des éléments du langage courant liés à la science et à la technologie.
- Utiliser des éléments du langage courant et du langage symbolique liés à la science et à la technologie.
- Exploiter les langages courant et symbolique pour formuler une question, expliquer un point de vue ou donner une explication.

Critères d'évaluation

- Compréhension de l'information de nature scientifique et technologique.
- Transmission correcte de l'information de nature scientifique et technologique.

Attentes de fin de cycle

Deuxième cycle

À la fin du deuxième cycle l'élève interprète et transmet correctement de l'information scientifique et technologique simple comprenant quelques facettes (termes du langage courant qui ont la même signification que dans la vie de tous les jours, termes du langage courant qui ont une signification différente ou plus précise, quelques termes et expressions spécialisées, diagrammes, tableaux et graphiques simples).

Troisième cycle

À la fin du troisième cycle l'élève interprète et transmet correctement de l'information scientifique et technologique plus complexe comprenant des facettes à la fois plus nombreuses et plus élaborées (expressions et termes spécialisés plus nombreux; symboles, formules, diagrammes, tableaux et graphiques plus nombreux et plus élaborés).

Repères culturels

Les compétences du programme de science et technologie ont besoin, pour se développer, d'un environnement particulièrement riche et stimulant dans lequel on retrouve plusieurs repères culturels. Ces derniers permettent de mettre en perspective, d'enrichir, de personnaliser, de nuancer et de mieux intégrer les compétences et les savoirs essentiels du programme. La liste ci-après n'est pas exhaustive: elle présente un ensemble de propositions qui s'inscrivent dans le sens de la perspective souhaitée.

La culture au second plan?

L'acquisition d'une bonne culture générale devait être l'un des objectifs fondamentaux de la réforme ayant mené au *Programme de formation* de 2001. Mais le fait de présenter la culture, dans plusieurs sections du programme, sous forme de « repères culturels » généraux et plutôt périphériques risque de la reléguer au second plan, derrière les compétences et les savoirs essentiels. Pourtant, il aurait été tout à fait possible, par exemple, dans le cas de la section « Science et technologie », de s'inspirer de l'histoire des sciences et des techniques pour proposer aux élèves des activités concrètes et stimulantes faisant partie intégrante du contenu notionnel du programme. Voir à ce sujet le chapitre 15 du présent ouvrage.

La science, la technologie et les autres champs de l'activité humaine : La science et la technologie se sont développées en constante symbiose, de même qu'en interaction continue avec d'autres domaines de l'activité humaine. Ainsi, plusieurs découvertes furent étroitement liées à l'invention d'instruments de mesure *(ex. : horloge, thermomètre)* et d'observation *(ex. : loupe, microscope, télescope)*. Par ailleurs, des activités humaines aussi diverses que l'agriculture, l'élevage, la métallurgie, l'architecture ou la peinture, par exemple, ont apporté une contribution importante au développement de la science et à la technologie et bénéficié en retour de leurs découvertes.

Histoire : Le contexte climatique, économique, social, politique et religieux détermine en grande partie le développement de la science et de la technologie. Celles-ci remontent à la plus haute Antiquité. Le cadran solaire, le calendrier, la fonte des métaux et le labourage des sols, par exemple, furent découverts bien avant Jésus-Christ. Tous les objets de la vie quotidienne, qu'il s'agisse d'un couteau ou d'un vélo, possèdent une histoire, parfois très longue, qui nous en apprend énormément sur la curiosité, la ténacité et l'imagination des êtres humains.

Personnes : Les découvertes scientifiques et les inventions technologiques ont toujours été et sont encore le fait de personnes ou groupes de personnes influencés par les contraintes de leur époque et de leur environnement. Des scientifiques tels que Galilée, Newton, Lavoisier, Pasteur, Darwin, Marie Curie et Einstein, pour n'en nommer que quelques-uns, ont contribué, en s'appuyant sur les travaux de leurs prédécesseurs et de leurs contemporains, à des progrès fondamentaux en science et technologie. Plus près de nous, des scientifiques, ingénieurs ou technologues québécois et canadiens sont reconnus dans leurs domaines. Des hommes et des femmes de tous les pays et de toutes les cultures œuvrent dans les domaines scientifiques et technologiques. Les professions de biologiste, de météorologue, de chimiste et d'ingénieur, par exemple, sont en général bien connues, mais il existe également des professions dont on parle moins et qui sont tout aussi intéressantes et utiles : géologue, cartographe, technicien agricole et forestier, etc.

Valeurs : La science et la technologie s'appuient sur des valeurs fondamentales, qui assurent la crédibilité de leurs résultats, telles que l'objectivité, la rigueur et la précision.

Éthique : Même les scientifiques et les technologues les mieux intentionnés mènent parfois des recherches ou aboutissent à des résultats discutables ou controversés. Par conséquent, les façons de conduire les recherches ainsi que les usages qui sont faits des découvertes et des applications de la science et de la technologie doivent être examinés à la lumière de critères rationnels et éthiques exigeants et, plus important encore, être discutés sur la place publique.

Impacts : Les impacts de la science et de la technologie sont considérables. La façon de vivre des populations des pays avancés est maintenant radicalement différente de ce qu'elle était il y a quelques siècles : le chauffage, le transport, les communications, l'hygiène et la santé, par exemple, se sont prodigieusement améliorés. Certains impacts peuvent toutefois s'avérer très néfastes tels que la bombe atomique et la détérioration de l'environnement. La conscience de la nature et de la gravité de ces impacts incite à agir pour en limiter les effets les plus dommageables et contribuer à la conservation de l'environnement et à l'amélioration de la vie.

Limites : Malgré leur énorme potentiel explicatif et prédictif et leur capacité de modifier en profondeur notre environnement, la science et la technologie ne sont ni parfaites ni toutes-puissantes. Elles peuvent répondre à de nombreuses questions, mais les réponses apportées soulèvent souvent de nouvelles questions qui, parfois, restent longtemps sans réponse. Par ailleurs, plusieurs contraintes limitent le développement de la science et de la technologie, parmi lesquelles l'économie, les connaissances actuelles et les questions d'ordre éthique.

Savoirs essentiels

Les savoirs essentiels se répartissent en trois grands domaines avec lesquels l'élève doit être mis en contact : l'univers matériel, la Terre et l'Espace, l'univers vivant. Ils s'articulent autour de quelques concepts unificateurs qui permettent de faire des liens entre les domaines : la matière ; l'énergie ; les forces et les mouvements ; les systèmes et l'interaction.

Exemple de désyncrétisation des savoirs ?

Les concepts unificateurs censés permettre des liens entre les trois grands domaines peuvent être perçus comme un exemple de désyncrétisation (ou déstructuration) et, par conséquent, de transposition didactique mal réussie (voir à ce sujet le chapitre 7). En effet, si les concepts généraux de matière, d'énergie, de forces et de mouvements, de systèmes et d'interaction structurent bien le domaine de l'univers matériel, ils s'appliquent beaucoup moins bien au domaine de la Terre et de l'Espace et à celui de l'univers vivant, et donnent l'impression d'avoir été plaqués à des savoirs qu'il aurait été préférable de grouper autrement.

Ces concepts unificateurs regroupent un certain nombre de notions propres à chacun des domaines. Ces notions, dont le choix est laissé à l'initiative de l'enseignant, doivent être abordées par le biais de problématiques concrètes explorées par les élèves à l'aide de matériel de manipulation. Ces problématiques peuvent être introduites par des activités fonctionnelles *(ex. : discussion, remue-méninges, lecture, etc.)* et conclues par des activités de structuration *(ex. : réseau notionnel, rapport, présentation, etc.)*.

Les exemples placés entre parenthèses à la suite de plusieurs notions fournissent des balises pour délimiter l'étendue que l'on devrait accorder aux savoirs essentiels en cause. Ils permettent d'illustrer le niveau de complexité auquel ces notions peuvent être étudiées au primaire. Le cycle auquel les notions s'adressent est indiqué à la fin de chaque ligne : (2e) ou (3e) cycle.

L'univers matériel

Matière

- Les propriétés et les caractéristiques de la matière sous différents états (solide, liquide, gazeux) :
  - forme (2e)
  - couleur (2e)
  - texture (2e)
  - masse et poids (2e)
  - masse volumique *(ex. : petits objets légers et lourds, gros objets légers et lourds)* (2e)
  - densité et flottabilité (2e et 3e)
  - autres propriétés physiques *(ex. : élasticité, dureté, perméabilité, solubilité)* (3e)
  - matériaux qui composent un objet (3e)
- Les transformations de la matière :
  - sous forme de changements physiques *(ex. : casser, broyer, changements d'état)* (2e)
  - sous forme de changements chimiques *(ex. : réactions chimiques simples : rouille, combustion, acide-base)* (3e)
  - fabrication de produits domestiques *(ex. : savon, papier, ciment)* (2e et 3e)

Énergie

- Les formes d'énergie :
  - formes d'énergie *(ex. : mécanique, électrique, chimique, calorifique, lumineuse, sonore, nucléaire)* (2e)

  - sources d'énergie *(ex. : eau en mouvement, réaction chimique dans une pile, rayonnement solaire)* (3e)
- La transmission de l'énergie :
  - conductibilité thermique *(ex. : conducteurs et isolants)* (3e)
  - conductibilité électrique *(ex. : conducteurs et isolants)* (3e)
  - circuits électriques simples (3e)
  - ondes sonores *(ex. : volume, timbre, écho)* (2e)
  - rayonnement lumineux *(ex. : réflexion, réfraction)* (3e)
  - convection *(ex. : dans les gaz et dans les liquides)* (2e)
- La transformation de l'énergie :
  - consommation et conservation de l'énergie par l'homme *(ex. : compteur électrique, isolation)* (2e et 3e)
  - transformation de l'énergie d'une forme à une autre *(ex. : transformation par les machines)* (2e et 3e)

Forces et mouvements

- Effets de l'attraction gravitationnelle sur un objet *(ex. : chute libre, pendule)* (3e)
- Effets de l'attraction électrostatique *(ex. : papier attiré par objet chargé)* (2e)
- Effets de l'attraction électromagnétique *(ex. : aimant, électroaimant)* (3e)
- Pression *(ex. : pression dans un ballon, aile d'avion)* (3e)
- Effets d'une force sur la direction d'un objet *(ex. : pousser, tirer)* (2e)
- Effets combinés de plusieurs forces sur un objet *(ex. : renforcement, opposition)* (3e)
- Caractéristiques du mouvement *(ex. : direction, vitesse)* (2e)

Systèmes et interaction

- Machines simples *(ex. : levier, plan incliné, vis, poulie, treuil)* (2e)
- Autres machines *(ex. : chariot, roue hydraulique, éolienne)* (3e)
- Fonctionnement d'objets fabriqués *(ex. : matériaux, formes, fonctions)* (2e et 3e)
- Servomécanisme et robots (3e)
- Technologie du transport *(ex. : automobile, avion, bateau)* (2e et 3e)
- Technologie de l'électron *(ex. : téléphone, radio, enregistrement du son, télévision, transistor, microprocesseur, ordinateur)* (2e et 3e)

Techniques et instrumentation

- Fabrication *(ex. : interprétation de plans, traçage, découpage, assemblage, finition)* (2e et 3e)
- Utilisation d'instruments de mesure simples *(ex. : règles, compte-gouttes, balance, thermomètre)* (2e et 3e)
- Utilisation de machines simples *(ex. : levier, treuil, poulie)* (2e et 3e)
- Utilisation d'outils *(ex. : pince, tournevis, marteau, clé, gabarit simple)* (2e et 3e)
- Conception et fabrication d'instruments, d'outils, de machines, de structures *(ex. : ponts, tours)*, de dispositifs *(ex. : filtration de l'eau)*, de modèles *(ex. : planeur)* de circuits simples (2e et 3e)

Langage approprié

- Terminologie liée à la compréhension de l'univers matériel (2e et 3e)
- Conventions et modes de représentation propre aux concepts à l'étude (2e et 3e)
- Symboles *(ex. : H_2O)* (3e)
- Graphiques *(ex. : pictogramme, histogramme)* (2e et 3e)
- Tableaux (2e et 3e)
- Dessins, croquis (2e et 3e)
- Normes et standardisation (2e et 3e)

La Terre et l'Espace

Matière

- Les propriétés et caractéristiques de la matière terrestre
  - sol, eau et air (2e)
  - traces de vivant et fossiles (2e)
  - classification de roches et minéraux (3e)
- L'organisation de la matière :
  - cristaux (2e)
  - structure de la Terre *(ex. : continents, océans, calottes glaciaires, montagnes, volcans)* (3e)
- La transformation de la matière
  - cycle de l'eau (2e)
  - phénomènes naturels *(ex. : érosion, foudre)* (3e)

Énergie

- Les sources d'énergie :
  - énergie solaire (2e)
  - énergie hydraulique *(ex. : barrage hydroélectrique, énergie marémotrice)* (2e)
  - énergie éolienne (2e)
  - énergie fossile (3e)
- La transmission de l'énergie *(ex. : rayonnement)* (3e)
- La transformation de l'énergie :
  - énergies renouvelables (2e)
  - énergies non renouvelables (3e)

Forces et mouvements

- La rotation de la Terre *(ex. : jour et nuit, déplacement apparent du Soleil et des étoiles)* (2e)
- Les marées (3e)

Systèmes et interaction

- Le système Soleil-Terre-Lune (2e)
- Le système solaire (3e)
- Les saisons (3e)
- Les étoiles et les galaxies *(ex. : constellations)* (2e et 3e)
- Les systèmes météorologiques *(ex. : nuages, précipitations, orages)* et les climats (2e et 3e)
- Technologies de la Terre, de l'atmosphère et de l'Espace *(ex. : sismographe, prospection, prévision météorologique, satellites, station spatiale)* (2e et 3e)

Techniques et instrumentation

- Utilisation d'instruments d'observations simples *(ex. : jumelles, télescope, binoculaire)* (2e et 3e)
- Utilisation d'instruments de mesure simples *(ex. : règles, balance, thermomètre, girouette, baromètre, anémomètre, hygromètre)* (2e et 3e)
- Conception, fabrication d'instruments de mesure et de prototypes (2e et 3e)

Langage approprié

- Terminologie liée à la compréhension de la Terre et de l'univers (2e et 3e)

- Conventions et modes de représentation *(ex.: globe terrestre, constellations)* (2e et 3e)
- Dessins, croquis (2e et 3e)

L'univers vivant

Matière

- Les caractéristiques du vivant:
  - métabolisme des végétaux et des animaux *(ex.: nutrition, respiration, croissance, mort)* (2e et 3e)
  - reproduction des végétaux et des animaux (2e et 3e)
- L'organisation du vivant:
  - classification des êtres vivants *(ex.: micro-organismes, champignons, végétaux, animaux)* (2e)
  - anatomie des végétaux *(ex.: parties de la plante)* (2e)
  - anatomie des animaux *(ex.: parties et principaux systèmes)* (2e)
  - sens *(ex.: vue, ouïe, odorat, goût, toucher)* (2e)
  - système reproducteur de l'homme (3e)
- Les transformations du vivant:
  - croissance des végétaux et des animaux (2e)
  - métamorphoses *(ex.: papillon, grenouille)* (3e)
  - croissance et développement de l'homme (3e)
  - évolution des êtres vivants (3e)

Énergie

- Les sources d'énergie des êtres vivants:
  - alimentation chez les animaux *(ex.: besoins en eau, glucides, lipides, protéines, vitamines, minéraux)* (2e)
  - photosynthèse chez les végétaux *(ex.: besoins en eau et gaz carbonique)* (3e)
  - technologies de l'agriculture et de l'alimentation *(ex.: croisements et bouturage de plantes, sélection et reproduction des animaux, fabrication d'aliments, pasteurisation)* (2e et 3e)
- La transformation de l'énergie chez les êtres vivants:
  - chaînes alimentaires (2e)
  - pyramides alimentaires (3e)

Forces et mouvement

- Les mouvements chez les animaux *(ex. : reptation, marche, vol)* (2e)
- Les mouvements chez les végétaux *(ex. : phototropisme, hydrotropisme, géotropisme)* (3e)

Systèmes et interaction

- L'interaction entre les organismes vivants et leur milieu
  - habitats des êtres vivants (2e)
  - parasitisme, prédation (2e)
  - adaptation *(ex. : mimétisme)* (3e)
- L'interaction entre l'être humain et son milieu (2e et 3e)
- Technologies de l'environnement *(ex. : recyclage, compostage)* (2e et 3e)

Techniques et instrumentation

- Utilisation d'instruments d'observations simples *(ex. : loupe, binoculaire, jumelles, microscope)* (2e et 3e)
- Utilisation d'instruments de mesure simples *(ex. : règles, compte-gouttes, balance, thermomètre)* (2e et 3e)
- Conception, fabrication d'environnements *(ex. : aquarium, terrarium, incubateur, serre)* (2e et 3e)

Langage approprié

- Terminologie liée à la compréhension de l'univers vivant (2e et 3e)
- Conventions *(ex. : clé d'identification de plantes et d'animaux)* (2e et 3e)
- Graphiques *(ex. : pictogramme, histogramme)* (2e et 3e)
- Tableaux *(ex. : tableaux de classification de plantes et d'animaux)* (2e et 3e)
- Dessins, croquis (2e et 3e)

Trop de savoirs essentiels ?

En théorie, selon le programme, les savoirs essentiels présentés ci-dessus sont prescriptifs. En pratique, cependant, la section « Science et technologie » est considérée comme une initiation au domaine et personne ne fait de vérification officielle des connaissances des élèves. Par conséquent, il est sans doute préférable que la liste des savoirs soit relativement exhaustive, ce qui permet de s'assurer que la plupart des questions, des activités et des problèmes de science et de technologie qui intéressent les élèves seront compatibles avec les savoirs du programme.

Stratégies

Les stratégies reliées à la pensée scientifique et technologique permettent de mener à bien la solution d'un problème et l'exploration d'une problématique. Elles ne sont pas nécessairement mises en œuvre dans toutes les situations, et peuvent l'être dans un ordre différent de celui présenté mais contribuent à un travail scientifique et technologique efficace et bien organisé.

Stratégies d'exploration

- Aborder un problème ou un phénomène à partir de divers cadres de référence
- Discerner les éléments pertinents à la résolution du problème
- Évoquer des problèmes similaires déjà résolus
- Prendre conscience de ses représentations préalables
- Schématiser ou illustrer le problème
- Formuler des questions
- Émettre des hypothèses
- Explorer diverses avenues de solution
- Anticiper les résultats de sa démarche
- Imaginer des solutions à un problème à partir de ses explications
- Prendre en considération les contraintes en jeu dans la résolution d'un problème ou la réalisation d'un objet
- Réfléchir sur ses erreurs afin d'en identifier la source
- Faire appel à divers modes de raisonnement *(ex. : induire, déduire, inférer, comparer, classifier)*
- Recourir à des démarches empiriques *(ex. : tâtonnement, analyse, exploration à l'aide de ses sens)*

Stratégies d'instrumentation

- Recourir à différentes sources d'information
- Valider les sources d'information
- Recourir à des techniques et à des outils d'observation variés
- Recourir au design technique pour illustrer une solution
- Recourir à des outils de consignation *(ex. : schémas, notes, graphiques, protocole, tenue d'un carnet ou d'un journal de bord)*

Stratégies de communication

- Recourir à des modes de communication variés pour proposer des explications ou des solutions *(ex. : exposé, texte, protocole)*
- Recourir à des outils permettant de représenter des données sous forme de tableaux et de graphiques ou de tracer un diagramme
- Organiser les données en vue de les présenter
- Échanger des informations
- Confronter différentes explications ou solutions possibles à un problème pour en évaluer la pertinence *(ex. : plénière)*

Suggestions pour l'utilisation des technologies de l'information et de la communication

- Utiliser le courrier électronique pour échanger de l'information
- Utiliser Internet pour accéder à des sites à caractère scientifique et technologique
- Utiliser des cédéroms pour recueillir de l'information sur un sujet à l'étude
- Organiser et présenter des données à l'aide de divers logiciels
- Utiliser des logiciels de simulation
- Utiliser des logiciels de dessin
- Produire une représentation graphique de données
- Expérimenter en étant assisté de l'ordinateur
- Robotiser et automatiser

LES ACTIVITÉS DE RÉSOLUTION DE PROBLÈME

L'essentiel du travail en sciences et en technologie

Pendant longtemps, le « problème » était surtout un moyen d'évaluation des apprentissages des élèves. De plus en plus, cependant, il devient un moyen d'apprentissage. Dans le cas des sciences et de la technologie, les activités de résolution de problème sont les plus importantes et les plus formatrices puisque, comme il en a été question au chapitre 2, l'activité scientifique est essentiellement une activité qui consiste à résoudre des problèmes.

Les activités de résolution de problème sont celles auxquelles les élèves devraient consacrer la plus grande partie du temps réservé aux sciences et à la technologie. Elles se présentent souvent sous la forme d'une énigme visant à susciter des conflits cognitifs et sont l'occasion d'une remise en question de conceptions non scientifiques (Astolfi, 1997).

Problèmes de type *boîte noire*

En sciences et en technologie, l'activité de résolution de problème type est celle de la *boîte noire*, qui consiste à découvrir le fonctionnement d'un dispositif caché. Imaginons, par exemple, une petite boîte de forme cubique qu'une baguette semble traverser de part en part. Toutefois, lorsqu'on tire sur ce qui semble être l'une des extrémités de la baguette, l'autre extrémité se déplace en sens inverse et sort de la boîte, du côté opposé. Quel est le mécanisme qui permet d'expliquer ce fonctionnement?

La recherche du mécanisme qui explique le fonctionnement d'une boîte noire s'apparente au travail de recherche scientifique et présente les caractéristiques suivantes (Charnay, 1987; Robardet, 1990):

- La façon dont la boîte noire fonctionne, comme tout phénomène naturel qui intrigue les scientifiques, est *incompatible avec une conception fréquente.* Dans ce cas-ci, par exemple, la conception habituelle est que si je tire sur une des baguettes, l'autre baguette (ou l'extrémité de la baguette) va se déplacer dans le même sens.

- L'étude du fonctionnement de la boîte noire, tout comme le travail de laboratoire, est une situation à caractère concret, qui implique une *manipulation* de l'objet et la réalisation de diverses *expériences.*
- Le fonctionnement de la boîte noire est perçu comme une énigme à résoudre, ce qui permet la *dévolution* du problème dont il a été question au chapitre 8.
- Cette énigme, dont la solution n'est pas évidente, n'est pas non plus impossible à résoudre par les élèves et se situe dans la *zone proximale* qui permet une bonne mobilisation intellectuelle.
- Tout comme dans le cas d'un phénomène naturel inexpliqué, il est possible de formuler *plusieurs «théories»* qui expliquent le fonctionnement de la boîte noire. Dans ce cas-ci, on peut supposer qu'il y a un mécanisme de levier, un mécanisme de poulies, un mécanisme d'engrenages ou même un petit lutin à l'intérieur de la boîte.
- Tout comme dans le cas d'un phénomène naturel, *il n'existe pas de «bonne réponse»* écrite quelque part. Il serait toujours possible d'ouvrir la boîte noire, mais il est préférable, pour augmenter le caractère formateur de l'exercice, que celle-ci soit bien scellée et qu'on ne puisse pas en connaître le mécanisme avec une certitude absolue. Il y a donc un certain élément de risque, qui fait partie du «jeu scientifique» dans les solutions proposées par les élèves.
- Tout comme les scientifiques analysent les mérites des diverses théories énoncées et essaient de retenir la meilleure, les élèves doivent *comparer leurs explications* et retenir celles qui leur semblent les plus plausibles.
- La théorie retenue marque une *évolution par rapport à la conception fréquente* initiale et permet d'expliquer un phénomène d'une façon plus compatible avec les observations effectuées et les données obtenues.

Évidemment, les activités de résolution de problème proposées aux élèves du primaire ne sont pas toutes des *boîtes noires,* au sens littéral du terme, mais, dans la mesure du possible, elles devraient toutes en présenter les caractéristiques essentielles.

Il existe un grand nombre d'activités de ce type qui peuvent être réalisées avec du matériel peu coûteux et disponible presque partout. Les laboratoires, les trousses spécialisées, les appareils complexes ne sont donc pas indispensables. L'expérience montre que ces activités devraient, dans presque tous les cas, pouvoir être réalisées assez rapidement (des périodes de 30 à 60 minutes environ), quel que soit le temps qu'il fait à l'extérieur. Il est préférable aussi que ces activités soient relativement indépendantes les unes des autres. Il y a plus d'activités de résolution de problème tirées des domaines de la physique et de la chimie que de la biologie qui répondent à ces conditions.

Problèmes des élèves ou des enseignants ?

Idéalement, les problèmes auxquels travaillent les élèves devraient être leurs propres problèmes, c'est-à-dire des problèmes qui découlent de questions qu'ils se sont eux-mêmes posées. Cela est souvent possible, car les élèves se posent bien des questions auxquelles ils peuvent répondre par des expériences simples. Mais plusieurs questions posées par les élèves sont trop vagues, trop générales ou trop complexes pour être facilement transposées sous forme d'activités de résolution de problème. En pratique, il convient donc d'être ouvert et attentif aux questions posées par les élèves et de bien les exploiter quand il est possible de le faire, mais il est très utile, également, de disposer d'une bonne banque de problèmes et d'activités qui peuvent servir à mieux orienter le questionnement des élèves. Par ailleurs, un élève ne pose jamais de questions portant sur un thème scientifique qu'il ne connaît pas et le rôle de l'enseignant consiste aussi à lui faire découvrir de nouveaux domaines des sciences et de la technologie. Le bon enseignant prévoit donc beaucoup, mais laisse place à l'imprévisible.

Canevas pour les activités de résolution de problème

Les pages suivantes comprennent, au moyen d'un exemple commenté, un canevas que nous avons conçu et qui a été utilisé pour les activités de résolution de problème du présent chapitre. Il est semblable à celui que nous avons utilisé pour les activités de l'ouvrage *Problèmes de sciences et de technologie pour le préscolaire et le primaire* (Thouin, 1999).

REMARQUE IMPORTANTE : Il est fortement conseillé de toujours essayer les principales solutions ou les approches possibles d'une activité de résolution de problème, avec le matériel disponible, avant de proposer cette activité aux élèves. Cette précaution permettra d'animer l'activité en toute confiance et avec plus d'assurance.

➢ **Titre :** *L'énoncé du problème peut servir de titre.*

PEUT-ON AGRANDIR DU TEXTE OU DES ILLUSTRATIONS SANS UTILISER LES LOUPES OU LES MICROSCOPES DE LA CLASSE ?

➢ **Thème :** *Thème scientifique auquel se rattache l'activité. (Exemples de thèmes : la mesure, l'électricité, la chaleur, la lumière, etc.)*

La lumière (Univers matériel)

➢ **Âge :** *Âge des élèves auxquels il est possible de proposer l'activité, parfois après certaines adaptations, et âge (en caractères gras et soulignés) de ceux pour lesquels l'activité est particulièrement bien adaptée.*

6, 7, **8**, **9**, 10, 11 ans

➢ **Temps :** *Durée approximative prévue pour la solution du problème seulement. Les activités fonctionnelles, les activités de structuration et les activités d'enrichissement peuvent facilement faire tripler ou quadrupler la durée totale.*

Environ 60 minutes (problème seulement)

Information destinée aux élèves

Énoncé du problème : *Énoncé le plus clair possible du problème ainsi que des limites à l'intérieur desquelles les élèves devront travailler.*

Peut-on agrandir du texte ou des illustrations sans utiliser les loupes ou les microscopes de la classe ?

Matériel disponible : *Matériel qui sera mis à la disposition de chaque équipe. Si tous les élèves d'une classe travaillent sur la même activité au même moment, il faut multiplier la quantité indiquée par le nombre d'équipes pour trouver la quantité totale de matériel nécessaire.*

a) Pour chaque élève ou chaque équipe

Des feuilles de papier journal (avec texte et photos ou illustrations), quelques pots transparents, quelques petites billes de verre transparent, du papier ciré, de la pellicule plastique, un compte-gouttes, des contenants de margarine en plastique, des élastiques, du ruban adhésif.

b) Pour l'ensemble du groupe-classe

- Le congélateur (dans le réfrigérateur) de l'école.

Information destinée à l'enseignant

Suggestions d'activités fonctionnelles (mise en situation) : *Pistes pour concevoir des activités fonctionnelles de mise en situation (voir les chapitres 11 et 13) :*

- Faire un tour de table pour connaître les conceptions des élèves. Par exemple, certains élèves pensent qu'il n'y a que les loupes ou les microscopes vendus dans le commerce qui peuvent grossir les objets. D'autres pensent que le matériel nécessaire pour fabriquer une loupe est complexe.
- Dresser une carte d'exploration, avec les élèves, au sujet de la grosseur d'êtres vivants tels que les virus, les bactéries, les protozoaires et les moisissures, ainsi que sur la grosseur d'objets inanimés tels que des grains de sel, de sucre, de sable, etc.
- Demander aux élèves d'observer des objets à l'aide d'une loupe ou d'un petit microscope.

Après les activités fonctionnelles, l'enseignant présente aux élèves l'énoncé du problème et le matériel disponible.

REMARQUE IMPORTANTE : Après avoir présenté l'énoncé du problème et le matériel disponible, il convient de laisser les élèves chercher eux-mêmes les solutions ou les approches possibles. Le matériel disponible leur fournit des indices importants. Toutefois, si les élèves n'arrivent pas à trouver de solutions ou d'approches, ou s'ils ne trouvent que des solutions ou des approches peu intéressantes, il est alors conseillé de leur donner des indices supplémentaires ou de leur faire des suggestions qui les guideront dans leur travail.

Sécurité : *Consignes visant à ce que l'activité se déroule de façon sécuritaire. Bien que la plupart des activités de résolution de problème qui peuvent être proposées à des élèves du primaire ne présentent pas grand danger, certaines précautions sont toujours de mise. (Pour plus d'information au sujet de la sécurité, veuillez vous référer à l'annexe 1.)*

Si possible, utiliser des contenants de plastique plutôt que des contenants de verre.

Quelques solutions ou approches possibles : *Solutions ou approches les plus courantes. Toutes les solutions qui permettent de résoudre le problème, ainsi que toutes les approches qui permettent de répondre à une question, à l'intérieur des limites fixées, sont acceptables. Cependant, les conflits sociocognitifs qui surviennent entre les élèves les amènent souvent à se rendre compte que certaines solutions ou certaines approches sont meilleures que d'autres. Il est à noter que certains élèves découvrent parfois des solutions et des approches originales difficilement prévisibles.*

- Observer une illustration placée sous un pot transparent rempli d'eau.
- Observer une illustration placée derrière un pot transparent rempli d'eau.
- Observer une illustration à travers une petite bille de verre transparent.
- Placer une feuille de papier ciré ou une pellicule plastique sur un morceau de papier journal. À l'aide d'un compte-gouttes, déposer des gouttes d'eau de diverses grosseurs sur le papier ciré ou la pellicule plastique. Observer des caractères imprimés du journal à travers les gouttes d'eau.
- Placer un morceau de papier journal au fond d'un contenant de margarine en plastique. Tendre de la pellicule plastique sur le rebord du contenant. (Pour plus de solidité, la fixer avec un élastique ou du ruban adhésif.) Verser un peu d'eau sur la pellicule et appuyer sur celle-ci de façon à lui donner une forme creuse (vers l'intérieur du contenant). Observer le morceau de papier-journal à travers cette lentille d'eau.
- Tendre de la pellicule plastique sur le rebord du contenant. (Pour plus de solidité, la fixer avec un élastique ou du ruban adhésif.) Verser un peu d'eau sur la pellicule et appuyer sur celle-ci de façon à lui donner une forme creuse (vers l'intérieur du contenant). Placer dans le congélateur. Retirer le glaçon ainsi formé et l'utiliser comme une loupe.

Concepts scientifiques: *Concepts ou lois scientifiques à la base des principales solutions possibles. Il n'est pas nécessaire que les élèves comprennent ou retiennent parfaitement ces concepts ou ces lois. Les élèves devraient idéalement avoir l'occasion de les revoir plusieurs fois, du préscolaire à la fin du primaire, comme ils le font en français ou en mathématiques.*

Le verre, le plastique, l'eau et la glace font dévier la lumière. C'est le phénomène de la réfraction. Quand la lumière traverse des surfaces planes, comme dans le cas de l'illustration placée sous le pot transparent rempli d'eau, l'objet observé ne paraît pas plus gros, mais plus rapproché. Quand la lumière traverse des surfaces courbes, comme dans toutes les autres solutions, l'objet semble plus gros si ces surfaces forment une lentille convexe (à la surface bombée).

Repères culturels: *Notions liées à l'histoire, aux personnages scientifiques, aux valeurs, aux impacts ou aux limites des concepts scientifiques dont il est question dans le problème.*

Les lentilles furent décrites par le physicien arabe ALHAZEN (965-1039) vers l'an 1000. Le microscope à lentilles multiples fut inventé vers 1590 et le télescope à réfraction fut conçu en 1608 par l'opticien hollandais Hans LIPPERSHEY (1570-1619).

Vers 1680, le naturaliste hollandais Antonie VAN LEEUWENHOEK (1632-1723) découvrit plusieurs espèces d'organismes microscopiques à l'aide de microscopes. (Les microscopes de Leeuwenhoek étaient cependant des microscopes à lentille simple comportant une seule lentille en forme de minuscule bille.)

Après la résolution du problème, l'enseignant propose des activités de structuration et des activités d'enrichissement.

Suggestions d'activités de structuration (institutionnalisation des savoirs): *Pistes pour concevoir des activités de structuration qui permettent une institutionnalisation des savoirs (voir les chapitres 12 et 13):*

- Demander à chaque équipe de faire un exposé qui consiste à présenter sa solution aux autres élèves.
- Demander aux élèves de préparer un tableau ou une affiche qui présente les objets qui comportent des lentilles (loupe, lunettes, jumelles, télescope réfracteur, microscope, projecteur, etc.).

Suggestions d'activités d'enrichissement: *Pistes pour concevoir des activités d'enrichissement pour les élèves qui veulent aller plus loin (voir le chapitre 13):*

Visiter un laboratoire de biologie où se trouvent des microscopes à fort grossissement.

Évaluation: *Questions orales ou écrites, grilles d'observation, fiches d'appréciation, cahier de l'élève ou dossier d'apprentissage. Pour plus de détails, se reporter au chapitre 18.*

Exemple de problème au sujet de l'univers matériel

PEUT-ON DISTINGUER DE L'EAU DOUCE ET DE L'EAU SUCRÉE SANS Y GOÛTER?

- **Thème**

  Les produits chimiques et les composés organiques

- **Âge**

  6, 7, **8**, **9**, **10**, **11** ans

- **Temps**

  Environ 60 minutes (problème seulement)

Information destinée aux élèves

Énoncé du problème

Peut-on distinguer de l'eau douce et de l'eau sucrée sans y goûter ?

Matériel disponible

a) Pour chaque élève ou chaque équipe

Quelques récipients, du sucre, de l'eau, quelques pailles, un compte-gouttes.

b) Pour l'ensemble du groupe-classe

Une plaque chauffante ou un élément chauffant, quelques casseroles.

De la liqueur de Fehling (indicateur chimique ; matériel facultatif).

Information destinée à l'enseignant

Suggestions d'activités fonctionnelles (mise en situation) :

- Faire un tour de table pour connaître les conceptions des élèves. Par exemple, certains élèves pensent que la seule façon de savoir si de l'eau est sucrée est d'y goûter.
- Demander aux élèves de comparer le goût de l'eau, du sucre et de l'eau sucrée.

Après les activités fonctionnelles, l'enseignant présente aux élèves l'énoncé du problème et le matériel disponible.

Sécurité

Faire preuve de prudence avec la plaque chauffante.

Quelques solutions ou approches possibles

Après avoir préparé une solution très sucrée, les solutions ou les approches suivantes sont possibles :

- Tremper les doigts d'une main dans de l'eau et les doigts de l'autre main dans une solution sucrée. Observer les doigts.
- Verser quelques gouttes d'eau et, à quelques centimètres, quelques gouttes de solution sucrée sur une table. Laisser évaporer. Observer l'endroit où étaient les gouttes d'eau et de solution.

- Verser un peu d'eau au fond d'une casserole. Faire évaporer l'eau en plaçant la casserole sur une plaque chauffante. Observer. Verser ensuite un peu de solution sucrée dans une casserole. Faire évaporer l'eau en la plaçant sur une plaque chauffante. Observer.
- Peser la même quantité d'eau douce et d'eau sucrée.
- Placer l'eau douce et l'eau sucrée au congélateur.
- Observer l'eau douce et l'eau sucrée avec un réfractomètre.
- En septembre, octobre, mai ou juin, aller à l'extérieur et trouver une fourmilière. Placer quelques gouttes d'eau près de l'entrée de la fourmilière et, de l'autre côté, quelques gouttes de solution sucrée. Observer le comportement des fourmis.
- Prendre le plus d'eau possible avec un compte-gouttes. Tenir une paille verticalement au-dessus d'une assiette. Verser assez rapidement (mais pas brusquement) le contenu du compte-gouttes dans la paille. Observer. Faire la même chose avec la solution sucrée. (Si l'on désire recommencer, bien rincer la paille après l'avoir utilisée avec de l'eau sucrée.)
- À l'aide d'un compte-gouttes, verser un peu de liqueur de Fehling dans de l'eau et dans de l'eau sucrée. Observer.

Concepts scientifiques

- L'eau sucrée est légèrement adhésive et laisse les doigts ou la surface d'une table collants.
- En faisant évaporer l'eau, le sucre qui était en solution se dépose au fond de la casserole.
- L'eau sucrée est plus dense que l'eau douce.
- L'eau sucrée ne gèle pas à la même température (ou aussi vite) que l'eau douce.
- L'indice de réfraction de l'eau sucrée n'est pas le même que celui de l'eau douce.
- Les fourmis et plusieurs autres insectes sont attirés par de l'eau sucrée, car ils la boivent pour se nourrir.
- La solution sucrée est plus visqueuse que l'eau douce et coule plus lentement que l'eau dans une paille.
- La liqueur de Fehling est un indicateur chimique qui change de couleur dans l'eau sucrée.

Repère culturel:

Les lentilles furent décrites par le physicien arabe ALHAZEN (965-1039) vers l'an 1000. Le microscope à lentilles multiples fut inventé vers 1590, et le télescope à réfraction fut conçu en 1608 par l'opticien hollandais Hans LIPPERSHEY (1570-1619).

Après la résolution du problème, l'enseignant propose des activités de structuration et des activités d'enrichissement.

Suggestions d'activités de structuration (institutionnalisation des savoirs):

- Demander à chaque équipe de faire un exposé qui consiste à présenter sa solution aux autres élèves.
- Demander aux élèves de vérifier si leurs solutions pourraient aussi s'appliquer à de l'eau salée.

Suggestion d'activité d'enrichissement:

Se documenter pour répondre aux questions suivantes: Comment un médecin peut-il déterminer le taux de sucre dans le sang et, le cas échéant (en cas de diabète), le taux de sucre dans l'urine?

Évaluation:

Questions orales ou écrites, grilles d'observation, fiches d'appréciation, cahier de l'élève ou dossier d'apprentissage. Pour plus de détails, se reporter au chapitre 18.

Exemple de problème au sujet de la Terre et de l'Espace

LES SOLS SONT-ILS TOUS IDENTIQUES?

> **Thème**

La Terre et l'Univers

> **Âge**

8, 9, 10, 11 ans

> **Temps**

Environ 60 minutes (problème seulement)

Information destinée aux élèves

Énoncé du problème

Les sols sont-ils tous identiques?

Matériel disponible

a) Pour chaque élève ou chaque équipe

Des échantillons de sol recueillis en divers endroits (sol sablonneux, sol argileux, terre noire, etc.), du papier pour mesurer le pH, une loupe.

b) Pour l'ensemble du groupe-classe

Un microscope ou une loupe de fort grossissement (matériel facultatif).

Information destinée à l'enseignant

Suggestions d'activités fonctionnelles (mise en situation) :

- Faire un tour de table pour connaître les conceptions des élèves. Par exemple, certains élèves pensent que les sols sont tous très semblables.
- Demander aux élèves d'observer les divers échantillons de sol.

Après les activités fonctionnelles, l'enseignant présente aux élèves l'énoncé du problème et le matériel disponible.

Sécurité

- Ne pas se toucher le visage pendant que l'on manipule les sols. Bien se laver les mains après avoir manipulé les sols.

Quelques solutions ou approches possibles

- Classifier les sols selon leur densité.
- Classifier les roches selon leur couleur.
- Classifier les roches selon leur texture.
- Classifier les sols selon leur odeur.
- Classifier les sols selon leur taux d'humidité.
- Classifier les sols selon leur taux d'acidité (pH) en mêlant un petit échantillon avec un peu d'eau et en trempant un papier pH dans l'eau.

Concepts scientifiques

- Il existe des milliers de types de sols et de nombreuses façons de les classifier. Le système de classification américain « Soil Taxonomy » est l'un des plus fréquemment utilisés. Voici quelques exemples de sols de ce système :

  Histosol : Sol humide riche en débris végétaux.

  Oxisol : Sol riche en oxyde de fer et d'aluminium qui lui donnent une couleur rouge.

  Alfisol : Sol riche en argile.

  Spodisol : Sol sableux avec une couche supérieure grise des forêts conifères.

  Mollisol : Sol fertile à couche supérieure noire (terre noire).

  Aridisol : Sol sec contenant beaucoup de sable et de calcaire.

Repère culturel :

L'impact de la déforestation et de l'agriculture intensive peut être néfaste pour les sols et l'environnement en général. Par exemple, l'utilisation intensive d'herbicides et de pesticides peut entraîner des problèmes de santé.

Après la résolution du problème, l'enseignant propose des activités de structuration et des activités d'enrichissement.

Suggestions d'activités de structuration (institutionnalisation des savoirs) :

- Demander à chaque équipe de présenter son système de classification.
- Demander à chaque équipe de classer les échantillons de sol selon une classification scientifique de type « Soil Taxonomy ».

Suggestion d'activité d'enrichissement :

Se documenter pour répondre à la question suivante : Quel est le meilleur sol pour un jardin de tomates, de concombres, de fines herbes, etc. ?

Évaluation :

Questions orales ou écrites, grilles d'observation, fiches d'appréciation, cahier de l'élève ou dossier d'apprentissage. Pour plus de détails, se reporter au chapitre 18.

Exemple de problème au sujet de l'univers vivant

APRÈS AVOIR ÉTÉ CUEILLIS, LES FRUITS ET LES LÉGUMES SONT-ILS MORTS OU VIVANTS ?

- **Thème**

  Les végétaux

- **Âge**

  6, 7, **8, 9, 10, 11** ans

- **Temps**

  Environ 30 minutes, puis 15 minutes la semaine suivante (problème seulement)

Information destinée aux élèves

Énoncé du problème

Après avoir été cueillis, les fruits et les légumes sont-ils morts ou vivants?

Matériel disponible pour chaque élève ou chaque équipe :

Une pomme ou un avocat qui ne sont pas encore mûrs, une carotte, une pomme de terre, un oignon ou une betterave, quelques verres, de la terre noire, des pois, des haricots secs ou des pépins de pomme, de la ouate.

Information destinée à l'enseignant

Suggestions d'activités fonctionnelles (mise en situation) :

- Faire un tour de table pour connaître les conceptions des élèves. Par exemple, certains élèves pensent que les fruits et les légumes meurent aussitôt après avoir été cueillis.
- Demander aux élèves de préparer une affiche qui illustre les différentes parties comestibles des légumes (la graine, la feuille, la tige ou la racine). Discuter de l'endroit où poussent les légumes et définir ce dont ils ont besoin pour vivre.
- Demander aux élèves d'observer les légumes à leur disposition et déterminer quelle est leur partie comestible.

Après les activités fonctionnelles, l'enseignant présente aux élèves l'énoncé du problème et le matériel disponible.

Sécurité

Prendre note au préalable des allergies alimentaires.

Quelques solutions ou approches possibles

- Se procurer des pommes ou des avocats qui ne sont pas encore mûrs. Les laisser à la température de la pièce pendant quelques jours.
- Dans un verre rempli d'eau, placer une carotte qui est un peu plus longue que le verre de telle sorte que l'extrémité la plus étroite de la carotte soit au fond du verre et l'extrémité la plus large à l'extérieur. Placer au soleil quelques jours en prenant soin de changer l'eau quotidiennement.
- Planter verticalement une carotte dans de la terre noire bien humide, en s'assurant que l'extrémité la plus large sorte un peu de la terre. Placer au soleil quelques jours et arroser quotidiennement.
- Placer une pomme de terre, un oignon ou une betterave dans un endroit sombre et humide. Attendre quelques jours.
- Faire germer un pois sec, un haricot sec ou des pépins de pomme dans de la ouate mouillée. Attendre quelques jours. Verser un peu d'eau sur la ouate tous les jours pour qu'elle reste humide.

Concept scientifique

Malgré leur apparence inerte, les fruits et les légumes demeurent vivants longtemps après avoir été cueillis. Le fait que des fruits puissent continuer à mûrir, que des racines puissent donner naissance à de nouvelles tiges, et que des tubercules ou des graines puissent germer en sont des indications.

Repère culturel :

- La raison pour laquelle les fruits et les légumes restent vivants assez longtemps après avoir été cueillis ne devint vraiment claire qu'avec l'énoncé de la théorie cellulaire par Jakob SCHLEIDEN (1804-1881) et Theodor SCHWANN (1810-1882), en 1839. Les plantes sont constituées de cellules dont plusieurs demeurent vivantes après que les fruits ou les légumes ont été cueillis.

Après la résolution du problème, l'enseignant propose des activités de structuration et des activités d'enrichissement.

Suggestions d'activités de structuration (institutionnalisation des savoirs):

- Demander à chaque équipe de présenter son système de classification.
- Demander à chaque équipe de classer les échantillons de sol selon une classification scientifique de type «Soil Taxonomy».

Suggestion d'activité d'enrichissement:

Se documenter pour répondre à la question suivante: Quels problèmes pose le transport de fruits qui proviennent de pays éloignés?

Évaluation:

Questions orales ou écrites, grilles d'observation, fiches d'appréciation, cahier de l'élève ou dossier d'apprentissage. Pour plus de détails, se reporter au chapitre 18.

LES ACTIVITÉS FONCTIONNELLES

Mise en situation des problèmes

Les activités fonctionnelles sont des activités de mise en situation et sont habituellement proposées aux élèves avant les activités de résolution de problème semblables à celles qui ont été présentées au chapitre 10. Leur principal rôle est d'*amorcer une séquence didactique* qui comporte, dans l'ordre, des activités fonctionnelles, des activités de résolution de problème et des activités de structuration (Astolfi, 1997).

Les activités fonctionnelles, telles que le tour de table, l'observation ou la classification selon des critères empiriques, possèdent leur finalité propre et sont habituellement vécues sans référence explicite à des apprentissages structurés. Elles se déroulent souvent à l'initiative des élèves et visent notamment l'amorce d'une réflexion faisant intervenir leurs diverses conceptions ainsi que l'énoncé de problèmes scientifiques intéressants. Elles conduisent à des apprentissages à la fois spontanés et occasionnels, et permettent à l'enseignant qui observe ses élèves de prélever de l'information qui lui permettra par la suite d'intervenir de façon plus structurée. Ces activités rappellent ce que la didactique des mathématiques nomme les *situations d'action* qui sont les situations qui comportent d'abord une action, production de l'élève fondée sur un modèle implicite.

Les activités fonctionnelles sont régies par une *logique divergente*, au sens ou chacune, d'abord réalisée pour elle-même, est susceptible de conduire l'élève dans toutes sortes de directions et, parfois, de l'amener à se poser des questions qui constitueront le point de départ d'activités de résolution de problème.

Voici une brève description des principales activités fonctionnelles que nous avons conçues et réalisées dans divers contextes. Celles-ci sont accompagnées d'exemples tirés de divers domaines des sciences et de la technologie. Elles sont présentées par ordre croissant de complexité, d'intérêt et de richesse.

Tour de table

Activité qui consiste, pour les élèves, à exprimer chacun leur opinion. Le tour de table peut être utile, par exemple, pour connaître les conceptions des élèves au sujet d'un concept scientifique.

Exemple :

Demander à chaque élève comment il explique que le Soleil émet autant de lumière et de chaleur.

Carte d'exploration

Activité qui consiste, pour les élèves ou l'enseignant, à noter les réponses ou les commentaires formulés par les élèves sous la forme d'un diagramme qui établit des liens possibles.

Exemple :

Demander aux élèves ce qu'est la germination d'une plante et noter les réponses sous forme de carte d'exploration.

Mots croisés, mots cachés et mots mystères (utilisation)

Activités qui consistent à découvrir des termes dissimulés. Les mots croisés, les mots cachés et les mots mystères portant sur des termes scientifiques peuvent être une façon amusante de revoir certains termes qui reviendront pendant le reste de la séquence didactique, et de contribuer à augmenter l'étendue du vocabulaire.

Exemple :

Compléter des mots croisés dont chacun est relié au thème de la conservation de l'environnement.

Jeu de table (utilisation)

Activité qui consiste à utiliser les questions portant sur les sciences d'un jeu de type *Quelques arpents de pièges*, *Le Docte Rat*, etc., pour aborder des notions scientifiques par le moyen de questions et de réponses.

Exemple :

Poser des questions portant sur des scientifiques célèbres.

Jeu-questionnaire

Activité au cours de laquelle un animateur pose des questions aux élèves sur divers concepts scientifiques préalables au bon déroulement d'une séquence didactique.

Exemple :

À partir d'illustrations, indiquer à quelle classe, à quel ordre ou à quelle famille appartiennent les plantes et les animaux représentés.

Casse-tête (éléments concrets)

Activité qui consiste à assembler des éléments pour en faire un ensemble cohérent. Ces éléments peuvent être les pièces d'un casse-tête classique qui illustre une réalité en lien avec la science ou la technologie.

Exemple :

Assembler les pièces d'un casse-tête fabriqué à partir d'une photo d'une fusée utilisée pour lancer des satellites.

Collage

Activité qui consiste à assembler des pièces diverses pour produire un tout.

Exemple :

En automne, à partir des feuilles de plusieurs espèces d'arbres, faire un collage multicolore.

Dessin, schéma et diagramme (lecture)

Activité qui consiste à interpréter des représentations simplifiées, en deux dimensions, d'un objet, d'un être vivant, d'un phénomène naturel ou d'un concept scientifique.

Exemples :

- Examiner des dessins de divers types de ponts.
- Comparer des schémas de la circulation sanguine des poissons, des oiseaux et des mammifères.

Photo (lecture)

Activité qui consiste à interpréter des représentations réalistes, en deux dimensions, d'un objet, d'un être vivant ou d'un phénomène naturel.

Exemples :

- Examiner des photographies de divers types de navires.
- Comparer les cratères lunaires à des photographies de cratères volcaniques et météoriques terrestres.
- Examiner des photographies des micro-organismes qui constituent le plancton.

Enregistrement sonore (écoute)

Activité qui consiste à écouter des documents sonores à l'aide d'un magnétophone ou d'un lecteur de disque compact.

Exemple :

Écouter les chants d'oiseaux de sa région et s'habituer à reconnaître les oiseaux d'après leur chant.

Document vidéo (visionnement)

Activité qui consiste à visionner un document vidéo pour se familiariser avec certains objets, êtres vivants ou phénomènes naturels.

Exemples :

- Regarder un documentaire portant sur l'énergie produite par les centrales nucléaires et par le Soleil.
- Regarder un documentaire sur les volcans et les tremblements de terre.
- Regarder un documentaire sur la faune et la flore de l'Arctique.

Affiche et dépliant (lecture)

Activité qui consiste à lire un résumé succinct de renseignements à connaître sur une chose, un lieu, une organisation. L'affiche et le dépliant comportent souvent des illustrations ou des photographies.

Exemple :

Lire un dépliant sur les particularités géographiques ou géologiques d'une région.

Étiquette, brochure technique et guide (lecture)

Activité qui consiste à lire des étiquettes, des brochures techniques ou des guides pour y retrouver de l'information factuelle sur un produit ou un objet technique.

Exemples:

- Lire les étiquettes de diverses marques de beurre et de margarine et comparer les ingrédients qui entrent dans leur préparation.
- Lire les étiquettes de divers vêtements et noter la grande variété des types de tissus qui entrent dans leur confection.
- Lire la brochure technique d'un microscope pour savoir l'utiliser le mieux possible.
- Consulter un guide alimentaire pour connaître les meilleures sources de protéines.

Tableau et graphique (lecture)

Activité qui consiste à lire des tableaux et des graphiques en y trouvant toute l'information disponible.

Exemples:

- Examiner un tableau comportant des données sur les neuf planètes de notre Système solaire.
- Examiner un tableau portant sur la composition des principaux alliages.
- Trouver, dans un atlas, la température mensuelle moyenne de villes de l'hémisphère Nord et de l'hémisphère Sud.
- Examiner une échelle des temps géologiques et remarquer le temps qui sépare la disparition des dinosaures de l'apparition des êtres humains.
- Examiner un graphique qui présente la distance (en kilomètres) parcourue en fonction du temps (en heures) et l'utiliser pour trouver le nombre de kilomètres parcourus en trois heures.

Carte (lecture)

Activité qui consiste à lire des cartes géographiques, topographiques, géologiques, routières, météorologiques, etc., ainsi que des cartes du ciel en y trouvant toute l'information disponible.

Exemples :

- Examiner l'Ouest de l'Afrique et l'Est de l'Amérique du Sud sur une carte du monde et constater que ces continents s'emboîtent comme les pièces d'un casse-tête.
- Examiner une carte des fonds océaniques et remarquer que le relief du fond des océans est très accidenté.
- Examiner une carte céleste munie d'un cache mobile pour trouver la position des étoiles à diverses périodes de l'année et à diverses heures de la nuit.

Échelle du temps (lecture)

Activité qui consiste à faire une représentation graphique du temps sur une droite divisée en unités de mesure de diverses valeurs. On peut y situer un point précis ou y indiquer la durée d'un phénomène.

Exemple :

Sur une échelle du temps, trouver le temps qui sépare la disparition des dinosaures de l'apparition des premiers hominidés.

Texte à long développement (lecture)

Activité qui consiste à lire des livres, des revues, des journaux, des DVD, des sites Internet et divers autres documents écrits.

Exemple :

Se familiariser avec les étoiles et les galaxies en lisant un livre d'astronomie pour les jeunes.

Le pour et le contre

Activité qui consiste à découvrir et à exprimer les arguments pour ou contre un sujet controversé. Le pour et le contre peut aider les élèves à comprendre les avantages et les inconvénients d'une situation et à prendre de meilleures décisions.

Exemple :

Énoncer les arguments pour ou contre l'utilisation de la bicyclette comme principal moyen de transport dans une ville comme Montréal.

Dénombrement

Activité qui consiste à se servir de nombres pour désigner des quantités.

Exemples :

- Compter le nombre de pattes de quelques arthropodes (insectes, araignées, mille-pattes, cloportes, etc.) et remarquer que les arthropodes n'ont pas tous le même nombre de pattes.
- Délimiter de petites surfaces d'environ un mètre carré, dans un sous-bois, et compter combien on y trouve de spécimens de certaines plantes ou de certains insectes.
- Compter le nombre de secondes qui séparent un éclair du tonnerre et estimer la distance de l'orage, sachant que trois secondes équivalent à un kilomètre environ.

Calcul

Activité qui consiste à effectuer une opération arithmétique à partir de nombres. Une calculatrice peut être utile.

Exemples :

- Sachant quelle est la masse d'une roche et son volume, trouver sa masse volumique.
- Sachant quelle distance une automobile peut parcourir avec 1 litre d'essence, trouver la distance qu'elle peut parcourir avec 25 litres.
- Sachant qu'une espèce de bactérie se dédouble toutes les 10 minutes, calculer combien on aurait de bactéries, à partir d'une seule bactérie, après 2 heures.

Mesure

Activité qui consiste à quantifier des observations à l'aide d'unités arbitraires ou standard en utilisant un instrument.

Exemples :

- Mesurer le volume d'eau déplacé par un objet qui coule et un objet du même poids qui flotte.
- Comparer la masse volumique d'un oiseau à la masse volumique de l'air pour vérifier si les oiseaux sont plus légers que l'air.

- Mesurer la force nécessaire pour équilibrer un levier, à mesure que son point d'application se rapproche du point d'appui.

Observation

Activité qui consiste à observer attentivement un phénomène naturel, un être vivant ou un objet technique pour en noter certaines caractéristiques et, parfois, à le comparer avec d'autres. Ce type d'activité permet aux élèves de réaliser, qu'en sciences, l'observation implique souvent d'autres sens (ouïe, goût, odorat, toucher) que le seul sens de la vue.

Exemples :

- Tremper une règle dans un verre d'eau et constater qu'elle semble brisée.
- Disséquer un poisson et observer son système respiratoire.
- Se familiariser avec les divers types de squelettes en examinant la carapace d'un insecte, les cavités de liquide d'un ver de terre et le squelette d'un requin.
- Relever et comparer les empreintes digitales de plusieurs personnes.
- Comparer les chants de diverses espèces d'oiseaux.
- Comparer le goût et l'odeur de diverses sortes d'agrumes.
- Comparer les textures de divers types de papier.

Sériation

Activité qui consiste à ordonner des objets, des êtres vivants, des événements ou des états suivant un ordre précis en fonction d'une caractéristique distinctive. La sériation est parfois confondue avec la classification, qui consiste à placer dans des catégories et non à ordonner.

Exemples :

- Sérier des roches selon leur densité (sériation simple).
- Sérier des pommes en rangée selon leur grosseur et en colonne selon le fait qu'elles sont plus ou moins rouges (sériation composée ou matricielle).

Classification à partir de critères empiriques

Activité qui consiste à trier des objets, des êtres vivants, des événements ou des états en fonction d'un ou de plusieurs critères.

Exemples :

- Classifier des objets selon le fait qu'ils flottent ou ne flottent pas.
- Classifier des objets selon le fait qu'ils conduisent ou ne conduisent pas l'électricité.
- Classifier des êtres vivants selon le fait qu'ils ont la peau nue, recouverte d'écailles, recouverte de plumes ou recouverte de poils.

Remue-méninges

Activité qui consiste, pour un groupe d'élèves, à énoncer toutes les idées possibles sur un sujet ou un problème, sans aucun jugement de valeur. Les idées sont évaluées par la suite. Le remue-méninges permet aux élèves de trouver des idées originales et leur apprend à s'exprimer librement.

Exemple :

Trouver des façons d'améliorer une machine ou un dispositif.

Enquête

Activité qui consiste à interroger un groupe d'individus sur un sujet donné.

Exemple :

Faire une enquête au sujet de l'enlèvement des ordures et du recyclage dans son quartier, sa ville ou sa région.

Visite industrielle (premier contact)

Activité qui permet de se familiariser avec le fonctionnement d'une industrie en particulier et avec les répercussions de son activité sur la société.

Exemple :

Décrire le procédé utilisé dans la dépollution de l'eau après la visite d'une usine de traitement des eaux.

Visite d'un musée (premier contact)

Activité qui permet à l'élève de voir une foule d'objets, de machines, d'animaux et de plantes qu'il serait parfois difficile ou impossible d'observer dans leur environnement habituel.

Exemple :

Visiter un jardin botanique et prendre conscience de l'immense variété des espèces végétales.

Simulation (premier contact)

Activité qui permet à l'élève de vivre une situation fictive de façon telle qu'elle soit analogue à une situation réelle. La simulation est particulièrement utile quand la situation réelle serait dangereuse ou coûteuse. Elle se réalise habituellement à l'aide de logiciels spécialisés.

Exemples :

- Étudier la balistique à partir de la trajectoire d'obus virtuels sur un écran d'ordinateur.
- Se familiariser avec le pilotage d'un avion à l'aide d'un simulateur de vol pour ordinateur.

Modèle réduit

Activité qui consiste à construire, souvent à partir de pièces à assembler, une reproduction à l'échelle d'un avion, d'un bateau, d'une voiture, d'une fusée ou de tout autre appareil ou machine.

Exemple :

- Construire un modèle réduit d'avion propulsé par un élastique et faire une compétition pour savoir lequel franchira la plus grande distance.

Sortie dans la nature (premier contact)

Activité réalisée en plein air et qui permet un contact avec l'air, l'eau, le sol, la flore, la faune et tous les autres éléments d'un habitat naturel. Elle se pratique parfois de façon intensive dans le cadre des classes blanches (en hiver) et des classes vertes (au printemps, en été ou en automne).

Exemple :

Identifier, dans un champ ou un terrain vague, les principales espèces de plantes et d'insectes qui se trouvent dans une petite surface d'environ un mètre carré.

Collection

Activité qui consiste à former un ensemble, le plus complet possible, d'objets, d'images, de photographies, de plantes, d'animaux, etc.

Exemples :

- Faire une collection de roches et de minéraux de la région.
- Faire une collection de feuilles d'arbres séchées et trempées dans de la cire.

Activité avec manipulation

Activité qui consiste à utiliser le matériel suggéré selon les étapes décrites de façon à pouvoir observer un phénomène scientifique. Parfois appelée à tort une *expérience*, car il s'agit plus de suivre une recette que de tester une hypothèse.

Exemples :

- Gonfler un ballon à l'aide du gaz carbonique libéré par la réaction chimique entre du vinaigre et du bicarbonate de sodium.
- Faire dévier un filet d'eau qui coule d'un robinet à l'aide d'un peigne chargé d'électricité statique.
- Faire pénétrer un œuf cuit dur sans coquille dans une bouteille en réchauffant d'abord l'air contenu dans la bouteille à l'aide d'une allumette.

Fabrication

Activité qui consiste à utiliser le matériel suggéré, selon les étapes décrites, pour fabriquer une version rudimentaire d'un produit ou d'un objet vendu dans le commerce. Un peu semblable à l'activité avec manipulation.

Exemples :

- Fabriquer une pile avec un citron, un morceau de cuivre, un morceau de zinc et du fil électrique.
- Faire du savon à partir d'une huile végétale et d'une base forte.
- Fabriquer une bougie avec du beurre ou de la margarine.
- Fabriquer un baromètre rudimentaire à l'aide d'une boîte de conserve, d'un morceau de baudruche et d'une paille.

À l'heure actuelle, une proportion importante des activités de sciences et de technologie proposées aux élèves du préscolaire et du primaire sont des activités fonctionnelles. À la limite, comme dans le cas d'activités tirées de certains livres de sciences pour les enfants, ce sont des activités qui se réduisent à des recettes dont il suffit de suivre les étapes pour aboutir aux résultats illustrés.

Bien qu'elles soient importantes pour amorcer la maîtrise de certaines compétences et pour permettre un premier contact avec divers savoirs, les activités fonctionnelles ne peuvent, à elles seules, constituer une formation scientifique de base. Elles devraient plutôt être considérées comme des «pré-activités» devant éventuellement déboucher sur les activités scientifiques plus complètes et plus complexes que sont les activités de résolution de problème et les activités de structuration.

LES ACTIVITÉS DE STRUCTURATION

L'institutionnalisation des connaissances

Les activités de structuration sont des activités d'intégration qui sont habituellement proposées aux élèves après les activités de résolution de problème. Leur principal rôle est de *clore une séquence didactique* qui comporte, dans l'ordre, des activités fonctionnelles, des activités de résolution de problème et des activités de structuration (Astolfi, 1997).

Les activités de structuration, telles que la production d'un document vidéo, la conception d'un réseau notionnel ou la préparation d'un stand dans une expo-science, permettent de faire la synthèse des connaissances et de situer celles-ci dans une structure globale. Elles sont caractérisées par le souci de préciser et de généraliser les concepts acquis de façon plus ponctuelle au cours des activités fonctionnelles et des activités de résolution de problème.

Basées sur la comparaison, l'opposition, la déduction et l'induction, les activités de structuration permettent de mettre les apprentissages antérieurs en relation entre eux, de même qu'en relation avec de nouveaux concepts, de nouvelles lois ou de nouvelles théories. À l'opposé des activités fonctionnelles, relativement ouvertes, les activités de structuration sont presque toutes orientées vers la réalisation de tâches précises et sont encadrées de façon assez étroite par l'enseignant qui doit, à ce stade, veiller particulièrement à l'atteinte des compétences et des savoirs essentiels du programme de formation. Elles rappellent ce que la didactique des mathématiques nomme les *situations d'institutionnalisation* qui sont les situations permettant de faire en sorte que le savoir construit par l'élève corresponde le mieux possible au savoir à enseigner.

Les activités de structuration sont régies par une *logique convergente*, au sens où elles permettent de construire des relations entre des apprentissages ponctuels et indépendants, souvent réalisés pendant une assez longue période de temps.

Voici une brève description des principales activités de structuration que nous avons conçues et réalisées dans divers contextes. Celles-ci sont accompagnées d'exemples tirés de divers domaines des sciences et de la technologie. Tout comme dans le cas des activités fonctionnelles, ces activités sont présentées par ordre croissant de complexité, d'intérêt et de richesse.

On remarquera que plusieurs de ces activités de structuration sont, à première vue, semblables à des activités fonctionnelles, mais que leur réalisation implique une plus grande participation de la part de l'élève et font souvent appel à un degré d'abstraction plus élevé. On notera également que les activités semblables (exemple : le document vidéo) ne se trouvent pas nécessairement au même rang dans la liste des activités de structuration et dans la liste des activités fonctionnelles, car leur complexité, leur intérêt et leur richesse dépendent beaucoup de la nature des tâches demandées à l'élève.

Conférence (personne invitée)

Exposé donné par une personne invitée : scientifique, ingénieur, technicien, etc.

Exemple :

Inviter un biologiste à présenter ses travaux de recherche et à faire le lien avec les concepts au programme.

Débat

Activité au cours de laquelle un petit groupe d'élèves expriment, devant le reste de la classe, leurs opinions sur un sujet donné.

Exemple :

Débat au sujet de la coupe des arbres des forêts tropicales.

Esprit martien

Activité qui consiste à décrire un objet, un phénomène, un lieu selon un point de vue différent, un peu comme le ferait un Martien arrivant sur la Terre.

Exemples :

- Décrire l'Amérique du Nord telle qu'elle devait apparaître à l'époque des dinosaures.
- Décrire le système sanguin tel qu'on le verrait de l'intérieur, dans un sous-marin microscopique.

Classification (à partir d'une taxonomie)

Activité qui consiste à trier des objets, des êtres vivants, des événements ou des états en fonction d'une ou de plusieurs caractéristiques. En biologie, une taxonomie est une classification de plantes ou d'animaux établie selon un grand nombre de catégories et de sous-catégories.

Exemple:

Classifier des vertébrés en mammifères, en oiseaux, en reptiles, en amphibiens ou en poissons.

Jeu de table (utilisation ou conception)

Activité qui consiste à utiliser un jeu déjà fait ou, mieux encore au moment de la structuration, à composer des questions de sciences semblables à celles d'un jeu de type *Quelques arpents de pièges* ou *Le Docte Rat*. L'utilisation de ce jeu permet de faire une révision des concepts scientifiques au programme.

Exemple:

Composer des questions portant sur les concepts relatifs à l'air, à l'eau et au sol.

Mots croisés, mots cachés et mots mystères (utilisation ou conception)

Activités qui consistent à utiliser ou, mieux encore au moment de la structuration, à concevoir des grilles comportant des termes scientifiques dissimulés. Ces activités peuvent être une occasion de préciser le sens de certains concepts vus lors d'une problématique.

Exemple:

Concevoir des mots croisés dont chacun est lié au thème du monde végétal.

Journal de bord

Activité qui consiste à noter des observations, des données, des découvertes, des impressions, des remarques, des questions ou des schémas au cours d'activités scientifiques.

Exemple :

Tenir un journal de la progression d'une recherche sur la croissance de certaines plantes.

Travail de recherche en bibliothèque ou dans Internet

Activité qui consiste à chercher de l'information à partir de sources secondaires. Cette information peut se présenter sous forme de texte, de schémas, d'illustrations se rapportant à un sujet donné en vue de compléter un travail précis.

Exemple :

Effectuer des activités de résolution de problème portant sur l'électricité à l'aide de documents trouvés à la bibliothèque ou dans Internet.

Visite industrielle (synthèse et application)

Activité qui permet de se familiariser avec le fonctionnement d'une industrie en particulier, de même que la répercussion de ses activités sur la société. Utilisée comme activité de structuration, elle permet également de se familiariser avec des applications de certains principes scientifiques et de comprendre les diverses étapes d'un procédé industriel.

Exemple :

Décrire le procédé utilisé dans la dépollution de l'eau après la visite d'une usine de traitement des eaux.

Visite d'un musée (synthèse et application)

Activité qui permet à l'élève de voir une foule d'objets, de machines, d'animaux et de plantes qu'il serait parfois difficile ou impossible d'observer dans leur environnement habituel. Utilisée comme activité de structuration, elle permet également de faire ressortir, de façon concrète, les relations entre les objets, les phénomènes ou les êtres vivants présentés et situe souvent leur utilisation, leur existence ou leur présence dans un contexte historique.

Exemple :

Présenter quelques hypothèses relativement à l'étoile des rois mages à la suite de la visite d'un planétarium.

Photo (lecture ou production)

Activité qui consiste à lire ou, mieux encore au moment de la structuration, à faire des représentations réalistes, en deux dimensions, d'un objet, d'un être vivant ou d'un phénomène naturel.

Exemple:

Prendre des photos des arbres de sa région et en faire la classification.

Enregistrement sonore (écoute ou production)

Activité qui consiste à écouter ou, mieux encore au moment de la structuration, à produire des documents sonores à l'aide d'un magnétophone.

Exemple:

Enregistrer les chants de quelques oiseaux.

Entrevue

Activité qui consiste à rencontrer une ou plusieurs personnes en vue d'obtenir de l'information sur un sujet donné.

Exemple:

Rencontrer un journaliste scientifique pour mieux comprendre les nouvelles recherches sur les biotechnologies.

Résumé

Activité qui consiste à synthétiser en quelques lignes l'essentiel d'une communication orale ou écrite.

Exemple:

Écrire le résumé d'un reportage portant sur la pollution de l'air écouté ou regardé pendant une émission de vulgarisation scientifique radiodiffusée ou télédiffusée.

Fichier

Activité qui consiste à produire un ensemble structuré de données. Un fichier est habituellement constitué à partir d'une fiche maîtresse qui prévoit les diverses catégories d'information nécessaires, telles que la description, l'illustration, les références, la date de rédaction, etc. Il peut être bâti à l'aide de fiches en carton ou de fiches informatisées (base de données). Tout comme dans le cas du dossier, la constitution d'un fichier peut précéder la rédaction d'un travail de recherche.

Exemple:

Constituer un fichier sur les principales espèces d'animaux de sa région.

Dossier

Activité qui consiste à constituer un ensemble de données classifiées se rapportant à un sujet donné. La constitution d'un dossier peut précéder la rédaction d'un travail de recherche.

Exemple:

Monter un dossier sur les principaux minerais de sa région.

Dessin, schéma et diagramme (lecture ou production)

Activités qui consistent à lire ou, mieux encore au moment de la structuration, à produire des représentations simplifiées, en deux dimensions, d'un objet, d'un être vivant, d'un phénomène naturel ou d'un concept scientifique.

Exemples:

- Faire le dessin d'une éruption volcanique.
- Tracer un schéma expliquant la cause des marées.
- Illustrer le concept de chaîne alimentaire au moyen d'un schéma.

Carte (lecture ou production)

Activité qui consiste à lire ou, mieux encore au moment de la structuration, à tracer des cartes géographiques, topographiques, géologiques, routières, météorologiques, ainsi que des cartes du ciel en y indiquant toute l'information pertinente.

Exemple:

Réaliser la carte d'un parc de son quartier.

Tableau et graphique (lecture ou production)

Activité qui consiste à lire ou, mieux encore au moment de la structuration, à produire des tableaux et des graphiques en y trouvant toute l'information disponible.

Exemples :

- Réaliser un tableau à partir des données recueillies pendant une semaine dans une station météorologique rudimentaire (température, pression, taux d'humidité, vitesse du vent, etc.).
- Tracer des graphiques à partir de ces données.

Texte à long développement (lecture ou production)

Activité qui consiste à lire ou, mieux encore au moment de la structuration, à écrire des textes à contenu scientifique.

Exemples :

- Rédiger un texte sur les composantes d'une alimentation équilibrée.
- Imaginer une nouvelle émission de télévision (pour les jeunes) portant sur les sciences et la décrire dans un texte d'une ou deux pages.

Exposé

Activité qui consiste à présenter oralement des faits ou des principes. Cette présentation peut être faite par un enseignant, un élève ou un groupe d'élèves.

Exemple :

Présenter les résultats d'une recherche (en bibliothèque) sur les océans.

Affiche et dépliant (lecture ou production)

Activité qui consiste à lire ou, mieux encore au moment de la structuration, à produire un résumé succinct de renseignements à connaître sur une chose, un lieu, une organisation. L'affiche et le dépliant comportent souvent des illustrations ou des photographies.

Exemple :

Produire une affiche ou un dépliant qui présente des attraits techniques ou scientifiques de sa région (barrage hydroélectrique, usine de filtration, industrie, formation géologique, etc.).

Étiquette, brochure technique et guide (lecture ou production)

Activité qui consiste à lire ou, mieux encore au moment de la structuration, à produire des étiquettes, des brochures techniques ou des guides pour y retrouver de l'information factuelle sur un produit ou un objet technique.

Exemple :

Produire une brochure technique d'une machine ou d'un appareil simple fabriqué par une équipe d'élèves.

Maquette

Activité qui consiste à représenter une notion ou une réalité de façon concrète. La maquette est faite à l'échelle, avec des matériaux permettant de créer un montage.

Exemple :

Représenter le Système solaire à l'aide de balles de mousse de polystyrène.

Simulation (synthèse et application)

Activité qui permet à l'élève de vivre une situation fictive de façon telle qu'elle soit analogue à une situation réelle. La simulation est particulièrement utile quand la situation réelle serait dangereuse ou coûteuse. Elle se réalise habituellement à l'aide de logiciels spécialisés.

Exemple :

Concevoir et gérer une ville virtuelle à partir d'un logiciel de simulation de type SimCity.

Reportage (utilisation ou production)

Activité qui consiste à utiliser ou, mieux encore au moment de la structuration, à réaliser un document écrit, audio ou audiovisuel qui relate des événements. L'élève peut lire, écouter ou regarder des reportages ou il peut en faire lui-même.

Exemple :

Réaliser un reportage sur les moyens de réduire les déchets déposés dans les dépotoirs.

Document vidéo (visionnement ou production)

Activité qui consiste à visionner ou, mieux encore au moment de la structuration, à produire un document vidéo pour faire une synthèse des connaissances sur certains objets, êtres vivants ou phénomènes naturels.

Exemple :

Produire un documentaire sur le recyclage des déchets dans sa municipalité.

Échelle du temps (lecture ou construction)

Activité qui consiste à faire lire ou, mieux encore au moment de la structuration, à faire une représentation graphique du temps sur une droite divisée en unités de mesure de diverses valeurs. On peut y situer un point précis ou y indiquer la durée d'un phénomène.

Exemple :

Construire une échelle du temps qui situe les principales découvertes scientifiques du XVIIIe siècle.

Casse-tête (éléments abstraits)

Activité qui consiste à assembler des éléments pour en faire un ensemble cohérent. Utilisé comme activité de structuration, le casse-tête peut-être constitué d'éléments plus abstraits, tels que des pièces mécaniques, des pièces électriques, des schémas ou des concepts (dans ce dernier cas, il s'apparente au réseau notionnel).

Exemple :

Assembler les pièces d'une horloge en carton (vendu dans le commerce sous forme de trousse).

Activité avec manipulation (illustration et synthèse de concepts)

Parfois appelé à tort une « expérience », car il s'agit plus de suivre une recette que de tester une hypothèse, ce type d'activité consiste à utiliser le matériel suggéré selon les étapes décrites de façon à pouvoir observer un phénomène scientifique. Lors de la structuration, ce type d'activité peut permettre d'illustrer ou de faire la synthèse de certains concepts scientifiques.

Exemple :

Après un problème portant sur la photosynthèse, on pourrait montrer la présence d'amidon (sucre complexe) aux élèves en laissant infuser des feuilles de diverses plantes dans de l'alcool bouillant puis en trempant ces feuilles dans l'eau iodée (qui change de couleur en présence d'amidon).

Fabrication (illustration et synthèse de concepts)

Un peu semblable à l'activité avec manipulation, ce type d'activité consiste à utiliser le matériel suggéré, selon les étapes décrites, pour fabriquer une version rudimentaire d'un produit ou d'un objet disponible dans le commerce. Lors de la structuration, ce type d'activité peut permettre d'illustrer ou de faire la synthèse de certains concepts scientifiques.

Exemple :

Après un problème portant sur la fabrication d'instruments météorologiques rudimentaires, les élèves pourraient fabriquer une petite station météorologique.

Réseau notionnel (ou trame conceptuelle)

Activité qui consiste à tracer un diagramme dont les termes sont interreliés et forment un tout. Ces termes se rattachent à un domaine d'étude ou d'activités. Le réseau notionnel est semblable à une carte d'exploration, mais il établit des liens scientifiques plutôt que des liens hypothétiques entre les concepts.

Exemple :

Dans une centrale thermoélectrique au pétrole, l'énergie chimique, produite par la combustion du pétrole, est d'abord transformée en énergie thermique. Cette énergie fait bouillir l'eau dont la vapeur actionne une turbine, créant de l'énergie mécanique. La turbine entraîne un alternateur qui produit de l'énergie électrique. Celle-ci parvient dans les habitations pour donner de la lumière (énergie rayonnante) et pour chauffer les éléments des cuisinières électriques (énergie thermique), etc. On peut illustrer cette description par un diagramme.

Rapport

Activité qui consiste à produire un document qui présente un problème, des hypothèses, des expériences, des résultats sous forme de tableaux, de graphiques et de texte, des interprétations et des conclusions.

Exemple :

Produire un rapport à la suite d'une expérience sur les facteurs qui influencent la croissance d'une espèce de plante.

Olympiade scientifique

Compétition basée sur la production d'un objet technique qui met en jeu des principes scientifiques.

Exemple :

Organiser une olympiade pour déterminer l'équipe d'élèves qui réussira à construire la tour la plus haute à partir d'une boîte de cure-dents et d'un sac de petites guimauves.

Expo-science

Activité qui consiste à présenter les résultats de travaux de recherche dans des stands. Le gymnase de l'école est souvent utilisé comme lieu de l'expo-science.

Exemple :

Organiser une expo-science, pour les autres élèves de l'école, à partir des principales activités fonctionnelles et des activités de résolution de problème réalisées par un groupe-classe au cours de l'année scolaire.

À l'heure actuelle, l'importance accordée aux activités de structuration, tout comme aux activités de résolution de problème est en général insuffisante. Plusieurs élèves sont donc non seulement privés de la possibilité de construire leurs savoirs scientifiques, mais également de celle de préciser le sens des concepts scientifiques abordés et des liens qui existent entre eux, ce qui risque de les conduire à des apprentissages superficiels et morcelés.

En terminant, plusieurs des activités portant sur les langages des sciences et de la technologie, décrites au chapitre 14, peuvent également constituer d'excellentes activités de structuration.

LES PROBLÉMATIQUES

Séquence didactique complète

Les problématiques sont des séquences didactiques complètes qui comportent une ou quelques *activités fonctionnelles*, une ou quelques *activités de résolution de problème* et une ou quelques *activités de structuration* qui portent toutes sur un même thème de sciences et de technologie.

Les problématiques comportent également de l'information complémentaire au sujet, par exemple des pistes d'intégration suggérées, des compétences, des domaines généraux de formation, des stratégies, des moyens d'évaluer les apprentissages des élèves, de l'évaluation de la problématique par les enseignants, une liste des documents de référence consultés et une liste des principaux termes scientifiques employés.

Caractéristiques générales d'une bonne problématique

Outre qu'elle comporte des activités fonctionnelles, des activités de résolution de problème et des activités de structuration possédant les caractéristiques présentées dans les chapitres précédents, une bonne problématique devrait aussi contenir les caractéristiques générales décrites ci-dessous. Ces caractéristiques sont tirées et adaptées du tableau « Quelques caractéristiques d'une situation d'apprentissage et d'évaluation » du document *L'évaluation des apprentissages au préscolaire et au primaire : cadre de référence* (Ministère de l'Éducation du Québec, 2002).

Réaliste. Une bonne problématique demande à l'élève de résoudre des problèmes liés à la vie courante, au domaine public ou aux réalités scientifiques et technologiques. Elle comporte souvent une production (exemples : exposé, affiche, carnet scientifique) destinée à un public et dont l'utilisation est précisée à l'élève. Elle favorise l'utilisation d'un matériel varié et tient compte du temps et des ressources disponibles.

Significative et stimulante. Une bonne problématique propose des défis stimulants, adaptés aux besoins et aux intérêts des élèves. Elle favorise la coopération (exemple: par le travail en équipe) et une réflexion sur les processus utilisés. Elle demande à l'élève d'imaginer une approche et de proposer une solution. Elle tient compte des caractéristiques des élèves (rythme et style d'apprentissage, etc.)

Souple et adaptable. Une bonne problématique permet l'observation de la démarche et du résultat de la production des élèves. Elle permet aussi l'accompagnement par l'enseignant. Elle peut évoluer selon les réactions des élèves et les résultats, et comporte une possibilité d'ajustement aux contraintes de temps. Elle permet d'approfondir un domaine des sciences et de la technologie.

Cohérente. Une bonne problématique est liée au Programme de formation (compétences disciplinaires et transversales, domaines généraux de formation, savoirs essentiels, etc.) et permet d'évaluer les apprentissages selon les critères et attentes prévus par le Programme.

Rigoureuse. Une bonne problématique exige un travail de qualité de la part des élèves. Elle présente clairement les attentes et les consignes aux élèves. Elle offre des occasions de communiquer les critères d'évaluation aux élèves et les incite à en tenir compte, par exemple par une autoévaluation.

Canevas pour la conception de problématiques

Les pages suivantes présentent, au moyen d'un exemple commenté qui porte sur la construction d'une tour, un canevas qui peut être utilisé pour concevoir des problématiques. Nous avons conçu et mis au point ce canevas dans le cadre d'une recherche collaborative menée dans plusieurs écoles. C'est, dans ce cas-ci, une problématique qui peut être proposée à des élèves de tous les cycles, du préscolaire à la fin du primaire.

LA TOUR

Descripteurs généraux

➢ **Domaine:** *L'un des trois domaines, soit l'univers matériel, la Terre et l'Espace ou l'univers vivant) des savoirs essentiels (programme de formation du ministère de l'Éducation du Québec).*

L'univers matériel.

➢ **Cycles:** *Cycles auxquels appartiennent les élèves à qui la problématique peut être proposée, parfois avec certaines adaptations pour la rendre plus simple (jeunes élèves) ou plus complexe (élèves plus âgés).*

Tous les cycles, du préscolaire à la fin du primaire (élèves de 4 à 11 ans).

➢ **Durée totale:** *Durée totale de l'ensemble des activités de la problématique. Cette durée n'est pas nécessairement continue et peut parfois s'étaler sur quelques jours.*

3 heures.

➢ **Résumé de la problématique:** *Brève description de l'ensemble de la problématique.*

Cette problématique consiste à construire le plus haut possible un modèle réduit de tour. Elle permet aux élèves de se familiariser avec les formes géométriques les plus rigides.

➢ **Préalables:** *Savoirs (concepts scientifiques, vocabulaire, notions mathématiques, etc.) que les élèves devraient maîtriser avant d'aborder la problématique.*

Aucun.

➢ **Matériel principal pour l'ensemble de la problématique:** *Matériel le plus important nécessaire pour toutes les parties de la problématique, soit les activités fonctionnelles, les activités de résolution de problème et les activités de structuration.*

- Des cure-dents.
- De la pâte à modeler. (Remarque: De petites guimauves peuvent remplacer la pâte à modeler. Dans ce cas, il est préférable de sortir les guimauves de leur sac et de les laisser sécher à l'air libre un jour ou deux, pour qu'elles deviennent plus rigides.)

➢ **Pistes d'intégration suggérées:** *Liens que la problématique permet d'établir avec d'autres matières scolaires.*

Mathématiques: figures géométriques et mesure.

➢ **Auteurs:** *Personnes qui ont conçu et rédigé la problématique.*

Les conseillers pédagogiques de la Table régionale de Laval, Laurentides, Lanaudière et Montréal, au Québec, en collaboration avec M. Marcel Thouin.

➢ **Références:** *Principales sources d'information consultées pour la conception de la problématique.*

THOUIN, Marcel (1999). *Problèmes de sciences et de technologie pour le préscolaire et le primaire*, Québec: Éditions MultiMondes.

➢ **Compétences en sciences et technologie :** *Compétences et composantes de ces compétences (programme de formation du ministère de l'Éducation du Québec) que la problématique permet de développer.*

Au préscolaire (enfants de 4 et 5 ans) :

- Compétence 5 : Construire sa compréhension du monde.
- Compétence 6 : Mener à terme une activité ou un projet.

Au premier cycle du primaire (élèves de 6 et 7 ans) :

Compétence : Explorer le monde de la science et de la technologie.

Composantes de la compétence :

- se familiariser avec des façons de faire et de fonctionner propres à la science et à la technologie ;
- s'initier à l'utilisation d'outils et de procédés simples ;
- apprivoiser des éléments des langages propres à la science et à la technologie.

Au deuxième cycle (élèves de 8 et 9 ans) et au troisième cycle (élèves de 10 et 11 ans) du primaire :

- Compétence 1 : Proposer des explications ou des solutions à des problèmes d'ordre scientifique ou technologique.

Composantes de la compétence :

- identifier un problème ou cerner une problématique ;
- recourir à des stratégies d'exploration variées ;
- évaluer sa démarche.

- Compétence 2 : Mettre à profit les outils, les objets et les procédés de la science et de la technologie.

Composantes de la compétence :

- s'approprier les rôles et fonctions des outils, des techniques, des instruments et des procédés de la science et de la technologie ;
- relier divers outils, objets ou procédés technologiques à leurs contextes et à leurs usages ;
- évaluer l'impact de divers outils, instruments ou procédés.

– Compétence 3 : Communiquer à l'aide des langages utilisés en science et en technologie.

Composantes de la compétence :

- s'approprier des éléments du langage courant liés à la science et à la technologie ;
- utiliser des éléments du langage courant et du langage symbolique liés à la science et à la technologie ;
- exploiter les langages courant et symbolique pour formuler une question, expliquer un point de vue ou donner une explication.

➢ **Savoirs essentiels :** *Savoirs essentiels (programme de formation du ministère de l'Éducation), c'est-à-dire concepts scientifiques que la problématique permet d'aborder.*

– Matière : propriétés de la matière (forme).

– Technique et instrumentation : conception et fabrication de structures.

– Langage approprié : terminologie liée à la compréhension de l'univers matériel.

➢ **Repères culturels :** *Notions concernant la nature et l'histoire de l'activité scientifique et technologique, la biographie de scientifiques célèbres, les impacts et les limites des sciences et de la technologie ainsi que les valeurs sur lesquelles elles s'appuient.*

Il pourrait être question de scientifiques qui ont développé les domaines de l'architecture (Frank Lloyd Wright, César Pelli, Charles Thornton) et des communications (Joseph Henri, Samuel Morse, Gugliemo Marconi, Alexander Graham Bell).

➢ **Compétences transversales :** *Compétences transversales d'ordre intellectuel, d'ordre méthodologique, d'ordre personnel et social et de l'ordre de la communication (programme de formation du ministère de l'Éducation du Québec) que la problématique permet de développer.*

– D'ordre intellectuel : résoudre des problèmes et mettre en œuvre sa pensée créatrice.

– D'ordre méthodologique : se donner des méthodes de travail efficaces.

– D'ordre personnel et social : coopérer.

– De l'ordre de la communication : communiquer de façon appropriée.

➢ **Domaines généraux de formation :** *Domaines généraux de formation (programme de formation du ministère de l'Éducation du Québec) que la problématique permet d'explorer.*

Environnement et consommation.

➢ **Stratégies :** *Stratégies d'exploration, d'instrumentation et de communication (programme de formation du ministère de l'Éducation du Québec) que la problématique permet de développer.*

- Stratégies d'exploration : prendre conscience de ses représentations préalables ; prendre en considération les contraintes en jeu dans la résolution d'un problème ou la réalisation d'un objet.
- Stratégies d'instrumentation : recourir à différentes sources d'information ; recourir à des outils de consignation (exemples : notes, tenue d'un carnet de bord).
- Stratégies de communication : échanger de l'information.

➢ **Suggestions pour l'utilisation des technologies de l'information et de la communication (TIC) :** *Suggestions concernant l'utilisation de l'ordinateur, d'Internet, du courrier électronique et de certains logiciels spécialisés.*

Utiliser un moteur de recherche, dans Internet, pour trouver de l'information au sujet des tours les plus célèbres ou les plus hautes.

Activités fonctionnelles

➢ **But :** *Principales raisons pour lesquelles les activités fonctionnelles sont proposées aux élèves.*

- Susciter l'intérêt des élèves pour l'architecture et la technologie.
- Initier les élèves aux principes qui sous-tendent la conception et la fabrication d'une structure haute et solide.
- Se familiariser avec divers matériaux.

➢ **Titre et nature des activités :** *Titre et description des activités fonctionnelles proposées aux élèves. Il est souvent souhaitable, dans la description, de distinguer le rôle de l'enseignant de celui des élèves.*

➢ ***Mieux connaître les tours*** **(tour de table, lecture, photos, dessins)**

Rôle de l'enseignant	Rôle des élèves
Poser aux élèves les questions suivantes : – Avez-vous déjà vu une tour ? – Avez-vous déjà vu une tour de transmission ? – Quelles sont les caractéristiques des tours ? Leurs fonctions ? – Comment pourriez-vous construire un modèle réduit de tour ?	– Donner des premières réponses spontanées aux questions. – Donner d'autres réponses à la suite de la recherche et de la collecte d'information, dans des livres et dans Internet, au sujet des tours. – Observer des photographies et des dessins de tours. – Faire le plan du modèle réduit d'une tour qu'il serait possible de construire. (Les élèves peuvent dessiner ce plan dans un carnet scientifique.)

➢ ***La structure de base*** **(fabrication, écriture, dessin)**

Rôle de l'enseignant	Rôle des élèves
Demander aux élèves de fabriquer une petite structure en trois dimensions avec des cure-dents et de la pâte à modeler (ou de petites guimauves). L'unité de base de cette structure doit être un solide géométrique (cube, pyramide, etc.). Cette construction libre permet de choisir les formes qui serviront à la construction de la tour.	Fabriquer cette petite structure en trois dimensions. Faire des essais avec diverses formes. En tirer certaines conclusions. Noter et dessiner les résultats dans un carnet scientifique.

➢ **Matériel:** *Matériel nécessaire à la réalisation des activités fonctionnelles.*

De la pâte à modeler et des cure-dents.

➢ **Sécurité:** *Précautions à prendre pour que les activités fonctionnelles se déroulent en toute sécurité.*

Veiller à ne pas se blesser les yeux avec l'extrémité des cure-dents.

Activité de résolution de problème

Le problème comporte de l'information destinée aux élèves et de l'information destinée à l'enseignant.

Information destinée aux élèves:

➢ **Question:** *Énoncé le plus clair possible du problème ainsi que des limites à l'intérieur desquelles les élèves devront travailler.*

Comment construire la tour la plus haute possible avec des cure-dents et de la pâte à modeler (ou de petites guimauves)?

➢ **Matériel:** *Matériel nécessaire à la solution du problème.*

Des cure-dents et de la pâte à modeler (ou de petites guimauves).

Information destinée à l'enseignant:

➢ **Conception fréquente chez les élèves:** *Idées, fréquentes chez plusieurs élèves, que l'activité vise à faire évoluer.*

Le cube est l'unité de base la plus solide pour la construction d'une tour.

➢ **Approches et solutions possibles :** *Solutions ou approches les plus courantes. Toutes les solutions qui permettent de résoudre le problème, ainsi que toutes les approches qui permettent de répondre à une question, à l'intérieur des limites fixées, sont acceptables. Cependant, les conflits sociocognitifs qui surviennent entre les élèves les amènent souvent à comprendre que certaines solutions ou certaines approches sont meilleures que d'autres. Il est à noter que certains élèves découvrent parfois des solutions et des approches originales difficilement prévisibles.*

- Construire la tour de façon spontanée, en agençant les cure-dents et les boules de pâte à modeler (ou les guimauves) sans suivre de patron défini.
- Construire la tour en utilisant le carré ou le cube comme unité fondamentale, et en faisant une base relativement petite.
- Construire la tour en utilisant le carré ou le cube comme unité fondamentale, et en faisant une base relativement grande.
- Construire la tour en utilisant le triangle ou le tétraèdre (pyramide à base triangulaire) comme unité fondamentale, et en faisant une base relativement petite.
- Construire la tour en utilisant le triangle ou le tétraèdre (pyramide à base triangulaire) comme unité fondamentale, et en faisant une base relativement grande (solution la plus solide).

➢ **Concepts scientifiques :** *Concepts ou lois scientifiques à la base des principales solutions possibles. Il n'est pas nécessaire que les élèves comprennent ou retiennent parfaitement ces concepts ou ces lois. Ceux-ci devraient idéalement avoir l'occasion de les revoir plusieurs fois, du préscolaire à la fin du primaire, comme ils le font en français ou en mathématiques.*

Le triangle et le tétraèdre (ou pyramide à base triangulaire) sont les formes géométriques les plus rigides car, contrairement au carré ou au cube, elles sont indéformables. Ils sont donc souvent utilisés comme unités fondamentales en architecture, notamment pour la construction de structures en bois ou en métal. Les cubes munis de diagonales sont aussi très rigides, mais les diagonales sont plus longues que les arêtes, ce qui pose un problème pratique quand les tiges disponibles (exemple : des cure-dents, dans le cas d'un modèle réduit) sont toutes de la même longueur. Par ailleurs, les tours les plus stables sont celles dont la base est de grande dimension et le sommet plus étroit, car leur centre de gravité est relativement bas. Il est possible de construire des tours plus élancées, mais elles doivent être très bien ancrées au sol.

➢ **Sécurité :** *Précautions à prendre pour que les activités de résolution de problème se déroulent en toute sécurité.*

Veiller à ne pas se blesser les yeux avec l'extrémité des cure-dents.

Activités de structuration

➢ **But:** *Principales raisons pour lesquelles les activités de structuration sont proposées aux élèves.*

Amener les élèves à établir des principes généraux au sujet de la construction d'une tour haute et solide.

➢ **Titre et nature des activités:** *Titre et description des activités de structuration proposées aux élèves. Il est souvent souhaitable, dans la description, de distinguer le rôle de l'enseignant de celui des élèves.*

➢ ***Une tour bien solide*** **(tour de table, dessin, écriture)**

Rôle de l'enseignant	Rôle des élèves
Poser aux élèves les questions suivantes: – Avez-vous utilisé une forme géométrique quelconque comme unité fondamentale de votre structure? – Si oui, quelle forme géométrique avez-vous utilisée? – Après avoir observé toutes les tours qui ont été construites, quelle forme géométrique semble constituer l'unité fondamentale la plus solide? – Pour construire la tour la plus haute possible, comment doit être sa base? – Pouvez-vous établir un rapport entre l'aire de la base et la hauteur de la tour (élèves de 3e cycle)?	– Répondre oralement aux questions (un élève par équipe peut répondre) – Dessiner dans un carnet scientifique, le plus soigneusement possible, la tour construite par son équipe. – Dessiner la tour la plus haute, le plus soigneusement possible, dans un carnet scientifique. – Noter les conclusions et concepts à retenir dans un carnet scientifique.

➢ **Matériel:** *Matériel nécessaire à la réalisation des activités de structuration.*

Pas de matériel particulier.

➢ **Sécurité:** *Précautions à prendre pour que les activités de structuration se déroulent en toute sécurité.*

Pas de précautions spéciales à prendre.

Autres renseignements utiles:

➢ **Enrichissement:** *Activités qui peuvent être proposées aux élèves qui ont le temps et le goût d'aller plus loin.*

- Trouver des expressions qui comportent le mot tour.
- Trouver des proverbes et des chansons dans lesquels il est question d'une tour.
- Rédiger un texte portant sur une des tours les plus hautes ou les plus célèbres du monde.

➢ **Moyens d'évaluer les apprentissages des élèves :** *Façons de vérifier les compétences, les savoirs et les stratégies acquis par les élèves.*

- Grille d'observation (voir le chapitre 18).
- Autoévaluaton (voir le chapitre 18).
- Carnet scientifique de l'élève (voir le chapitre 18).

➢ **Évaluation de la problématique après sa mise à l'essai :** *Brève synthèse des commentaires des enseignants qui ont eu l'occasion de faire la mise à l'essai de la problématique avec un groupe d'élèves.*

Dans l'ensemble, les élèves apprécient beaucoup cette problématique. Plusieurs sont surpris de découvrir que les formes choisies pour la structure ont une grande influence sur la solidité de la tour.

➢ **Bibliographie (livres, vidéos, CD-ROM, sites Internet, etc.) :** *Références consultées pour la conception de la problématique. Ces références peuvent également être utiles aux enseignants et aux élèves qui veulent en savoir plus.*

- *Encyclopédie Encarta* de Microsoft (CD-ROM) ;
- *Encyclopédie Hachette* (CD-ROM) ;
- Site Web du magazine *Québec Science*: www.cybersciences.com

➢ **Glossaire :** *Termes scientifiques qui reviennent souvent pendant le déroulement de la problématique.*

- Unité fondamentale d'une structure : forme géométrique répétée plusieurs fois dans la structure, telle que le carré, le triangle, le cube, le prisme triangulaire, etc.
- Base : partie d'un objet sur lequel il repose.
- Centre de gravité : point d'application de la résultante des actions de la pesanteur sur toutes les parties d'un corps.
- Équilibre : état de repos résultant de l'action de forces qui s'annulent; position stable.

Exemple de problématique au sujet de l'univers matériel

UN ŒUF À LA MER !

Descripteurs généraux

➢ **Domaine :** L'univers matériel.

➢ **Cycles :** 3e cycle (élèves de 10 et 11 ans).

➢ **Durée totale :** 4 heures.

➢ **Résumé de la problématique :** Cette problématique consiste à faire flotter un œuf en le laissant intact. Elle permet aux élèves de se familiariser avec les facteurs qui influencent la flottabilité d'un objet.

➢ **Préalables :** Notions de masse et de volume.

➢ **Matériel principal pour l'ensemble de la problématique :**

- Œufs ;
- Grand récipient transparent et autres récipients plus petits ;
- Mélasse, sirop de maïs, huile ;
- Bouteilles de plastique ;
- Bouchons de liège et de plastique, cailloux, cure-dents, pièces de monnaie, trombones, pailles, pâte à modeler ;
- Sucre et sel ;
- Carton, papier journal, papier essuie-tout, papier d'aluminium, mousse de polystyrène ;
- Ruban adhésif, colle, sacs de plastique à fermeture à glissière hermétique (format sandwich de type Ziploc) ;
- Marteau, balance.

➢ **Pistes d'intégration suggérées :** En français, cette problématique permet d'acquérir la compétence à savoir communiquer oralement, notamment pendant le travail en équipe et la présentation des résultats.

➢ **Auteurs:** Mmes Mélie Pelletier et Kathleen Mimeault, enseignantes à la Commission scolaire de la Seigneurie-des-Mille-Îles, au Québec, et M. Alain Couture, conseiller pédagogique à la même commission scolaire, en collaboration avec M. Marcel Thouin.

➢ **Référence:** THOUIN, Marcel (1999). *Problèmes de sciences et de technologie pour le préscolaire et le primaire*, Québec: Éditions MultiMondes.

➢ **Compétences en science et technologie:** Cette problématique permet d'acquérir les compétences de 3e cycle.

- Compétence 1: Proposer des explications ou des solutions à des problèmes d'ordre scientifique ou technologique.

Composantes de la compétence:

- cerner un problème ou une problématique;
- recourir à des stratégies d'exploration variées;
- évaluer sa démarche.

- Compétence 2: Mettre à profit les outils, les objets et les procédés de la science et de la technologie.

Composantes de la compétence:

- s'approprier les rôles et fonctions des outils, des techniques, des instruments et des procédés de la science et de la technologie;
- relier divers outils, objets ou procédés technologiques à leurs contextes et à leurs usages;
- évaluer l'impact de divers outils, instruments ou procédés.

- Compétence 3: Communiquer à l'aide des langages utilisés en science et en technologie.

Composantes de la compétence:

- s'approprier des éléments du langage courant liés à la science et à la technologie;
- utiliser des éléments du langage courant et du langage symbolique liés à la science et à la technologie;
- exploiter les langages courant et symbolique pour formuler une question, expliquer un point de vue ou donner une explication.

➢ **Savoirs essentiels:**

- Matière: la densité.
- Technique et instrumentation: mesure de masses, de volumes et de masses volumiques.
- Langage approprié: terminologie liée à la compréhension de l'univers matériel.

➢ **Repères culturels:** Il pourrait être question d'Archimède, le philosophe grec qui a expliqué le principe de la flottabilité.

➢ **Compétences transversales:**

- D'ordre intellectuel: résoudre des problèmes et mettre en œuvre sa pensée créatrice;
- D'ordre méthodologique: se donner des méthodes de travail efficaces;
- De l'ordre de la communication: communiquer de façon appropriée.

➢ **Domaines généraux de formation:** Orientation et entrepreneuriat (par le travail en équipe et la réalisation d'un projet).

➢ **Stratégies:**

- Stratégies d'exploration: émettre des hypothèses; recourir à des démarches empiriques (tâtonnement, analyse, exploration à l'aide de ses sens);
- Stratégies de communication: échanger de l'information; recourir à des modes de communication variés pour proposer des explications ou des solutions (exposé).

➢ **Suggestions pour l'utilisation des technologies de l'information et de la communication (TIC):** Utiliser un moteur de recherche, dans Internet, pour trouver de l'information au sujet de la flottabilité et de la navigation.

Activités fonctionnelles

➢ **But:** Commencer à explorer les concepts de flottabilité, de masse volumique et de densité.

➤ **Titre et nature des activités:** *Flotter et couler* (tour de table, observation, classification).

Rôle de l'enseignant	Rôle des élèves
– Animer une discussion sur les expériences des élèves concernant la baignade et la flottabilité. – Présenter un grand nombre de petits objets aux élèves. Leur demander de trouver ceux qui, d'après eux, flotteront et ceux qui couleront. Placer ces objets dans l'eau un par un. – Former deux boules à l'aide de deux morceaux de papier d'aluminium identiques. Très bien écraser l'une des deux boules avec un marteau. Placer les deux objets dans l'eau.	– Raconter des expériences de baignade dans une piscine, dans un lac, dans la mer, etc. – Noter les hypothèses concernant les objets qui flotteront et les objets qui couleront. Comparer les hypothèses avec les observations. (Les élèves peuvent noter leurs hypothèses et leurs observations dans un carnet scientifique.) – Observer et commenter. (Les élèves peuvent noter leurs observations et leurs commentaires dans un carnet scientifique.)

➤ **Matériel:**

- Grand récipient transparent;
- Bouchons de liège et de plastique, cailloux, cure-dents, pièces de monnaie, trombones, pailles, pâte à modeler;
- Papier d'aluminium, marteau.

➤ **Sécurité:** Prévoir une planche de bois pour écraser une des boules de papier d'aluminium.

Activité de résolution de problème

Information destinée aux élèves:

➤ **Question:** Comment peut-on faire flotter un œuf tout en le gardant intact?

➤ **Matériel:**

- Œufs;
- Grand récipient transparent et autres récipients plus petits;
- Eau, mélasse, sirop de maïs, huile;
- Bouteilles de plastique;
- Bouchons de liège et de plastique, cure-dents, trombones, pailles, pâte à modeler;
- Sucre et sel;
- Carton, papier blanc, papier journal, papier essuie-tout, papier d'aluminium, mousse de polystyrène;

- Ruban adhésif, colle, sacs de plastique à fermeture à glissière hermétique (format sandwich de type Ziploc) ;
- Ciseaux, balance.

Information destinée à l'enseignant:

➢ **Conceptions fréquentes chez les élèves:**

- La grosseur et le poids d'un objet influencent sa flottabilité.
- La profondeur d'un récipient influence la flottabilité.
- La forme d'un objet est le principal facteur qui explique la flottabilité.
- Un œuf flotte naturellement dans l'eau.
- La seule façon de faire flotter un œuf est de la placer sur un objet qui flotte.

➢ **Approches et solutions possibles:**

- Placer l'œuf dans un petit bateau en papier, en carton, en mousse de polystyrène, etc.
- Placer l'œuf à l'intérieur d'un sac à sandwich qui contient une bonne quantité d'air.
- Coller de petits flotteurs en liège ou en mousse de polystyrène sur l'œuf.
- Immerger l'œuf dans de l'eau très salée ou très sucrée.
- Immerger l'œuf dans un liquide plus dense que l'eau tel que le sirop de maïs ou la mélasse.

➢ **Concepts scientifiques:** Un objet flotte s'il est moins dense que le liquide dans lequel il est immergé. Pour faire flotter un objet plus dense que le liquide, il faut le placer dans un autre objet qui flotte très bien, réduire sa masse volumique en lui ajoutant des flotteurs (ce qui augmente son volume en augmentant peu sa masse) ou augmenter la densité du liquide dans lequel il sera immergé.

➢ **Sécurité:** Pas de précaution spéciale à prendre.

Activités de structuration

➢ **But:** Amener les élèves à établir des principes généraux au sujet de la flottabilité.

➤ **Titre et nature des activités:** *La densité* (écriture, exposé, observation).

Rôle de l'enseignant	Rôle des élèves
– Raconter des expériences de baignade dans une piscine, dans un lac, dans la mer, etc. – Noter les hypothèses concernant les objets qui flotteront et les objets qui couleront. Comparer les hypothèses avec les observations. (Les élèves peuvent noter leurs hypothèses et leurs observations dans un carnet scientifique.) – Observer et commenter. (Les élèves peuvent noter leurs observations et leurs commentaires dans un carnet scientifique.) – Demander aux élèves de noter leur solution du problème dans un carnet scientifique. – Demander aux élèves de présenter leur solution devant le groupe. – Présenter la définition des termes scientifiques (flottabilité, densité, etc.) – Expliquer le concept de densité à l'aide de l'analogie suivante: Demander aux élèves de se disperser dans un grand local (faible densité) et de se regrouper dans un coin du même local (forte densité). – Expliquer le concept de densité à l'aide du modèle suivant: Placer 20 pois secs dans un ballon de baudruche que l'on gonfle (faible densité) et 20 pois secs dans un autre ballon qui reste dégonflé (forte densité).	– Raconter des expériences de baignade dans une piscine, dans un lac, dans la mer, etc. – Noter les hypothèses concernant les objets qui flotteront et les objets qui couleront. Comparer les hypothèses avec les observations. (Les élèves peuvent noter leurs hypothèses et leurs observations dans un carnet scientifique.) – Observer et commenter. (Les élèves peuvent noter leurs observations et leurs commentaires dans un carnet scientifique.) – Noter leur solution du problème dans un carnet scientifique. – Noter les meilleures solutions trouvées par les autres équipes dans un carnet scientifique. Échanger sur les difficultés rencontrées. – Noter la définition des termes scientifiques dans un carnet scientifique. – Se disperser pour représenter une faible densité et se regrouper pour représenter une forte densité. – Dessiner le ballon gonflé et le ballon dégonflé, ainsi que les pois qui sont à l'intérieur, dans un carnet scientifique.

➤ **Matériel:** Pois secs, ballons de baudruche.

➤ **Sécurité:** Pas de précaution spéciale à prendre.

Autres informations utiles

➤ **Enrichissement:**

- Refaire le problème, mais cette fois sans la contrainte de garder l'œuf intact (il serait alors possible, par exemple, de percer deux petits trous à chaque extrémité de l'œuf avec une aiguille, de vider l'œuf, de boucher les trous avec du ruban adhésif et de le faire flotter);
- Se demander ce qui arrive quand l'objet a exactement la même densité que le liquide dans lequel il est plongé.

➤ **Moyens d'évaluer les apprentissages des élèves:**
- Grille d'observation (voir le chapitre 18);
- Autoévaluaton (voir le chapitre 18);
- Carnet scientifique de l'élève (voir le chapitre 18).

➤ **Évaluation de la problématique après sa mise à l'essai:** Les élèves aiment bien cette problématique. Plusieurs sont surpris de découvrir que la densité du liquide a aussi une influence sur la flottabilité.

➤ **Bibliographie (livres, vidéos, CD-ROM, sites Internet, etc.):**
- *Encyclopédie Encarta* de Microsoft (CD-ROM);
- *Encyclopédie Hachette* (CD-ROM);
- Site Web *Les débrouillards*: < www.lesdébrouillards.qc.ca >.

➤ **Glossaire:**
- Volume: Espace occupé par un objet.
- Masse volumique: Masse d'un objet divisée par son volume. Elle s'exprime en grammes par centimètre cube ou en kilogrammes par litre (par exemple, la masse volumique du fer est de 7,86 g/cm^3).
- Densité: Masse volumique d'un objet divisée par la masse volumique de l'eau. C'est un nombre sans unité (par exemple, la densité du fer est de 7,86, parce que la masse volumique de l'eau est de 1 g/cm^3).

Exemple de problématique au sujet de la Terre et de l'Espace

UN VOYAGE AUTOUR DE LA TERRE

Descripteurs généraux

➤ **Domaine:** La Terre et l'Espace.

➤ **Cycles:** 1er cycle (élèves de 6 et 7 ans).

➤ **Durée totale:** 4 heures.

➤ **Résumé de la problématique:** Cette problématique consiste à représenter le système Terre-Lune-Soleil de façon concrète.

➢ **Préalables:** Savoir quelles sont les principales différences entre la Terre, la Lune et le Soleil.

➢ **Matériel principal pour l'ensemble de la problématique:**

- Photos et dessins de la Terre, de la Lune et du Soleil;
- Ballons, balles, billes, petites perles en plastique, sable;
- Lampe de poche ou lampe sur pied (une par équipe).

➢ **Pistes d'intégration suggérées:** En français, cette problématique permet d'acquérir la compétence à écrire des textes variés. En arts plastiques, elle permet d'acquérir la compétence à réaliser des créations plastiques médiatiques.

➢ **Auteurs:** Mmes Nadia Desjardins et Marie-Josée Ledoux, enseignantes à la Commission scolaire de la Rivière-du-Nord, au Québec, Mme Karine St-Denis, stagiaire à la même commission scolaire, et Mme Nathalie Côté, conseillère pédagogique à la même commission scolaire, en collaboration avec M. Marcel Thouin.

➢ **Référence:** THOUIN, Marcel (1999). *Problèmes de sciences et de technologie pour le préscolaire et le primaire*, Québec: Éditions MultiMondes.

➢ **Compétence en science et technologie:** Cette problématique permet de développer la compétence de 1er cycle, qui est d'explorer le monde de la science et de la technologie.

Composantes de la compétence:

- cerner un problème ou une problématique;
- recourir à des stratégies d'exploration variées;
- évaluer sa démarche.

➢ **Savoirs essentiels:**

Le système Terre-Lune-Soleil.

➢ **Repères culturels:** Longtemps on a cru que tous les astres tournaient autour de la Terre, mais Copernic, puis Galilée, affirmèrent que le Soleil, était le centre du Système solaire. Les premières lunettes astronomiques datent du début du XVIIe siècle.

➢ **Compétences transversales:**

- D'ordre intellectuel: exploiter l'information et résoudre des problèmes;
- D'ordre méthodologique: se donner des méthodes de travail efficaces;
- De l'ordre de la communication: communiquer de façon appropriée.

➢ **Domaines généraux de formation:** Environnement et consommation (en permettant à l'élève de comprendre certaines caractéristiques et phénomènes de son milieu, en l'amenant à entretenir un rapport dynamique avec son milieu).

➢ **Stratégies:**

- Stratégies d'instrumentation: recourir à différentes sources d'information.
- Stratégies de communication: organiser des données en vue de les présenter.

➢ **Suggestions pour l'utilisation des technologies de l'information et de la communication (TIC):** Utiliser un moteur de recherche, dans Internet, pour trouver de l'information au sujet de la Terre, de la Lune et du Soleil.

Activités fonctionnelles

➢ **But:** Déterminer les conceptions des élèves au sujet des proportions relatives et des mouvements relatifs de la Terre, de la Lune et du Soleil.

➢ **Titre et nature des activités:** *Le système Terre-Lune-Soleil* (lecture ou écoute, écriture, tour de table, dessin).

Rôle de l'enseignant	Rôle des élèves
– Raconter aux élèves *Le Petit Prince* ou un autre conte traitant de la Terre, de la Lune et du Soleil, ou les laisser en lire une version très simple. – Demander aux élèves comment ils se représentent la Terre, la Lune et le Soleil, notamment leur taille et leurs mouvements relatifs. Noter les réponses au tableau ou sur une carte d'exploration. Signaler les désaccords exprimés. – Demander aux élèves de dessiner le système Terre-Lune-Soleil comme ils l'imaginent. – Présenter aux élèves les dimensions et les distances, à l'échelle, du système Terre-Lune-Soleil.	– Écouter ou lire le conte. – Exprimer leurs conceptions au sujet de la taille de la Terre, de la Lune et du Soleil et au sujet de leurs mouvements relatifs. – Dessiner le système Terre-Lune-Soleil comme ils l'imaginent. – Écouter et regarder la présentation des dimensions et distances, à l'échelle, du système Terre-Lune-Soleil.

➢ **Matériel:** Grand carton, papier, crayons.

➢ **Sécurité:** Pas de précaution spéciale à prendre.

Activité de résolution de problème

Information destinée aux élèves :

➢ **Question :** Comment peut-on représenter le système Terre-Lune-Soleil ?

➢ **Matériel :**

- Photos et dessins de la Terre, de la Lune et du Soleil ;
- Ballons, balles, billes, petites perles en plastique, sable ;
- Lampe de poche ou lampe sur pied (une par équipe) ;
- Grandes feuilles de papier ;
- Grands cartons de différentes couleurs ;
- Gouache et craie.

Information destinée à l'enseignant :

➢ **Conceptions fréquentes chez les élèves :**

- Certains élèves pensent que la Lune et le Soleil sont à la même distance de la Terre que les nuages.
- Certains élèves pensent que la Lune et le Soleil sont de la même grosseur.
- Certains élèves pensent que la Terre est beaucoup plus grosse que tous les autres astres.
- Certains élèves pensent que la Lune et le Soleil tournent autour de la Terre.

➢ **Approches et solutions possibles :**

- Dessiner le système Terre-Lune-Soleil sur de grandes feuilles de papier ou sur de grands cartons.
- Dessiner le système Terre-Lune-Soleil sur le plancher du gymnase (avec de la gouache lavable) ou dans la cour de l'école (avec de la craie).
- Représenter le système Terre-Lune-Soleil avec une petite perle, une balle et un gros ballon.
- Représenter le système Terre-Lune-Soleil par trois élèves qui se placent à diverses positions dans le gymnase ou la cour de l'école en tenant respectivement la perle, la balle et le ballon et qui se déplacent selon les mouvements relatifs des astres.

➢ **Concepts scientifiques:** Le diamètre de la Terre est de 12800 km, le diamètre de la Lune de 3500 km et le diamètre du Soleil de 1400000 km. La distance Terre-Lune est de 384000 km et la distance Terre-Soleil de 150 millions de kilomètres. La Lune n'émet pas de lumière, elle réfléchit celle du Soleil. Par exemple, en respectant toujours la même échelle, la Lune mesure 0,5 mm de diamètre (soit un simple point), la Terre 2 mm de diamètre et le Soleil 20 cm de diamètre. La distance Terre-Lune est de 6 centimètres et la distance Terre-Soleil atteint 22 mètres. (On pourrait aussi représenter la Lune par un grain de sable, la Terre par une petite perle en plastique et le Soleil par un gros ballon de plage.)

➢ **Sécurité:** Pas de précaution spéciale à prendre.

Activités de structuration

➢ **But:** Amener les élèves à prendre conscience des dimensions, des distances et des mouvements de la Terre, de la Lune et du Soleil.

➢ **Titre et nature des activités:** *Un modèle Terre, Lune et Soleil* (écriture, dessin).

Rôle de l'enseignant	Rôle des élèves
– Demander aux élèves de noter ou de dessiner leur solution du problème dans un carnet scientifique. – Demander aux élèves de présenter leur solution devant le groupe. – Présenter un modèle à l'échelle (exemple: grain de sable, perle, ballon) du système Terre-Lune-Soleil. – Présenter la définition des termes rotation, orbite, planète, satellite, étoile, Soleil, Lune.	– Noter ou dessiner leur solution du problème dans un carnet scientifique. – Noter ou dessiner les meilleures solutions trouvées par les autres équipes dans un carnet scientifique. Échanger sur les difficultés rencontrées. – Regarder le modèle à l'échelle. – Écouter la définition des termes.

➢ **Matériel:** Sable, perle, bille, ballon.

➢ **Sécurité:** Pas de précaution spéciale à prendre.

Autres informations utiles:

➢ **Enrichissement:**

- Visiter un planétarium.
- Observer la Lune avec des jumelles ou un petit télescope.
- Se documenter sur les phases de la Lune.

➢ **Moyens d'évaluer les apprentissages des élèves :**

- Grille d'observation (voir le chapitre 18) ;
- Autoévaluation (voir le chapitre 18) ;
- Carnet scientifique de l'élève (voir le chapitre 18).

➢ **Évaluation de la problématique après sa mise à l'essai :** Les élèves du premier cycle ont besoin d'être guidés dans leur travail. Plusieurs sont surpris de découvrir les grandes différences entre la grosseur des astres ainsi que les grandes distances entre eux.

➢ **Bibliographie (livres, vidéos, CD-ROM, sites Internet, etc.) :**

- *Encyclopédie Encarta* de Microsoft (CD-ROM) ;
- *Encyclopédie Hachette* (CD-ROM) ;
- Site Web *Les débrouillards*: < www.lesdébrouillards.qc.ca >.

➢ **Glossaire :**

- Rotation : Mouvement d'un astre qui tourne sur lui-même.
- Orbite : Mouvement d'un astre qui tourne autour d'un autre.
- Planète : Astre qui tourne autour d'une étoile.
- Satellite : Astre qui tourne autour d'une planète.
- Lune : Satellite naturel de la Terre.
- Étoile : Astre, comme le Soleil, qui émet de la lumière et d'autres rayonnements.
- Soleil : Étoile autour de laquelle tournent la Terre et les autres planètes de notre Système solaire.

Exemple de problématique au sujet de l'univers vivant

LA POUSSE VERTE

Descripteurs généraux

➢ **Domaine :** L'univers vivant.

➢ **Cycles :** 2e cycle (élèves de 10 et 11 ans).

➢ **Durée totale :** 4 heures.

➢ **Résumé de la problématique :** Vérifier s'il est possible de faire renaître une plante sans utiliser ses graines.

➢ **Préalables :** Le nom des principales parties d'une plante.

➢ **Matériel principal pour l'ensemble de la problématique :**

- Diverses sortes de graines (haricots, pois, graines de diverses plantes à fleur).
- Divers légumes ;
- De la terre, du gravier, de la ouate ;
- Des pots et autres récipients (de préférence en plastique) ;
- Des plantes vertes en pot.

➢ **Pistes d'intégration suggérées :** En mathématiques, cette problématique permet d'acquérir la compétence à mesurer des longueurs et des volumes de même qu'à interpréter et représenter des données à l'aide de diagrammes.

➢ **Auteurs :** Mmes Marie-Claude Jobin, Martine Thouin et Johanne Papillon, enseignantes à la Commission scolaire des Affluents, au Québec, en collaboration avec M. Marcel Thouin.

➢ **Référence :** THOUIN, Marcel (1999). *Problèmes de sciences et de technologie pour le préscolaire et le primaire*, Québec : Éditions MultiMondes.

➢ **Compétences en science et technologie :** Cette problématique permet d'acquérir les compétences de 2e cycle.

- Compétence 1 : Proposer des explications ou des solutions à des problèmes d'ordre scientifique ou technologique.

Composantes de la compétence :

- cerner un problème ou une problématique ;
- recourir à des stratégies d'exploration variées ;
- évaluer sa démarche.

- Compétence 2 : Mettre à profit les outils, les objets et les procédés de la science et de la technologie.

Composantes de la compétence :

- s'approprier les rôles et les fonctions des outils, des techniques, des instruments et des procédés de la science et de la technologie ;

- relier divers outils, objets ou procédés technologiques à leurs contextes et à leurs usages;
- évaluer l'impact de divers outils, instruments ou procédés.

– Compétence 3: Communiquer à l'aide des langages utilisés en science et en technologie.

Composantes de la compétence:

- s'approprier des éléments du langage courant liés à la science et à la technologie;
- utiliser des éléments du langage courant et du langage symbolique liés à la science et à la technologie;
- exploiter les langages courant et symbolique pour formuler une question, expliquer un point de vue ou donner une explication.

➢ **Savoirs essentiels:**

– Les caractéristiques du vivant (métabolisme et reproduction des végétaux);
– L'organisation du vivant (anatomie des végétaux);
– Les transformations du vivant (croissance des végétaux).

➢ **Repères culturels:** Il pourrait être question de l'agriculture, de l'horticulture et d'autres activités humaines liées aux plantes.

➢ **Compétences transversales:**

– D'ordre intellectuel: exploiter l'information, résoudre des problèmes et mettre en œuvre sa pensée créatrice;
– D'ordre méthodologique: se donner des méthodes de travail efficaces;
– D'ordre personnel et social: coopérer;
– De l'ordre de la communication: communiquer de façon appropriée.

➢ **Domaines généraux de formation:** Environnement et consommation.

➢ **Stratégies:**

– Stratégies d'exploration: aborder un problème ou un phénomène à partir de divers cadres de référence; émettre des hypothèses; explorer diverses avenues de solution;
– Stratégies d'instrumentation: recourir à différentes sources d'information; recourir à des techniques et à des outils d'information variés; recourir à des outils de consignation (exemples: schémas, notes, graphiques, protocole, tenue d'un carnet scientifique ou d'un journal de bord);

– Stratégies de communication: recourir à des modes de communication variés pour proposer des explications ou des solutions (exposé); recourir à des outils permettant de représenter des données sous forme de tableaux et de graphiques, ou de tracer un diagramme; organiser des données en vue de les présenter; échanger de l'information; confronter différentes explications ou solutions possibles à un problème pour en évaluer la pertinence.

➢ **Suggestions pour l'utilisation des technologies de l'information et de la communication (TIC):** Utiliser un moteur de recherche, dans Internet, pour trouver de l'information sur la croissance des plantes.

Activités fonctionnelles

➢ **But:** Se familiariser avec les caractéristiques de la croissance des plantes.

➢ **Titre et nature des activités:** *Germer et croître* (tour de table, carte d'exploration).

Rôle de l'enseignant	Rôle des élèves
– Poser les questions suivantes aux élèves: «Qu'est-ce que la germination?» «Comment poussent les plantes?» «De quoi ont-elles besoin pour pousser?» «Dans quelle direction poussent les plantes?» – Tracer une carte d'exploration à partir de leurs réponses.	Répondre aux questions et contribuer à tracer la carte d'exploration.

➢ **Titre et nature des activités:** *Faire germer une graine* (activité avec manipulation)

Rôle de l'enseignant	Rôle des élèves
Demander aux élèves de choisir une sorte de graine et de la placer dans de la ouate mouillée. Ajouter un peu d'eau tous les jours pour que la ouate soit toujours bien humide.	Noter leurs observations, tous les jours, dans un carnet scientifique.

➢ **Matériel:** Diverses sortes de graines, de la ouate.

➢ **Sécurité:** Pas de précaution spéciale à prendre.

Activité de résolution de problème

Information destinée aux élèves:

➢ **Question:** Peut-on faire renaître un légume sans graines?

➤ **Matériel :**

- Divers légumes (exemples : pomme de terre, carotte, ail, navet, oignon) ;
- De la terre, du gravier, de la ouate ;
- Des pots et autres récipients (de préférence en plastique) ;
- Des cure-dents ;
- Des plantes vertes en pot.

Information destinée à l'enseignant :

➤ **Conception fréquente chez les élèves :**

Les plantes ne peuvent pousser qu'à partir d'une graine.

➤ **Approches et solutions possibles :**

- Laisser un légume sur une table, dans une pièce, et attendre quelques jours.
- Placer un légume dans une armoire sombre et attendre quelques jours.
- Placer un légume ou un morceau de légume dans de la ouate humide et attendre quelques jours.
- Planter quelques cure-dents dans la chair d'un légume ou d'un morceau de légume pour pouvoir le suspendre (dans un verre, par exemple) de telle sorte qu'une partie trempe dans l'eau et une partie reste hors de l'eau. Attendre quelques jours.
- Placer un légume ou un morceau de légume dans un pot plein de terre humide et attendre quelques jours.
- Placer un légume ou un morceau de légume dans un pot plein de gravier humide et attendre quelques jours.
- Couper une petite tige d'une plante verte et la placer dans l'eau ou la planter dans la terre humide où des racines pourraient se former et donner naissance à une nouvelle plante (bouturage).
- Courber une tige d'une plante verte vers le bas et planter son extrémité dans la terre où des racines pourraient se former et donner naissance à une nouvelle plante (marcottage).

➤ **Concepts scientifiques :** Il est possible d'obtenir une nouvelle plante sans utiliser de graines, en ayant recours à des techniques de reproduction asexuée. Ces principales techniques sont le bouturage d'une feuille, d'une racine ou d'une tige, le marcottage, la division et le greffage (voir le glossaire à la fin de la problématique).

Une nouvelle plante obtenue par une technique de reproduction asexuée est génétiquement identique à la plante initiale et est donc un clone.

➤ **Sécurité:** Bien se laver les mains après avoir manipulé de la terre ou de gravier.

Activités de structuration

➤ **But:** Comprendre que plusieurs légumes peuvent renaître sans graines.

➤ **Titre:** La reproduction asexuée

➤ **Titre et nature des activités:** *La croissance d'une plante* (exposé, observation, photographie).

Rôle de l'enseignant	Rôle des élèves
– Demander aux élèves de noter leur solution du problème dans leur carnet scientifique. – Demander aux élèves de présenter leur solution devant le groupe. – Présenter la définition des termes scientifiques (germination, bouturage, etc.) – Expliquer aux élèves comment prendre des photos de la croissance de leur plante.	– Noter leur solution du problème dans leur carnet scientifique. – Noter les meilleures solutions trouvées par les autres équipes dans le carnet scientifique. Échanger sur les difficultés rencontrées. – Noter la définition des termes scientifiques dans le carnet scientifique. – Faire une série de photos (une photo par jour) de la croissance de la plante.

➤ **Matériel:** Pas de matériel particulier.

➤ **Sécurité:** Pas de précaution spéciale à prendre.

Autres informations utiles

➤ **Enrichissement:**

Obtenir de nouvelles plantes d'autres espèces, telles que les violettes africaines ou les chrysanthèmes, par une technique de reproduction asexuée.

➤ **Moyens d'évaluer les apprentissages des élèves:**

- Grille d'observation (voir le chapitre 18);
- Autoévaluaton (voir le chapitre 18);
- Carnet scientifique de l'élève (voir le chapitre 18).

➢ **Évaluation de la problématique après sa mise à l'essai:** Les élèves apprécient cette problématique. La croissance des plantes étant relativement lente, il faut toutefois prévoir au moins deux ou trois semaines entre son début et sa fin. De plus, étant donné que certains légumes ne pousseront pas, il est préférable que chaque équipe essaie quelques légumes différents et quelques approches différentes.

➢ **Bibliographie (livres, vidéos, CD-ROM, sites Internet, etc.):**

- *Encyclopédie Encarta* de Microsoft (CD-ROM);
- *Encyclopédie Hachette* (CD-ROM);
- Site Web *Les débrouillards*: < www.lesdébrouillards.qc.ca >.

➢ **Glossaire:**

- Germination: Développement de l'embryon contenu dans une graine, ou développement à partir d'une autre partie de la plante.
- Bouturage: Technique de reproduction asexuée qui consiste à obtenir une nouvelle pousse à partir d'un morceau de plante placé dans de la terre humide.
- Marcottage: Technique de reproduction asexuée qui consiste à obtenir une nouvelle plante à partir de la tige d'une plante mise en contact avec le sol avant d'être séparée de la plante mère.
- Division: Technique de reproduction asexuée qui consiste à séparer une plante en deux parties.
- Greffage: Technique de reproduction asexuée qui consiste à insérer sur une plante une partie d'une autre.

LES LANGAGES DES SCIENCES ET DE LA TECHNOLOGIE

Outils de communication et véhicules de la pensée

Les sciences et la technologie comportent un langage complexe pour énoncer les concepts, les lois, les théories et les modèles. Et tout langage, s'il est évidemment un outil de communication, ne peut être réduit à ce seul rôle, car il est aussi le véhicule de la pensée et du raisonnement.

Le chapitre 14, qui s'inspire de l'ouvrage *Intervenir sur les langages en mathématiques et en sciences* (De Serres et coll., 2003) destiné surtout aux enseignants d'élèves du cégep (équivalant à la fin du lycée en France), présente les langages employés en sciences et technologie et propose des suggestions d'activités, adaptées pour le primaire, qui favorisent l'acquisition de ces langages.

Comme le mentionne clairement Marie-Éva de Villers dans la préface de cet ouvrage, « si les enseignants doivent transmettre leurs connaissances en faisant un usage rigoureux des ressources langagières, ils doivent aussi s'assurer que leurs élèves maîtrisent suffisamment la langue pour bien comprendre les explications données, pour être en mesure de saisir pleinement le sens des notions enseignées, d'établir des liens entre ces notions et leurs diverses représentations plutôt que de tenter simplement de les mémoriser. »

Cette acquisition des langages des sciences et de la technologie est d'autant plus importante qu'il existe une étroite corrélation entre les lacunes dans la maîtrise de ces langages et le taux d'échec en sciences et technologie. Ces échecs se manifestent surtout aux ordres d'enseignement supérieurs, mais ils peuvent trouver leur source dès le primaire, dans les milieux où les sciences et la technologie sont négligées.

Par ailleurs, il est souvent difficile pour les élèves du primaire de distinguer le discours scientifique du discours quotidien, dont les caractéristiques sont fort différentes. Par exemple, le discours scientifique est collectif, général et abstrait, tandis que le discours quotidien s'adresse habituellement à des personnes en particulier.

Le discours scientifique s'adresse à tous, alors que le discours quotidien consiste plutôt à dialoguer avec quelqu'un. Les énoncés du discours scientifique se situent par rapport à une théorie, alors que le discours quotidien s'établit par rapport à des faits et des impressions. Enfin, le discours scientifique vise une validité générale et le discours quotidien, quant à lui, n'a qu'une validité locale et actuelle (d'après Ducancel, cité dans Astolfi, 1997).

Trois langages employés en sciences et technologie

Le langage scientifique et technologique est en fait une combinaison de trois langages:

Le langage naturel est constitué de termes courants et de termes scientifiques employés dans des énoncés qui sont régis par la syntaxe usuelle. En voici des exemples:

- Le palan est une machine simple qui permet de multiplier la force appliquée.
- Les saisons sont causées par l'inclinaison de l'axe de rotation de la Terre par rapport au plan de son orbite autour du Soleil.
- Le lion est un mammifère situé au sommet de la pyramide alimentaire.

Ce langage naturel, qui semble simple, est plus complexe qu'il n'en a l'air parce que plusieurs termes scientifiques n'ont pas le même sens, ou possèdent un sens beaucoup plus précis, dans le langage scientifique naturel, que dans le langage courant. De plus, bon nombre de termes scientifiques et techniques sont peu employés dans la vie quotidienne et sont probablement inconnus des élèves (exemples: densité, sismographe, hygromètre, métamorphose, photosynthèse). Enfin, les définitions et les explications des termes scientifiques varient d'une source consultée à une autre ou d'un enseignant à un autre, et peuvent entraîner de la confusion chez les élèves.

Le langage symbolique est constitué d'un ensemble de symboles et de règles qui régissent leur agencement. En voici des exemples:

- Les unités de mesure, tels que m (mètres), kg (kilogrammes), s (secondes), °C (degrés Celsius).
- Les symboles chimiques, tels que H (hydrogène), O (oxygène), C (carbone), N (azote).
- Les symboles d'opération, tels que + et –, et les symboles de relation, tels que =, < et >, employés en mathématiques et aussi en sciences et technologie.

Ce langage est plus abstrait que le langage naturel et comporte des difficultés semblables à celles que poseraient des termes d'une langue étrangère qui seraient mêlés à la langue première, mais sans traduction. Pendant quelques années, la plupart des élèves peuvent fonctionner avec une compréhension approximative du langage symbolique mais, à mesure qu'ils avancent dans leur scolarité et que le nombre de symboles augmente, plusieurs lisent ou emploient ce langage avec de plus en plus de difficulté et finissent par décrocher.

Le langage graphique est un ensemble d'éléments visuels (points, traits, lignes, flèches, etc.) soumis aussi à des règles d'agencement. En voici des exemples:

- Les figures géométriques telles que le carré, le rectangle, le triangle, le polygone, les droites perpendiculaires ou parallèles.
- Les tableaux de données.
- Les diagrammes tels que le diagramme à bandes ou à bâtons, le diagramme circulaire, le diagramme de Venn, l'histogramme.
- Les graphiques cartésiens.
- Les réseaux de concepts et autres schémas.

Ce langage, dont le degré d'abstraction semble à mi-chemin entre celui du langage naturel et celui du langage symbolique est, en fait, le plus abstrait des trois, car un seul diagramme, par exemple synthétise parfois un très grand nombre de données. Les difficultés que pose ce langage sont d'autant plus insidieuses que sa signification semble évidente et claire aux enseignants qui sont habitués de l'employer, mais échappe parfois complètement aux élèves qui le perçoivent comme de simples ensembles de dessins.

Acquisition des langages des sciences et de la technologie

Au primaire, l'acquisition des langages des sciences et de la technologie se fait, le plus souvent, de façon naturelle et graduelle, dans le cadre des activités proposées aux élèves.

Les activités suivantes peuvent servir à enrichir les aspects langagiers de l'enseignement des sciences et de la technologie. Plusieurs de ces activités peuvent être contenues à l'intérieur de problématiques, souvent à titre d'activités de structuration. Dans certains cas, ces activités peuvent aussi être utilisées sous forme d'exercices distincts permettant de remédier à des lacunes précises.

Tirer profit de la lecture d'un manuel scolaire. Cette activité, qui s'adresse surtout aux élèves des 2e et 3e cycles, consiste à lire un chapitre ou une section d'un manuel scolaire en complétant un tableau du genre suivant:

Termes scientifiques ou symboles déjà rencontrés		Termes scientifiques ou symboles nouveaux	
Compris (en donner une courte définition)	Incompris	Compris (en donner une courte définition)	Incompris

Un tour de table, au cours duquel les élèves présentent chacun leur tableau, permet ensuite à l'enseignant de préciser, si nécessaire, les termes et les symboles compris et d'expliquer les termes et les symboles incompris. L'enseignant peut parfois conclure cette activité par un test portant sur les termes et les symboles.

Acquérir un vocabulaire scientifique de base. Au début d'une période ou de quelques périodes consacrées aux sciences et à la technologie, l'enseignant écrit au tableau, devant la classe, la liste de tous les termes scientifiques qui seront employés pendant cette période ou au cours de l'ensemble des périodes qui porteront sur la même problématique ou le même thème. Il demande aux élèves d'inscrire ces termes dans un cahier ou dans le carnet scientifique qui accompagne une problématique. Il coche les termes à mesure qu'ils sont employés et précise leur signification. Il revoit l'ensemble des termes à la fin de la séquence. L'enseignant suggère aux élèves de se constituer graduellement un glossaire scientifique, tout au long de l'année scolaire, et d'en préciser les définitions à l'aide d'un dictionnaire ou d'une encyclopédie, et insiste sur la grande utilité de tels ouvrages de référence.

Accroître son vocabulaire scientifique par la lecture. Cette activité est semblable à l'activité « Tirer profit de la lecture d'un manuel scolaire » présentée ci-dessus, mais elle se déroule pendant la lecture de divers textes de vulgarisation tirés de livres ou de revues scientifiques et technologiques destinés à des enfants d'âge primaire. Le même genre de tableau à compléter peut être proposé. L'enseignant peut aussi conclure l'activité par un test portant sur les termes et les symboles.

Apprendre à s'exprimer oralement. Cette activité permet aux élèves de s'exprimer oralement en employant les langages des sciences et de la technologie. Elle peut prendre plusieurs formes: lire à voix haute des consignes, traduire des symboles en langage naturel, décrire une illustration ou un graphique en ses propres mots et le plus clairement possible sans que les autres élèves puissent voir ce qui est décrit, expliquer comment on compte s'y prendre pour résoudre un problème, commenter la solution d'une autre équipe, définir un terme en ses propres mots ou résumer ce qui a été vu lors d'une activité précédente.

Prendre conscience de l'importance de bien rédiger. Cette activité, qui s'adresse surtout aux élèves des 2e et 3e cycles, consiste pour chaque élève à rédiger un texte, par exemple sa solution à un problème, sans écrire son nom sur leur feuille. L'enseignant remet ensuite chacun des textes à un autre élève, choisi au hasard, qui doit en faire la correction en indiquant si l'explication est claire et, le cas échéant, quels sont les aspects qu'il a de la difficulté à comprendre. Cette activité permet aux élèves de se rendre compte qu'il ne suffit pas d'écrire d'une manière qui permet de se comprendre soi-même et qu'il est important d'écrire de façon à être bien compris de tous.

Articuler sa pensée par l'utilisation de liens grammaticaux. Cette activité permet aux élèves, surtout deux des 2e et 3e cycles, de travailler sur les relations logiques exprimées par les langages des sciences et de la technologie. Elle peut prendre la forme d'énoncés à compléter par une conjonction, une préposition ou un adverbe. En voici des exemples:

- Le sable versé dans l'eau se dépose au fond sa densité est supérieure à celle de l'eau. (*sauf, si, et, car*)
- Le fer peut rouiller on le met en contact avec de l'air et de l'eau. (*si, et, ainsi*)
- L'eau de la mer nous semble bleue le ciel est bleu. (*donc, car, mais*).
- L'eau peut se mettre à bouillir sa température augmente suffisamment. (*mais, si, donc*)

Apprendre à synthétiser de l'information. Cette activité, qui s'adresse surtout aux élèves des 2e et 3e cycles, permet aux élèves d'apprendre à résumer de l'information à caractère scientifique ou technologique. Une habileté importante à développer pour synthétiser de l'information consiste à en repérer les mots clés. Cette activité peut donc se vivre en deux temps: dans un premier temps chaque élève trouve les mots clés d'un texte, et dans un second temps il rédige un résumé du texte.

Observer et commenter. En sciences et technologie, il est impossible d'étudier tous les savoirs essentiels dans le cadre d'activités de résolution de problème ou de problématique. Certains concepts doivent être abordés autrement, par exemple par la présentation d'un documentaire. Malheureusement, les élèves sont plutôt passifs, parfois même peu attentifs pendant de tels visionnements. Cette activité, qui encourage une écoute et une observation plus actives, consiste à présenter un documentaire, sur un sujet scientifique ou technologique que les élèves connaissent déjà un peu, en supprimant le commentaire, c'est-à-dire en enlevant le son. Les élèves doivent alors observer le plus attentivement possible, prendre des notes pendant le visionnement et présenter ensuite à tour de rôle le contenu du documentaire. On peut aussi placer les élèves en équipes, donner à chaque équipe la consigne de s'entendre sur une interprétation et demander à un représentant de chaque équipe de présenter le documentaire.

Connaître quelques symboles. Cette activité vise à vérifier la compréhension de certains symboles par les élèves. Elle peut consister à demander aux élèves d'écrire le symbole qui désigne une unité de mesure, un élément chimique ou une relation mathématique. En sens inverse, elle peut consister à demander aux élèves de dire ou d'écrire, en leurs propres mots, ce que désignent des symboles tels que m, °C, kg, s, H, O, C, N, +, –, =, < ou >. Avec les élèves des 2e et 3e cycles, ces questions pourraient, dans certains cas, prendre la forme d'un test écrit.

Produire un tableau de résultats. La tentation est parfois grande, pour les enseignants, de fournir aux élèves des tableaux dans lesquels il suffit d'écrire les données dans les bonnes cases. Cette activité vise à développer, chez les élèves, l'habileté à concevoir leurs propres tableaux. Au 1er cycle, on peut par exemple demander aux élèves de construire un tableau pour présenter des objets qui flottent et d'autres qui ne flottent pas. Aux 2e et 3e cycles, on peut, par exemple, fournir aux élèves des données météorologiques prises d'heure en heure (exemples : température, pression atmosphérique, taux d'humidité) et leur demander de les présenter sous forme de tableau. Pour laisser aux élèves la possibilité de développer cette habileté graduellement, il est important de ne pas viser un modèle standard et d'accepter tous les tableaux clairs et complets.

Interpréter un tableau et tracer un graphique. Cette activité consiste, à partir d'un tableau de données construit par les élèves ou d'un tableau fourni par l'enseignant, à tracer un graphique qui présente l'ensemble ou une partie des données contenues dans un tableau. Par exemple, dans le cas d'un tableau qui présente des données sur plusieurs objets qui coulent ou qui flottent, il serait possible de construire un diagramme à bandes ou à bâtons. Dans le cas des données météorologiques, il serait possible de tracer un graphique cartésien pour chacune des variables (température, pression atmosphérique, taux d'humidité, etc.) en fonction du temps.

Interpréter divers types de graphiques. Cette activité, qui s'adresse aux élèves des 2e et 3e cycles, consiste à décrire l'information contenue dans un diagramme à bandes ou à bâtons, un diagramme circulaire, un diagramme de Venn, un histogramme ou un graphique cartésien. On peut, par exemple, diviser la classe en deux, chaque moitié de la classe ayant le même nombre d'équipes de deux ou trois élèves. Distribuer des copies d'un premier graphique aux équipes d'une des moitiés de la classe, et des copies d'un deuxième graphique aux équipes de l'autre moitié. (Les graphiques sont plus ou moins complexes selon l'habileté des élèves.) Chaque équipe doit interpréter et expliquer par écrit l'information qu'on peut tirer de son graphique. Elle donne ensuite son texte à une équipe de l'autre moitié de la classe. L'équipe de l'autre moitié doit alors essayer de reconstituer le graphique à partir du texte. Comparer ensuite les reconstitutions avec les graphiques distribués.

Écouter, visualiser et traduire. À l'école, un grand nombre d'explications sont données de façon orale et une partie importante de l'apprentissage passe par l'écoute. Mais plusieurs élèves sont parfois distraits ou ont de la difficulté à visualiser certaines explications. Cette activité consiste à pratiquer l'écoute active et à visualiser correctement des descriptions ou des explications. L'enseignant dicte un texte scientifique écrit en langage naturel. Les élèves, au lieu d'écrire le texte qui est dicté, doivent le représenter autrement en employant le langage symbolique ou le langage graphique. Ils peuvent, par exemple, représenter certaines parties du texte par des dessins, d'autres parties par des symboles, d'autres encore par des graphiques et peut-être même certaines parties par des réseaux de concepts. Par exemple, au 3e cycle, on pourrait dicter un texte simple tel que : « Un canon est pointé vers le ciel de façon à former un angle de 45° avec le sol. Il tire un projectile. Le projectile décrit une trajectoire en forme de parabole et retombe sur le sol à une distance de 500 mètres du canon. »

Former un réseau de concepts. Cette activité consiste à établir des liens entre les concepts qui ont été vus lors d'une activité ou d'une problématique. Elle consiste, pour les élèves, à établir un réseau de concepts. On peut, par exemple, placer les élèves en équipes, demander à chaque équipe de former son propre réseau, puis le comparer aux réseaux construits par les autres élèves. Cette comparaison offre une occasion de discuter des avantages, des inconvénients ou des lacunes de chaque représentation. Il est également possible de comparer les réseaux de concepts avec un réseau plus formel préparé par l'enseignant.

LES REPÈRES CULTURELS

Mieux connaître l'histoire des sciences et des techniques pour mieux enseigner

L'histoire des sciences et de la technologie à l'école? À première vue, on pourrait penser qu'il s'agit d'un domaine très spécialisé, peu compatible avec l'enseignement au primaire. Pourtant, dans le *Programme de formation de l'école québécoise,* l'un des apprentissages communs au domaine de la mathématique, de la science et de la technologie est d'« apprécier l'importance de la mathématique, de la science et de la technologie dans l'histoire de l'humanité ».

En sciences, le programme du primaire indique, dans la présentation de la discipline, qu'il faut « retracer l'évolution de la science et de la technologie à travers l'histoire et identifier les facteurs de divers ordres qui influencent leur développement ». Dans la section des repères culturels, le nouveau programme mentionne, au sujet de l'histoire, que « le contexte climatique, économique, social, politique et religieux détermine en grande partie le développement de la science et de la technologie et ces disciplines remontent à la plus haute Antiquité : le cadran solaire, le calendrier, la fonte des métaux et le labourage des sols, par exemple, furent découverts bien avant Jésus-Christ et tous les objets de la vie quotidienne, qu'il s'agisse d'un couteau ou d'un vélo, possèdent une histoire, parfois très longue, qui nous en apprend énormément sur la curiosité, la ténacité et l'imagination des êtres humains. » Et dans cette même section, au sujet des personnes, on peut lire que « les découvertes scientifiques et les inventions technologiques ont toujours été et sont encore le fait de personnes ou groupes de personnes influencés par les contraintes de leur époque et de leur environnement. Des scientifiques tels que Galilée, Newton, Lavoisier, Pasteur, Darwin, Marie Curie et Einstein, pour n'en nommer que quelques-uns, ont contribué, en s'appuyant sur les travaux de leurs prédécesseurs et de leurs contemporains, à des progrès fondamentaux en science et technologie. »

Avantages d'une perspective historique

Une formation scientifique et technique qui comporte une perspective historique présente en effet de nombreux avantages (Duschl, 1994; Gagné, 1993; Matthews, 1994; Stinner et Williams, 1998; Wandersee, 1992) :

- Elle permet aux formateurs de prévoir les difficultés conceptuelles des élèves et fait voir à ces derniers que les idées, les représentations et les conceptions plus ou moins adéquates qu'ils doivent remettre en question sont souvent les mêmes que celles que les scientifiques d'autrefois durent eux aussi remettre en question.
- Elle permet une réflexion sur la nature de l'activité scientifique et technologique.
- Elle permet un enseignement moins dogmatique des sciences et des techniques, car elle tient compte du contexte et de l'origine de la production des savoirs. Se familiariser avec le contexte dans lequel sont apparus des concepts, des lois ou des théories peut non seulement aider à les comprendre, mais aussi à mieux saisir leur intérêt ou leur nécessité.
- Elle permet d'établir de nombreux liens avec la vie de tous les jours, car une multitude de découvertes et d'inventions qui jalonnent l'histoire des sciences et des techniques sont encore couramment appliquées ou utilisées à notre époque.
- Elle permet de tenir compte de plusieurs pratiques sociales de référence, car le développement des sciences et des techniques dépend non seulement de la recherche pure, mais également de la recherche appliquée, de l'ingénierie, de la production industrielle ou artisanale, d'activités domestiques et même de conflits armés.
- Elle permet de se questionner au sujet des valeurs sur lesquelles s'appuient les sciences et les techniques et de s'arrêter sur les questions éthiques qui jalonnent leur développement à travers les siècles.
- Elle permet de mieux comprendre les impacts et les limites des sciences et des techniques.
- Elle permet d'établir des liens avec plusieurs autres matières scolaires, et principalement celles qui relèvent de l'univers social.
- Elle permet de personnaliser les sciences et les technologies. La biographie de plusieurs scientifiques est passionnante et très révélatrice du contexte de leurs découvertes.

- Elle permet, en illustrant le caractère humain des sciences et des techniques, d'intéresser aussi les élèves qui sont plus portés vers les arts et les sciences humaines.
- Elle permet à tous les élèves d'enrichir leur culture générale.

L'approche historique est d'ailleurs une pratique courante dans de nombreuses disciplines. La littérature, l'architecture et la peinture, par exemple, ont toujours été abordées de façon historique. Même les mathématiques sont presque toujours enseignées d'une façon qui suit de très près leur développement historique : nombres entiers, nombres rationnels, géométrie euclidienne, algèbre, nombres irrationnels, trigonométrie, nombres complexes, etc.

Malheureusement, en sciences et technologies, malgré les indications des programmes d'études, la perspective historique est peu présente, et parfois même rejetée, comme en témoigne le fait que dans les manuels des élèves, l'histoire des sciences et des techniques, quand elle est présente, se limite souvent à de brefs encadrés accessoires, presque décoratifs, ou le fait que la formation donnée aux futurs enseignants de sciences, dans plusieurs universités, ne comporte aucun cours d'histoire des sciences et des techniques.

Pourtant, tous s'entendent pour affirmer, à la suite de Piaget, qu'on ne peut se contenter d'exposer des savoirs de façon magistrale et qu'il convient, dans la mesure du possible, de permettre aux élèves de reconstruire ces savoirs. Mais comment s'attendre à ce que les élèves appliquent cette démarche sans leur faire prendre conscience que les savoirs scientifiques et techniques se sont aussi construits, à chaque époque de l'histoire de l'humanité, à la suite de constantes et difficiles remises en question des théories et des procédés mis au point à des époques précédentes ? Comment susciter une évolution des conceptions individuelles sans faire voir que les modèles, les concepts et les procédés des sciences et des techniques évoluent sans cesse eux aussi ? Les théories de la science contemporaine paraîtraient beaucoup plus pertinentes et nécessaires aux élèves si on leur expliquait en quoi elles diffèrent des théories qu'elles ont remplacées, pourquoi elles ont pris leur place et comment cette évolution – à l'image des apprentissages que les élèves auront à faire – a souvent été longue et laborieuse.

Façon d'intégrer l'histoire des sciences et des techniques à l'enseignement

En pratique, toutefois, les formateurs qui souhaitent intégrer l'histoire des sciences et des techniques à leur enseignement se sentent souvent démunis, car il existe peu de sources d'information qui présentent des activités qui permettent de le faire de façon concrète, vivante et stimulante. Le présent chapitre, qui comporte des extraits de l'ouvrage *Explorer l'histoire des sciences et des techniques : activités, exercices et problèmes* (Thouin, 2004), présente une façon concrète d'intégrer l'histoire des sciences et des techniques à l'enseignement.

Évidemment, toute histoire des sciences et des techniques, au même titre que les sciences et les techniques elles-mêmes, est formée par l'esprit humain et n'est, en aucune façon, parfaitement objective, universelle ou intemporelle. Par exemple, même lorsqu'il est question de l'Antiquité ou du Moyen Âge, une histoire des sciences rédigée au XIXe siècle diffère beaucoup d'une histoire écrite vers la fin du XXe siècle, car les interprétations du passé varient en fonction des savoirs, des sensibilités et des perspectives de chaque époque. Dans le même ordre d'idées, il est souvent très révélateur de comparer une histoire des sciences et des techniques écrite par un historien français avec celle qui a été écrite par un historien britannique, allemand ou américain. Les découvertes et les inventions sur lesquelles on insiste, de même que les scientifiques auxquels on attribue ces inventions ne sont pas toujours les mêmes. Une même loi peut ainsi s'appeler *loi de Boyle*, *loi de Mariotte* ou, pour éviter toute controverse, *loi de Boyle-Mariotte*. Il va de soi aussi que plus on remonte dans le temps, plus la simple chronologie des événements est aussi plus douteuse.

L'histoire des sciences et des techniques présentée dans le présent chapitre et dans l'ouvrage dont il est tiré n'échappe pas à cette règle. Elle est d'autant plus particulière et subjective qu'elle vise d'abord, pour l'enseignement à des élèves relativement jeunes, des fins didactiques et pratiques. Certains choix ont présidé à son élaboration :

- Étant donné que les formateurs abordent habituellement les concepts et les théories scientifiques de façon thématique, l'histoire des sciences et des techniques est présentée sous forme de thèmes. Par commodité, ces thèmes sont regroupés dans les grandes disciplines que sont la physique, la chimie, l'astronomie, les sciences de la Terre, la biologie et la technologie.

- La structure de base de chacun des thèmes est une chronologie. Cela ne signifie pas, cependant, que l'orientation de l'ouvrage soit purement événementielle ou cumulative, ou encore qu'elle soit une apologie des sciences et des techniques, car de nombreux commentaires critiques situent les découvertes, les inventions, les théories et les affirmations des scientifiques dans leur contexte et signalent, par exemple, en quoi elles marquent des ruptures et des progrès mais aussi des erreurs et des reculs par rapport aux savoirs ou aux procédés qui les ont précédés.
- Étant donné que de nombreuses recherches ont montré que le temps historique ne s'appréhende que très graduellement et n'est pas bien établi avant l'adolescence, les chronologies sont subdivisées en grandes périodes telles que l'Antiquité orientale, l'Antiquité classique, le Moyen Âge, la Renaissance, le XVIIe siècle et le XVIIIe siècle, qui sont beaucoup plus importantes, sur le plan didactique, et beaucoup plus à la portée des élèves que les dates précises. Au primaire et au début du secondaire, les élèves ne peuvent faire preuve du recul nécessaire pour s'abstraire complètement du présent, pour se situer dans la durée ou pour suivre l'évolution des concepts scientifiques d'une façon rigoureuse. À cet âge, une approche historique devrait surtout permettre une évocation du passé, une familiarisation avec de grandes époques et une constatation du changement sous forme, par exemple, de différences entre des conceptions anciennes et des conceptions modernes.
- Pour ne pas surcharger le contenu, l'histoire des sciences et des techniques est exposée de façon synthétique et simplifiée. Il s'agit toutefois d'une simplification de « bonne foi » qui essaie, autant que possible, de ne pas dénaturer le déroulement historique et le développement des concepts présentés.
- L'essentiel de chacun des thèmes est un ensemble de capsules liées à des découvertes et des inventions importantes de l'histoire des sciences et des techniques. Toutes ces capsules comportent les éléments suivants :

1. *Les conceptions fréquentes à l'époque et chez certains élèves*: Conceptions fréquentes, à l'époque, que la découverte ou l'invention présentée dans la capsule a permis de remettre en question. Dans un grand nombre de cas, ces conceptions se retrouvent encore, de nos jours, chez nombre d'élèves.

2. *Les concepts scientifiques actuels*: Principaux concepts scientifiques liés aux découvertes ou aux inventions présentées. Pour des raisons didactiques, ces concepts sont exprimés et expliqués en fonction de la terminologie et des théories actuelles. Les

concepts sont tous présentés de façon très succincte, et le lecteur est invité à consulter des ouvrages de vulgarisation scientifique plus complets s'il ressent le besoin d'explications plus fouillées.

3. *Des activités, des exercices ou des problèmes*: Tâches concrètes qui peuvent être proposées aux élèves.

Les *activités* consistent, par exemple, à examiner un schéma, une photographie ou un document vidéo, à effectuer une visite, à observer des objets ou des êtres vivants et à effectuer une manipulation avec du matériel ou une simulation sur ordinateur.

Les *exercices* consistent habituellement à se documenter pour répondre à une question. Une recherche dans une bonne encyclopédie ou un site Web est habituellement la meilleure façon de procéder. Certains exercices consistent aussi à discuter d'une question en équipe ou en groupe-classe. (Note : Plusieurs de ces exercices comportent déjà, à titre indicatif, certains éléments de réponse. Il est préférable de ne pas présenter ces éléments de réponse aux élèves.)

Les *problèmes* consistent à répondre à une question ouverte qui implique la recherche des meilleures solutions ou approches possibles à partir du matériel suggéré. Ces problèmes, dont certains sont tirés de *Problèmes de sciences et de technologie pour le préscolaire et le primaire*, permettent :

- de voir les limites de conceptions fréquentes ;
- de manipuler du matériel et parfois de réaliser une expérience scientifique, sans toutefois imposer une « recette uniforme » ;
- de proposer plusieurs solutions ou approches possibles ;
- de prendre conscience qu'il n'existe pas une seule « bonne réponse » absolue ;
- de discuter des mérites respectifs des diverses solutions ou approches proposées ;
- d'opter pour des solutions ou des approches originales, différentes de celles des autres, en autant qu'elles soient bien justifiées ;
- de constater que les solutions ou les approches retenues impliquent une évolution des conceptions fréquentes initiales.

Dans le cas des activités et des problèmes, les tâches proposées sont souvent identiques à des observations et à des expériences historiques. Quand ce n'est pas le cas, elles s'en inspirent de façon plus indirecte, mais permettent tout de même de mieux saisir la nature et l'importance des découvertes ou des inventions auxquelles elles se rattachent. Un effort particulier a été fait pour que la majorité des activités et des problèmes puisse être réalisée avec du matériel simple et peu coûteux, mais certains d'entre eux nécessitent du matériel provenant de fournisseurs spécialisés.

Exemples de capsules historiques

Les pages suivantes comportent des exemples de capsules historiques, présentées par ordre thématique (et non chronologique). Ces capsules ne devraient pas être enseignées telles quelles aux élèves, ce qui risquerait de donner lieu à un enseignement dogmatique composé, par exemple, de concepts scientifiques suivis des tâches qui leur sont liées. Elles devraient plutôt être considérées comme des pistes, des éléments déclencheurs et des façons d'enrichir des problématiques scientifiques sur lesquelles travaillent déjà les élèves ou auxquelles ils s'intéressent.

Le radiomètre (physique; structure de la matière). En 1861, le physicien britannique William CROOKES (1832-1919) invente le radiomètre, ampoule de verre emplie d'un gaz à faible pression et dans laquelle tournent, quand elle éclairée, quatre petites feuilles métalliques dont une des faces est noire. Le fonctionnement du radiomètre est un argument en faveur de la théorie cinétique des gaz.

Conception fréquente à l'époque et chez certains élèves: La lumière ne peut être la cause du déplacement d'un objet.

Concepts scientifiques actuels: Le radiomètre est une ampoule de verre qui contient un gaz à faible pression et dans laquelle tourne, lorsqu'elle est éclairée, une hélice composée de quatre petites feuilles métalliques dont l'une des faces est noire. Le fonctionnement du radiomètre est un argument en faveur de la théorie cinétique des gaz. En effet, le rayonnement reçu par l'hélice est absorbé par les faces noires, ce qui cause une augmentation de leur température ainsi que de l'agitation des molécules du gaz situé de ce côté, faisant tourner l'hélice.

Activité et exercice (8 ans et plus):

- Observer le fonctionnement d'un radiomètre (on peut s'en procurer un chez certains fournisseurs de matériel scientifique).
- Formuler des hypothèses pour répondre à la question suivante: Pourquoi l'hélice du radiomètre tourne-t-elle quand elle est éclairée?

La loi de Hooke (physique; forces et mouvements). En 1676, le savant anglais Robert HOOKE (1635-1703) formule la loi de Hooke, selon laquelle l'extension d'un corps élastique est proportionnelle à la tension appliquée.

Conception fréquente à l'époque et chez certains élèves: Il n'y a pas de relation précise et uniforme entre l'extension d'un corps élastique et la tension appliquée.

Concepts scientifiques actuels: L'extension d'un corps élastique est directement proportionnelle à la tension appliquée. Par exemple, si un ressort s'étire de 2 cm sous une tension de 500 N, il s'étirera de 4 cm sous une tension de 1 000 N.

Activités (8 ans et plus):

- Vérifier la loi de Hooke à l'aide d'un ressort et d'un jeu de poids.
- Faire la même chose, de façon virtuelle, à l'aide d'un logiciel d'étude de la mécanique (on peut s'en procurer un chez certains fournisseurs de matériel scientifique).
- Utiliser un dynamomètre (balance à ressort) pour peser des objets.
- Concevoir un dynamomètre simple.
- Se documenter pour répondre à la question suivante: Quels sont les faits saillants de la vie de Robert Hooke? (Exemples: Robert Hooke commença sa carrière en tant qu'assistant du physicien Robert Boyle. Il fut professeur de mathématiques, administrateur de la Société royale et dessina également les plans de plusieurs édifices.)

Le thermoscope (physique; chaleur et pression). Vers 250 av. J.-C., le scientifique grec PHILON de Byzance (IIIe siècle av. J.C.) conçoit un thermoscope, ancêtre du thermomètre, qui permet de constater des différences de température. Le fonctionnement du thermoscope repose sur la dilatation d'une certaine quantité d'air, qui provoque le déplacement d'un certain volume d'eau.

Conceptions fréquentes à l'époque et chez certains élèves: Il est impossible de visualiser une augmentation de température.

Concepts scientifiques actuels: Le volume d'une quantité d'air augmente avec la température. Cette augmentation du volume de l'air peut être utilisée pour déplacer un certain volume d'eau et permettre de constater l'augmentation de la température. Cet instrument n'est pas précis, parce que le volume d'une certaine quantité d'air change aussi avec la pression atmosphérique.

Activité (8 ans et plus):

- Fabriquer un thermoscope rudimentaire à l'aide d'un simple ballon de baudruche. (À mesure que la température augmente, la taille du ballon augmente.)

- Fabriquer un thermoscope à l'aide d'un tube de verre, d'une éprouvette à demi remplie d'eau colorée et d'un bouchon de caoutchouc percé. (À mesure que la température augmente, l'air se dilate et fait monter l'eau colorée dans le tube. L'élévation du liquide est plus grande que dans un thermomètre à liquide.) Graduer le thermomètre en fixant une bande de carton sur le tube de verre et en comparant avec un thermomètre du commerce.
- Fabriquer un thermoscope à l'aide d'un contenant métallique vide (exemple: gros contenant d'huile végétale ou de café), d'un bouchon en caoutchouc percé, d'un tuyau flexible, d'une bouteille transparente vide (exemple: bouteille de boisson gazeuse en plastique) et d'un bac en plastique. Remplir le bac en plastique avec de l'eau. Plonger la bouteille dans le bac, pour qu'elle se remplisse d'eau, et la soulever, à l'envers, au-dessus de la surface de l'eau, en prenant soin que le goulot reste toujours dans l'eau. Placer une extrémité du tuyau flexible dans la bouteille. Placer l'autre extrémité du tuyau dans le bouchon percé et fixer le bouchon percé sur le contenant métallique. Placer le contenant métallique sur une plaque chauffante et observer le déplacement de l'eau dans la bouteille transparente.

La pile électrique (physique; électricité et magnétisme). En 1800, le physicien italien Alessandro VOLTA (1745-1827) invente la pile électrique, premier dispositif permettant de produire du courant électrique continu. La pile jouera un rôle fondamental dans le progrès de l'électricité au cours du XIXe siècle.

Conception fréquente à l'époque et chez certains élèves: Le seul type d'électricité qu'il soit possible de produire facilement est l'électricité statique.

Concepts scientifiques actuels: Une pile est constituée de deux métaux différents qui baignent dans une solution acide. Des réactions chimiques entre les métaux et l'acide entraînent un déplacement d'ions (atomes électriquement chargés) dans la solution et un déplacement d'électrons dans le circuit qui relie les morceaux de métal, ce qui cause un courant électrique.

Exercice et problème (8 ans et plus):

- Consulter une encyclopédie pour répondre à la question suivante: Quels sont les faits saillants de la vie d'Alessandro Volta? (Exemple: Volta, qui était professeur, fit un bon nombre de ses découvertes dans le cadre de ses recherches universitaires.)
- Peut-on produire du courant électrique?

Matériel:

Un citron, un pamplemousse, une orange, du vinaigre, un récipient, des morceaux de papier buvard, quelques pièces de 1¢, quelques pièces de 5¢, quelques morceaux de cuivre, quelques morceaux d'acier, des fils électriques munis de petites pinces crocodile, des écouteurs de baladeur, une DEL (diode électroluminescente, qui s'allume avec très peu de courant), une ampoule de 1,5 V et un socle dans lequel visser l'ampoule (pour pouvoir la brancher plus facilement).

Quelques solutions ou approches possibles:

1. Tremper un morceau de cuivre et un morceau d'acier dans du vinaigre de telle sorte qu'une partie de ces deux morceaux de métal dépasse hors de la solution. Brancher un fil électrique à chacun des morceaux de métal. À l'aide des fils, toucher les deux bornes d'écouteurs de baladeurs. (Les deux bornes des écouteurs sont situées dans la prise des écouteurs et très près l'une de l'autre: une des bornes est à l'extrémité de la prise, l'autre sur le côté.) On devrait entendre un petit crépitement quand les fils touchent les bornes. On peut également brancher chacune des bornes d'une DEL à chacun des morceaux de métal.
2. Planter un morceau de cuivre et un morceau d'acier dans un citron, une orange ou un pamplemousse de telle sorte qu'une partie de ces deux morceaux de métal dépasse hors du fruit. Brancher un fil électrique à chacun des morceaux de métal. À l'aide des fils, toucher les deux bornes d'écouteurs de baladeurs. On devrait entendre un petit crépitement quand les fils touchent les bornes. (Plusieurs fruits branchés en série produisent assez de courant pour allumer une petite ampoule de lampe de poche.) On peut également brancher chacune des bornes d'une DEL à chacun des morceaux de métal.
3. Faire une pile de pièces de monnaie et de morceaux de buvard imbibés de vinaigre dans l'ordre suivant: une pièce de 1¢, un morceau de buvard imbibé de vinaigre, une pièce de 5¢, un morceau de buvard imbibé de vinaigre, une pièce de 1¢, etc. Terminer la pile avec une pièce de 5¢. Brancher un fil électrique au premier 1¢ et au dernier 5¢. À l'aide des fils, toucher les deux bornes d'écouteurs de baladeurs. On devrait entendre un petit crépitement quand les fils touchent les bornes. On peut également brancher chacune des bornes d'une DEL à chacune des bornes de la pile. Si la pile contient plusieurs pièces de monnaie, il est possible qu'elle soit assez forte pour allumer une ampoule.

Les lentilles et la chambre noire (physique; la lumière et le son). Vers l'an 1000, le physicien arabe Ibn al-Haythaam ALHAZEN (965-1039) réfute la théorie proposée par le philosophe grec Euclide, selon laquelle l'œil émet un «feu visuel» qui rend la vision possible, et distingue clairement les concepts d'éclairement et de vision. Il montre que, sur tous les miroirs, plans et non plans, le rayon incident et le rayon réfléchi se trouvent toujours dans le même plan que la normale, c'est-à-dire à la droite perpendiculaire à la tangente au miroir. Il décrit deux nouvelles inventions, les lentilles et la chambre noire (qui permet de projeter l'image d'un objet extérieur à l'intérieur d'une boîte).

Conception fréquente à l'époque et chez certains élèves: Il est impossible de projeter l'image virtuelle d'un objet sur un écran.

Concepts scientifiques actuels: Les lentilles et la chambre noire permettent de produire une image virtuelle d'un objet. Les lentilles produisent l'image par réfraction de la lumière, tandis que la chambre noire la produit en ne laissant passer qu'une petite partie de la lumière émise ou réfléchie par l'objet, ce qui croise les rayons lumineux et cause une inversion de l'image sur un écran.

Activités (8 ans et plus):

- Obtenir diverses images virtuelles à l'aide de lentilles.
- Fabriquer une chambre noire (écran de papier de soie installé à la place d'un des petits côtés d'une boîte à chaussures, trou percé au centre du petit côté opposé au papier de soie). Obtenir des images virtuelles à l'aide de cette chambre noire.
- Obtenir des images virtuelles à l'aide d'une chambre noire plus perfectionnée, munie d'une lentille et d'un diaphragme (qu'on peut se procurer chez certains fournisseurs de matériel scientifique).
- Faire la même chose, de façon virtuelle, à l'aide d'un logiciel d'étude de l'optique (qu'on peut se procurer chez certains fournisseurs de matériel scientifique).

La chromatographie sur papier (chimie; éléments, composés et réactions chimiques). En 1944, le biochimiste britannique Archer MARTIN (1910-2002) et le biochimiste britannique Richard SYNGE (1914-1994) mettent au point la technique de la chromatographie sur papier pour l'analyse des mélanges de composés organiques.

Conception fréquente à l'époque et chez certains élèves: Seules des méthodes physiques ou chimiques complexes permettent de séparer les pigments d'un mélange.

Concepts scientifiques actuels: La chromatographie consiste à faire passer un mélange à travers une colonne contenant un matériau absorbant ou à le faire monter par capillarité dans les fibres d'un papier poreux. Par exemple, l'encre des marqueurs noirs, bruns, violets et autres est formée d'un mélange de pigments de diverses couleurs primaires. Ces pigments n'ont pas tous la même affinité pour le papier et se séparent en montant dans ses fibres par capillarité.

Activités (8 ans et plus):

- À l'aide d'un marqueur noir à l'encre lavable, faire une assez grosse tache sur un papier-filtre ou un papier buvard. Tremper le papier dans l'eau, avec la tache à une hauteur de 1 ou 2 cm au-dessus de la surface de l'eau. Observer. Essayer avec des marqueurs d'autres couleurs.
- Après avoir recueilli quelques feuilles d'érable vertes, les déchirer en petits morceaux. Déposer les morceaux dans un mortier, ajouter environ 5 ml d'alcool à friction et piler le mélange jusqu'à l'obtention d'une solution de couleur vert foncé. Faire une assez grosse tache sur un papier-filtre ou un papier buvard avec cette solution. Tremper le papier dans de l'alcool, avec la tache à une hauteur de 1 ou 2 cm au-dessus de la surface de l'alcool. Observer. Essayer avec les feuilles d'autres arbres et plantes.

L'eau de Javel (chimie; industrie chimique). En 1789, le chimiste français Claude-Louis BERTHOLLET (1748-1822) découvre les propriétés décolorantes de l'hypochlorite de sodium, qu'il appela *eau de Javel*, du nom d'une localité près de Paris où travaillaient les lavandières.

Conception fréquente à l'époque et chez certains élèves: La seule façon de décolorer ou de détacher un tissu est de le laver longtemps ou de l'exposer au soleil.

Concepts scientifiques actuels: L'eau de Javel est une solution d'hypochlorite de sodium (ou de potassium) dans l'eau, de formule $NaOCl$. C'est un oxydant puissant, employé à diverses concentrations pour désinfecter, stériliser les eaux, blanchir les textiles. Un papier ou un tissu peuvent se décolorer en réagissant avec de l'oxygène. La lumière et la chaleur du Soleil accélèrent la réaction avec l'oxygène de l'air. L'eau de Javel contient des atomes d'oxygène qui réagissent avec le papier.

Problème (8 ans et plus): Comment peut-on décolorer du papier de couleur?

Matériel:

Du papier de diverses couleurs, une gomme à effacer pour crayon à mine, une gomme à effacer pour stylo, du détersif à vaisselle, de l'eau de Javel.

Quelques solutions ou approches possibles :

- Frotter la gomme à effacer pour crayon à mine sur le papier pendant quelque temps.
- Frotter la gomme à effacer pour stylo sur le papier pendant quelque temps.
- Placer le morceau de papier à un endroit exposé aux rayons du Soleil. Le laisser à cet endroit pendant quelques jours. (Le papier doit cependant être à l'abri de la pluie ou de la neige.)
- Tremper le papier dans du détersif à vaisselle.
- Tremper le papier dans de l'eau de Javel.

La clepsydre (astronomie ; mesure du temps). Vers 3000 av. J.-C., on assiste à la construction, en Égypte, de la plus ancienne clepsydre connue. Les clepsydres seront utilisées jusqu'au XVIIe siècle.

Conception fréquente à l'époque et chez certains élèves: Il est impossible de mesurer le temps de façon précise.

Concepts scientifiques actuels: Une clepsydre est une horloge à eau dont le principe est un peu le même que celui d'un sablier. Un vase, qui comporte un orifice d'écoulement, est rempli d'eau et le temps écoulé est déduit de la baisse du niveau de l'eau dans le vase ou de la quantité d'eau recueillie dans un autre vase. Une clepsydre plus précise doit cependant compenser le fait que la vitesse d'écoulement diminue à mesure que diminuent la quantité d'eau et la pression dans le vase. Cette compensation peut se faire en resserrant les repères vers le fond d'un vase cylindrique ou en donnant une forme conique au vase.

Activités (8 ans et plus) :

- Examiner des photographies ou des schémas de divers modèles de clepsydre.
- Construire une clepsydre rudimentaire qui ne compense pas la baisse de pression liée à la diminution de la quantité d'eau.
- Construire une clepsydre plus précise, dont la graduation ou la forme compense la baisse de pression liée à la diminution de la quantité d'eau.

Les découvertes astronomiques de Galilée (astronomie ; Système solaire). En 1609, le physicien et astronome italien GALILÉE (1564-1642) perfectionne le télescope à réfraction et découvre les taches solaires, la rotation du Soleil sur lui-même, les cratères et les mers sur la Lune ainsi que les quatre principales lunes de Jupiter. Plusieurs années plus tard, en 1633, il sera déclaré hérétique par Rome, pour son soutien au système héliocentrique de Copernic, et devra abjurer devant

Concepts scientifiques actuels: Le ciel étoilé change avec les heures et les saisons, mais les étoiles sont toujours, à l'échelle de temps d'une vie humaine, dans la même position les unes par rapport aux autres. Les étoiles visibles dans le ciel nocturne sont groupées, de façon arbitraire, en 88 constellations. Certaines constellations ne sont visibles que dans l'hémisphère Nord (exemple: la Petite Ourse), alors que d'autres ne sont visibles que dans l'hémisphère Sud (exemple: la Croix du Sud). Les constellations situées près de l'horizon, aux latitudes des pays tempérés, sont visibles dans les deux hémisphères. Les cartes du ciel et les cherche-étoiles présentent les constellations.

Activités et problème (8 ans et plus):

- Reconnaître les constellations par une nuit sans nuages, dans un endroit sombre.
- Distinguer les constellations projetées sur le dôme d'un planétarium.
- À l'aide d'un logiciel d'astronomie (vendu chez certains fournisseurs de matériel scientifique), nommer les constellations telles qu'elles sont présentées à l'écran d'un ordinateur.

Problème (8 ans et plus): Comment peut-on représenter le ciel étoilé de l'hémisphère Nord?

Matériel:

- Du papier, des crayons, une grande boîte en carton, du carton noir, un vieux parapluie noir, de la broche, du papier journal, de la colle blanche, une petite lampe halogène, de petites étiquettes autocollantes de forme ronde, une carte du ciel; quelques cherche-étoiles.

Quelques solutions ou approches possibles:

- Reproduire une carte du ciel de l'hémisphère Nord sur une grande feuille de papier.
- Construire un cherche-étoiles de l'hémisphère Nord. (Un cherche-étoiles est une carte du ciel de forme circulaire munie d'un cache circulaire qui tourne par-dessus cette carte en ne laissant voir que les constellations visibles à une époque précise de l'année et à une heure donnée.)
- À l'aide de peinture blanche, dessiner les principales constellations de l'hémisphère Nord à l'intérieur d'un vieux parapluie.
- À l'aide de petites étiquettes autocollantes de forme ronde, reproduire les constellations en les collant sur le plafond et les murs de la classe ou d'un autre local.

l'Inquisition. Il perdit la vue, vers les dernières années de sa vie, parce qu'il avait toujours observé le Soleil sans filtre, ne connaissant pas le danger des rayons ultraviolets (qui ne seront découverts qu'au début du XIXe siècle).

Conceptions fréquentes à l'époque et chez certains élèves:

- La surface du Soleil et celle de la Lune sont parfaitement uniformes.
- Le Soleil est parfaitement immobile.
- La Terre est la seule planète à posséder une lune.

Concepts scientifiques actuels: Les taches solaires sont des orages magnétiques à la surface du Soleil. Le Soleil tourne sur lui-même (environ un mois pour une rotation complète). Les cratères de la Lune sont des impacts de météorites. Les mers de la Lune sont des étendues de lave solidifiée. Jupiter possède un très grand nombre de lunes et quatre d'entre elles sont faciles à observer.

Activités et exercice (8 ans et plus):

- Fabriquer un petit télescope à réfraction à l'aide d'un tube en carton et de deux lentilles.
- Observer la Lune et Jupiter avec ce télescope ou avec des jumelles. Il est possible d'apercevoir les plus gros cratères de la surface de la Lune et les quatre plus grosses lunes de Jupiter.
- Observer le Soleil avec une plaque de verre ou de plastique noir prévu à cet effet (ou par projection, sur un carton blanc, avec un télescope ou des jumelles). Il y a généralement quelques taches à la surface du Soleil. Constater que les taches permettent de suivre la rotation du Soleil sur lui-même.
- Répondre à la question suivante: Quels sont les faits saillants de la vie de Galilée? (Noter, par exemple, que certaines de ses observations, comme celles de l'oscillation de lampes dans une cathédrale et de la chute de corps du haut de la tour penchée de Pise, sont peut-être plus de l'ordre de la légende. Noter aussi son goût assez prononcé pour la confrontation avec les autorités.)

Les constellations de l'hémisphère Nord du ciel (astronomie; étoiles et galaxies). Vers 3300 av J.-C., définition de plusieurs constellations de l'hémisphère Nord en Mésopotamie.

Conception fréquente à l'époque et chez certains élèves: Le ciel contient trop d'étoiles pour qu'il soit possible de s'y retrouver.

- Faire de petits trous, selon la forme de quelques constellations, dans un grand carton noir. Coller le carton dans une fenêtre par laquelle entre beaucoup de lumière. Observer le carton.
- Faire de petits trous dans une grande boîte en carton, selon la forme de quelques constellations, et placer une lampe allumée dans (ou sous) la boîte. Observer la boîte dans une pièce sombre.
- À l'aide de broche, de plusieurs épaisseurs de papier journal et de colle blanche, former une demi-sphère d'environ 40 cm de diamètre. Laisser sécher. Percer des trous dans la demi-sphère de façon à représenter les principales constellations de l'hémisphère Nord. Placer une petite lampe sans abat-jour (ou une simple ampoule sur un socle) à l'intérieur de la demi-sphère. Installer dans un local sombre et allumer la lampe. Les petits trous projettent des taches de lumière sur le plafond et les murs.

Les distances Terre-Lune et Terre-Soleil (astronomie; observer, mesurer et explorer l'Univers). Vers 250 av. J.-C., l'astronome grec ARISTARQUE de Samos (vers 310-vers 230 av. J.-C.) est le premier à estimer le rapport entre les distances Terre-Lune et Terre-Soleil en mesurant les dimensions des cônes d'ombre au moment des éclipses. Il propose un système héliocentrique selon lequel les planètes tournent autour du Soleil. Ce système sera repris au XVIe siècle par Copernic.

Conception fréquente à l'époque et chez certains élèves: La Lune et le Soleil sont situés à la même distance de la Terre parce que leur diamètre apparent dans le ciel est le même.

Concepts scientifiques actuels: La distance Terre-Lune est d'environ 400 000 kilomètres, tandis que la distance Terre-Soleil est d'environ 150 millions de kilomètres, soit 375 fois plus. Le diamètre de la Terre est d'environ 13 000 kilomètres, celui de la Lune d'environ 3 500 kilomètres, soit le quart de celui de la Terre, tandis que le diamètre du Soleil est d'environ 1 400 000 kilomètres, soit 109 fois celui de la Terre.

Activité (8 ans et plus): Dessiner la Terre, la Lune et le Soleil à l'échelle sur trois morceaux de papier différents et placer ces trois morceaux de papier les uns par rapport aux autres en respectant aussi les distances. Il faudra se rendre dans un endroit assez vaste, comme le gymnase ou la cour de l'école. Par exemple, en respectant toujours la même échelle, Lune mesure 0,5 mm de diamètre (soit un simple point), la Terre 2 mm de diamètre et le Soleil 20 cm de diamètre. La distance Terre-Lune est de 6 centimètres et la distance Terre-Soleil atteint 22 mètres. (On pourrait aussi représenter la Lune par un grain de sable, la Terre par une petite perle en plastique et le Soleil par un gros ballon de plage.)

Le gyroscope (sciences de la Terre; globe terrestre). En 1852, le physicien français Léon FOUCAULT (1819-1868) invente le gyroscope, appareil qui fournit une direction invariable de référence grâce à la rotation rapide d'une masse autour d'un axe.

Conception fréquente à l'époque et chez certains élèves: Il est impossible qu'un objet qui est simplement appuyé sur une de ses extrémités puisse tenir en formant un angle prononcé avec la verticale.

Concepts scientifiques actuels: Le gyroscope est un appareil qui fournit une direction invariable de référence grâce à la rotation rapide d'une masse autour d'un axe. Il a maintenant remplacé la boussole, dans les navires puis les avions, car il présente l'avantage de ne pas être influencé par les masses magnétiques locales.

Activités et exercices (8 ans et plus):

- Observer les diverses façons dont un gyroscope peut tenir en équilibre sur une de ses pointes. (Des gyroscopes sont vendus chez des fournisseurs de matériel scientifique et chez certains marchands de jouets.)
- Se documenter pour répondre à la question suivante: Pourquoi une bicyclette ne tombe-t-elle pas sur le côté quand elle est en mouvement? (Quand elles tournent, les roues de la bicyclette agissent comme des gyroscopes et leur axe de rotation demeure dans la même direction, parallèle au sol. C'est d'ailleurs la même chose qui se produit quand on fait tourner sur le sol un disque plat ou une assiette, posés sur le côté.)
- Examiner des gyroscopes de navigation.
- Se documenter pour répondre à la question suivante: Quels sont les faits saillants de la vie de Léon Foucault? (Exemples: Foucault travailla plusieurs années avec le physicien français Armand Fizeau. Il devint physicien à l'Observatoire de Paris en 1855.)

Le séismoscope (sciences de la Terre; écorce terrestre et océans). Vers 110 apr. J.-C., le physicien chinois Zhang HENG (79-139) invente le séismoscope, constitué d'une masse métallique suspendue à l'intérieur d'un vase et reliée par des tiges à des billes posées en équilibre tout autour du vase. (Une ou plusieurs billes tombent quand la terre tremble.) Il s'agit du premier appareil permettant de détecter des tremblements de terre de faible intensité.

Conception fréquente à l'époque et chez certains élèves: La seule façon de détecter un tremblement de terre est de sentir le sol trembler.

Concepts scientifiques actuels: Les scientifiques utilisent des sismographes pour détecter et mesurer l'amplitude des séismes. La plupart des sismographes modernes sont constitués d'une masse assez lourde, suspendue à un ressort, qui tend à rester immobile lorsque le sol se déplace. Les ondes sismiques sont enregistrées sur un rouleau de papier par une plume fixée à cette masse. L'intensité des tremblements de terre est mesurée à l'aide de l'échelle de Richter (qui s'étend de 0 à 9). Sur cette échelle, la plupart des petits séismes qui secouent les arbres et les voitures ont une intensité de 4 ou 5, et la plupart des grands séismes qui peuvent détruire des bâtiments ont une intensité de 6 ou 7.

Problème (8 ans et plus): Comment peut-on construire un détecteur rudimentaire de tremblement de terre?

Matériel:

- Deux verres à vin, une baguette en bois, quelques billes, un miroir, un ressort de type Slinky, une petite boîte en carton, du carton, du papier, des crayons; une lampe sur pied.

Quelques solutions ou approches possibles:

- Placer deux verres à vin sur une table de telle sorte qu'ils se touchent. D'assez fortes vibrations du sol peuvent occasionner de petits chocs entre les verres.
- Placer une bille en équilibre au sommet d'une baguette de bois verticale. D'assez fortes vibrations du sol peuvent faire tomber la bille.
- Suspendre un objet à un ressort de type Slinky accroché au plafond. Fixer un crayon à l'objet. Installer une feuille de papier (verticalement) de telle sorte que le crayon trace une onde quand le sol et l'objet vibrent.
- Coller un miroir sur le dossier d'une chaise. Éclairer le miroir avec une lampe sans abat-jour. Observer la tache de lumière réfléchie sur un mur par le miroir quand on donne un petit choc à la chaise.

Le pluviomètre (sciences de la Terre; atmosphère). Au IVe siècle av. J.-C., on assiste à l'invention, aux Indes, du pluviomètre. Il réapparaîtra en Asie vers 1440 et en Italie à partir de 1669.

Conception fréquente à l'époque et chez certains élèves: Il est difficile de mesurer les précipitations.

Concepts scientifiques actuels: Le pluviomètre est un instrument permettant de mesurer la quantité de précipitations qui tombent en un lieu donné. Sous sa forme la plus simple, il est constitué d'un entonnoir placé dans un contenant gradué du même diamètre. L'entonnoir permet d'éviter que des gouttes d'eau soient projetées à l'extérieur du contenant. Un pluviomètre muni d'une surface chauffante fait fondre la neige et permet ainsi de mesurer la quantité de précipitations qui tombent à l'état solide.

Activités (8 ans et plus):

- Examiner des photographies et, si possible, de véritables pluviomètres utilisés dans les stations météorologiques.
- Imaginer et construire un pluviomètre rudimentaire. À l'aide de ce pluviomètre, mesurer la quantité de pluie qui tombe au cours d'une période donnée.

Les fossiles (biologie et médecine; classification et évolution des êtres vivants). Vers 550 av. J.-C., le philosophe grec XÉNOPHANE (VIe siècle av. J.-C.) trouve, très loin des côtes de la Méditerranée, des fossiles d'organismes marins et en déduit que la mer s'étendait autrefois jusqu'à cet endroit. Il affirme que la Terre finira un jour par se désintégrer et disparaître.

Conception fréquente à l'époque et chez certains élèves: Les mers et les océans ont toujours été situés aux mêmes endroits.

Concepts scientifiques actuels: Plusieurs régions des continents actuels se situaient autrefois sous des mers où des océans. C'est pour cette raison qu'on y trouve des fossiles d'animaux marins. La région de Montréal, par exemple, qui était autrefois sous la mer de Champlain, est riche en fossiles de petits mollusques.

Activités (8 ans et plus):

- Examiner une carte montrant l'emplacement des mers et des océans à diverses époques des temps géologiques relativement récents.
- Rechercher des fossiles à des endroits où se trouvent maintenant des roches sédimentaires (exemple: dans la vallée du Saint-Laurent, au Québec).
- Trouver des reproductions en plastique de divers fossiles (vendues chez certains fournisseurs de matériel scientifique).
- À l'aide d'un logiciel d'identification de fossiles (qu'on peut se procurer chez certains fournisseurs de matériel scientifique), reconnaître et nommer des fossiles virtuels.

La protection des aliments (biologie et médecine; animaux). En 1668, le médecin italien Francesco REDI (1626-1697) démontre qu'en protégeant la viande pour empêcher les mouches d'y pondre des œufs, aucun asticot ne s'y développe, ce qui constitue un premier pas vers la remise en question de la théorie de la génération spontanée.

Conception fréquente à l'époque et chez certains élèves: Des vers ou des mouches peuvent apparaître spontanément dans les aliments.

Concepts scientifiques actuels: Selon la théorie de la génération spontanée, énoncée au cours de l'Antiquité grecque, on croyait que des êtres vivants pouvaient apparaître spontanément dans des aliments ou de la matière organique. Les travaux de Francisco Redi, plus tard de Lazzaro Spallanzani (1729-1799) et, surtout, de Louis Pasteur (1822-1895), confirmèrent l'impossibilité de la génération spontanée et donnèrent naissance à la loi de la biogenèse, selon laquelle la vie ne peut provenir que de la vie. (Sauf, évidemment, au moment de l'apparition de la vie sur Terre.) Quand des vers ou des mouches apparaissent dans des aliments, c'est parce que des œufs y ont été pondus.

Activités (8 ans et plus):

- Observer, dans une épicerie ou une fruiterie, les petites mouches qui volent autour des fruits.
- Laisser quelques tomates à l'air libre pendant plusieurs jours. Observer. Refaire l'expérience après avoir bien lavé les tomates et les avoir placées dans une gaze ou une moustiquaire très fines ou dans un sac en plastique (exemple : sac à sandwich) hermétiquement fermé.

La respiration des plantes (biologie et médecine ; végétaux). En 1782, le naturaliste suisse Jean SENEBIER (1742-1809) montre que la présence d'« air fixe » (gaz carbonique) accélère la production d'« air respirable » par les plantes. Archibald Vivian HILL (1886-1977) montrera toutefois, en 1940, que les deux phénomènes ne sont pas directement liés, car l'oxygène produit par les plantes ne provient pas des molécules de gaz carbonique, mais plutôt des molécules d'eau.

Conceptions fréquentes à l'époque et chez certains élèves:

- Les végétaux respirent de l'oxygène et rejettent du gaz carbonique, comme les animaux et les êtres humains.
- Les végétaux se nourrissent principalement des substances qu'ils puisent dans la Terre.

Concepts scientifiques actuels: La photosynthèse est un processus au moyen duquel les végétaux utilisent l'énergie lumineuse pour fabriquer du glucose à partir de gaz carbonique et d'eau, en libérant de l'oxygène par de minuscules ouvertures, les stomates, situées sur l'épiderme des feuilles. L'oxygène pur rend toutes les combustions beaucoup plus vives que dans l'air. (L'air ne contient que 21 % d'oxygène.)

Activité (8 ans et plus): Verser de l'eau tiède dans un grand bac en plastique. Remplir un pot transparent d'eau tiède et le renverser dans le bac de manière qu'il demeure plein. Insérer l'extrémité d'une tige de plante grimpante (lierre, philodendron) dans le pot, en prenant soin de ne pas introduire d'air. Placer le montage dans un endroit ensoleillé de la classe. Effectuer des observations à intervalles réguliers et noter ces observations. Refaire l'expérience en plaçant cette fois le montage dans un endroit sombre. (On peut vérifier quelle est la nature du gaz produit en le recueillant dans une éprouvette et en faisant pénétrer une longue allumette enflammée dans cette éprouvette. On peut aussi utiliser un indicateur liquide au manganèse de la concentration d'oxygène dissous dans l'eau. On peut également placer un pH-mètre électronique dans le pot, car une augmentation du pH est en corrélation avec la baisse de la proportion de gaz carbonique et l'augmentation de la proportion d'oxygène.)

Les organismes microscopiques (biologie et médecine; cellule et chimie du vivant). Vers 1680, le naturaliste hollandais Antonie VAN LEEUWENHOEK (1632-1723) perfectionne le microscope à lentille unique et découvre l'existence de plusieurs espèces d'organismes microscopiques. Il décrit sous le nom d'*animalcules spermatiques* les spermatozoïdes dans le sperme de plusieurs animaux. Après avoir découvert que des organismes microscopiques vivent sur les dents, il prend l'habitude de se nettoyer régulièrement les siennes.

Conception fréquente à l'époque et chez certains élèves: Il n'existe pas d'êtres vivants trop petits pour être visibles à l'œil nu.

Concepts scientifiques actuels: Il existe plusieurs espèces d'organismes difficiles ou impossibles à voir à l'œil nu. Certains sont des organismes pluricellulaires tels que les puces, tandis que d'autres sont des organismes unicellulaires, avec ou sans noyau. Les unicellulaires avec noyau qui constituent le règne des protistes se subdivisent en deux embranchements: celui des algues unicellulaires, qui présentent des caractéristiques «végétales» (exemples: algue verte, diatomée), et celui des protozoaires, qui comportent des caractéristiques «animales» (exemples: amibe, paramécie). Les unicellulaires sans noyau sont des bactéries.

Activités (8 ans et plus):

- Observer des caractères d'imprimerie à travers une petite bille de verre transparent (principe du microscope de Leeuwenhoek).
- Laisser tremper de l'herbe dans de l'eau pendant quelques jours puis examiner l'eau avec un petit microscope. Il est assez facile d'y observer des paramécies, et parfois des algues et des amibes.

- Observer des préparations microscopiques de micro-organismes (vendues chez certains fournisseurs de matériel scientifique). On peut également observer des préparations virtuelles à l'aide de certains logiciels de microscopie.
- Se documenter pour répondre à la question suivante : Pourquoi est-il important de se brosser les dents ? (Exemple : présence de bactéries dans la bouche et sur les dents.)
- Se documenter pour répondre à la question suivante : Quels sont les faits saillants de la vie d'Antonie Van Leeuwenhoek ? (Noter, par exemple que, pendant longtemps, la Société royale de Londres, à qui il envoyait ses dessins et descriptions d'organismes microscopiques, ne prenait pas ses travaux au sérieux.)

L'épuration des eaux usées (biologie et médecine ; environnement). En 1889, on assiste à la construction, en Grande-Bretagne, sur la Tamise, de la première station d'épuration des eaux usées.

Conception fréquente à l'époque et chez certains élèves: Les eaux usées peuvent être rejetées directement dans les cours d'eau.

Concepts scientifiques actuels: Les eaux usées peuvent être des eaux de ruissellement et de drainage (exemples : pluie, eau de lavage des rues, eau des terres agricoles), des eaux domestiques et des eaux industrielles. Dans les deux derniers cas surtout, ces eaux aboutissent par un réseau d'égouts jusqu'à une station d'épuration. L'épuration se fait en deux étapes. La première étape, l'épuration mécanique, consiste à séparer la boue des eaux usées. Cette boue, dont la décomposition produit du biométhane, est parfois utilisée comme source d'énergie pour l'usine d'épuration ou comme engrais par des agriculteurs de la région. La seconde étape, l'épuration biologique, consiste à aérer l'eau usée pour l'oxygéner et faciliter la dégradation des fines particules résiduelles par des bactéries. L'eau épurée est ensuite retournée dans la nature (rivière, lac, mer).

Activités et exercice (8 ans et plus):

- Examiner un schéma du fonctionnement d'une usine d'épuration moderne.
- Si possible, faire une visite guidée d'une usine d'épuration.
- Concevoir un système de filtre pour faire une épuration mécanique d'eau à laquelle une certaine quantité de terre a été mêlée.
- À l'aide d'un modèle de station d'épuration miniature (qu'on peut se procurer chez certains fournisseurs de matériel scientifique), observer les principales étapes du traitement de l'eau.

- Se documenter pour répondre à la question suivante: Quelles sont les substances qui ne devraient jamais se retrouver dans les égouts, car elles résistent à l'épuration et contaminent les cours d'eau? (Exemples: médicaments, peinture, huile à moteur, produits chimiques, etc.)

Le diabète et la détection du sucre (biologie et médecine: santé et maladie). Vers 1660, le médecin anglais Thomas WILLIS (1621-1675) redécouvre le fait, déjà observé par des médecins indiens vers 400 av. J.-C., que l'urine des diabétiques contient du sucre.

Conception fréquente à l'époque et chez certains élèves: La seule façon de détecter la présence de sucre dissous dans un liquide est de goûter le liquide.

Concepts scientifiques actuels: Le diabète sucré est une maladie chronique causée par un trouble du métabolisme des sucrées lié à une insuffisance totale ou relative de la sécrétion d'insuline par le pancréas. Le manque d'insuline entraîne une accumulation du glucose dans les tissus révélée par une élévation anormale du taux de glucose dans le sang et par la présence de glucose dans l'urine. De petits appareils électroniques peuvent mesurer le taux de sucre dans le sang à partir d'une goutte de sang. Le diabète se traite par des injections régulières d'insuline.

Il existe plusieurs méthodes pour détecter du sucre en solution dans l'eau:

- L'eau sucrée est légèrement adhésive et laisse les doigts ou la surface d'une table collants.
- En faisant évaporer l'eau, le sucre en solution se dépose au fond de la casserole.
- Les fourmis sont attirées par de l'eau sucrée, car elles la boivent pour se nourrir.
- La solution sucrée est plus visqueuse que l'eau douce et coule plus lentement que l'eau dans une paille.
- La liqueur de Fehling est un indicateur chimique qui change de couleur dans l'eau sucrée.
- L'indice de réfraction de l'eau varie avec la concentration de sucre.

Problème (8 ans et plus): Peut-on savoir, sans y goûter, lequel d'un échantillon d'eau douce et d'un échantillon d'eau sucrée est l'échantillon d'eau sucrée?

Matériel:

Quelques récipients, du sucre, de l'eau, quelques pailles, un compte-gouttes, une plaque chauffante ou un élément chauffant, quelques casseroles, de la liqueur de Fehling (indicateur chimique; matériel facultatif).

Quelques solutions ou approches possibles :

Après avoir préparé une solution très sucrée, les solutions ou approches suivantes sont possibles :

- tremper les doigts d'une main dans de l'eau et les doigts de l'autre main dans une solution sucrée. Observer les doigts.
- Verser quelques gouttes d'eau et, à quelques centimètres, quelques gouttes de solution sucrée sur une table. Laisser évaporer. Observer l'endroit où étaient les gouttes d'eau et de solution.
- Verser un peu d'eau au fond d'une casserole. Faire évaporer l'eau en plaçant la casserole sur une plaque chauffante. Observer. Verser ensuite un peu de solution sucrée dans une casserole. Faire évaporer l'eau en la plaçant sur une plaque chauffante. Observer.
- Placer de l'eau douce et de l'eau sucrée au congélateur. Observer.
- Prendre de l'eau à l'aide d'un compte-gouttes. Tenir une paille verticalement au-dessus d'une assiette. Verser assez rapidement (mais pas brusquement) le contenu du compte-gouttes dans la paille. Observer. Faire la même chose avec la solution sucrée (Si l'on désire recommencer, bien rincer la paille après l'avoir utilisée avec de l'eau sucrée.)
- À l'aide d'un compte-gouttes, verser un peu de liqueur de Fehling dans de l'eau et de la solution sucrée. Observer.
- En septembre, octobre, mai ou juin, aller à l'extérieur et trouver une fourmilière. Placer quelques gouttes d'eau près de l'entrée de la fourmilière et, de l'autre côté, quelques gouttes de solution sucrée. Observer le comportement des fourmis.
- À l'aide d'un réfractomètre à main à teneur en sucre (qu'on peut se procurer chez certains fournisseurs de matériel scientifique), comparer la concentration de sucre d'un échantillon d'eau douce et d'un échantillon d'eau sucrée.

Activité (8 ans et plus) :

- Se documenter sur les façons de prévenir le diabète de type 2, souvent liée à de mauvaises habitudes alimentaires.

La tour (technologie ; techniques de l'architecture et de la construction). Vers 2000 av. J.-C., on assiste à la construction des premières tours, qui faisaient partie de l'enceinte fortifiée de Babylone.

Conception fréquente à l'époque et chez certains élèves: La seule façon de voir au-dessus des obstacles est de monter au sommet d'une montagne, d'une colline ou d'un arbre.

Concepts scientifiques actuels: La tour, d'abord utilisée comme flanquement d'une muraille, a été en usage dès l'Antiquité la plus lointaine (enceinte de Babylone). Au Moyen Âge, la tour devint un élément indispensable des châteaux fortifiés, qui en comportaient plusieurs, les plus importantes étant généralement situées aux angles des murailles; l'une d'elles, isolée et spécialement aménagée (le donjon), servait de réduit. De nos jours, il existe de nombreux types de tours, dont plusieurs sont à la fois des attractions touristiques et des supports pour des systèmes de télécommunication.

Activités (8 ans et plus):

- Construire une tour avec du matériel de récupération ou du matériel peu coûteux.
- Construire une tour avec un ensemble pour structures, ponts et tours de type Lego-Dacta (qu'on peut se procurer chez certains fournisseurs de matériel scientifique).
- Organiser un concours qui consiste à construire la tour la plus haute possible avec une boîte de cure-dents et de petites guimauves.
- Visiter une tour moderne.

Le parachute (technologie; techniques du mouvement). Vers 1490, l'artiste et inventeur italien LÉONARD DE VINCI (1452-1519) dessine les plans de plusieurs machines telles que le vérin hydraulique et le parachute.

Conception fréquente à l'époque et chez certains élèves: Il est impossible de ralentir la chute d'un objet.

Concepts scientifiques actuels: Un parachute ralentit la vitesse de chute d'un objet ou d'une personne, car sa grande surface augmente la résistance de l'air. De façon générale, les modèles de parachute efficaces sont faits d'un matériau très léger et comportent un assez grand nombre de ficelles assez longues. Leur forme n'a pas tellement d'importance.

Activité (8 ans et plus): Se documenter pour répondre à la question suivante: Quels sont les faits saillants de la vie de Léonard de Vinci? (Noter, par exemple, que Léonard de Vinci est célèbre autant pour ses travaux dans le domaine artistique, médical et technique. Remarquer sa façon spéciale d'écrire pour ne pas pouvoir être lu facilement.)

Problème (8 ans et plus): Comment peut-on construire un parachute qui descend lentement?

Matériel:

- Quelques sacs d'épicerie en plastique, quelques sacs pour envelopper les vêtements après un nettoyage à sec, du papier de soie, quelques morceaux de divers tissus, de la ficelle, de petits objets à suspendre au parachute, des ciseaux; quelques chronomètres.

Quelques solutions ou approches possibles:

- Les parachutes peuvent être faits de divers matériaux.
- Les parachutes peuvent être plus ou moins grands.
- Les parachutes peuvent avoir diverses formes (ronds, carrés, rectangulaires, en étoile, etc.).
- Les parachutes peuvent comporter un nombre plus ou moins grand de ficelles (4, 6, 8, etc.).
- Les ficelles peuvent être plus ou moins longues.

Remarque: Si toutes les équipes utilisent un même objet à accrocher au parachute, on peut organiser le concours du parachute qui descend le plus lentement.

Le disque microsillon (technologie; techniques de la lumière, du son et des communications). En 1948, l'inventeur américain d'origine hongroise Peter GOLDMARK (1906-1977) invente le disque microsillon en vinylite, d'une durée cinq fois supérieure aux disques en gomme-laque utilisés depuis l'invention du gramophone.

Conception fréquente à l'époque et chez certains élèves: La seule façon d'enregistrer des sons est de graver des sillons dans de la gomme-laque.

Concepts scientifiques actuels: Les disques microsillons sont en vinylite et de très petits sillons (d'où le nom *microsillon*) y sont gravés. De chaque côté du sillon sont aussi gravés de petits creux. Lorsque la pointe de diamant ou de saphir, qui est située au bout du bras pivotant, passe dans le sillon, elle va vibrer au rythme des creux et des bosses. Ces vibrations seront transformées en signaux électriques qui pourront par la suite être amplifiés. Le disque microsillon a perdu en popularité depuis l'invention du disque compact, mais certains mélomanes préfèrent encore le son qu'ils produisent.

Activités (8 ans et plus):

- Examiner les sillons d'un disque microsillon à la loupe ou au microscope.
- À l'aide d'un vieux disque microsillon et d'une petite aiguille droite plantée au fond d'un litre de lait vide, constater qu'il est possible d'entendre le son, sans amplificateur, en faisant tourner le disque sur un tourne-disque et en laissant traîner la pointe de l'aiguille au fond des sillons. (Même principe que les anciens gramophones.)
- Comparer le son produit par un disque microsillon et par un disque compact.

Le thermos (technologie; techniques de la chaleur). En 1872, le chimiste et physicien écossais James DEWAR (1842-1923) invente un récipient isolant, qui sera plus tard commercialisé sous le nom de Thermos, pour la conservation des gaz liquéfiés.

Conception fréquente à l'époque et chez certains élèves: La seule façon de construire un récipient isolant est d'utiliser une bonne épaisseur d'un matériau non conducteur.

Concepts scientifiques actuels: Un thermos est un récipient isolant formé de deux enceintes de verre entre lesquelles on fait le vide pour éviter la transmission de chaleur par conduction gazeuse ou convection. De plus, les faces des enceintes situées du côté de la partie sous vide sont argentées afin de limiter les pertes thermiques par rayonnement.

Problème (8 ans et plus): Comment peut-on conserver un liquide chaud ou froid le plus longtemps possible?

Matériel:

Des pots et des récipients de tailles variées, du papier journal, de la mousse de polystyrène, du caoutchouc mousse, des éponges, des morceaux de tissu, un thermomètre, un Thermos.

Quelques solutions ou approches possibles:

- Placer le liquide chaud ou froid dans divers récipients. À l'aide d'un thermomètre, comparer les temps de refroidissement ou de réchauffement.
- Fabriquer des récipients isolants en plaçant un petit contenant dans un grand contenant et en remplissant l'espace entre les deux contenants avec du papier journal, de la mousse de polystyrène, du caoutchouc mousse, des éponges ou des morceaux de tissu. À l'aide d'un thermomètre, comparer les temps de refroidissement ou de réchauffement de liquides dans ces récipients et avec les récipients ordinaires.

- Utiliser un vrai Thermos. À l'aide d'un thermomètre, comparer les temps de refroidissement ou de réchauffement de liquides. Observer comment le Thermos est fabriqué.

Les empreintes digitales (technologie; techniques militaires et policières). En 1892, le physiologiste anglais Francis GALTON (1822-1911), cousin de Charles Darwin (1809-1882), met au point le système d'identification par les empreintes digitales.

Conception fréquente à l'époque et chez certains élèves: Il presque impossible d'identifier l'auteur d'un crime s'il n'est pas pris sur le fait.

Concepts scientifiques actuels: Les empreintes digitales, aussi appelées *dactylogrammes*, sont les traces souvent invisibles laissées par les doigts sur les objets touchés et qui permettent d'identifier une personne. Ces empreintes, qui comportent des lignes appelées *lignes papillaires*, sont spécifiques à chaque personne. Elles peuvent être rendues visibles à l'aide de divers produits chimiques, tels que des sels d'argent. De nos jours, les ordinateurs accélèrent grandement le travail de reconnaissance des empreintes.

Activités (8 ans et plus):

- Former des empreintes digitales visibles en touchant un tampon encreur avec un doigt (pouce ou index) et en appuyant le doigt sur une feuille de papier.
- Comparer ses empreintes à celles d'autres personnes ayant utilisé le même doigt (pouce ou index).
- Visiter un poste de police et observer les techniques utilisées pour rendre les empreintes visibles et les identifier.

La saumure (technologie; techniques du vêtement et de l'alimentation). Vers 200 av. J.-C., les Romains développent une méthode de conservation du poisson, des olives, des radis et d'autres légumes dans la saumure.

Conception fréquente à l'époque et chez certains élèves: La plupart des légumes ne peuvent être conservés très longtemps.

Concepts scientifiques actuels: Lorsqu'un aliment contient plus de 15 % de sel, les bactéries qui provoquent habituellement la fermentation ou la décomposition ne peuvent se développer. C'est pour cette raison que la saumure, qui est une solution concentrée de sel, est un bon milieu de conservation. Pour certains aliments, le vinaigre peut jouer le même rôle que la saumure.

Activité (8 ans et plus): Préparer une saumure, c'est-à-dire une solution d'eau salée qui contient au moins 15 % de sel. Placer de petits morceaux de divers légumes dans cette solution. Observer les légumes après quelques jours et quelques semaines. Comparer avec des morceaux de légumes baignant dans de l'eau douce. (Par mesure de sécurité, mettre la saumure et les légumes dans une bouteille en plastique munie d'un bouchon percé, ce qui évite une explosion en cas de dégagement de gaz. De plus, ne pas manger les aliments, même ceux qui sont dans la saumure, car des erreurs sont toujours possibles.)

L'INTÉGRATION DES MATIÈRES

Les projets transdisciplinaires

Le *Programme de formation de l'école québécoise* vise à favoriser le décloisonnement disciplinaire. L'école est ainsi « conviée à dépasser les cloisonnements entre les disciplines afin d'amener l'élève à mieux saisir et intégrer les liens entre ses divers apprentissages » (Ministère de l'Éducation du Québec, 2001). Pour ce faire, le programme comporte notamment des compétences transversales et des domaines généraux de formation qui ne répondent pas à une logique disciplinaire.

Les compétences transversales, qui sont d'ordre intellectuel, méthodologique, personnel, social et de l'ordre de la communication, présentent un caractère générique, se déploient dans divers domaines d'apprentissage et débordent les frontières de chacune des disciplines. Les domaines généraux de formation que sont la santé et le bien-être, les médias, l'environnement et la consommation, l'orientation et l'entrepreunariat, ainsi que le vivre-ensemble et la citoyenneté, touchent à diverses dimensions de la vie contemporaine et visent à amener l'élève à établir des liens entre ses apprentissages scolaires et la vie quotidienne.

Projets transdisciplinaires et activités disciplinaires

Certaines personnes travaillant dans le milieu scolaire ont traduit ce décloisonnement par un apprentissage presque totalement centré sur des projets transdisciplinaires du genre de celui qui est présenté dans le paragraphe suivant, adapté de Tardif (1998) :

Des élèves d'une classe du troisième cycle du primaire, regroupés en petites équipes, effectuent un projet de recherche sur les grands explorateurs ayant vécu à différents moments de l'histoire et ayant fait des explorations dans diverses régions du globe. Chaque équipe se concentre sur un grand explorateur. Les recherches peuvent porter sur divers aspects tels que les intentions de l'explorateur, l'histoire et la géographie de son pays d'origine à l'époque de l'exploration, les péripéties de son voyage, les distances parcourues, la description des lieux explorés en mettant l'accent sur les composantes géophysiques, les interactions avec les personnes rencontrées et les caractéristiques de leur société, ainsi que la définition et la caractérisation des phénomènes naturels observés. Un tel projet, outre qu'il permet d'acquérir des compétences transversales, favorise des apprentissages en français, en mathématiques, en sciences humaines et en sciences et technologie.

Nous croyons toutefois que de tels projets transdisciplinaires, bien qu'ils soient intéressants, comportent souvent de graves lacunes lorsqu'ils sont examinés à la lumière de certaines des disciplines qu'ils prétendent intégrer. Dans l'exemple du paragraphe ci-dessus, les apprentissages en sciences et technologie ne sont pas tellement satisfaisants parce qu'ils demeurent purement livresques et ne permettent ni de questionner la nature, ni de résoudre un véritable problème scientifique, ni d'utiliser les outils et procédés des sciences et de la technologie.

On comprend mieux alors pourquoi la plupart des spécialistes de la didactique, et particulièrement les didacticiens des sciences et de la technologie, sans s'opposer totalement à la réalisation de projets transdiciplinaires, insistent sur la nécessité de réserver une bonne part de la grille horaire, au primaire, à des activités d'enseignement et d'apprentissage disciplinaires qui préservent la spécificité des compétences, des savoirs et des stratégies de chacune des disciplines.

Quelques avantages des projets transdisciplinaires

Cela dit, les projets transdisciplinaires ont quand même leur place et présentent des avantages certains, dont les plus évidents sont l'acquisition des compétences transversales et la familiarisation avec les domaines généraux de formation.

De plus, en sciences et technologie, les projets transdiscipliaires peuvent contribuer à contourner un problème fréquemment invoqué par les enseignants, qui est celui du manque de temps. En effet, un grand nombre d'heures sont nécessaires pour acquérir les compétences et les savoirs en français et en mathématiques au programme et, dans un tel contexte, les autres disciplines, telles que les arts, l'univers social ou les sciences et la technologie, quand elles ne sont pas purement et simplement laissées de côté, sont souvent reléguées au second plan.

Une des façons de contourner cette difficulté, qui peut devenir fort intéressante en sciences et technologie, consiste à faire l'intégration de deux ou de plusieurs disciplines dans le cadre d'un projet ou d'une problématique portant sur une thématique scientifique ou technologique. Plusieurs thèmes, tels que l'environnement, l'énergie, la santé l'alimentation, permettent d'aborder des compétences et des savoirs de sciences et de technologie, de même que des compétences transversales, des domaines généraux de formation et des compétences et des savoirs d'autres disciplines.

Caractéristiques d'un projet transdisciplinaire

Un projet permettant une intégration réussie présente habituellement les caractéristiques suivantes:

La transdisciplinarité. Certaines activités scolaires multidisciplinaires ne comportent qu'une juxtaposition de contenus et ne permettent pas d'atteindre les compétences, les stratégies et les savoirs des disciplines qu'elles visent à intégrer.

Par exemple, ce n'est pas en écrivant une dictée sur les planètes que les élèves intègrent l'astronomie au français, et ce n'est pas en collant des feuilles d'arbres dans un cahier qu'ils intègrent la botanique aux arts visuels. En fait, il n'est pas facile d'intégrer certains savoirs et certaines compétences, et il est préférable de les aborder de façon unidisciplinaire. Il serait inutile, par exemple, d'essayer d'intégrer des concepts d'électricité avec des règles de grammaire ou des notions de géométrie.

Différente de la multidisplinarité, la transdisciplinarité permet à chaque discipline scolaire intégrée dans un projet de fournir un apport réel aux thèmes abordés.

Le niveau conceptuel élevé des savoirs. Le projet devrait porter, au moins en partie, sur des savoirs d'un niveau conceptuel assez élevé, tels que les concepts d'énergie, de système ou de croissance, par exemple, qui se prêtent bien à l'intégration de diverses disciplines.

Le lien avec les domaines généraux de formation. Le projet devrait permettre à l'élève d'établir des liens avec sa vie quotidienne, comme le prévoient les domaines généraux de formation. En chimie, par exemple, la rédaction d'un rapport de recherche, qui favorise l'intégration des objectifs de sciences de la nature et des objectifs de français, sera beaucoup plus stimulante, pour l'élève, si cette recherche porte sur des produits chimiques d'usage courant que sur des composés qu'il ne connaît que d'une façon purement théorique.

Des compétences disciplinaires semblables. Le projet devrait permettre d'acquérir des compétences disciplinaires semblables. Plusieurs disciplines, par exemple, visent à acquérir des compétences portant sur la résolution de problème et la communication.

Le lien avec des compétences transversales. Le projet devrait aussi permettre d'acquérir des compétences transversales qui, par définition, sont des compétences transdisciplinaires. Ces compétences sont d'ordre intellectuel, méthodologique, personnel, social et l'ordre de la communication.

Le réalisme. De façon générale, un projet ne devrait pas viser l'intégration de plus de deux ou trois disciplines scolaires. Une tentative d'intégrer dans un même projet les sciences et la technologie, le français, les mathématiques, l'univers social, les arts visuels, la musique et l'éducation physique se solderait probablement par un échec pour une ou plusieurs des disciplines intégrées.

LES TECHNOLOGIES DE L'INFORMATION ET DE LA COMMUNICATION

Complément utile

La section « Science et technologie » du *Programme de formation* comporte un certain nombre de suggestions pour l'utilisation des technologies de l'information et des communications (TIC). On propose notamment d'inciter les élèves à accomplir les tâches suivantes :

- utiliser le courrier électronique pour échanger de l'information ;
- utiliser Internet pour accéder à des sites à caractère scientifique et technologique ;
- utiliser des CD-ROM pour recueillir de l'information sur un sujet à l'étude ;
- organiser et présenter des données à l'aide de divers logiciels ;
- utiliser des logiciels de simulation ;
- utiliser des logiciels de dessin ;
- produire une représentation graphique de données ;
- expérimenter en étant assisté par l'ordinateur ;
- robotiser et automatiser.

Le présent chapitre traite de l'utilisation des TIC en sciences et technologie, en faisant toutefois certaines mises en garde concernant des dérives possibles.

TIC et questionnement de la nature

La « science et technologie » est la seule matière scolaire qui permet aux élèves de « questionner la nature », c'est-à-dire de trouver des réponses à leurs questions en observant, en mesurant, en construisant des outils et des instruments, en faisant des expériences, en résolvant des problèmes et en imaginant des prototypes. C'est donc, et surtout au primaire, une matière scolaire qui nécessite la manipulation constante de divers matériaux, objets et êtres vivants. On ne le répétera jamais trop, il n'y a pas de véritable apprentissage des sciences et de la technologie sans observation, sans mesure, sans expérimentation, sans résolution de problème et sans fabrication.

Malheureusement, les TIC ont parfois tendance à se substituer à ce questionnement de la nature. Il existe même des écoles où les enseignants et les élèves croient sincèrement avoir fait des sciences et de la technologie parce qu'ils ont écrit un texte portant sur un thème scientifique à l'aide d'un ordinateur, posé une question à un expert par courrier électronique, trouvé de l'information dans Internet ou dans des CD-ROM pour rédiger des « recherches » ou réalisé uniquement des expériences virtuelles à l'ordinateur.

Le point de vue adopté dans le chapitre 17, comme le sous-titre l'indique, est que les nouvelles technologies de l'information et de la communication peuvent jouer un rôle complémentaire utile, mais qu'elles ne devraient jamais prendre la place de l'observation, de la résolution de problème, de l'expérimentation ou de la fabrication qui doivent demeurer l'essentiel des activités proposées en sciences et technologie.

TIC et technologie

Une distinction importante s'impose entre TIC et technologie, car on réduit parfois, dans le milieu scolaire, la technologie aux seules technologies de l'information et de la communication.

Comme on l'a vu aux chapitres 3, 4 et 5, il existe des technologies des sciences physiques, des technologies des sciences de la Terre et de l'Espace, et des technologies des sciences biologiques. Les technologies de l'information et de la communication ne sont qu'un volet des technologies des sciences physiques et il ne suffit pas que les élèves utilisent un ordinateur pour pouvoir prétendre qu'ils se sont familiarisés avec la « technologie ».

L'ordinateur est évidemment très utile en sciences et technologie, mais la technologie est un domaine beaucoup plus vaste que la conception et l'utilisation d'ordinateurs et autres techniques associées.

Les sections suivantes présentent brièvement les principales utilisations des nouvelles technologies de l'information et de la communication qui peuvent être utiles en sciences et technologie au primaire.

Logiciels de traitement de texte

Ces logiciels, dont l'un des plus connus est Word de Microsoft, sont très utiles à la fois aux enseignants et aux élèves. En sciences et technologie, les enseignants peuvent s'en servir, par exemple, pour rédiger, sous une forme claire et lisible, les consignes d'une problématique de science et technologie ainsi que pour préparer un carnet scientifique de l'élève qui accompagne cette problématique particulière. La possibilité de modifier facilement la disposition du texte et la taille des caractères est particulièrement utile pour s'adapter au degré de connaissances des élèves.

Les élèves, surtout vers la fin du primaire, peuvent s'en servir pour rédiger des comptes rendus d'activités scientifiques et divers textes portant sur les sciences et la technologie.

Il est intéressant de noter que la plupart des bons logiciels de traitement de texte comportent des fonctions souvent mal connues, pourtant très utiles en enseignement. Certains logiciels, par exemple, peuvent effectuer la synthèse automatique d'un texte. D'autres peuvent aussi calculer des indices de lisibilité, qui permettent de s'assurer qu'un texte n'est ni trop facile, ni trop difficile pour les élèves auxquels il est destiné. Ces indices, tels que l'indice de Flesch, sont habituellement basés sur le nombre moyen de syllabes par mot et le nombre moyen de mots par phrase.

Tableurs

Ces logiciels, dont le plus courant est Excel de Microsoft, sont particulièrement utiles, en sciences et technologie, pour dresser des tableaux de données, effectuer des opérations logiques et mathématiques sur ces données et tracer divers graphiques.

Un exemple fréquent d'utilisation du tableur concerne les données recueillies à l'aide des instruments d'une petite station météorologique comportant, par exemple, un thermomètre (température), un baromètre (pression), un hygromètre (taux d'humidité), un anémomètre (vitesse du vent) et un pluviomètre (quantité de précipitations). Ces données peuvent être notées dans un tableau, une ou plusieurs fois par jour, et divers graphiques, habituellement d'une des variables en fonction du temps (exemple : température en fonction du temps), peuvent être tracés.

Diaporamas électroniques

Ces logiciels, dont le mieux connu est Power Point de Microsoft, sont destinés à illustrer des présentations orales. Ils permettent de présenter du texte, des dessins, des photographies et des animations. En sciences et technologie, ils sont particulièrement utiles pour faciliter la compréhension de certains concepts scientifiques.

Par exemple, une diapositive électronique comportant une animation portant sur l'orbite de la Terre autour du Soleil et sur la façon dont la Terre est éclairée par le Soleil tout au long de l'année illustrerait très bien une présentation orale sur les saisons.

Logiciels de dessin

Ces logiciels, dont une version simplifiée est généralement incluse dans la plupart des bons logiciels de traitement de texte, permettent de tracer facilement des illustrations beaucoup plus nettes que celles que le plupart des utilisateurs seraient capables de tracer à la main.

En sciences et technologie, il existe aussi des logiciels de dessin spécialisés qui permettent, par exemple, de tracer rapidement des circuits électriques ou des montages expérimentaux en mécanique ou en chimie.

CD-ROM et DVD

Les disques optiques peuvent contenir l'équivalent de plusieurs milliers de pages de textes et d'images ainsi que des animations, des films, du son, etc.

En sciences et technologie au primaire, des disques très utiles, mais souvent oubliés ou négligés, sont les encyclopédies générales ou spécialisées. Les textes de ces encyclopédies, rédigés par des experts, sont souvent d'excellentes introductions à divers concepts, lois ou théories scientifiques et des images, des animations ou des extraits de films en facilitent beaucoup la compréhension.

Il existe également de nombreux logiciels éducatifs portant sur divers domaines des sciences et de la technologie. Certains se présentent même sous forme de jeux vidéo, ce qui peut augmenter leur attrait pour les élèves.

Logiciels de courrier électronique

Ces logiciels, appelés aussi *logiciels de courriel*, permettent la communication, partout dans le monde, entre tous les utilisateurs qui disposent d'un ordinateur branché à un serveur. Le courriel est aussi utilisé pour créer des listes de diffusion thématique permettant d'échanger des messages entre des groupes de personnes intéressées par des sujets précis.

En sciences et technologie au primaire, le courriel peut servir de moyen de communication entre des élèves d'écoles plus ou moins éloignées qui s'intéressent à un même thème ou travaillent à des projets semblables ; certains projets peuvent même faire participer des élèves de deux ou plusieurs pays. Le courriel permet également à des élèves de poser des questions à un expert qui a accepté d'agir à titre de consultant pour un projet scientifique ou technologique.

Web

Le Web, qui vient des mots anglais *World Wide Web*, appelé parfois la *toile*, est constitué d'un vaste ensemble de données liées par des liens hypertextes dans Internet. L'hypertexte permet, par un simple clic de la souris sur un mot, de passer d'un fragment de texte à un autre, de faire apparaître une image, d'entendre un document sonore ou de visionner un extrait de film. Les logiciels d'aide à la navigation, tels que Explorer de Microsoft, appelés aussi *navigateurs* ou *fureteurs*, permettent de consulter et de télécharger des milliers de pages de documents et d'images sur toutes sortes de sujets. La recherche de ces documents est facilitée par un moteur de recherche, tels que Google, qui trouve les documents les plus pertinents en fonction des mots-clés qui lui sont fournis.

Les utilisateurs peuvent aussi créer eux-mêmes leurs propres sites Web et y établir des liens hypertextes vers d'autres documents ou d'autres serveurs d'Internet.

En sciences et technologie au primaire, le Web est surtout utilisé par les enseignants et les élèves qui ont besoin d'information complémentaire. Plusieurs sites spécialement conçus pour l'enseignement au primaire ainsi qu'un certain nombre de sites de vulgarisation scientifique ont été créés au cours des dernières années. Des sites permettent même de télécharger des logiciels spécialisés semblables à ceux dont sont munis les CD. Par ailleurs, des écoles ou des équipes d'élèves qui travaillent à des projets scientifiques d'envergure créent parfois leur propre site Web, ce qui permet alors à d'autres enseignants et élèves de consulter leurs productions.

Étant donné la qualité et la fiabilité très variables de l'information disponible sur le Web, il importe toutefois que les enseignants guident étroitement les élèves dans leur navigation et les aident à développer une certaine prudence à l'égard de certains sites douteux sur lesquels ils peuvent parfois tomber.

Logiciels de cartographie conceptuelle

Une carte conceptuelle, appelée aussi *réseau notionnel*, est une représentation schématique qui permet de relier des mots qui désignent des concepts scientifiques, placés dans des cases ou dans des ovales, par des segments de droite ou des flèches accompagnés de mots-liens qui représentent les relations qui existent entre ces concepts. Une carte conceptuelle ressemble à une carte d'exploration, mais elle est plutôt utilisée à des fins de synthèse des connaissances qu'à des fins de découverte et d'exploration.

Une carte conceptuelle peut être tracée à la main ou à l'aide d'un logiciel de dessin ordinaire. Il existe toutefois des logiciels spécialisés, tels que CMmap, qui permettent de modifier facilement les liens établis entre les concepts et, surtout, d'inclure des liens hypertextes dans la carte. Ces liens permettent d'ouvrir des documents écrits, des animations ou des extraits de film qui ont été trouvés en rapport avec les concepts ou les mots-liens.

Les logiciels de cartographie conceptuelle aident les élèves à apprendre, en facilitant la structuration cognitive de leur savoir, en leur permettant d'archiver le savoir contenu dans les liens hypertextes et en facilitant leur production créatrice. Ils permettent aussi aux enseignants de suivre la progression, dans le temps, de la compréhension des concepts scientifiques par les élèves.

Logiciels de simulation

Ces logiciels permettent de simuler des activités qui seraient souvent trop coûteuses, trop risquées, trop complexes ou trop lentes pour être vécues de façon réelle par les élèves. Parmi les plus connus, on peut mentionner ceux qui permettent de conduire une voiture, de piloter un avion, de superviser la croissance d'une ville ou de partir à la recherche d'un trésor.

Bien que la plupart de ces logiciels aient d'abord été conçus pour être utilisés comme jeux, certains permettent des apprentissages intéressants dans le domaine des sciences et de la technologie. Le pilotage d'un avion, par exemple, permet de se familiariser avec plusieurs concepts à la base du vol.

Il existe aussi des logiciels de simulation plus scientifiques qui permettent, par exemple, en astronomie, d'observer les constellations à différentes dates de l'année et selon diverses positions dans la Galaxie ou, en biologie, de superviser la croissance d'une colonie de fourmis ou de bactéries.

Expérimentation assistée par ordinateur (ExAO)

L'ExAO désigne les utilisations de l'ordinateur qui facilitent la collecte des données et le contrôle d'une expérience scientifique. Surtout utilisée par des élèves plus vieux, l'expérimentation assistée par ordinateur est parfois applicable à certaines expériences de la fin du primaire.

En plus, évidemment, d'un ordinateur, la composante principale d'une expérience assistée par ordinateur est un capteur qui traduit la valeur d'une variable physique, chimique ou biologique sous forme de signal électrique. Il existe, par exemple, des capteurs de température, de pression, de voltage, d'intensité du courant, de volume sonore, de pH, d'intensité lumineuse et de taux d'oxygène. Les trousses d'expérimentation assistée par ordinateur comportent habituellement divers capteurs ainsi qu'une petite unité d'acquisition qui permet de relier ces capteurs à un ordinateur. Ces capteurs effectuent automatiquement la mesure des variables prises en compte dans une expérience et libèrent ainsi l'élève de la prise de mesures manuelle.

De plus, l'ordinateur muni des logiciels d'un système d'ExAO peut faire le traitement automatique, en temps réel, des données recueillies par les capteurs et les représenter sous diverses formes, telles que des tableaux de données, des diagrammes à bande, des cadrans avec aiguilles, des graphiques cartésiens et même, dans certains cas, des équations algébriques. Les données et leurs représentations peuvent aussi être enregistrées et imprimées, ce qui facilite grandement la production de rapports par l'élève.

À titre d'exemple d'utilisation de l'ExAO au primaire, on pourrait mentionner une expérience sur la photosynthèse qui viserait à mesurer la production d'oxygène par une algue microscopique en fonction de l'intensité lumineuse. Cette expérience nécessiterait une source de lumière d'intensité variable et un capteur du taux d'oxygène placé dans l'éprouvette où se trouvent les algues. Les élèves pourraient facilement constater, sur un graphique tracé en temps réel par l'ordinateur, que le taux d'oxygène varie rapidement selon l'intensité de la lumière qui éclaire l'éprouvette.

Laboratoires virtuels

Le principe de base des laboratoires virtuels est semblable à celui de l'expérimentation assistée par ordinateur, en ce sens qu'ils facilitent aussi la collecte des données et le contrôle d'une expérience scientifique. Dans ce cas, toutefois, l'expérience n'est pas réelle, mais seulement virtuelle, et se vit entièrement à l'écran d'un ordinateur.

Par exemple, au lieu de travailler avec de vrais plans inclinés, de vraies poulies, de vrais circuits électriques, de vrais produits chimiques ou de véritables êtres vivants, l'élève dispose d'entités virtuelles qu'il manipule à l'écran. Il existe notamment des logiciels tels que Interactive physics qui permettent de faire toutes les expériences virtuelles imaginables sur les forces et les mouvements et de voir, comme en ExAO, les tableaux de données et les graphiques se tracer en temps réel dans une partie de l'écran.

Dans certains cas, les laboratoires virtuels sont indispensables, car l'expérience qui intéresse l'élève serait tout simplement impossible à réaliser autrement. Par exemple, toujours dans le domaine des forces et des mouvements, sans un outil comme Interactive physics, comment étudier l'effet, sur un projectile lancé par un canon, d'une diminution de l'attraction gravitationnelle ou d'une augmentation de la résistance de l'air?

Sur le plan didactique, le danger de l'existence de ces laboratoires virtuels est que les expériences réelles, même celles qu'il serait possible de faire dans une classe ou un laboratoire, finissent peu à peu par céder la place à des expériences virtuelles, beaucoup plus simples, économiques et, dans certains cas, propres et sécuritaires que les expériences réelles. Les élèves seraient alors privés du véritable questionnement de la nature et de la manipulation tangible d'objets concrets qui sont indispensables à leurs apprentissages en sciences et technologie.

Robotique

Cette technologie désigne la conception de robots simples et leur contrôle par un ordinateur. Elle permet aux élèves de se familiariser avec certains principes de mécanique, car les robots sont constitués de machines simples, telles que des leviers, des roues, des vis, des treuils et de poulies, qui sont mues par de petits moteurs électriques. Elle leur permet également d'apprendre les rudiments du langage de programmation nécessaire pour donner des instructions à l'ordinateur qui dirige le robot.

Il existe des ensembles, tels que ceux de la compagnie Lego-Dacta, qui comportent toutes les pièces nécessaires à la construction de petits robots ainsi que les logiciels servant à la programmation de l'ordinateur auquel ils sont reliés.

Bien que la robotique soit intéressante, il faut cependant reconnaître qu'elle est coûteuse et nécessite des composantes relativement fragiles. Dans bien des cas, les écoles auraient avantage à s'assurer qu'elles possèdent le matériel beaucoup plus simple permettant de faire des activités et des problèmes dans d'autres domaines des sciences et de la technologie avant de se lancer dans l'achat d'ensembles de robotique.

L'ÉVALUATION DES APPRENTISSAGES EN SCIENCES ET TECHNOLOGIE

Principes et outils

L'évaluation des apprentissages est souvent considérée, avec raison, comme le talon d'Achille de tout programme de formation. En effet, même le meilleur des programmes risque fort de ne pas être appliqué si l'évaluation des apprentissages s'avère difficile à réaliser de façon satisfaisante.

Le présent chapitre expose d'abord les rôles, les étapes et le contexte de l'évaluation d'une façon qui s'inspire du document *L'évaluation des apprentissages au préscolaire et au primaire: cadre de référence* du ministère de l'Éducation du Québec (2002). Il propose ensuite des exemples d'outils tels que la grille d'observation, la fiche d'appréciation, le carnet scientifique de l'élève et le dossier d'apprentissage qui sont particulièrement bien adaptés à l'évaluation des apprentissages en sciences et technologie au primaire.

Étant donné que le *Programme de formation de l'école québécoise* met l'accent sur le développement de compétences et la démarche d'apprentissage, l'évaluation, en toute cohérence, doit porter particulièrement sur ces mêmes aspects. En pratique, cela signifie qu'il est souvent difficile de distinguer les activités d'évaluation des activités d'apprentissage, soit parce que l'évaluation se fait pendant les activités d'apprentissage, soit parce que la nature des principales activités d'évaluation est semblable à celle des activités d'apprentissage. Par exemple, si les principales activités proposées aux élèves sont des activités de résolution de problème, l'évaluation des apprentissages devrait surtout se faire pendant ces activités ou, parfois, au moyen d'activités de résolution de problème semblables mais conçues à des fins d'évaluation. Pour cette raison, on parle parfois, pour désigner ce type d'évaluation, d'*évaluation formatrice*, au sens où les activités d'évaluation sont les mêmes, ou de même nature, que les activités de formation.

De plus, la conception de l'évaluation proposée ici est celle d'une *régulation des apprentissages*. Dans le cas des sciences et de la technologie, cela signifie que l'évaluation devrait surtout se faire sur la démarche suivie par l'élève et sur l'évolution de ses conceptions plutôt que sur la mémorisation, la compréhension ou l'application de concepts et de lois scientifiques. Les jugements et les décisions découlant de l'évaluation devraient être principalement de type didactique et aider les élèves à surmonter les difficultés rencontrées.

Enfin, toute régulation des apprentissages débouche aussi sur une *régulation de l'enseignement.* En effet, comme les chapitres précédents ont permis de le constater, les difficultés des élèves trouvent parfois leur source dans une transposition didactique inadéquate, un contrat didactique mal défini (ou non respecté) ou une démarche didactique mal adaptée aux élèves, ce qui peut alors entraîner des changements importants dans les façons d'enseigner.

Définition et rôles de l'évaluation

L'évaluation des apprentissages peut être définie comme « *une démarche qui permet de porter un jugement sur les compétences développées et les connaissances acquises par l'élève en vue de prendre des décisions et d'agir* » (Ministère de l'Éducation du Québec, 2002).

Les principaux rôles de l'évaluation sont l'aide à l'apprentissage et la reconnaissance des principales composantes de ces apprentissages que sont les compétences, les savoirs et les stratégies. Ces deux rôles peuvent souvent être joués simultanément, au moyen des mêmes outils, mais exigeront parfois des moments ou des instruments distincts.

Le rôle d'aide à l'apprentissage consiste à soutenir l'élève dans le développement des compétences et des stratégies ainsi que dans l'acquisition des savoirs essentiels. Comme le mentionne le cadre de référence, l'aide à l'apprentissage peut se faire au moyen de régulations interactives, rétroactives et proactives. Les *régulations interactives,* qui sont les plus importantes, prennent souvent la forme d'échanges non officiels sans cérémonie qui surviennent pendant les activités d'apprentissage. Il peut s'agir, par exemple, de questions orales posées par l'enseignant pour aider les élèves à s'orienter, de brèves réponses données aux élèves par l'enseignant durant leur travail, ou de commentaires passés par l'enseignant alors qu'il circule d'un élève (ou d'une équipe) à l'autre. Les *régulations rétroactives* permettent de revenir sur des apprentissages incomplets. Il peut s'agir, par exemple, de fournir aux élèves de nouvelles directives qui leur permettront de mieux réussir certaines tâches ou certains aspects d'une tâche complexe. Les régulations rétroactives sont souvent destinées surtout aux élèves qui éprouvent des difficultés particulières. *Les régulations proactives* s'appuient sur les apprentissages déjà effectués et orientent les futures activités d'apprentissage. Il peut s'agir, par exemple, étant donné les difficultés rencontrées par plusieurs élèves, de modifier les prochaines problématiques déjà prévues.

L'enseignant n'est pas le seul responsable de ces trois types de régulation. L'élève doit aussi pouvoir réguler ses apprentissages. Il peut le faire au moment d'échanges avec l'enseignant et avec d'autres élèves ou, de façon plus systématique, à l'aide de divers outils d'autoévaluation.

Le rôle de reconnaissance des compétences, des savoirs et des stratégies consiste à rendre compte, souvent de façon officielle, des apprentissages. Il s'agit alors de faire un bilan des apprentissages, notamment en fonction des attentes de fin de cycle, des composantes des compétences, des savoirs essentiels et des stratégies présentées dans le *Programme de formation*. Ce bilan peut se retrouver, sous forme résumée, dans le bulletin scolaire de l'élève.

Étapes de l'évaluation

L'évaluation comporte les étapes suivantes : la planification, la prise de l'information et son interprétation, le jugement, la décision et la communication. Évidemment, une évaluation spontanée et non officielle des apprentissages ne nécessite pas de suivre toutes ces étapes de façon aussi rigoureuse qu'une évaluation instrumentée et plus officielle.

La planification de l'évaluation est, en fait, un aspect de la planification des activités d'apprentissage. En effet, étant donné qu'il n'y a généralement pas de séparation nette entre les temps d'apprentissage et les temps d'évaluation, cette planification consiste d'abord à décider quelles compétences, quels savoirs, quelles stratégies seront à la fois enseignés et évalués, et de quelle façon. Elle consiste aussi à décider quels outils (exemples : grille d'observation, carnet scientifique de l'élève, dossier d'apprentissage) permettront de conserver des traces de la progression des apprentissages des élèves. Ces décisions sont souvent prises pendant les séances de travail des enseignants d'une même équipe-cycle, en concertation avec les autres enseignants de l'école.

La prise d'information et son interprétation, qui est l'aspect qui nous intéresse le plus dans le présent chapitre, devrait surtout se dérouler pendant les activités régulières de la classe. L'enseignant peut faire cette prise d'information et cette interprétation de façon spontanée, sans outils d'évaluation, en observant et en questionnant les élèves. Il peut aussi l'effectuer de façon plus organisée, à l'aide d'outils tels que des grilles d'observation, des listes de vérification ou des carnets de l'élève, qui sont présentés plus loin à la section « Les principaux outils d'évaluation en sciences et technologie ». Il peut ensuite interpréter l'information recueillie à la lumière des apprentissages attendus selon le *Programme de formation.* Il peut le faire en cours d'apprentissage, en associant dans la mesure du possible les élèves à l'analyse de leurs travaux et productions. Il peut aussi le faire en fin de cycle, en tenant compte de façon plus précise des attentes de fin de cycle, du contexte de réalisation et des critères d'évaluation des compétences.

Le jugement consiste à tirer une conclusion à partir de l'information recueillie et interprétée. Il s'agit principalement de se prononcer sur le degré de développement de compétences ou d'acquisition de savoirs essentiels. Dans ce jugement, il faut évidemment tenir compte du temps dont l'élève disposait, des ressources mises à sa disposition et de tous les autres facteurs qui ont eu une influence sur ses apprentissages. De plus, surtout en cours de cycle, un jugement est toujours temporaire, car l'élève aura d'autres occasions de poursuivre ses apprentissages.

La décision consiste, une fois le jugement rendu, à déterminer comment agir dans le meilleur intérêt des élèves. Il peut s'agir, par exemple, d'ajouter des activités permettant de développer certaines compétences, de proposer certains exercices à des élèves qui ont des difficultés ou d'augmenter le nombre d'activités d'enrichissement pour les élèves qui veulent en savoir plus.

La communication, qui s'inscrit soit dans le rôle d'aide à l'apprentissage, soit dans celui de reconnaissance des compétences, des savoirs et des stratégies, est destinée à l'élève, à ses parents, aux autres enseignants et à toute autre personne concernée par le cheminement scolaire de l'élève. La forme la plus officielle de communication est le bulletin scolaire qui présente une information concise et un portrait global de la progression de l'élève. Le bulletin est conçu par l'équipe-école, généralement à partir d'un cadre d'élaboration proposé par la commission scolaire. Il existe aussi d'autres formes de communication telles que le journal de bord de l'élève, le dossier d'apprentissage (portfolio) et, dans le cas plus précis des sciences et de la technologie, le carnet scientifique.

Contexte de l'évaluation

La présente section décrit les façons de s'assurer que l'évaluation respecte les visées du *Programme de formation.*

Les objets d'évaluation peuvent être relativement nombreux. Tout ce qui permet une régulation du travail de l'élève et de l'enseignant peut faire l'objet d'une évaluation: les conceptions fréquentes, la démarche suivie, les compétences, les savoirs, la motivation, etc. Certains de ces objets doivent être évalués sur-le-champ, à l'aide d'outils comme les grilles d'observation, parce qu'ils se produisent dans des contextes qui ne laissent pas de trace (exemple : exposé oral de l'élève). D'autres objets peuvent être évalués plus tard, car ils se manifestent dans des productions durables (exemples : maquette, rapport). En sciences et technologie, les principaux objets d'évaluation sont les compétences disciplinaires, les savoirs essentiels et les stratégies.

Les situations d'apprentissage et les situations d'évaluation, qui, comme on l'a vu, sont souvent les mêmes, se déroulent parfois sur plusieurs périodes ou plusieurs jours. C'est le cas notamment des problématiques complètes présentées au chapitre 13. On se rappellera que ces situations devraient, dans la mesure du possible, être réalistes, signifiantes et stimulantes, souples et adaptables, cohérentes ainsi que rigoureuses.

Les conditions de réalisation doivent tenir compte du fait que tout apprentissage exige du temps et que les élèves ne progressent pas tous au même rythme. L'enseignant doit donc fournir un soutien adapté et gradué, dont il devra toutefois tenir compte à l'évaluation.

Les tâches désignent tout ce que l'élève doit faire pour développer les compétences et faire l'apprentissage des savoirs. L'enseignant décrit les tâches (exemples : activités fonctionnelles, activités de résolution de problème, activités de structuration), les exigences qu'elles comportent, les ressources nécessaires et le temps prévu pour les exécuter. L'évaluation, pour être cohérente, doit tenir compte de ces diverses consignes et contraintes.

Les critères d'évaluation permettent de se prononcer, par exemple, sur l'efficacité de la démarche ou la qualité d'une production. Le choix de ces critères peut se faire à partir de ceux qui sont proposés, pour chaque compétence. D'autres critères peuvent également s'inspirer des attentes de fin de cycle.

Principaux outils d'évaluation en sciences et technologie

Les outils d'évaluation servent à recueillir les données permettant de porter un jugement sur le développement des compétences et l'acquisition de connaissances. Les outils présentés dans cette section, que nous avons conçus et utilisés dans divers contextes, sont particulièrement utiles à l'étape de la prise d'information et de son interprétation. Certains outils, tels que le carnet scientifique de l'élève et le dossier d'apprentissage (portfolio), peuvent aussi jouer un rôle à l'étape de la communication.

La grille d'observation sert à évaluer la qualité et la quantité des *comportements* d'un élève ou d'une équipe d'élèves. Elle comporte une liste d'actions ou de processus et une échelle d'appréciation. Cette échelle d'appréciation peut être simplement qualitative et accompagnée d'une légende qui donne la signification générale (habituellement une qualité, une fréquence ou une facilité) de chaque échelon. Elle peut aussi être descriptive, chaque échelon comprenant alors une description plus précise du degré d'atteinte du comportement.

Le premier exemple présente une grille d'observation très simple, avec une échelle numérique portant sur la qualité de chaque comportement. L'échelle associée à chaque comportement compte quatre échelons. L'échelon 0 correspond à un comportement insatisfaisant, l'échelon 1 à un comportement passable, l'échelon 2 à un bon comportement et l'échelon 3 à un excellent comportement.

On remarquera que, contrairement à une pratique courante dans le milieu scolaire, ces échelles d'appréciation sont symétriques, c'est-à-dire qu'elles comportent deux échelons dont l'appréciation possède une connotation négative (niveau 0 et niveau 1) et deux échelons dont l'appréciation possède une connotation positive (niveau 2 et niveau 3). Ce type d'échelle, peut-être un peu sévère au premier coup d'œil, est généralement considéré comme plus honnête, pour les élèves, que le type d'échelle dont les échelons inférieurs correspondent à une performance « acceptable » ou « bonne ». En effet, les échelles dans lesquelles les échelons inférieurs correspondent à des manifestations dont la connotation est, en principe, positive finissent par être interprétées de façon fort différente. Pour bien des élèves, par exemple, les mots « bon » ou « bien », qui se retrouvent souvent dans les échelons inférieurs de diverses échelles, signifient maintenant « faible ».

Grille d'observation avec une échelle numérique

La fabrication de colle pour une maquette
(une grille par équipe)

Comportements à observer	0	1	2	3
1. Les élèves se préparent.				
2. Les élèves mesurent les ingrédients.				
3. Les élèves exécutent les opérations de la recette.				
4. Les élèves brassent et délayent la colle.				
5. Les élèves versent la colle dans un contenant.				
6. Les élèves lavent les ustensiles et les récipients utilisés.				

Légende : 0 : insatisfaisant ; 1 : passable ; 2 : bon ; 3 : excellent.

Les exemples suivants sont des grilles d'observation générales pour les compétences de la section «Science et technologie» du *Programme de formation.* Ces grilles peuvent être utilisées telles quelles ou peuvent être adaptées pour des activités précises en reformulant les attentes en fonction de ces activités.

Les attentes liées aux compétences s'inspirent des critères d'évaluation et des attentes de fin de cycle présentés dans le *Programme de formation.* L'échelle d'appréciation associée à chacune des attentes comporte quatre échelons. L'échelon 0 correspond à l'absence totale de manifestation relative à l'attente, l'échelon 1 à une manifestation peu adéquate, l'échelon 2 à une manifestation adéquate et l'échelon 3 à une manifestation excellente. L'échelon visé est l'échelon 2, mais certains élèves peuvent dépasser cet échelon pour certaines attentes et se rendre jusqu'à l'échelon 3, qui est le plus exigeant.

Cette fois encore, on remarquera que les échelles d'appréciation sont symétriques, c'est-à-dire qu'elles comportent deux échelons dont l'appréciation possède une connotation négative (niveau 0 et niveau 1) et deux échelons dont l'appréciation possède une connotation positive (niveau 2 et niveau 3).

En pratique, et surtout aux 2e et 3e cycles où il y a 3 compétences, il est évidemment impossible de se prononcer, pour tous les élèves d'un groupe, au sujet de tous les comportements des grilles d'observation des pages suivantes. Il est donc plus réaliste de ne pas utiliser ces grilles telles quelles et de se préparer des grilles plus courtes en choisissant les comportements les plus directement liés à une problématique ou activité données.

Grille d'observation de la compétence du premier cycle :

Explorer le monde de la science et de la technologie

Comportements à observer	Niveau 0	Niveau 1	Niveau 2	Niveau 3
L'élève formule des questions au sujet de phénomènes de son environnement immédiat.	Ne formule pas de questions.	Formule des questions peu pertinentes.	Formule des questions pertinentes.	Formule des questions pertinentes et précises.
L'élève propose des explications à divers phénomènes de son environnement immédiat.	Ne propose pas d'explications.	Propose des explications peu adéquates.	Propose des explications adéquates.	Propose des explications adéquates et détaillées.

Comportements à observer	Niveau 0	Niveau 1	Niveau 2	Niveau 3
L'élève effectue des expériences simples en vue de répondre à une question ou de résoudre un problème.	N'effectue pas d'expériences.	Effectue des expériences peu concluantes.	Effectue des expériences concluantes.	Effectue des expériences concluantes et rigoureuses.
L'élève sait faire la distinction entre le monde naturel et les objets fabriqués.	Ne sait pas faire la distinction.	Sait faire des distinctions peu claires.	Sait faire des distinctions claires.	Sait faire des distinctions claires et détaillées.
L'élève comprend le fonctionnement d'objets simples faciles à manipuler.	Ne comprend pas le fonctionnement.	Comprend mal le fonctionnement.	Comprend bien le fonctionnement.	Comprend bien le fonctionnement, même dans le détail.
L'élève a recours à des éléments des langages des sciences et des technologies pour questionner et expliquer.	N'a pas recours à des éléments des langages.	A peu recours à des éléments des langages.	A généralement recours à des éléments des langages.	A presque toujours recours à des éléments des langages.

Grille d'observation de la compétence 1 du deuxième cycle :

Proposer des explications ou des solutions
à des problèmes d'ordre scientifique ou technologique

Comportements à observer	Niveau 0	Niveau 1	Niveau 2	Niveau 3
L'élève décrit adéquatement le problème d'un point de vue scientifique ou technologique.	Ne décrit pas le problème.	Décrit le problème de façon peu adéquate.	Décrit le problème de façon adéquate.	Décrit le problème de façon adéquate et précise.
L'élève se documente.	Ne se documente pas.	Se documente peu.	Se documente bien.	Se documente de façon détaillée.
L'élève planifie son travail.	Ne planifie pas son travail.	Planifie peu son travail.	Planifie bien.	Planifie de façon détaillée.
L'élève utilise une démarche adaptée à la nature du problème.	N'utilise pas de démarche.	Utilise une démarche peu adaptée.	Utilise une démarche bien adaptée.	Utilise une démarche bien adaptée et rigoureuse
L'élève fait appel à des stratégies relativement simples et concrètes.	Ne fait pas appel à des stratégies.	Fait appel à des stratégies peu adéquates.	Fait appel à des stratégies adéquates.	Fait appel à des stratégies adéquates et originales.
L'élève prend des notes en fonction de certains paramètres.	Ne prend pas de notes.	Prend très peu de notes.	Prend des notes complètes.	Prend des notes complètes et détaillées.

Comportements à observer	Niveau 0	Niveau 1	Niveau 2	Niveau 3
L'élève fournit des explications pertinentes ou des solutions réalistes.	Ne fournit pas d'explications ou de solutions.	Fournit des explications peu pertinentes ou des solutions peu réalistes.	Fournit des explications pertinentes ou des solutions réalistes.	Fournit des explications pertinentes et originales ou des solutions réalistes et originales.
L'élève justifie et valide son approche en tenant compte de quelques éléments d'ordre scientifique ou technologique.	Ne justifie pas et ne valide pas son approche.	Justifie et valide peu son approche.	Justifie et valide bien son approche.	Justifie et valide bien et de façon détaillée son approche.
L'élève commence à distinguer ce qui relève de la science et ce qui relève de la technologie.	Ne distingue pas ce qui relève de l'une ou de l'autre.	Distingue peu ce qui relève de l'une ou de l'autre.	Distingue bien ce qui relève de l'une ou de l'autre.	Distingue bien et avec précision ce qui relève de l'une ou de l'autre.

Grille d'observation de la compétence 2 du deuxième cycle :

Mettre à profit les outils, les objets et les procédés de la science et de la technologie

Comportements à observer	Niveau 0	Niveau 1	Niveau 2	Niveau 3
L'élève associe des instruments, des outils et des techniques aux utilisations appropriées.	N'associe pas d'instruments, pas d'outils ni de techniques.	Associe de façon peu adéquate des instruments, des outils et des techniques.	Associe correctement des instruments, des outils et des techniques.	Associe de façon excellente des instruments, des outils et des techniques.
L'élève utilise des outils, des techniques, des instruments et des procédés relativement simples et concrets.	N'utilise pas d'outils, pas des techniques, pas d'instruments ni de procédés.	Utilise de façon peu adéquate des outils, des techniques, des instruments et des procédés.	Utilise correctement des outils, des techniques, des instruments et des procédés.	Utilise de façon excellente des outils, des techniques, des instruments et des procédés.
L'élève exploite le potentiel de base des outils, des techniques, des instruments et des procédés.	N'exploite pas le potentiel des outils, des techniques, des instruments et des procédés.	Exploite peu le potentiel des outils, des techniques, des instruments et des procédés.	Exploite bien le potentiel des outils, des techniques, des instruments et des procédés.	Exploite de façon excellente le potentiel des outils, des techniques, des instruments et des procédés.

Comportements à observer	Niveau 0	Niveau 1	Niveau 2	Niveau 3
L'élève porte un jugement sommaire sur les résultats qu'il obtient à l'aide de ces outils, de ces techniques, de ces instruments et de ces procédés.	Ne porte pas de jugement sur les résultats qu'il obtient.	Porte un jugement peu éclairé sur les résultats qu'il obtient.	Porte un bon jugement sur les résultats qu'il obtient.	Porte un excellent jugement sur les résultats qu'il obtient.
L'élève conçoit des outils, des instruments et des techniques rudimentaires.	Ne conçoit pas d'outils, pas d'instruments ni de techniques.	Conçoit des outils, des instruments et des techniques peu adaptés.	Conçoit des outils, des instruments et des techniques bien adaptés.	Conçoit des outils, des instruments et des techniques bien adaptés et originaux.
L'élève relève des impacts liés à l'utilisation de divers outils, instruments ou procédés.	Ne relève pas d'impacts liés à l'utilisation.	Relève peu d'impacts liés à l'utilisation.	Relève les principaux impacts liés à l'utilisation.	Relève les principaux impacts et des impacts secondaires liés à l'utilisation.
L'élève connaît les exemples les plus manifestes de l'apport de la science et de la technologie aux conditions de la vie de l'homme.	Ne connaît pas d'exemples de l'apport.	Connaît peu d'exemples de l'apport.	Connaît les principaux exemples de l'apport.	Connaît les principaux exemples et des exemples secondaires de l'apport.

Grille d'observation de la compétence 3 du deuxième cycle :

Communiquer à l'aide des langages employés en science et technologie

Comportements à observer	Niveau 0	Niveau 1	Niveau 2	Niveau 3
L'élève interprète correctement des termes du langage courant qui ont la même signification que dans la vie de tous les jours.	N'interprète pas de termes du langage courant (même signification).	Interprète de façon peu adéquate des termes du langage courant (même signification).	Interprète bien des termes du langage courant (même signification).	Interprète bien et de façon précise des termes du langage courant (même signification).
L'élève interprète correctement des termes du langage courant qui ont une signification différente ou plus précise que dans la vie de tous les jours.	N'interprète pas de termes du langage courant (signification différente).	Interprète de façon peu adéquate des termes du langage courant (signification différente).	Interprète bien des termes du langage courant (signification différente).	Interprète bien et de façon précise des termes du langage courant (signification différente).

Comportements à observer	Niveau 0	Niveau 1	Niveau 2	Niveau 3
L'élève interprète correctement des termes et des expressions spécialisés.	N'interprète pas de termes ni d'expressions spécialisés.	Interprète de façon peu adéquate des termes et des expressions spécialisés.	Interprète bien des termes et des expressions spécialisés.	Interprète bien et de façon précise des termes et des expressions spécialisés.
L'élève interprète correctement des diagrammes, des tableaux et des graphiques simples.	N'interprète pas de diagrammes, pas de tableaux ni de graphiques	Interprète de façon peu adéquate des diagrammes, pas de tableaux ni de graphiques.	Interprète bien des diagrammes, des tableaux et des graphiques.	Interprète bien et de façon précise des diagrammes, des tableaux et des graphiques.
L'élève transmet correctement des termes du langage courant qui ont la même signification que dans la vie de tous les jours.	Ne transmet pas de termes du langage courant (même signification).	Transmet de façon peu adéquate des termes du langage courant (même signification).	Transmet bien des termes du langage courant (même signification).	Transmet bien et de façon précise des termes du langage courant (même signification).
L'élève transmet correctement des termes du langage courant qui ont une signification différente ou plus précise que dans la vie de tous les jours.	Ne transmet pas de termes du langage courant (signification différente).	Transmet de façon peu adéquate des termes du langage courant (signification différente).	Transmet bien des termes du langage courant (signification différente).	Transmet bien et de façon précise des termes du langage courant (signification différente).
L'élève transmet correctement des termes et des expressions spécialisés.	Ne transmet pas de termes ni d'expressions spécialisés.	Transmet de façon peu adéquate des termes et expressions spécialisés.	Transmet bien des termes et expressions spécialisés.	Transmet bien et de façon précise des termes et expressions spécialisés.
L'élève transmet correctement des diagrammes, des tableaux et des graphiques simples.	Ne transmet pas de diagrammes, pas de tableaux ni de graphiques.	Transmet de façon peu adéquate des diagrammes, tableaux et graphiques.	Transmet bien des diagrammes, tableaux et graphiques.	Transmet bien et de façon précise des diagrammes, tableaux et graphiques.

Grille d'observation de la compétence 1 du troisième cycle :

Proposer des explications ou des solutions
à des problèmes d'ordre scientifique ou technologique

Comportements à observer	Niveau 0	Niveau 1	Niveau 2	Niveau 3
L'élève décrit adéquatement le problème d'un point de vue scientifique ou technologique.	Ne décrit pas le problème.	Décrit le problème de façon peu adéquate.	Décrit le problème de façon adéquate.	Décrit le problème de façon adéquate et précise.
L'élève se documente.	Ne se documente pas.	Se documente peu.	Se documente bien.	Se documente de façon détaillée.
L'élève planifie son travail.	Ne planifie pas son travail.	Planifie peu son travail.	Planifie bien.	Planifie de façon détaillée.
L'élève utilise une démarche adaptée à la nature du problème.	N'utilise pas de démarche.	Utilise une démarche peu adaptée.	Utilise une démarche bien adaptée.	Utilise une démarche bien adaptée et rigoureuse.
L'élève fait appel à des stratégies plus complexes et abstraites.	Ne fait pas appel à des stratégies.	Fait appel à des stratégies peu adéquates.	Fait appel à des stratégies adéquates.	Fait appel à des stratégies adéquates et élaborées.
L'élève prend des notes en fonction de paramètres plus nombreux.	Ne prend pas de notes.	Prend peu de notes.	Prend des notes complètes.	Prend des notes complètes et détaillées.
L'élève fournit des explications pertinentes ou des solutions réalistes.	Ne fournit pas d'explication ou de solution.	Fournit des explications peu pertinentes ou des solutions peu réalistes.	Fournit des explications pertinentes ou des solutions réalistes.	Fournit des explications pertinentes et originales ou des solutions réalistes et originales.
L'élève justifie et valide son approche en tenant compte d'un plus grand nombre d'éléments d'ordre scientifique ou technologique.	Ne justifie pas et ne valide pas son approche.	Justifie et valide peu son approche.	Justifie et valide bien son approche.	Justifie et valide bien et de façon détaillée son approche.
L'élève intègre, dans son analyse de la problématique, des dimensions à la fois scientifiques et technologiques.	N'intègre pas de dimensions scientifiques et technologiques	Intègre peu de dimensions scientifiques ou technologiques.	Intègre plusieurs dimensions scientifiques ou technologiques.	Intègre plusieurs dimensions scientifiques et plusieurs dimensions technologiques.

Grille d'observation de la compétence 2 du troisième cycle :

Mettre à profit les outils, les objets et les procédés de la science et de la technologie

Comportements à observer	Niveau 0	Niveau 1	Niveau 2	Niveau 3
L'élève associe des instruments, des outils et des techniques aux utilisations appropriées.	N'associe pas d'instruments, pas d'outils ni de techniques.	Associe de façon peu adéquate des instruments, des outils ou des techniques.	Associe correctement des instruments, des outils ou des techniques.	Associe de façon excellente des instruments, des outils ou des techniques.
L'élève utilise des outils, des techniques, des instruments et des procédés plus complexes et abstraits.	N'utilise pas d'outils, pas de techniques, pas d'instruments ni de procédés.	Utilise de façon peu adéquate des outils, des techniques, des instruments et des procédés.	Utilise correctement des outils, des techniques, des instruments et des procédés.	Utilise de façon excellente des outils, des techniques, des instruments et des procédés.
L'élève exploite davantage le potentiel des outils, des techniques, des instruments et des procédés.	N'exploite pas le potentiel des outils, des techniques, des instruments et des procédés.	Exploite peu le potentiel des outils, des techniques, des instruments et des procédés.	Exploite bien le potentiel des outils, des techniques, des instruments et des procédés.	Exploite de façon excellente le potentiel des outils, des techniques, des instruments et des procédés.
L'élève porte un jugement plus nuancé sur les résultats qu'il obtient à l'aide de ces outils, de ces techniques, de ces instruments et de ces procédés.	Ne porte pas de jugement sur les résultats qu'il obtient.	Porte un jugement peu éclairé sur les résultats qu'il obtient.	Porte un bon jugement sur les résultats qu'il obtient.	Porte un excellent jugement sur les résultats qu'il obtient.
L'élève conçoit des outils, des instruments et des techniques plus complexes.	Ne conçoit pas d'outils, pas d'instruments ni de techniques.	Conçoit des outils, des instruments et des techniques peu adaptés.	Conçoit des outils, des instruments et des techniques bien adaptés.	Conçoit des outils, des instruments et des techniques bien adaptés et très complexes.
L'élève relève des impacts liés à l'utilisation de divers outils, instruments ou procédés.	Ne relève pas d'impacts liés à l'utilisation.	Relève peu d'impacts liés à l'utilisation.	Relève les principaux impacts liés à l'utilisation.	Relève les principaux impacts et des impacts secondaires liés à l'utilisation.
L'élève connaît quelques grandes sphères d'application de la science et de la technologie.	Ne connaît pas d'exemples de sphères d'application.	Connaît peu d'exemples de sphères d'application.	Connaît les principaux exemples de sphères d'application.	Connaît un grand nombre d'exemples de sphères d'application.

Grille d'observation de la compétence 3 du troisième cycle :

Communiquer à l'aide des langages employés en science et technologie

Comportements à observer	Niveau 0	Niveau 1	Niveau 2	Niveau 3
L'élève interprète correctement des termes du langage courant qui ont la même signification que dans la vie de tous les jours.	N'interprète pas de termes du langage courant (même signification).	Interprète de façon peu adéquate des termes du langage courant (même signification).	Interprète bien des termes du langage courant (même signification).	Interprète bien et de façon précise des termes du langage courant (même signification).
L'élève interprète correctement des termes du langage courant qui ont une signification différente ou plus précise que dans la vie de tous les jours.	N'interprète pas de termes du langage courant (signification différente).	Interprète de façon peu adéquate des termes du langage courant (signification différente).	Interprète bien des termes du langage courant (signification différente).	Interprète bien et de façon précise des termes du langage courant (signification différente).
L'élève interprète correctement des termes et des expressions spécialisés (incluant des symboles et des formules).	N'interprète pas de termes ni d'expressions spécialisés.	Interprète de façon peu adéquate des termes et des expressions spécialisés.	Interprète bien des termes et des expressions spécialisés.	Interprète bien et de façon précise des termes et des expressions spécialisés.
L'élève interprète correctement des diagrammes, des tableaux et des graphiques plus complexes.	N'interprète pas de diagrammes, pas de tableaux ni de graphiques	Interprète de façon peu adéquate des diagrammes, des tableaux et des graphiques.	Interprète bien des diagrammes, des tableaux et des graphiques.	Interprète bien et de façon précise des diagrammes, des tableaux et des graphiques.
L'élève transmet correctement des termes du langage courant qui ont la même signification que dans la vie de tous les jours.	Ne transmet pas de termes du langage courant (même signification).	Transmet de façon peu adéquate des termes du langage courant (même signification).	Transmet bien des termes du langage courant (même signification).	Transmet bien et de façon précise des termes du langage courant (même signification).
L'élève transmet correctement des termes du langage courant qui ont une signification différente ou plus précise que dans la vie de tous les jours.	Ne transmet pas de termes du langage courant (signification différente).	Transmet de façon peu adéquate des termes du langage courant (signification différente).	Transmet bien des termes du langage courant (signification différente).	Transmet bien et de façon précise des termes du langage courant (signification différente).

Comportements à observer	**Niveau 0**	**Niveau 1**	**Niveau 2**	**Niveau 3**
L'élève transmet correctement des termes et des expressions spécialisés (incluant des symboles et des formules).	Ne transmet pas de termes ni d'expressions spécialisés.	Transmet de façon peu adéquate des termes et des expressions spécialisés.	Transmet bien des termes et des expressions spécialisés.	Transmet bien et de façon précise des termes et des expressions spécialisés.
L'élève transmet correctement des diagrammes, des tableaux et des graphiques plus complexes.	Ne transmet pas de diagrammes, pas de tableaux ni de graphiques.	Transmet de façon peu adéquate des diagrammes, des tableaux et des graphiques.	Transmet bien des diagrammes, des tableaux et des graphiques.	Transmet bien et de façon précise des diagrammes, des tableaux et des graphiques.

La fiche d'appréciation. Certaines compétences et stratégies ainsi que certains savoirs s'évaluent plus facilement en observant les *productions* des élèves plutôt qu'en observant directement les élèves eux-mêmes. Les instruments utilisés pour faire l'évaluation systématique des productions des élèves sont les fiches d'appréciation. Ces fiches peuvent servir à juger de la qualité de productions telles que des montages, des maquettes, des modèles, des dessins, des travaux de recherche ou toute autre production que l'élève peut remettre à l'enseignant.

L'exemple qui suit présente une fiche d'appréciation avec une échelle numérique portant sur la qualité de chaque critère. L'échelle associée à chaque critère comporte quatre échelons. L'échelon 0 correspond à un critère pour lequel la production est insatisfaisante, l'échelon 1 à un critère pour lequel elle est passable, l'échelon 2 à un critère pour lequel elle est bonne et l'échelon 3 à un critère pour lequel la production est excellente. Encore une fois, on remarquera que les échelles d'appréciation sont symétriques et comportent un nombre pair d'échelons.

Fiche d'appréciation avec une échelle numérique

La fabrication d'une mangeoire pour les oiseaux

Critères d'appréciation	**0**	**1**	**2**	**3**
1. Les dimensions de la mangeoire sont adéquates.				
2. Les parties de la mangeoire sont bien taillées.				
3. Les parties de la mangeoire sont bien assemblées.				
4. Les couleurs de la mangeoire sont bien choisies.				
5. La mangeoire est solide.				
6. La mangeoire est installée à un endroit approprié.				
7. La mangeoire est bien fixée.				
8. La nourriture placée dans la mangeoire convient aux espèces d'oiseaux choisies.				

Légende : 0 : insatisfaisant ; 1 : passable ; 2 : bon ; 3 : excellent.

L'autoévaluation et l'évaluation par les pairs contribuent à développer des compétences métacognitives chez l'élève, lui permettent de s'approprier son savoir et favorisent son autonomie. Pour ce faire, il est possible de concevoir des grilles d'observation et des fiches d'appréciation simplifiées, que l'élève ou les autres élèves de son équipe peuvent utiliser eux-mêmes.

Voici un exemple d'une grille d'observation pour autoévaluation par l'élève :

Grille d'observation avec une échelle numérique

La fabrication de colle pour une maquette
(autoévaluation individuelle)

Comportements à observer	**0**	**1**	**2**	**3**
1. Je me suis bien préparé.				
2. J'ai mesuré les ingrédients.				
3. J'ai suivi la recette.				
4. J'ai brassé et délayé la colle.				
5. J'ai versé la colle dans un contenant.				
6. J'ai lavé les ustensiles et les récipients utilisés.				

Légende : 0 : insatisfaisant ; 1 : passable ; 2 : bon ; 3 : excellent.

On peut aussi proposer à l'élève des énoncés à compléter, du genre:

- J'ai appris que...
- Je suis surpris que...
- J'ai remarqué que...
- J'ai découvert que...
- J'ai bien aimé que...
- Je n'ai pas aimé que...

Il est important, toutefois, que les enseignants comparent les résultats des autoévaluations, des évaluations par les pairs et de leur propre évaluation. Ces comparaisons permettent parfois de découvrir des différences de perception et peuvent susciter des échanges fructueux.

Le carnet scientifique de l'élève est un outil d'évaluation particulièrement intéressant. Sous sa forme la plus ouverte, ce peut être un simple cahier dans lequel l'élève, au fil de ses activités scientifiques, de ses lectures, de ses explorations et de son travail personnel, prend divers types de notes. Chez les plus jeunes élèves, on y trouvera surtout des dessins, tandis que chez les élèves plus âgés, on y trouvera des dessins, des tableaux de données, des graphiques et du texte.

Sous une forme plus structurée, ce peut être un carnet conçu par l'enseignant en fonction d'une problématique particulière. Sa structure peut alors être parallèle à celle de cette problématique, avec des sections à remplir pour les diverses sections. Par exemple, un carnet scientifique de l'élève conçu pour la problématique «La tour», présentée au chapitre 13, pourrait comporter une section pour les activités fonctionnelles (exemples: réponses aux questions au sujet des tours, dessins de tours, plan du modèle réduit de la tour, dessin de la petite structure de base), une section pour les activités de résolution de problème (exemples: dessin et description de la tour construite par l'équipe), une section pour les activités de structuration (exemple: réponses aux questions, conclusions, liste des mots nouveaux appris, notes pour une présentation qui sera faite aux autres élèves), une section pour les activités d'enrichissement (exemples: expressions, proverbes et chansons qui comportent le mot *tour*, texte écrit par l'élève au sujet de tours hautes ou célèbres) et une section pour les commentaires de l'élève au sujet de la problématique.

Un des rôles importants du carnet scientifique, sur le plan de l'évaluation des apprentissages, est d'améliorer la communication entre l'élève et l'enseignant. Par exemple, l'élève peut aussi se servir de son carnet pour poser des questions, demander des explications, témoigner de ses succès ou faire part de ses difficultés.

Voici un exemple de fiche d'appréciation possible, en fonction de deux des trois compétences de la section « Science et technologie » du *Programme de formation*:

Fiche d'appréciation pour un carnet scientifique

Évaluation des compétences 1 et 3 (élèves de 2e ou de 3e cycle)

Critères d'appréciation	**0**	**1**	**2**	**3**
Compétence 1: Proposer des explications ou des solutions à des problèmes d'ordre scientifique ou technologique.				
1. Le carnet comporte une bonne description du problème.				
2. Le carnet contient des traces de la planification faite par l'élève.				
3. Le carnet contient des traces des essais et des expériences faits par l'élève.				
4. Le carnet comporte des explications pertinentes.				
Compétence 3: Communiquer à l'aide des langages employés en science et technologie.				
5. Le carnet comporte les termes scientifiques appropriés.				
6. Le carnet comporte des dessins et des diagrammes clairs.				
7. Le carnet comporte les notes nécessaires pour une présentation orale.				
8. L'ensemble du carnet est bien disposé.				

Légende: 0: insatisfaisant; 1: passable; 2: bon; 3: excellent.

Le dossier d'apprentissage (portfolio). Le dossier d'apprentissage, appelé aussi *portfolio,* est une collection organisée des réalisations de l'élève. Il prend souvent la forme d'un porte-documents dans lequel peuvent se trouver des productions, des réflexions, des commentaires ainsi qu'une grande variété de pièces qui permettent à l'élève de démontrer l'apprentissage et la compréhension d'idées scientifiques qui vont au-delà de faits et de connaissances mémorisées.

À titre d'exemple, on pourrait retrouver dans le dossier d'un élève des documents tels que des carnets scientifiques, des outils d'autoévaluation, des articles de vulgarisation scientifique, des extraits d'un journal de bord, des photographies, des dépliants, etc. L'élève devrait examiner et réorganiser régulièrement le contenu de son dossier d'apprentissage.

Voici un exemple de fiche d'appréciation pour un dossier d'apprentissage:

Fiche d'appréciation pour un dossier d'apprentissage (portfolio)

Critères d'appréciation	0	1	2	3
1. Le dossier d'apprentissage comporte une bonne variété de pièces et de documents.				
2. Le dossier témoigne de la capacité de l'élève à faire des choix judicieux.				
3. Le dossier met en valeur les forces de l'élève.				
4. Le dossier comporte des commentaires et d'autres aspects réflexifs.				
5. Le dossier témoigne de créativité et d'originalité.				
6. Le dossier démontre le désir de l'élève d'aller au-delà des activités scolaires.				
7. Le dossier témoigne du progrès de l'élève par son caractère évolutif.				
8. L'ensemble du dossier d'apprentissage est bien organisé.				

Légende : 0 : insatisfaisant ; 1 : passable ; 2 : bon ; 3 : excellent.

Les questions orales et les échanges avec l'élève sont une source importante d'information au sujet de ses connaissances, de sa façon de raisonner et de son attitude envers les sciences et la technologie. Les échanges les plus profitables sont ceux qui portent sur ses conceptions et sur les activités scientifiques qu'il a réalisées. Voici des exemples de catégories selon lesquelles il est possible de grouper des questions orales posées aux élèves :

Les conceptions : Pourquoi fait-il chaud en été et froid en hiver ?

La compréhension d'un problème : Comment pourrais-tu me l'expliquer en tes propres mots ?

L'approche et la démarche: As-tu essayé de procéder d'une autre façon ?

Les relations: Quel lien peux-tu établir entre ces deux quantités ?

La communication: Quelles sont les étapes les plus importantes dans cette activité ?

La prédiction: Qu'est-ce qui va se produire, d'après toi ?

La conclusion: Comment pourrais-tu vérifier si ta conclusion est correcte ?

Les applications: Connais-tu une autre situation où ce principe scientifique s'applique ?

La pensée réflexive: Es-tu satisfait de ton travail ?

Les questions écrites à correction objective ne sont pas les outils d'évaluation les plus importants en sciences et technologie au primaire, car ils permettent difficilement d'évaluer des compétences, des stratégies ou des savoirs complexes. Ce genre de questions peut toutefois jouer un rôle complémentaire utile pour évaluer, par exemple, la connaissance de termes scientifiques et de certains savoirs essentiels.

Voici quelques exemples de types de questions écrites à correction objective:

Question à choix de réponse

Forme « Trouver la bonne réponse »

Quel gaz de l'atmosphère nous protège des rayons ultraviolets émis par le Soleil?

a) le gaz carbonique
b) l'ozone
c) l'azote
d) l'oxygène

Réponse: b) l'ozone

Question à choix de réponse

Forme « Trouver la meilleure réponse »

Lequel des aliments suivants serait la meilleure source de protéines?

a) du pain
b) du tofu
c) une pomme
d) du riz

Réponse: b) du tofu

Question à choix de réponse

Forme « Trouver la seule réponse qui soit fausse »

Tous les êtres vivants ci-dessous sont des végétaux sauf:

a) les algues
b) les conifères
c) les champignons
d) les mousses

Réponse: c) les champignons

Question d'appariement

Indique, sur la ligne qui suit chaque question, la lettre qui correspond à la réponse.

Question	*Réponse*
1. Je soigne les maladies de la peau. _______	A. Dentiste
2. Je soigne les maladies du cœur. _______	B. Ophtalmologiste
3. Je soigne les maladies des dents. _______	C. Dermatologue
4. Je soigne les maladies des yeux. _______	D. Cardiologue
5. Je soigne les maladies des poumons. _______	E. Urologue
	F. Pneumologue

Question à choix simple

Forme de base

Sur la ligne, inscris « V » lorsque l'énoncé est vrai et « F » lorsque l'énoncé est faux.

1. Les veines sont les vaisseaux sanguins qui conduisent le sang du cœur vers les divers organes du corps. _______
2. Les globules rouges de notre sang transportent l'oxygène dans notre organisme. _______

Réponses : 1 : F ; 2 : V

Question à choix simple

Forme correction

Indique si l'énoncé suivant est vrai ou faux.

Si l'énoncé est vrai, encercle « V ».

Si l'énoncé est faux, encercle « F » et remplace le mot souligné par le mot que rendrait l'énoncé vrai. Inscris ce mot sur la ligne.

La planète la plus rapprochée du Soleil est Vénus. V F __________

Réponse : Faux ; Mercure.

Question à réponse courte

Quel est le nom du tourbillon de vent très violent qui se forme parfois pendant un orage ? __________

Réponse : Une tornade.

Question de type compléter la phrase

Complète les phrases à l'aide de la liste de mots qui sont donnés à la suite du texte.

Le __________ est le plus gros papillon de jour du Québec. C'est certainement l'un des plus __________. Ces papillons sont de grands __________ : ils quittent le Québec en août et parcourent plus de 4000 km pour __________ au Mexique. Ils y passent une partie du temps suspendus aux __________ des arbres, formant des masses de __________ d'individus. C'est en __________ qu'ils reviennent vers nos régions.

hiverner, monarque, juillet, beaux, voyageurs, branches, milliers.

Les questions écrites à développement sont souvent plus utiles que les questions écrites à correction objective car, elles permettent d'évaluer des compétences, des stratégies ou des savoirs plus complexes. Évidemment, elles sont surtout utilisées vers la fin du primaire, à un âge où les élèves sont capables de bien s'exprimer par écrit.

Deux types de clé de correction sont utilisés pour les questions écrites à développement. Une clé de correction analytique accorde des points en fonction d'éléments précis attendus dans la réponse. Une clé de correction synthétique accorde des points en fonction d'une évaluation plus globale de la réponse.

Question écrite à développement

Clé de correction analytique

Question : En revenant d'un voyage qui a duré deux semaines, tu constates que ton jardin a été détruit. Explique comment tu pourrais procéder pour en découvrir la cause.

Clé de correction analytique :

1. L'élève formule des hypothèses (exemples : un violent orage, le chien d'un voisin, du vandalisme, etc.) 15 points
2. L'élève prévoit des façons de vérifier chacune de ses hypothèses (exemples : lire les journaux, vérifier si les voisins étaient chez eux, rechercher des traces de pas, etc.) 15 points
3. L'élève prévoit une interprétation des divers résultats possibles (exemple : telle ou telle cause serait plus ou moins probable). 10 points
4. L'élève prévoit formuler la conclusion de sa démarche. 10 points

Remarque : Une réponse complète comporte les 4 éléments énumérés ci-dessus, pour un maximum possible de 50 points.

Question écrite à développement

Clé de correction synthétique

Question : Tu as plusieurs plants de violettes africaines. Les feuilles de certains plants jaunissent et ces plants ne donnent pas de fleurs. Essaie de concevoir et de planifier une expérience qui pourrait te permettre de trouver la cause du problème.

Clé de correction synthétique : (Maximum : 10 points)

- L'élève comprend très bien le problème et tient compte de tous les facteurs. Il présente un plan expérimental clair, concis et complet, qui démontre de l'imagination. Il prévoit certaines des difficultés qu'il pourra rencontrer. (9 ou 10 points)
- L'élève comprend bien le problème et tient compte des principaux facteurs. Il présente un bon plan expérimental, qui nécessite de légères modifications. (7 ou 8 points).
- L'élève comprend le problème, mais néglige certains facteurs. Il présente un plan expérimental qui nécessite certaines modifications (5 ou 6 points).
- L'élève ne comprend pas très bien le problème et néglige des facteurs importants. Il présente un plan peu efficace, qui nécessite des modifications importantes (3 ou 4 points).
- L'élève ne comprend pas le problème et néglige presque tous les facteurs. Il présente un plan qui ne fonctionnerait pas (1 ou 2 points).

Remarque : La réponse de l'élève se situe dans l'une ou l'autre des catégories énumérées ci-dessus.

LES DIFFICULTÉS D'ENSEIGNEMENT ET D'APPRENTISSAGE EN SCIENCES ET TECHNOLOGIE

Au primaire, les sciences et la technologie ne posent habituellement pas tellement de difficultés aux élèves. En effet, cette matière scolaire, qui n'a d'ailleurs pas la même importance que le français ou les mathématiques, est surtout considérée comme une matière d'éveil qui permet d'aborder des compétences et des savoirs sur lesquels les élèves auront l'occasion de revenir après le primaire, à des ordres d'enseignement supérieurs.

Les difficultés parfois rencontrées par certains élèves peuvent être analysées en fonction du triangle didactique présenté au premier chapitre. Certaines difficultés relèvent du secteur situé du côté de la relation entre l'élève et le savoir, d'autres du secteur situé du côté de la relation entre l'enseignant et le savoir, d'autres encore du secteur situé du côté de la relation entre l'enseignant et l'élève, et d'autres enfin relèvent du secteur central. Plusieurs de ces difficultés sont adaptées d'une typologie proposée par Astolfi (1997).

Par ailleurs, certaines difficultés, telles que les difficultés en lecture et en mathématiques, ou les craintes des élèves, sont d'un autre ordre et seront examinées vers la fin du chapitre.

Difficultés relevant du secteur de la relation élève-savoir

Le secteur de la relation élève-savoir concerne les conceptions initiales des élèves et les stratégies d'appropriation du savoir.

Les difficultés liées aux conceptions fréquentes et aux obstacles épistémologiques. Tel qu'il a été présenté dans le chapitre 6, tous les élèves arrivent en classe avec diverses conceptions non scientifiques au sujet du monde qui les entoure. Ces conceptions appartiennent souvent à l'une ou l'autre des catégories définies par les grands obstacles épistémologiques (obstacle animiste, substantialiste, verbal, etc.).

Ces conceptions et obstacles leur posent de nombreuses difficultés d'apprentissage en sciences et technologie.

On rappellera que l'enseignement, pour être efficace, doit prévoir la définition et la prise en compte de ces conceptions et obstacles et doit viser non pas à les éliminer dès que possible, mais à les faire évoluer graduellement, au fil des activités, des exercices et des problèmes qui seront proposés aux élèves.

Les difficultés liées à la nouveauté des termes et des symboles. Les savoirs essentiels de la section «Science et technologie» du *Programme de formation* sont des concepts dont le sens scientifique est souvent différent du sens courant des termes qui les désignent. Des mots tels que *force*, *résistance*, *pression*, *masse* ou *poids*, par exemple, ont un sens différent ou beaucoup plus précis en physique que dans la vie de tous les jours. Dans d'autres cas, des concepts sont désignés par des termes nouveaux qui ne sont pas employés dans le langage courant. Enfin, des symboles simples, tels que ceux qui représentent les composantes d'un circuit électrique ou ceux de certains éléments chimiques, sont parfois introduits vers la fin du primaire.

Plusieurs recherches ont montré qu'un élève doit avoir lu, et employé lui-même, un mot ou un symbole nouveau des dizaines de fois avant de l'avoir vraiment assimilé. Il ne faut donc pas s'attendre à ce qu'il se sente vraiment à l'aise, par exemple, avec des termes tels que *anémomètre* ou *hygromètre*, ou avec le symbole qui représente une ampoule dans un circuit électrique après seulement une ou deux activités sur ces sujets. Comme dans toutes les autres matières, il faut revenir plusieurs fois sur les mêmes termes et les mêmes symboles. De plus, la présentation de termes et de symboles nouveaux à un rythme trop rapide entraîne chez l'élève une surcharge cognitive qui peut être la cause d'une perte de concentration et d'attention.

Les difficultés liées au degré d'abstraction du contenu. Outre qu'ils sont souvent nouveaux, certains concepts tels que ceux de sublimation, d'énergie, de densité, de photosynthèse ou de chaîne alimentaire présentent un degré d'abstraction assez élevé.

Pour faciliter leur compréhension, on suggère d'utiliser une démarche basée sur la progression suivante: matériel concret (exemples: maquettes ou figurines), matériel semi-concret (exemples: photographies, illustrations, diagrammes, animations, films), matériel abstrait (exemple: textes).

Difficultés relevant du secteur de la relation enseignant-savoir

Le secteur de la relation enseignant-savoir concerne l'élaboration des contenus et les transpositions didactiques.

Les difficultés liées à une mauvaise transposition didactique. Tel qu'il a été présenté au chapitre 7, le savoir scientifique et technique est transposé en savoir scolaire. Cette transposition didactique, bien qu'elle soit inévitable, peut être plus ou moins réussie.

On rappellera qu'il importe d'éviter, par exemple, une dogmatisation, une décontextualisation, une dépersonnalisation ou une désyncrétisation excessives du savoir qui pourraient avoir pour effet de rendre les sciences et la technologie arides et sans grand intérêt pour l'élève.

Les difficultés liées aux obstacles didactiques. Il arrive parfois que les façons de présenter des concepts aux élèves leur posent des problèmes plus tard. Par exemple, en comparant le courant électrique à de l'eau qui coule dans un tuyau, on aide peut-être l'élève à saisir les concepts de voltage et d'ampérage, mais on augmente la difficulté qu'il aura à comprendre les circuits en série et en parallèle.

Il existe même des façons de présenter des concepts qui renforcent les conceptions ou les obstacles épistémologiques au lieu de faciliter leur évolution. Quand on affirme, par exemple, qu'une boule de plomb ne flotte pas parce qu'elle est très lourde, on renforce la confusion fréquente, au sujet de la flottabilité, entre la masse et la densité (ou la masse volumique) d'un objet.

Il faut donc être prudent dans le choix des analogies utilisées. Il faut éviter ce que Bachelard appelait les *géométrisations foudroyantes* qui risquent de figer la pensée.

Difficultés relevant du secteur de la relation enseignant-élève

Le secteur de la relation enseignant-élève concerne les interactions didactiques dont relèvent des questions telles que le contrat didactique et le matériel didactique.

Les difficultés liées aux écarts aux démarches attendues. Les élèves ou les équipes d'élèves ne raisonnent pas et ne procèdent pas tous de la même façon au moment de résoudre un problème, de prendre part à une activité ou d'effectuer un exercice.

Parfois ils procèdent d'une façon erronée, qui ne pourrait pas fonctionner, mais parfois aussi ils appliquent une démarche, une approche ou une solution adéquates, mais différentes de celles qui avaient été prévues par l'enseignant.

Des consignes plus claires peuvent aider à pallier certaines de ces difficultés, mais l'enseignant doit aussi garder l'esprit ouvert et accepter que les élèves trouvent parfois des solutions originales et inattendues. Un encadrement plus étroit des élèves qui appliquent souvent une démarche vouée à l'échec est parfois nécessaire.

Les difficultés liées à la compréhension des consignes. Il arrive que les élèves n'arrivent pas à faire une activité, un exercice ou un problème simplement parce qu'ils ne comprennent pas ou n'interprètent pas correctement ce qui leur a été demandé.

Au moment de la conception de matériel didactique destiné aux élèves, il importe de respecter le niveau de lisibilité approprié à l'âge des élèves, de s'assurer que les consignes sont claires et univoques, et, si possible, de faire lire les documents par d'autres enseignants qui pourront en signaler les lacunes. De plus, une mise à l'essai suivie d'améliorations est souvent nécessaire avant d'en arriver à une version définitive.

Difficultés relevant du secteur central

Le secteur central du triangle didactique est celui de la construction des situations didactiques dont relèvent des questions telles que le contrat didactique, et celui de la structuration des connaissances et de la conception de situations-problèmes (ou problématiques).

Les difficultés liées au contrat didactique. Tel qu'il a été mentionné au chapitre 8, certaines difficultés rencontrées par les élèves peuvent s'expliquer par diverses ruptures du contrat didactique. Par exemple, certaines classes n'accordent pas aux sciences et à la technologie le nombre d'heures prévues par le programme ou ne le font pas au moyen d'activités de résolution de problème. Il arrive parfois aussi que l'enseignant n'a pas une formation suffisante dans le domaine ou qu'il n'évalue pas adéquatement les apprentissages. Enfin, il arrive parfois que les élèves ne font pas les efforts nécessaires pour accomplir les tâches proposées.

Ces ruptures de contrat, qui passent souvent inaperçues parce qu'elles n'entraînent pas de conséquences fâcheuses à court terme, peuvent finir, à la longue, par diminuer la qualité de la formation en sciences et technologie et être la cause des difficultés vécues par les élèves à des niveaux scolaires supérieurs.

Les difficultés liées à la conception des problématiques. Les problématiques proposées aux élèves sont parfois plus ou moins bien conçues, ce qui peut être la cause de certaines difficultés d'apprentissage. Parmi les problèmes de conception les plus fréquents, on peut mentionner le fait que certaines problématiques comportent très peu de solutions ou d'approches possibles, sont trop faciles ou trop difficiles pour les élèves, postulent des connaissances préalables que les élèves ne maîtrisent pas, prévoient des activités fonctionnelles ou des activités de structuration qui ne sont pas adéquates, ou nécessitent un matériel complexe ou difficile à trouver.

La meilleure façon d'éviter ces problèmes de conception est de procéder, si possible, à une mise à l'essai des problématiques avec d'autres enseignants ou avec quelques élèves et d'apporter ensuite les corrections et les améliorations qui s'imposent.

Autres difficultés

La présente section expose brièvement d'autres difficultés d'enseignement et d'apprentissage en sciences et technologie qui ne relèvent pas directement d'un des secteurs du triangle didactique.

Les difficultés en lecture. Un des meilleurs prédicteurs de la réussite scolaire, du primaire à l'université, est le temps que les élèves ou les étudiants consacrent à la lecture de bonnes revues ou de bons livres. Comme le disait à la blague l'écrivain américain Mark Twain, une personne qui ne lit jamais n'a aucun avantage sur une autre qui ne sait pas lire. Malheureusement, de nombreux élèves ne lisent presque pas, à l'exception des textes qu'ils doivent absolument lire pour leurs travaux scolaires. Il n'est donc pas étonnant qu'ils ne deviennent jamais très compétents en lecture et ne possèdent pas une culture générale très étendue.

En sciences et technologie, il faut d'abord s'assurer que le matériel didactique proposé aux élèves soit attrayant, bien illustré et d'un niveau de lisibilité approprié. Mais il importe aussi d'inciter les élèves à aller au-delà des textes scolaires et à lire des ouvrages et de revues de sciences et technologie conçus pour les enfants d'âge primaire. Les ouvrages et les revues de vulgarisation scientifique pour les jeunes et les adultes peuvent également être fort utiles aux enseignants qui désirent se familiariser avec divers domaines scientifiques et technologiques.

Les difficultés en mathématiques. Les notions mathématiques nécessaires en sciences et technologie, au primaire, sont relativement simples et relèvent surtout du domaine de la mesure (longueur, aire, volume, masse, temps, etc.), de la numération et des opérations de base.

Certains élèves peuvent toutefois avoir besoin d'exercices supplémentaires pour maîtriser ces notions, qui pourraient finir par être la cause de difficultés plus graves après le primaire, d'autant plus que les mathématiques sont le principal langage de plusieurs sciences.

Les difficultés liées aux peurs des élèves. Certains élèves (ainsi que certains enseignants) ont peur, par exemple, des insectes, des vers, des araignées ou d'autres petits animaux. Ils peuvent également avoir peur des piles électriques et autres objets techniques. Ces peurs peuvent être fondées, en cas de danger réel, mais s'avèrent souvent irrationnelles.

Les psychologues suggèrent la procédure de la désensibilisation systématique, qui consiste d'abord à donner l'information la plus objective possible concernant les dangers réels et les dangers imaginaires, puis à rapprocher très graduellement la personne qui manifeste une crainte des stimuli qui l'inquiètent.

Les difficultés d'ordre religieux et culturel. Ces difficultés sont surtout liées au milieu familial des élèves. Certains proviennent de familles dont les croyances religieuses entrent en contradiction avec des théories scientifiques contemporaines. C'est le cas, par exemple, des élèves juifs ultra-orthodoxes qui croient que l'Univers et la Terre n'existent que depuis quelques milliers d'années, ou des chrétiens fondamentalistes qui n'acceptent pas la théorie de l'évolution. Des attitudes sexistes perdurent aussi dans certains milieux où l'on croit que les sciences et la technologie ne concernent que les garçons.

Sans viser une guerre ouverte avec les familles, l'enseignement des sciences et de la technologie devrait contribuer au développement de l'esprit critique de tous les élèves et les aider à prendre leurs distances à l'égard de croyances et de préjugés sans fondement.

En pratique, il importe que l'enseignant soit le plus diplomate possible et, si nécessaire, qu'il prenne contact avec les parents pour vérifier dans quelle mesure l'enseignement des sciences et de la technologie est effectivement source de conflit. Il arrive parfois, en effet, que les enfants interprètent trop littéralement ce qu'ils entendent à la maison ou dans les lieux de culte, et que les conflits avec cette matière ne soient pas aussi réels ou sérieux qu'ils le croient.

FAIRE DES SCIENCES ET DE LA TECHNOLOGIE EN TOUTE SÉCURITÉ

La présente annexe comporte des consignes et des suggestions visant à ce que les activités en sciences et technologie se déroulent en toute sécurité. Plusieurs de ces consignes et suggestions s'inspirent du document *Safety in the elementary science classroom* (National Science Teachers Association, 1993).

Consignes d'ordre général

- Assurez-vous de connaître les règlements et les directives de votre école et de votre commission scolaire concernant la sécurité.
- Assurez-vous de connaître les règlements et les procédures de votre école et de votre commission scolaire en cas d'accident.
- Affichez dans votre classe les numéros de téléphone utiles en cas d'accident: directeur et secrétaire de l'école, police, pompiers, ambulance.
- Assurez-vous qu'une *trousse de premiers soins* est disponible dans votre classe ou dans l'école et qu'elle est placée dans un endroit où elle est bien visible.
- Assurez-vous que l'équipement et le matériel de votre classe sont toujours bien rangés. Assurez-vous également que les outils et les produits dangereux sont sous clé ou hors de la portée de vos élèves.
- Avant de manipuler de l'équipement et des produits, familiarisez-vous avec les dangers possibles et assurez-vous de prendre les précautions nécessaires.
- Soyez extrêmement prudent avec le feu. Assurez-vous qu'un *extincteur* et une couverture permettant d'étouffer le feu sont à toujours à portée de la main dans votre classe ou à proximité.
- Familiarisez-vous avec l'emplacement du matériel pour lutter contre les incendies, dans l'école, ainsi qu'avec les procédures d'évacuation.
- Habituez tous vos élèves à porter des *verres de sécurité* lorsqu'ils réalisent une activité scientifique qui présente le moindre danger pour les yeux. Assurez-vous d'avoir des verres de sécurité en nombre suffisant.

- Au début de chaque activité scientifique, informez vos élèves des dangers possibles et des précautions à prendre.
- Assurez-vous que le nombre d'élèves qui réalisent une activité scientifique ne dépasse pas votre capacité d'en garder un contrôle adéquat.
- Prévoyez assez de temps pour que tous vos élèves puissent réaliser les activités, nettoyer leur table de travail et ranger le matériel.
- Avisez vos élèves de *ne jamais goûter ou toucher à des produits* à moins d'avoir reçu une consigne précise à cet effet.
- Avisez vos élèves de vous informer immédiatement de tous les accidents ou blessures – même minimes – qui auraient pu échapper à votre attention.
- Informez vos élèves qu'il est dangereux de se toucher le visage, la bouche et les yeux lorsqu'ils travaillent avec des plantes, des animaux ou des produits chimiques. Assurez-vous que les élèves se lavent soigneusement les mains à la fin d'activités réalisées avec des plantes, des animaux ou des produits chimiques.
- Assurez-vous que vos élèves utilisent des ciseaux à bouts ronds. *Ne laissez pas vos élèves manipuler des couteaux ou d'autres outils pointus ou très coupants.* Coupez d'avance les matériaux qui ne se coupent qu'avec des ciseaux à bouts pointus ou des couteaux dangereux pour vos élèves.
- Assurez-vous que les taille-crayons à manivelle sont fixés beaucoup plus bas que les yeux des enfants (de préférence sur une petite table). Il arrive en effet que des élèves se blessent les yeux avec la pointe de crayons qu'ils tiennent dans la même main qui tourne la manivelle.
- *Ne laissez pas vos élèves manipuler des outils électriques* (perceuse, scie ronde, scie sauteuse-sableuse, etc.). Ne laissez pas d'outils électriques dans votre classe.
- *Évitez d'utiliser des contenants en verre.* Les contenants en plastique sont beaucoup moins dangereux.
- N'utilisez pas d'objets en verre (des miroirs, par exemple) dont les rebords ne sont pas protégés.
- Avisez vos élèves de ne pas se servir des contenants utilisés en sciences pour boire de l'eau ou d'autres liquides.
- *N'utilisez pas de thermomètres à mercure.* Utilisez plutôt des thermomètres à alcool.
- Expliquez à vos élèves le *danger du courant électrique domestique* et de tous les appareils qui fonctionnent à l'électricité à la maison (lampes, postes de radio, téléviseurs, ventilateurs, séchoirs à cheveux, etc.).

- Assurez-vous de ne jamais surcharger les circuits électriques de votre classe ou de votre école.
- Assurez-vous que les appareils électriques et les fils électriques que vous manipulez sont en bon état.
- Souvenez-vous que *l'électricité et l'eau ne font pas bon ménage* et qu'il ne faut jamais se servir de courant électrique en présence d'eau ou lorsque les mains ou les pieds sont mouillés.

La sécurité en physique

- Si vous faites bouillir de l'eau, assurez-vous que les élèves ne placent pas leur main ou leur visage au-dessus du récipient. La vapeur d'eau pourrait les brûler.
- Si vous faites des activités avec des leviers et des poulies, assurez-vous que les objets soulevés ne sont pas trop lourds, pour ne pas que les élèves se blessent s'ils les échappent.
- Si vous permettez à vos élèves d'utiliser des outils (marteau, tournevis, pinces, etc.), assurez-vous qu'ils savent comment s'en servir et qu'ils le font avec précaution. Ne laissez pas vos élèves utiliser d'outils électriques.
- Informez vos élèves du danger de s'exposer longuement et sans protection aux rayons du Soleil.
- Si vous utilisez des miroirs, des lentilles et des ampoules, rappelez à vos élèves que ce sont des objets fragiles et cassants, et que les éclats pourraient être très coupants.
- Informez vos élèves du danger de s'exposer à des sons de forte intensité pendant une période prolongée. Informez-les du danger d'utiliser des écouteurs à un volume trop élevé.
- Si vous faites des activités avec des piles électriques, assurez-vous que l'intensité du courant utilisé ne dépasse pas 12 volts.
- Informez vos élèves du danger de regarder l'écran d'un téléviseur ou d'un ordinateur à une très courte distance pendant de longues périodes. Ces appareils émettent de faibles doses de rayonnement qui peuvent être nocives à quelques centimètres de distance.

La sécurité en chimie

- Avisez vos élèves de ne jamais mélanger des produits chimiques simplement pour voir ce qui va se passer. Certaines réactions chimiques peuvent causer des explosions ou dégager des substances toxiques.
- Avisez vos élèves de *ne jamais faire des réactions chimiques dans des contenants fermés.* Par exemple, le gaz carbonique qui se dégage d'un mélange de vinaigre et de bicarbonate de sodium placé dans un pot fermé fera exploser le pot, ce qui pourrait causer de très graves blessures.
- Avisez vos élèves de ne jamais goûter à des produits chimiques et de se laver soigneusement les mains après en avoir utilisé.
- Conservez les produits combustibles dans une armoire métallique fermée à clé.
- Ne conservez jamais de grandes quantités d'un produit combustible ou toxique dans une classe. (Par exemple, ne pas conserver plusieurs litres d'huile végétale ou d'alcool à friction.)
- Laissez les produits chimiques dans leur contenant d'origine ou placez-les dans des contenants transparents très clairement étiquetés. Il serait très dangereux, par exemple, de verser de l'alcool à friction dans une bouteille de vinaigre, ou de n'écrire que le mot « alcool » sur une bouteille qui contient de l'alcool à friction.

La sécurité en astronomie

- Avisez vos élèves de *ne jamais observer le Soleil à l'œil nu.* Même les négatifs ou les verres fumés très sombres ne sont pas sûrs. Seuls les filtres spécialement conçus pour observer le Soleil sont sans danger.
- Avisez vos élèves de *ne jamais observer directement le Soleil avec une loupe, des jumelles ou un télescope.* Ils pourraient se brûler grièvement les yeux. Pour observer le Soleil, les méthodes indirectes sont les plus sûres. (Par exemple, projeter l'image du Soleil, telle qu'elle est perçue par des jumelles ou un petit télescope, sur un morceau de carton blanc.)

La sécurité en géologie

- *Ne laissez pas vos élèves briser des roches.* Les éclats pourraient les blesser. Si vous voulez vous-même briser une roche, enveloppez-la dans un morceau de tissu, mettez des verres de sécurité et frappez-la avec un marteau très solide, qui ne risque pas de se déboîter.

- N'utilisez pas d'acides pour analyser la composition d'une roche. Presque tous les acides utilisés en géologie sont extrêmement corrosifs et ne devraient jamais être utilisés en sciences au primaire.

La sécurité en météorologie

- Informez vos élèves qu'*il est dangereux de rester à l'extérieur pendant un orage électrique.* À défaut de pouvoir se rendre à l'intérieur, ils ne doivent jamais se placer sous un arbre isolé. L'intérieur d'une voiture est aussi un lieu très sûr. Les pneus d'une bicyclette n'assurent aucune protection contre la foudre.
- Par temps très froid, informez vos élèves du risque d'engelures et rappelez-leur comment les éviter.

La sécurité en biologie

- Informez vos élèves de la présence, sur les plantes, sur les animaux, dans la terre et dans l'eau non traitée de bactéries et de protozoaires qui peuvent parfois causer des infections et des empoisonnements alimentaires. Avisez-les qu'il est dangereux de se toucher le visage, la bouche et les yeux lorsqu'ils travaillent avec des plantes, des animaux, de la terre et de l'eau non traitée. Assurez-vous que les élèves se *lavent soigneusement les mains* à la fin d'activités réalisées avec des plantes, des animaux, de la terre et de l'eau non traitée.
- Informez vos élèves du fait que certaines plantes peuvent causer des irritations, des allergies ou des empoisonnements alimentaires (herbe à puce, herbe à poux, champignons vénéneux, fruits toxiques, etc.), et indiquez-leur les précautions à prendre pour se protéger. Avisez-les que certaines plantes et certains champignons vénéneux ressemblent à des plantes et à des champignons comestibles.
- Informez vos élèves que certaines moisissures sont toxiques et qu'il est préférable de jeter les aliments qui ont commencé à moisir. Cette consigne est particulièrement importante pour les aliments à base de céréales, d'arachides ou de noix dont les moisissures peuvent être cancérigènes.
- Assurez-vous de connaître vos élèves qui sont gravement allergiques aux arachides, aux amandes ou à d'autres allergènes.
- Informez vos élèves de l'importance de l'oxygène pour la respiration et du danger des espaces hermétiquement clos.

- Assurez-vous de connaître vos élèves qui sont gravement allergiques aux piqûres de certains insectes (abeilles, guêpes, etc.).
- Bien que certains vers, insectes et arthropodes soient comestibles, n'organisez pas de dégustation de ces animaux avec vos élèves.
- Ne permettez pas à vos élèves d'apporter des animaux sauvages (morts ou vivants) en classe.
- Ne permettez pas aux élèves d'apporter leurs animaux domestiques en classe.
- Si vous désirez avoir des animaux dans votre classe (poissons, gerboises, hamsters, etc.), assurez-vous qu'ils proviennent d'un fournisseur fiable.
- Dans votre classe, assurez-vous que les aquariums, les terrariums, les cages, etc. où vivent des animaux sont toujours propres et bien entretenus. Assurez-vous également que quelqu'un s'occupe des animaux pendant les week-ends, les congés et les vacances.

La sécurité au cours des sorties dans la nature

Les sorties dans la nature peuvent être des compléments très intéressants aux activités réalisées en classe et sur le terrain de l'école. Une bonne sortie dans la nature est bien organisée, vise l'atteinte d'objectifs clairs et comporte des activités qui permettent d'atteindre ces objectifs.

- Visitez et examinez le site d'une sortie avant d'y amener vos élèves. Les propriétaires ou les responsables des lieux pourront vous faire des suggestions précieuses.
- Invitez des parents ou à d'autres adultes à votre sortie dans la nature. Assurez-vous de pouvoir maintenir un rapport d'au moins un adulte par dix élèves.
- Obtenez la permission écrite des parents de tous vos élèves avant de faire une sortie dans la nature.
- Informez les parents par écrit du lieu de la sortie, de la façon dont les enfants doivent s'habiller et, le cas échéant, du matériel qu'ils doivent ou peuvent apporter. Pour limiter les risques de piqûres, demander aux élèves de mettre des pantalons et des chandails ou des chemises à manches longues et d'appliquer du chasse-moustiques le matin avant de quitter la maison.
- Placez si possible les élèves deux par deux. Chaque élève à la responsabilité de veiller sur son coéquipier.
- Munissez-vous d'une trousse de premiers soins et assurez-vous que tout le monde sait où elle se trouve.

- Avisez vos élèves du danger des eaux stagnantes : ne jamais boire de l'eau stagnante, se mouiller le moins possible, ne pas se toucher la bouche ou les yeux après s'être mouillé les mains avec de l'eau stagnante. Dès que possible, laver les parties du corps qui ont été mouillées par de l'eau stagnante.

En cas d'accident ou de blessure légère

- Avisez immédiatement le directeur ou la secrétaire de l'école.
- Si vous avez suivi une formation reconnue, donnez les premiers soins.
- Si vous n'avez pas de formation, demandez à une personne formée de prodiguer les premiers soins.

En cas de blessure grave

- Obtenez de l'aide médicale en appelant un numéro d'urgence, une ambulance, les policiers ou les pompiers.
- Appelez les parents ou les tuteurs de l'élève et demandez-leur, si possible, de téléphoner à leur médecin de famille.
- Ne donnez pas de médicaments.

Les premiers soins

Tout enseignant devrait suivre un cours de premiers soins. Le but des premiers soins est de protéger un élève blessé ou malade, et non de le traiter. Les premiers soins doivent être prodigués quand de l'aide médicale n'est pas disponible immédiatement. Les paragraphes suivants rappellent quelques principes de base :

Restez calme et demandez aux autres élèves de s'éloigner du blessé. Appelez ou faites appeler de l'aide médicale aussitôt que possible. Ne déplacez pas l'élève blessé et ne faites rien, à moins de connaître la bonne façon de procéder.

Rétablissez la respiration en appliquant, selon le cas, l'une des méthodes suivantes (mais seulement si vous les connaissez bien) :

- le bouche-à-bouche
- la réanimation cardiopulmonaire
- les techniques pour dégager les voies respiratoires (manœuvre de Heimlich).

Arrêtez les hémorragies en appliquant une compresse sur les blessures et en maintenant la pression avec vos mains. Les hémorragies très abondantes peuvent être arrêtées avec un tourniquet. Les blessures qui ne saignent pas abondamment peuvent être lavées avec du peroxyde d'hydrogène ou de l'eau et du savon, et recouvertes d'un pansement stérile.

Prévenez l'état de choc. Les symptômes d'un état de choc sont la pâleur, la froideur et la moiteur de la peau, la transpiration sur le front et dans les paumes de la main, la nausée, la respiration faible et le tremblement. En cas d'état de choc :

- Couchez la victime sur une surface inclinée de telle sorte que sa tête soit un peu plus basse que le reste de son corps.
- Contenez toute hémorragie en appliquant une compresse et en maintenant la pression avec vos mains.
- Recouvrez la victime avec des couvertures ou des manteaux.
- Assurez-vous que la victime peut respirer normalement.

La prévention et le contrôle des incendies

- Assurez-vous de bien connaître l'emplacement de l'équipement pour combattre les incendies, de même que la façon de l'utiliser. Ayez toujours à la portée de la main un extincteur efficace contre les principaux types de feu.
- Évitez les activités qui nécessitent l'utilisation de bougies ou de brûleurs à alcool. Dans certains cas, les bougies et les brûleurs peuvent être remplacés par des plaques chauffantes ou des séchoirs à cheveux, qui sont moins dangereux.
- En cas d'incendie, assurez-vous d'abord que les élèves s'éloignent rapidement, mais calmement. S'il y a la moindre possibilité que le feu s'étende ou représente un danger pour les élèves, déclenchez l'alarme la plus proche pour obtenir de l'aide.

TABLEAUX DE CONCEPTIONS FRÉQUENTES ET D'ACTIVITÉS

La présente annexe expose, sous forme de tableaux, les conceptions fréquentes des élèves dans divers domaines des sciences et de la technologie (première colonne), les mécanismes d'élaboration de ces conceptions (deuxième colonne), les concepts scientifiques (troisième colonne) qui correspondent à ces conceptions ainsi que des exemples d'activités qui peuvent contribuer à faire évoluer les conceptions des élèves (quatrième colonne). Ces conceptions proviennent de diverses sources (Champagne, 1992; De Vecchi, 1992; Driver, 1989; Duit, 1991; Giordan et coll., 1978; Joshua et Dupin, 1993; Resnick, 1989; Stepans, 1994 et Viennot, 1979) ainsi que de nos propres recherches (Thouin, 2001).

Toutes ces conceptions peuvent se rencontrer chez des élèves de tous les âges et même, dans bien des cas, chez des adultes. Toutefois, les conceptions à la suite desquelles est placé le chiffre 0 sont plus fréquentes au préscolaire, soit les enfants de 4 et 5 ans. Celles à la suite desquelles est placé le chiffre 1 sont plus fréquentes au premier cycle du primaire (dans le système québécois), soit les élèves de 6 et 7 ans. Celles à la suite desquelles est placé le chiffre 2 sont plus fréquentes au deuxième cycle du primaire, soit les élèves de 8 et 9 ans. Celles à la suite desquelles est placé le chiffre 3 sont plus fréquentes au troisième cycle du primaire, soit les élèves de 10 et 11 ans.

NATURE DE L'ACTIVITÉ SCIENTIFIQUE

Conceptions fréquentes	Mécanismes d'élaboration	Concepts scientifiques	Exemples d'activités
La science est constituée d'un ensemble de vérités absolues. (2, 3)	Inférence basée sur la manière dogmatique et encyclopédique avec laquelle la science est souvent présentée.	Les lois et les théories scientifiques peuvent être remises en question.	Regarder des documentaires et lire des textes portant sur l'histoire des sciences.
La science n'est pas plus certaine que l'astrologie ou la cartomancie. (2, 3)	Inférence basée sur la façon relativiste avec laquelle la science est parfois présentée.	Les prédictions scientifiques se réalisent plus souvent que les prédictions pseudo-scientifiques.	Comparer la valeur de prédictions de sciences et de pseudosciences.

Une hypothèse est une pure spéculation. (1, 2)	Restriction basée sur la connaissance du fait que l'hypothèse doit faire l'objet d'une étude.	Une hypothèse tient compte des théories et des données connues.	Analyser les hypothèses formulées pour expliquer un phénomène.
Une hypothèse est une explication démontrée. (1, 2)	Formation d'une catégorie mentale générale pour les hypothèses, les lois et les théories.	Une hypothèse doit être soumise à une vérification expérimentale.	Analyser les hypothèses formulées pour expliquer un phénomène.
Une expérience est une manipulation de matériel. (1, 2, 3)	Établissement d'un lien direct entre le matériel et la démarche expérimentale.	Une expérience peut exiger de la manipulation de matériel, mais requiert surtout la définition d'un protocole.	Comparer une simple manipulation et un protocole expérimental.
Toute variable désigne un nombre. (3)	Extension basée sur la connaissance du fait que les valeurs des variables sont souvent quantifiables.	Il existe des variables, telles que le sexe ou l'espèce, qui ne sont pas quantifiables.	Analyser des données de recherches en sciences biologiques.
Une théorie est une spéculation douteuse. (2, 3)	Inférence basée sur la connotation qui est parfois donnée au mot *théorie* dans le langage courant.	Une théorie est une explication scientifique vraisemblable.	Analyser des exemples de grandes théories scientifiques.
Une loi est une affirmation qui ne peut être contredite. (2, 3)	Inférence basée sur la connotation qui est parfois donnée au mot *loi* dans le langage courant.	Il arrive parfois que des lois soient contredites et abandonnées.	Regarder des documentaires et lire des textes portant sur l'histoire des sciences.

PHYSIQUE

La matière

Conceptions fréquentes	Mécanismes d'élaboration	Concepts scientifiques	Exemples d'activités
	Notions de base		
Une bouteille qui ne contient plus de boisson gazeuse est totalement vide. (1)	Restriction basée sur l'impression que l'air et le vide sont identiques.	Une bouteille qui ne contient plus de boisson gazeuse contient de l'air.	Immerger rapidement une bouteille de boisson gazeuse qui semble totalement vide.
Une modification de la forme d'un objet entraîne une modification de son volume et de sa masse. (1)	Établissement de liens directs entre la forme, le volume et la masse d'un objet.	Les déformations ne modifient pas le volume ni la masse d'un objet.	Peser une boule de pâte à modeler et en mesurer le volume avant et après avoir modifié sa forme.

L'eau peut facilement se comprimer. (1)	Inférence basée sur l'impression que l'eau à l'état liquide est de la matière diffuse.	Il faut appliquer une force considérable sur l'eau pour la comprimer.	Essayer de comprimer de l'eau qui se trouve dans une seringue bouchée.
La masse et le poids sont des concepts équivalents. (2, 3)	Formation d'une catégorie mentale générale pour tout ce qui concerne la quantité de matière.	Le poids est l'effet de la gravitation sur une masse donnée.	Calculer son poids sur diverses planètes.
L'air ne pèse rien. (1, 2, 3)	Formation d'une catégorie mentale générale pour l'air et le vide.	À pression atmosphérique normale, 1 L d'air pèse environ 1,3 g.	Peser un ballon dégonflé et un ballon bien gonflé à l'aide d'une balance sensible et précise.
L'eau en ébullition vive est plus chaude que l'eau en ébullition lente. (2, 3)	Établissement d'un lien direct entre la température de l'élément chauffant et la température de l'eau.	La température de l'ébullition, vive ou lente, est de 100 °C.	Placer un thermomètre dans de l'eau en ébullition lente et vive.
La température de la glace est constante et il n'est pas possible de faire augmenter sa température (p. ex. la faire faire passer de – 30°C à – 10 °C). (2)	Formation d'une catégorie mentale générale pour toutes les températures que peut prendre la glace.	En théorie, la glace peut prendre toutes les températures comprises entre – 273 °C et 0 °C.	Mesurer la température d'un morceau de glace que l'on fait chauffer ou refroidir.
Les états de la matière			
Les gaz et les liquides ne sont pas de la matière. (0, 1)	Restriction basée sur le fait que des objets solides sont habituellement présentés comme des exemples de matière.	Toutes les substances, à l'état gazeux, solide ou liquide, sont de la matière.	Refroidir des gaz et des liquides comme la vapeur d'eau et l'eau liquide.
Le niveau de l'eau d'un aquarium baisse, car les poissons boivent de l'eau. (0)	Établissement d'un lien direct entre l'alimentation des poissons et le niveau de l'eau.	Bien que les poissons boivent un peu d'eau, le niveau de l'eau baisse surtout par évaporation.	Mesurer tous les jours le niveau de l'eau d'un aquarium dans lequel il n'y a que de l'eau.
De l'eau laissée à l'air libre finit par disparaître complètement. (0,1)	Inférence basée sur le fait que l'eau qui s'évapore est invisible.	L'eau ne disparaît pas, elle se transforme en vapeur d'eau qui se disperse dans l'air.	Faire évaporer rapidement, en la chauffant, de l'eau contenue dans une casserole munie d'un couvercle transparent.
Les objets mous fondent plus facilement que les objets durs. (0, 1)	Établissement d'un lien direct entre la dureté d'un objet et l'attraction entre les atomes ou les molécules dont il est composé.	Il n'y a pas de relation entre la dureté d'un objet et sa température de fusion.	Essayer de faire fondre une éponge et un petit morceau de cire en les plongeant dans de l'eau bouillante.

De la buée se forme sur le miroir parce que la salle de bain est bien chauffée. (0, 1)	Établissement d'un lien direct entre la présence de buée et les conditions habituelles de formation de vapeur d'eau.	De la buée se forme parce que de la vapeur d'eau se condense sur le miroir relativement froid.	Placer une assiette très froide et une assiette très chaude au-dessus d'une casserole qui contient de l'eau bouillante.
La buée et les nuages sont de l'eau à l'état gazeux. (1, 2)	Formation d'une catégorie générale pour toute eau en suspension dans l'air.	La buée et les nuages sont formés de gouttelettes d'eau à l'état liquide.	– Faire de la buée sur un miroir froid. – Placer une assiette froide au-dessus d'une bouilloire.
Le fer ne peut exister à l'état gazeux ou liquide. (2)	Restriction basée sur le fait que le fer est dur et dense.	Le fer devient liquide à environ 1 500 °C et gazeux à une température encore plus élevée.	Trouver le point de fusion et d'évaporation du fer dans une encyclopédie.
Tous les liquides deviennent solides à 0 °C. (2)	Restriction basée sur la température de solidification de l'eau.	Plusieurs liquides courants, tels que l'alcool et l'essence, deviennent solides à des températures inférieures à 0 °C.	Essayer de faire geler de l'alcool ou de l'essence.
La vapeur d'eau ne pas peut causer des blessures aussi graves que l'eau bouillante. (1, 2)	Inférence basée sur l'impression que la vapeur est trop ténue pour être dangereuse.	Au-dessus d'une bouilloire, la température de la vapeur d'eau est plus élevée que celle de l'eau bouillante.	Mesurer la température de la vapeur d'eau et de l'eau bouillante.
Les mélanges et les solutions			
Le sel ou le sucre dissous dans l'eau disparaissent. (0, 1)	Inférence basée sur le fait que le sel ou le sucre dissous dans l'eau sont invisibles.	Une substance dissoute est toujours présente et redevient visible après évaporation du liquide.	Faire bouillir de l'eau dans laquelle du sel ou du sucre ont été dissous.
Tous les liquides peuvent se mêler les uns aux autres. (0, 1)	Extension, à tous les liquides, des résultats d'une expérience telle que le mélange d'alcool et d'eau.	Certains liquides, tels que l'eau et l'huile, sont non miscibles.	Essayer de mêler de l'huile végétale et de l'eau.
Un soluté se dissout de la même façon, quelle que soit la température du solvant. (1)	Inférence basée sur l'impression que la solubilité ne dépend que de la nature du soluté et du solvant.	Plus la température du solvant est élevée, plus on peut dissoudre de soluté.	Faire dissoudre du sel et du sucre dans de l'eau à diverses températures.
On peut dissoudre autant de sel ou de sucre qu'on le désire dans de l'eau très chaude. (0, 1)	Extension basée sur le fait que la solubilité augmente avec la température.	La solubilité de l'eau, même très chaude, est limitée.	Essayer de faire dissoudre une très grande quantité de sel ou de sucre dans de l'eau très chaude.

Les mélanges et les composés sont semblables. (2)	Formation d'une catégorie mentale générale pour toute substance formée de deux ou de plusieurs substances.	Les substances qui composent un mélange ne sont que faiblement liées chimiquement, alors que celles d'un composé sont fortement liées.	Séparer les grains d'un mélange de sucre et de sel, puis essayer de séparer physiquement les éléments qui composent la craie.
L'huile ne se mélange pas à l'eau, car elle est moins dense que l'eau. (2, 3)	Restriction qui ne tient compte que d'une des raisons pour lesquelles l'huile et l'eau se divisent en couches séparées.	L'huile et l'eau ne se mélangent pas, surtout parce qu'elles ne forment aucun lien chimique.	Lire un texte portant sur les propriétés physiques et chimiques de l'huile et de l'eau.
L'air est composé uniquement d'oxygène. (2, 3)	Formation d'une catégorie mentale générale pour l'air et l'oxygène.	L'air contient 78 % d'azote et 21 % d'oxygène.	Examiner une allumette qui brûle dans de l'air, puis dans de l'oxygène pur.
L'air contient une proportion importante de dioxyde de carbone. (2, 3)	Inférence basée sur la connaissance des grandes quantités de dioxyde de carbone rejetées dans l'atmosphère par les animaux, les êtres humains, les moteurs et les industries.	L'air ne contient que 0,03 % de dioxyde de carbone.	Au moyen d'une pompe d'aquarium, souffler de l'air dans de l'eau de chaux, puis souffler avec une paille le mélange de gaz qui sort des poumons.
Il n'y a pas de différence entre un mélange et une solution. (2)	Formation d'une catégorie mentale générale pour toute substance formée de deux ou de plusieurs substances.	Une solution est un type de mélange parfaitement homogène.	Séparer le sable et l'eau d'un mélange, puis essayer de séparer le sel de l'eau d'une solution.
Un gaz peut former des bulles, mais ne peut se dissoudre dans un liquide. (2, 3)	Restriction basée sur l'impression qu'il n'y a que des solides tels que le sucre et le sel qui sont solubles dans un liquide.	De nombreux gaz sont solubles dans l'eau et dans d'autres liquides.	Observer un verre de boisson gazeuse dont la température augmente.

Les atomes

Conceptions fréquentes	Mécanismes d'élaboration	Concepts scientifiques	Exemples d'activités
	Notions de base		
La matière est composée de petites particules qui sont toutes identiques. (2)	Extension, au niveau microscopique, du résultat d'expériences macroscopiques telles que le fractionnement d'un carré de sucre.	Les atomes, constituants élémentaires de la matière, sont formés de protons, de neutrons et d'électrons.	Regarder un documentaire ou lire un texte portant sur l'atome.

Les atomes et les molécules d'un corps ont des propriétés semblables à celles du corps. (Par exemple, les atomes d'or sont durs et brillants et les molécules d'eau sont de minuscules gouttelettes.) (2, 3)	Extension des propriétés du corps au niveau atomique ou moléculaire.	Les propriétés physiques courantes ne peuvent être définies au niveau atomique ou moléculaire.	Regarder un documentaire ou lire un texte portant sur les atomes et les molécules.
	Les réactions nucléaires		
Une bombe atomique est faite de dynamite très puissante. (0, 1)	Extension, à la bombe atomique, de la composition d'une bombe traditionnelle.	Une bombe atomique contient du combustible pour une fission ou une fusion nucléaire.	Regarder un documentaire ou lire un texte portant sur la fabrication de bombes atomiques à fission et à fusion.
La fission et la fusion nucléaires sont des formes de combustion, semblables à du bois qui brûle. (1, 2)	Formation d'une catégorie mentale générale pour tout ce qui dégage de la lumière et de la chaleur.	La fission et la fusion ne sont pas des réactions chimiques, mais des réactions nucléaires qui ne nécessitent pas d'oxygène.	Regarder un documentaire ou lire un texte portant sur l'énergie produite par les centrales nucléaires et par le Soleil.
La fission nucléaire permet de produire de l'électricité directement. (2, 3)	Formation d'une catégorie mentale générale pour ce qui est radioactif et ce qui est électrique.	La chaleur produite par la fission permet de faire tourner les turbines qui produisent l'électricité.	Examiner le schéma du fonctionnement d'une centrale nucléaire.
Tous les types de rayonnement radioactif sont pénétrants et dangereux. (2, 3)	Extension, à tous les types de rayonnement, de l'information concernant les dangers de la radioactivité.	Le rayonnement alpha, à l'inverse du rayonnement gamma, est relativement peu pénétrant.	Examiner des schémas qui indiquent les façons de bloquer divers types de rayonnement radioactif.

Les forces et les mouvements

Conceptions fréquentes	Mécanismes d'élaboration	Concepts scientifiques	Exemples d'activités
	Les forces		
Une roche tombe vers le sol parce que les matériaux semblables s'attirent. (0, 1)	Établissement d'un lien direct entre la présence d'une force d'attraction et la nature des corps qui s'attirent.	Une roche tombe vers le sol en raison de l'attraction gravitationnelle de la Terre.	Laisser tomber des objets qui sont faits de divers matériaux.
Les objets légers flottent et les objets lourds coulent. (0, 1, 2)	Restriction basée sur les expériences usuelles de flottaison avec de petits objets.	Il existe des objets légers qui coulent et des objets lourds qui flottent.	Laisser tomber des aiguilles dans l'eau. Regarder des photographies de divers types de navires.

Les objets vides flottent et les objets pleins coulent. (1, 2)	Extension basée sur l'observation de certains objets vides qui flottent et de certains objets pleins qui coulent.	Il existe des objets vides qui coulent et des objets pleins qui flottent.	Faire flotter divers objets vides et divers objets pleins.
Les objets mous flottent et les objets durs coulent. (0, 1, 2)	Extension basée sur l'observation de certains objets mous qui flottent et de certains objets durs qui coulent.	Il existe des objets mous qui coulent et des objets durs qui flottent.	Faire flotter divers objets mous et divers objets durs.
Les objets qui contiennent de l'air flottent et les objets qui n'en contiennent pas coulent. (0, 1, 2)	Extension basée sur l'observation de certains objets qui contiennent de l'air qui flottent et de certains objets qui n'en contiennent pas qui coulent.	Il existe des objets qui contiennent de l'air qui coulent et des objets qui n'en contiennent pas qui flottent.	Faire flotter divers objets qui contiennent de l'air et divers objets qui n'en contiennent pas.
La gravitation est une sorte de magnétisme. (1)	Formation d'une catégorie mentale générale pour tout ce qui attire.	L'attraction gravitationnelle et le magnétisme sont des forces de nature différente.	Laisser tomber un aimant sur un morceau de bois, sur un autre aimant.
La gravité est la même chose que la pression de l'air. (1)	Formation d'une catégorie mentale générale pour les forces qui s'exercent sur les objets situés à la surface de la Terre.	L'attraction gravitationnelle serait la même en l'absence d'atmosphère.	Regarder un documentaire ou lire un texte portant sur la gravitation lunaire.
La Terre est le seul corps céleste qui attire les objets. (1)	Restriction basée sur le fait que l'attraction terrestre est celle dont on parle le plus souvent.	Tous les corps célestes exercent une force d'attraction gravitationnelle proportionnelle à leur masse.	Lire un texte portant sur les marées.
Les objets immobiles, tels que les tables ou les chaises, ne peuvent exercer une force. (1, 2)	Restriction basée sur l'impression qu'il n'y a que les objets en mouvement qui exercent une force.	Tous les objets immobiles qui soutiennent des objets exercent une force qui empêche les objets de tomber.	Examiner un tapis sur lequel des objets lourds ont été posés.
Les objets lourds tombent plus vite que les objets légers. (1, 2)	Inférence basée sur l'impression que l'attraction gravitationnelle terrestre est fonction du poids des objets attirés par la Terre.	Les objets légers qui opposent peu de résistance à l'air tombent avec la même accélération que les objets lourds.	Observer la chute libre d'une grosse bille et d'une petite bille en acier.
Si l'on incline un verre qui contient de l'eau, la surface de l'eau va s'incliner. (0, 1)	Inférence basée sur l'impression que la surface de l'eau et les côtés du verre doivent rester perpendiculaires.	La surface de l'eau demeure parallèle au sol.	Observer la surface de l'eau d'un verre incliné.

Les bateaux flottent parce qu'ils sont faits d'un métal léger. (1, 2)	Inférence basée sur l'impression que la coque d'un navire doit être moins dense que l'eau.	Le métal dont sont faits les navires n'a rien de spécial.	Fabriquer un bateau avec un matériau plus dense que l'eau.
Les objets qui flottent dans un liquide flottent dans tous les liquides. (1)	Formation d'une catégorie mentale générale pour tous les liquides.	Il existe des objets, tels que les œufs, qui flottent dans l'eau salée mais ne flottent pas dans l'eau douce.	Essayer de faire flotter divers objets dans l'huile végétale et dans l'eau.
L'attraction gravitationnelle est la même sur toutes les planètes. (1, 2)	Formation d'une catégorie mentale générale pour la valeur de toutes les attractions gravitationnelles.	Les planètes exercent une force d'attraction gravitationnelle proportionnelle à leur masse.	Examiner un tableau de données sur les planètes.
Les astronautes en orbite autour de la Terre ne pèsent plus rien. (2)	Inférence basée sur le fait que les astronautes en orbite se trouvent en état d'apesanteur.	Le poids des astronautes en orbite est à peu près le même que sur la Terre, mais semble nul parce que leur navette en orbite « tombe » à la même vitesse qu'eux.	Observer les forces que doivent exercer les astronautes qui veulent changer de position lorsqu'ils sont dans l'espace.
Tous les objets en équilibre sont en équilibre stable. (2)	Extension basée sur les situations d'équilibre les plus courantes.	Il existe aussi des situations d'équilibre instable, comme une baguette de bois placée debout sur une de ses extrémités.	Observer un crayon qui tient en équilibre sur son extrémité ronde.
Toutes les sortes de bois flottent. (1, 2)	Formation d'une catégorie mentale générale pour toutes les sortes de bois.	Il existe des bois très denses qui ne flottent pas.	Essayer de faire flotter divers types de bois indigènes et exotiques.
Un trombone flotte sur l'eau de la même façon qu'un bouchon de liège. (2)	Formation d'une catégorie mentale générale pour tout ce qui se trouve à la surface de l'eau.	Un trombone ne flotte pas, mais peut tenir à la surface grâce à la tension superficielle de l'eau.	Laisser tomber un trombone et un bouchon de liège dans l'eau.
Les objets qui coulent déplacent plus d'eau que les objets qui flottent. (2, 3)	Établissement d'un lien direct et proportionnel entre la densité d'un objet et la quantité d'eau déplacée.	Les objets qui coulent sont plus denses que l'eau et déplacent moins d'eau que les objets qui flottent.	Mesurer le volume d'eau déplacé par un objet qui coule et un objet du même poids qui flotte.
Plus un plan d'eau est profond, plus les objets flottent facilement. (2)	Inférence basée sur l'observation de la taille des navires océaniques et de celle des embarcations de plaisance.	La profondeur n'a pas d'influence sur la flottabilité.	Placer divers objets moins denses que l'eau dans des bacs plus ou moins remplis.

		La pression	
Souffler sur un objet éloigne toujours cet objet. (1, 2)	Extension basée sur l'observation d'objets entraînés par un courant d'air.	Le fait de souffler sur certains objets aux surfaces courbes peut les faire se rapprocher.	Souffler, vers le bas, entre deux bandelettes de papier que l'on tient suspendues à environ 5 cm l'une de l'autre.
Une ventouse est faite d'un caoutchouc collant. (1)	Inférence basée sur une raison fréquente pour laquelle un objet colle à un autre objet.	Une ventouse colle parce que la pression de l'air, à l'intérieur, est plus faible que la pression extérieure.	Observer le caoutchouc dont sont faites diverses ventouses.
La pression de l'air ou de l'eau ne s'exerce que de bas en haut. (2)	Restriction basée sur l'expérience des effets de la pression exercée par le poids d'un objet.	Une pression s'exerce dans toutes les directions.	Plonger au fond d'une piscine et placer la tête dans diverses positions.
		Le mouvement	
Quand on a la tête en bas, dans un manège qui nous fait tourner, on ne tombe pas parce qu'on est attaché. (1)	Établissement d'un lien direct entre le fait de ne pas tomber et le port d'une ceinture de sécurité.	On ne tombe pas à cause de l'accélération de rotation qui nous pousse contre le siège du manège.	Placer une balle dans un seau, puis faire tourner rapidement le seau au bout d'un bras.
Une pile de jetons tombera si le jeton du dessous est déplacé brusquement. (1)	Extension, à toutes les situations, de la chute d'une pile de jetons.	La pile de jetons pourra souvent rester intacte.	Projeter brusquement un jeton sur le jeton du dessous d'une pile.
Les êtres vivants doivent exercer une force pour empêcher un objet de tomber, mais les objets inanimés n'ont pas besoin de le faire. (1, 2)	Établissement d'un lien direct entre le concept de force et le concept d'effort physique.	Si un objet tient suspendu, une force est toujours exercée.	Placer un objet assez lourd sur une boîte en carton, puis remplacer la boîte par une autre boîte en carton très mince.
Une masse est munie d'un long manche pour qu'on puisse bien la tenir. (2)	Restriction basée sur l'impression que la longueur du manche n'a pas d'influence sur le mouvement de la masse.	Le long manche permet à la masse de parcourir une plus grande distance et d'acquérir une plus grande inertie de mouvement.	Essayer d'utiliser une masse dont le manche a été remplacé par un autre manche très court.
Les patineurs artistiques qui tournent sur eux-mêmes étendent leurs bras ou les mettent le long de leur corps pour que leurs mouvements soient plus élégants. (2)	Restriction basée sur l'impression que la position des bras n'a pas d'influence sur le mouvement de rotation des patineurs.	La position des bras des patineurs sert à modifier l'inertie et la vitesse de rotation.	Fabriquer de petites toupies munies de petits bâtons, de diverses longueurs, perpendiculaires à leur axe de rotation.

Même sans force de frottement, il faut appliquer une force constante pour qu'un objet se déplace à vitesse constante. (2)	Extension, aux mouvements dans tout l'Univers, des expériences courantes du mouvement à la surface de la Terre.	En l'absence de force de frottement, un objet peut se déplacer à vitesse constante même si aucune force ne s'applique.	Pousser de petits disques qui se déplacent sur un coussin d'air.
Plus un objet plat qui glisse sur un plan a une grande surface, plus la friction est grande. (2, 3)	Établissement d'un lien direct entre la grandeur de surface et l'intensité de la friction.	La friction ne dépend pas de la surface, mais de la nature de la surface.	Tirer sur le sol des boîtes de diverses surfaces qui contiennent toutes le même poids de sable.
Si un objet est en mouvement, une force agit sur cet objet. S'il est immobile, aucune force n'agit. (2, 3)	Établissement d'un lien direct de cause à effet entre force et mouvement.	Il peut n'y avoir aucune force qui agit sur un objet en mouvement et il peut y avoir des forces qui agissent sur des objets immobiles.	Discuter des forces qui agissent sur un vaisseau spatial et sur un objet posé sur une table.
Une balle qui tourne au bout d'une ficelle aura une trajectoire courbe après avoir été lâchée. (2)	Inférence basée sur l'impression d'une distinction entre des « élans » linéaires et des « élans » curvilignes.	Après avoir été lâchée, la balle aura une trajectoire courbée vers le sol mais rectiligne par rapport à un plan horizontal.	Observer la trajectoire d'une balle qui tourne en roulant sur le sol, au bout d'une ficelle, et qui est lâchée.
La loi action = réaction ne s'applique qu'aux objets en mouvement. (2, 3)	Restriction basée sur des expériences telles que le lancer d'un ballon ou le tir à la carabine.	Quand une force agit sur un objet immobile, il y a nécessairement une autre force qui agit en sens contraire.	Discuter des forces qui agissent sur un objet posé sur une table.
La période d'un pendule dépend de l'amplitude ou du poids. (2, 3)	Établissement d'un lien direct entre les conditions qui influencent la durée totale des oscillations en présence de friction et celles qui influencent la période.	La période d'un pendule ne dépend que de sa longueur.	Mesurer la période d'un pendule dont on fait varier la longueur du fil, l'amplitude et le poids.
La longueur du fil, indépendamment de la forme de l'objet suspendu, est le principal facteur qui détermine la période d'un pendule. (2, 3)	Établissement d'un lien direct entre la longueur du fil et la période d'oscillation d'un pendule.	La longueur d'un pendule est la longueur totale, du point d'appui jusqu'au centre de gravité du poids suspendu.	Déterminer la période de divers pendules qui ont tous le même poids et un fil de la même longueur, mais dont les formes sont très différentes.
Les machines simples			
Une machine simple ne fait que modifier la direction de la force appliquée. (1, 2)	Restriction basée sur certaines utilisations de poulies et de leviers.	Les machines simples, telles que les poulies et les leviers, permettent de multiplier les forces appliquées.	Soulever des objets à l'aide de leviers ou de palans.

Pour qu'un objet tienne en équilibre, le point d'appui doit nécessairement se situer au centre. (1, 2)	Restriction basée sur l'observation d'objets de masse homogène placés en équilibre.	Un objet tient en équilibre si le point d'appui est sous le centre de gravité, qui n'est pas nécessairement le centre de l'objet.	Faire tenir en équilibre une planche sur laquelle sont placés divers poids, en diverses positions.
Plus on est près du point d'appui, moins la force nécessaire pour équilibrer un levier est grande. (2)	Établissement d'un lien direct entre la petite distance entre le point d'appui et la force et la grandeur de la force.	Plus on est près du point d'appui, plus la force nécessaire pour équilibrer un levier est grande.	Mesurer la force nécessaire pour équilibrer un levier, à mesure que son point d'application se rapproche du point d'appui.

L'énergie

Conceptions fréquentes	Mécanismes d'élaboration	Concepts scientifiques	Exemples d'activités
	Notions de base		
Seules certaines transformations d'énergie, telle l'énergie électrique qui se transforme en énergie lumineuse, sont possibles. (2)	Inférence basée sur l'expérience de certaines transformations d'énergie dans la vie de tous les jours.	Toutes les transformations d'une forme d'énergie à une autre sont possibles.	– Effectuer diverses transformations d'énergie (exemple : allumer une ampoule à l'aide d'une pile). – Observer un diagramme qui présente les diverses formes d'énergie et des exemples de transformations possibles.
	Les ondes		
Le milieu de transmission se déplace dans le même sens que l'onde. (2)	Établissement d'un lien direct entre le déplacement du milieu de transmission et le déplacement de l'onde.	Le milieu de transmission ne fait qu'osciller sur place, dans une direction perpendiculaire au mouvement de l'onde.	Observer les mouvements d'un bouchon de liège qui flotte dans un bassin où l'on produit des vagues.
La longueur d'onde et la fréquence sont des synonymes. (2, 3)	Inférence basée sur le fait que ces deux expressions semblent parfois désigner une même propriété des ondes.	La longueur d'onde et la fréquence sont inversement proportionnelles.	Mesurer la longueur d'onde et la fréquence de vagues à la surface d'un bac d'eau.
La fréquence est une unité de temps, tout comme la période. (3)	Formation d'une catégorie mentale générale pour les unités de temps et leurs dérivés.	La fréquence est un nombre d'ondes par seconde, et non un nombre de secondes.	Observer la différence entre des ondes de haute fréquence et des ondes de basse fréquence.

Une fréquence élevée implique une grande amplitude et une vitesse de propagation élevée. (3)	Établissement d'un lien direct et proportionnel entre toutes les variables qui décrivent le mouvement d'un pendule.	Une onde de fréquence élevée peut avoir une amplitude plus petite et une vitesse de propagation plus lente que celles d'une onde de fréquence plus basse.	Faire varier l'amplitude et la vitesse de propagation d'ondes de fréquence élevée.
La collision d'ondes entraîne la disparition permanente des ondes. (3)	Extension basée sur l'observation d'une petite région où des ondes se rencontrent.	Des ondes qui se rencontrent peuvent s'annuler dans une petite région mais retrouver toute leur amplitude ailleurs.	Observer des vagues qui se rencontrent dans un grand bassin.
Le rayonnement électromagnétique			
Les ondes radio sont des ondes sonores. (1, 2)	Formation d'une catégorie mentale générale pour toutes les ondes qui transportent des sons.	Les ondes radio sont des ondes électromagnétiques que nous ne pouvons pas entendre.	Discuter du fait que les ondes radio sont indispensables pour pouvoir communiquer sur la Lune.
Les rayons X sont une sorte de lumière très intense. (1, 2)	Inférence basée sur le fait que des sources lumineuses de forte intensité permettent de voir à travers certains matériaux.	Les rayons X sont des rayons de fréquence beaucoup plus élevée que la lumière visible.	Observer un appareil à rayons X qui fonctionne dans l'obscurité complète.
Les ondes électromagnétiques ont besoin d'un milieu pour se propager. (2)	Inférence basée sur l'expérience d'ondes à la surface de l'eau et d'ondes sonores.	Les ondes électromagnétiques peuvent se propager dans le vide.	– Faire passer de la lumière dans une cloche à vide. – Discuter de la lumière et des autres ondes électromagnétiques qui proviennent des étoiles.
Les micro-ondes sont identiques aux ondes de chaleur. (2)	Formation d'une catégorie mentale générale pour toutes les ondes qui réchauffent.	Les micro-ondes sont des ondes d'une fréquence beaucoup plus basse que celle des ondes de chaleur.	Placer un morceau de plastique dans un four à micro-ondes, et un autre (enrobé de papier d'aluminium) sur un élément d'une cuisinière.
Il est possible de bronzer à travers une vitre. (2, 3)	Établissement d'un lien direct entre la chaleur et le bronzage.	Le verre ne laisse pas passer le rayonnement ultraviolet qui fait bronzer la peau.	Essayer de bronzer à travers une vitre.
Les rayons infrarouges peuvent causer des cancers. (2, 3)	Formation d'une catégorie mentale générale pour les rayons infrarouges et les rayons ultraviolets.	Contrairement aux rayons ultraviolets, les rayons infrarouges ne sont pas cancérigènes.	Lire un texte portant sur le danger que présentent les diverses ondes électromagnétiques.

La lumière

Conceptions fréquentes	Mécanismes d'élaboration	Concepts scientifiques	Exemples d'activités
	Notions de base		
L'eau ne transmet pas bien la lumière. (0)	Inférence basée sur le fait qu'une règle ou une cuillère trempées dans l'eau paraissent déformées.	Sur des distances relativement courtes, l'eau pure transmet très bien la lumière.	Observer des objets éclairés, dans l'eau, par une lampe de poche imperméable.
Les objets ne peuvent être que transparents ou opaques. (0)	Restriction basée sur les deux possibilités les plus connues au sujet de la transmission de la lumière.	Il existe aussi des objets translucides.	Faire passer de la lumière à travers divers objets.
Il n'y a de la lumière qu'aux endroits où il y a une source de lumière. (0, 1)	Établissement d'un lien direct entre la présence de lumière et une source de lumière.	Il y a de la lumière partout où les yeux nous permettent de voir.	Comparer une pièce dans laquelle l'obscurité est totale avec une pièce dont la porte est entrouverte.
Tous les objets visibles émettent de la lumière. (1)	– Établissement d'un lien direct entre visibilité et source de lumière. – Inférence basée sur l'impression que seuls les miroirs peuvent réfléchir la lumière.	La plupart des objets visibles ne font que réfléchir la lumière qu'ils reçoivent.	Observer un objet quelconque dans l'obscurité totale.
Seuls les miroirs réfléchissent la lumière. (0, 1)	Restriction basée sur l'observation de la formation d'une tache de lumière, sur un mur, à l'aide d'un miroir.	Tous les objets visibles qui n'émettent pas de lumière réfléchissent de la lumière.	Dans une pièce obscure, éclairer une feuille de papier blanc placée près d'un mur.
Les joueurs de football mettent du noir sous leurs yeux pour intimider leurs adversaires. (1)	Établissement d'un lien direct entre le noir sous les yeux des joueurs et le maquillage de certaines tribus guerrières.	Le noir sous les yeux sert à diminuer l'intensité des reflets du Soleil sur la peau.	Regarder autour de soi, pendant une journée très ensoleillée, après avoir placé du noir sous ses yeux.
Seuls les solides transparents réfractent la lumière. (2, 3)	Restriction basée sur l'observation de la réfraction causée par des prismes et des lentilles.	Les liquides et les gaz réfractent aussi la lumière.	Tremper une règle dans un verre d'eau.
Le ciel est bleu en raison du reflet des océans ou de la vapeur d'eau dans l'air. (2)	Inférence basée sur l'impression que l'air est totalement invisible.	Le ciel est bleu parce que les molécules qui composent l'air absorbent moins le bleu que les autres couleurs.	Observer un verre de lait éclairé par une lampe de poche de forte intensité.

Les couleurs

L'eau est un liquide bleu. (0)	Inférence basée sur le fait que l'eau des lacs et des mers paraît souvent bleue.	L'eau est un liquide incolore, dont la surface réfléchit la couleur du ciel.	Observer une petite quantité d'eau placée dans un contenant transparent.
La lumière blanche est pure et n'a pas de couleur. (1)	Inférence attribuable au fait que, dans le langage courant, le blanc désigne la pureté et l'absence de couleur.	La lumière blanche est composée de lumière de toutes les couleurs du spectre.	– Faire passer de la lumière blanche à travers un prisme. – Éclairer une petite surface avec un projecteur rouge, un projecteur vert et un projecteur bleu.
Le blanc et le noir sont des couleurs, comme le rouge ou le bleu. (1)	Extension, au blanc et au noir, des caractéristiques des couleurs.	Le blanc est le mélange de toutes les couleurs par addition, et le noir est le mélange de toutes les couleurs par soustraction.	Former une tache de lumière blanche par addition des couleurs et une tache de lumière noire par soustraction des couleurs.
La lumière du Soleil est de couleur jaune ou orangée. (1)	Inférence basée sur des façons fréquentes de représenter le Soleil.	En plein jour, la lumière du Soleil est blanche.	Comparer des objets de diverses couleurs, éclairés par le Soleil avec les mêmes objets éclairés par des projecteurs de diverses couleurs.
L'huile est un liquide multicolore. (1, 2)	Extension, à la couleur de l'huile, des couleurs formées par certaines taches d'huile sur le sol.	L'huile est habituellement un liquide jaune, mais produit des reflets multicolores quand elle forme une tache très mince.	Observer diverses sortes d'huile placées dans de petits contenants de verre ou de plastique transparent.
Un filtre de couleur ajoute de la couleur au faisceau blanc d'un projecteur. (2)	Inférence attribuable à l'impression que la lumière blanche ne contient aucune couleur.	Un filtre enlève toutes les couleurs de la lumière blanche, sauf la sienne.	Comparer la lumière émise par un projecteur avec de la lumière blanche en les décomposant à l'aide d'un prisme.
Le mélange de toutes les couleurs donne toujours du noir. (2)	Restriction basée sur des expériences de mélange de couleurs par soustraction (gouache, crayons, etc.)	Par addition, le mélange de toutes les couleurs donne du blanc.	– Éclairer une surface avec des projecteurs de diverses couleurs. – Colorier une petite surface avec tous les crayons d'une boîte de crayons à colorier.

Le mélange de toutes les couleurs donne toujours du blanc. (3)	Restriction basée sur des expériences de mélange de couleurs par addition (projecteurs de diverses couleurs).	Par soustraction, le mélange de toutes les couleurs donne du noir.	Colorier un petit morceau de papier en utilisant tous les crayons d'une boîte de crayons à colorier.
Le jaune est toujours une couleur primaire, et le vert est toujours une couleur secondaire. (2, 3)	Restriction basée sur des expériences de mélange de couleurs par soustraction (gouache, crayons, etc.).	Par soustraction, le jaune est une couleur secondaire, et par addition, le vert est une couleur primaire.	– Éclairer une petite surface avec un projecteur rouge et un projecteur vert. – Colorier une petite surface avec un crayon cyan et un crayon jaune.
Les miroirs et les lentilles			
Pour bien voir à l'extérieur, la nuit, il est préférable d'allumer toutes les lumières à l'intérieur. (0)	Extension basée sur la façon de bien voir à l'intérieur.	Il est préférable d'éteindre toutes les lumières, car les vitres réfléchissent une partie de la lumière de l'intérieur.	Regarder à l'extérieur, la nuit, en allumant puis en éteignant toutes les lumières à l'intérieur.
Seules les lentilles peuvent avoir un foyer. (2)	Inférence basée sur l'expérience de la production d'un point de lumière à l'aide d'une loupe.	Les miroirs concaves et convexes ont également un foyer.	Faire brûler de petits morceaux de papier à l'aide d'un miroir concave placé au soleil.
Toutes les lentilles produisent des images plus grandes que l'objet. (2)	Restriction basée sur la connaissance des propriétés d'une loupe.	Les lentilles convexes donnent des images plus grandes, mais les lentilles concaves donnent des images plus petites.	Observer des objets à l'aide de lentilles convexes et de lentilles concaves.
Les loupes augmentent la quantité de lumière. (2, 3)	Établissement d'un lien direct entre le grossissement et la quantité de lumière.	La quantité de lumière est la même après avoir traversé la loupe.	Placer quelques loupes autour d'une lampe, dans une pièce où il n'y a pas d'autre source de lumière, et observer si la pièce est mieux éclairée.

Le son

Conceptions fréquentes	Mécanismes d'élaboration	Concepts scientifiques	Exemples d'activités
Le son ne peut pas se propager, ou se propage moins bien, dans les liquides et les solides que dans l'air. (0, 1)	Restriction basée sur le fait que les liquides et les solides opposent plus de résistance que l'air au mouvement des objets.	Le son se propage mieux dans les solides que dans les liquides, et mieux dans les liquides que dans les gaz.	Écouter la transmission d'un même son dans l'air, dans l'eau et dans un solide.

Il est impossible d'entendre une mouche marcher. (0, 1)	Restriction basée sur le fait que le bruit des pas d'une mouche est habituellement inaudible.	Il est possible d'entendre une mouche marcher en la plaçant dans un sac de papier brun.	Placer une mouche dans un sac en papier brun et essayer de l'entendre marcher en tenant le sac près de l'oreille.
Du son peut être produit sans aucune matière, aucun objet ou aucun être vivant. (1)	Inférence basée sur le fait que la source de certains sons, comme le tonnerre, semble immatérielle.	Aucun son ne peut être produit en l'absence de matière animée ou inanimée.	Essayer de trouver des sons qui ne sont produits par aucune matière, aucun objet ou aucun être vivant.
En frappant plus fort sur un objet, on change la hauteur du son émis par cet objet. (1)	Établissement d'un lien direct entre l'amplitude et la fréquence d'un son.	En frappant plus fort sur un objet, l'amplitude du son produit est plus grande, mais la fréquence reste la même.	Observer la hauteur du son produit par un même tambour sur lequel on frappe plus ou moins fort, toujours au même endroit.
Plus le son est aigu, plus on peut l'entendre de loin. (1, 2)	Établissement d'un lien direct entre les sons qui font mal aux oreilles et ceux qui se transmettent facilement au loin.	Les sons graves se propagent mieux au loin que les sons aigus.	Écouter les sons graves et les sons aigus d'une trompette à des distances plus ou moins grandes.
On pourrait entendre des sons sur la Lune. (2)	Extension basée sur l'impression que le son pourrait se propager aussi bien dans le vide que dans l'air.	Les sons ne se propagent pas sur la Lune car il n'y a pas d'atmosphère.	Placer un réveil dans une cloche à vide.
La vitesse du son est la même que la vitesse de la lumière. (2, 3)	Inférence basée sur l'impression que la vitesse du son et la vitesse de la lumière sont deux vitesses très grandes, presque infinies.	La vitesse du son est très inférieure à la vitesse de la lumière.	Compter le nombre de secondes qui séparent un éclair du tonnerre.

La chaleur

Conceptions fréquentes	Mécanismes d'élaboration	Concepts scientifiques	Exemples d'activités
	Notions de base		
Un thermos contient une source de chaleur. (0)	Inférence basée sur le fait que le thermos conserve une boisson chaude pendant plusieurs heures.	Un thermos est très peu conducteur et emprisonne la chaleur.	Observer l'intérieur d'un thermos brisé.
La dispersion d'une goutte de colorant se fait de la même façon dans l'eau froide et l'eau chaude. (0, 1)	Formation d'une catégorie mentale générale pour toutes les dispersions.	Une goutte de colorant se disperse plus vite dans l'eau chaude que dans l'eau froide.	Laisser tomber quelques gouttes de colorant dans de l'eau froide et dans de l'eau chaude.

Les matériaux chauds contiennent des bulles d'air chaud et les matériaux froids contiennent des bulles d'air froid. (1)	Inférence basée sur l'impression que la chaleur est un fluide.	La chaleur n'est pas un gaz ou un liquide, mais une forme d'énergie.	Observer des contenants qui contiennent de l'huile chaude et de l'huile froide.
La glace fond plus rapidement dans de l'air à 10 °C que dans de l'eau à 10 °C. (1)	Inférence basée sur l'impression que les gaz réchauffent mieux que les liquides.	La glace fond plus rapidement dans de l'eau à 10 °C que dans de l'air à 10 °C.	Laisser fondre de la glace dans de l'air et dans de l'eau dont la température est la même.
Sur la glace, le métal glisse mieux que le caoutchouc. (1, 2)	Inférence basée sur le fait que des patins à glace glissent mieux que des bottes.	Le métal ne glisse pas mieux que le caoutchouc, mais la lame des patins glisse bien, car elle est très mince et fait fondre un peu de glace sous le poids du patineur, ce qui lubrifie la surface.	Faire glisser sur de la glace un objet de métal et un objet de caoutchouc qui ont à peu près la même forme et le même poids.
De la chaleur s'élève au-dessus d'une casserole d'eau bouillante. (1)	Formation d'une catégorie mentale générale pour la chaleur et la vapeur d'eau.	C'est de la vapeur d'eau qui s'élève au-dessus d'une casserole d'eau bouillante.	Placer une assiette froide au-dessus d'une casserole d'eau bouillante.
Les objets métalliques sont plus froids que les autres. (1, 2)	Inférence basée sur la sensation de froid que donne les objets métalliques au toucher.	Les objets métalliques ne sont pas plus froids, mais paraissent plus froids au toucher, car ils sont bons conducteurs et laissent s'échapper la chaleur de la main.	Placer un thermomètre sur divers objets métalliques et non métalliques situés à l'intérieur dans une même pièce.
Des matériaux tels que l'aluminium sont de bons isolants thermiques. (1, 2)	– Inférence basée sur la sensation de froid que procurent les métaux au toucher. – Inférence basée sur l'utilisation fréquente du papier d'aluminium pour conserver des aliments frais.	L'aluminium est un très mauvais isolant thermique et n'empêche pas les objets ou les aliments qu'il contient de se réchauffer.	Envelopper un cube de glace ou un objet très chaud dans divers emballages (papier d'aluminium, papier journal, tissu, etc.).
Tous les solides conduisent la chaleur de la même façon. (1)	Formation d'une catégorie mentale générale pour la conductivité thermique de tous les solides.	Certains solides, tels que les plastiques, sont des isolants, tandis que d'autres, tels que les métaux, sont des conducteurs.	Toucher à des cuillères en bois, en plastique, en acier et en argent qui trempent dans de l'eau très chaude.

La température d'un objet dépend de sa grosseur et de sa masse. (1)	Établissement d'un lien direct entre le temps que prend un objet pour se réchauffer ou se refroidir et sa température.	Il n'y a pas de lien entre la température d'un objet et sa grosseur ou sa masse.	Mesurer la température d'un gros morceau et d'un petit morceau de glace qui sortent du même congélateur.
La température du mélange de deux quantités d'eau est égale à la somme des températures des deux quantités. (1)	Établissement d'un lien direct entre l'ajout d'une quantité d'eau à une autre et la somme des deux températures.	La température du mélange de deux quantités d'eau est égale à la moyenne pondérée des deux quantités.	Mesurer la température du mélange d'une petite quantité d'eau à 10 °C et d'une grande quantité d'eau à 50 °C.
Toutes les substances se contractent en passant de l'état liquide à l'état solide. (2)	Inférence basée sur l'observation de cire qui se solidifie.	Il est vrai que presque toutes les substances se contractent, sauf l'eau et le bismuth.	Mesurer le volume d'une quantité d'eau avant et après l'avoir fait geler.
Toutes les substances se dilatent en passant de l'état liquide à l'état solide. (2)	Inférence basée sur l'observation d'eau qui gèle.	Il est vrai que presque toutes les substances se dilatent, sauf l'eau et le bismuth.	Mesurer le volume d'une quantité de cire liquide et solide.
Un ballon gonflé à l'intérieur, à une température de 20 °C, conservera le même volume à l'extérieur, quelle que soit la température. (1, 2)	Inférence basée sur l'impression qu'un volume de gaz demeure constant.	Le volume du ballon diminuera s'il fait plus froid à l'extérieur et augmentera s'il fait plus chaud.	Gonfler un ballon à l'intérieur, à une température d'environ 20 °C, puis le placer à l'extérieur à une température plus froide ou plus chaude.
En été, on frissonne après une baignade parce que l'eau de la piscine est plus chaude que l'air. (1)	Établissement d'un lien direct entre le frissonnement et la température de l'air.	On frissonne surtout parce que l'évaporation de l'eau refroidit la peau.	Noter la sensation produite par quelques gouttes d'alcool à friction ou quelques gouttes d'eau placées dans la paume de la main.
Il est impossible qu'il fasse plus chaud ou plus froid que les températures indiquées sur un thermomètre de maison. (1)	Établissement d'un lien direct entre la température la plus chaude et la plus froide indiquée par un thermomètre et des températures maximales et minimales absolues.	Il existe des températures beaucoup plus froides et beaucoup plus chaudes que celles qui sont indiquées par les thermomètres domestiques.	Observer un thermomètre conçu pour mesurer des températures très chaudes ou très froides.
La chaleur est une substance qui se déplace d'un point à un autre. (2)	– Extension, à la chaleur, de l'observation d'eau qui coule dans des tuyaux. – Inférence basée sur le langage courant (« faire sortir la chaleur »).	La chaleur n'est pas une substance, mais une forme d'énergie qui se manifeste par l'agitation des atomes ou des molécules.	Regarder un documentaire ou lire un texte sur la façon dont le Soleil réchauffe la Terre.

La chaleur se comporte comme un liquide : elle s'accumule en un endroit jusqu'à ce que cet endroit soit plein puis coule en d'autres endroits. (2)	– Extension, à la chaleur, de l'observation d'eau qui coule dans des tuyaux. – Inférence basée sur le langage courant (« faire sortir la chaleur »).	La chaleur n'est pas un liquide, mais une forme d'énergie.	Peser un objet froid, le faire chauffer, puis le peser à nouveau.
Chaleur et température sont des synonymes. (2, 3)	Formation d'une catégorie mentale générale pour la chaleur et la température.	La chaleur est une forme d'énergie, tandis que la température est la mesure de l'agitation des atomes et des molécules d'une substance.	Mesurer la température d'une certaine quantité de glace que l'on chauffe pour la faire fondre.
Les métaux attirent la chaleur mieux que les autres substances. (2)	Inférence basée sur le fait que les métaux sont bons conducteurs de chaleur.	Les métaux n'attirent pas plus la chaleur, mais sont meilleurs conducteurs que bien d'autres matériaux.	Mesurer la température d'objets métalliques et d'objets non métalliques qui sont tous dans une même pièce.
Un plancher recouvert de moquette est toujours plus chaud qu'un plancher recouvert de carreaux de céramique. (2)	Inférence basée sur l'impression que les matériaux sont, par nature, chauds ou froids.	Le plancher recouvert de moquette n'est souvent pas plus chaud, mais il est peu conducteur et laisse moins s'échapper la chaleur de nos pieds.	Mesurer, à l'aide d'un thermomètre, la température de divers planchers recouverts de moquette ainsi que de divers planchers recouverts de céramique.
La couleur et l'épaisseur d'un matériau influencent sa conductivité thermique. (2)	Établissement d'un lien direct entre certaines caractéristiques d'un matériau et sa conductivité thermique.	La conductivité thermique dépend surtout de la nature du matériau.	Vérifier de quelle façon des objets faits de divers matériaux, ainsi que de diverses couleurs et épaisseurs, conduisent la chaleur.
La dilatation d'un corps est causée par la dilatation des atomes ou des molécules du corps. (2, 3)	Extension, au niveau atomique ou moléculaire, d'un phénomène observable au niveau macroscopique.	Les atomes ou les molécules demeurent identiques, mais l'espace entre eux augmente.	Mesurer le volume d'un ballon, à l'extérieur, par une journée froide, puis mesurer le volume du même ballon à l'intérieur, dans une pièce bien chauffée.
Les molécules d'eau elles-mêmes se modifient quand la glace fond. (2)	Extension, au niveau moléculaire, d'un phénomène observable au niveau macroscopique.	Les molécules d'eau demeurent identiques, mais se déplacent librement les unes par rapport aux autres quand la glace fond.	Lire un texte portant sur les changements physiques et les changements chimiques.

Les craquements, dans une maison, sont causés par le vieillissement des matériaux. (2)	Extension basée sur une des raisons pour lesquelles la surface de certains matériaux craquelle.	Les craquements sont causés par la dilatation ou la contraction des matériaux causée par les changements de température.	Par temps très froid, écouter les bruits produits par une maison neuve.
Les joints sur la travée d'un pont servent à emboîter les sections de l'une dans l'autre. (2)	Restriction basée sur l'observation de certains jeux de construction.	Les joints permettent surtout la dilatation et la contraction des sections de la travée pendant les changements de température.	Observer les joints de la travée d'un pont par temps chaud et par temps froid.
Une augmentation ou une diminution de la quantité de chaleur entraîne toujours une augmentation ou une diminution de la température. (2, 3)	Inférence basée sur l'observation de la température d'eau que l'on fait chauffer ou refroidir à des températures éloignées des points de fusion ou de vaporisation.	Pendant les changements d'état, la température demeure la même, bien que la substance gagne ou perde de la chaleur.	Mesurer la température de l'eau qui est en train de bouillir ou de l'eau qui est en train de geler.
Il est impossible de faire bouillir de l'eau dans un verre en papier. (2, 3)	Restriction basée sur la température relativement basse d'ignition du papier.	Tant qu'il y a de l'eau dans un verre en papier, sa température ne peut dépasser 100 °C et il ne peut pas brûler.	Placer un verre en papier qui contient environ 20 ml d'eau au-dessus d'une chandelle.
	La thermodynamique		
La quantité d'énergie utilisable disponible après une transformation d'énergie est la même qu'avant la transformation. (2, 3)	Inférence basée sur l'impression qu'il n'y a pas ou très peu d'énergie dissipée sous forme de chaleur.	Bien que la quantité totale d'énergie soit la même après une transformation, une partie importante se retrouve sous forme de chaleur et n'est pas facilement utilisable.	Faire tourner un petit moteur électrique actionné par une génératrice manuelle identique au moteur.
Il est possible de fabriquer des dispositifs qui fonctionnent sans arrêt, même sans moteur (dispositifs de mouvement perpétuel). (2, 3)	Extension basée sur l'observation de pendules et de vire-vents.	Aucun dispositif de mouvement perpétuel ne fonctionne, car il y a toujours une partie de l'énergie qui se dissipe sous forme de chaleur.	Essayer de fabriquer des dispositifs de mouvement perpétuel.

Le magnétisme et l'électricité

Conceptions fréquentes	Mécanismes d'élaboration	Concepts scientifiques	Exemples d'activités
	Le magnétisme		
Tous les métaux sont attirés par un aimant. (0)	Formation d'une catégorie mentale générale pour les propriétés magnétiques de tous les métaux.	Plusieurs métaux, tels que l'aluminium, le cuivre et l'argent, ne sont pas attirés par un aimant.	Essayer d'attirer, à l'aide d'un aimant, des objets faits de divers métaux.
Les aimants ne peuvent que s'attirer. (0)	Restriction basée sur la force la plus connue qui se manifeste entre des aimants.	Les pôles magnétiques de même nom de deux aimants se repoussent.	Approcher deux aimants en les orientant de diverses façons.
Les aimants qui se repoussent ne sont plus bons. (0)	Inférence basée sur l'impression que des aimants doivent nécessairement s'attirer.	Tout aimant attire ou repousse un autre aimant, selon la façon dont il est placé.	Essayer d'attirer de petits objets en fer ou en acier à l'aide d'aimants qui se repoussent.
Les aimants s'attirent ou se repoussent en raison de charges électriques positives et négatives. (1)	Inférence basée sur l'impression que les phénomènes magnétiques et électriques sont de même nature.	Les aimants s'attirent ou se repoussent en raison de leurs pôles magnétiques Nord et Sud.	Approcher des aimants d'un galvanomètre.
La grosseur d'un aimant détermine sa force. (1, 2)	Établissement d'un lien direct entre la grosseur d'un aimant et sa force.	Il existe de petits aimants fortement magnétisés et de gros aimants faiblement magnétisés.	Essayer de soulever des objets en fer ou acier relativement lourds à l'aide d'aimants de diverses tailles.
Les aimants s'attirent parce qu'ils sont faits du même matériel. (1)	Établissement d'un lien direct entre une force d'attraction et la nature des corps qui s'attirent.	Les aimants peuvent être faits de divers alliages.	Approcher un aimant en acier d'un électroaimant en cuivre.
Un aimant ne peut agir à travers un obstacle. (1)	Inférence basée sur l'impression que le champ magnétique ne traverse par les objets.	Un aimant agit facilement à travers des matériaux tels que le papier, le plastique et le bois.	Placer un livre entre un aimant et une boussole.
Seuls les aimants peuvent produire des champs magnétiques. (2, 3)	Restriction basée sur la cause la plus connue de la formation d'un champ magnétique.	Tout courant électrique produit également un champ magnétique.	Placer une boussole près d'un fil électrique dans lequel circule un courant continu d'assez forte intensité.

L'électricité statique			
Les objets chargés d'électricité statique s'attirent ou se repoussent parce qu'ils sont aimantés. (0)	Formation d'une catégorie mentale générale pour les phénomènes électriques et magnétiques.	Les objets chargés ne sont pas magnétiques, mais possèdent une charge positive ou négative.	Approcher deux ballons chargés l'un de l'autre, puis approcher l'un des ballons d'un aimant.
Les matières grasses du cuir chevelu permettent à un ballon frotté contre les cheveux de tenir contre un mur. (1)	Établissement d'un lien direct entre les matières grasses sécrétées par les glandes du cuir chevelu et l'adhérence du ballon.	Le ballon colle parce qu'il est électriquement chargé.	Frotter un ballon contre un morceau de laine fraîchement lavé et le placer contre un mur.
L'eau ne peut être attirée par un objet chargé d'électricité statique. (1)	Restriction basée sur l'impression que seuls les objets solides peuvent porter des charges électriques.	Un ballon chargé d'électricité statique peut facilement faire dévier un mince filet d'eau qui coule d'un robinet.	Approcher une cuillère en plastique chargée d'un filet d'eau qui coule d'un robinet.
Les objets chargés n'attirent que d'autres objets chargés. (2)	Inférence basée sur l'impression qu'un objet neutre ne contient aucune charge électrique.	Les objets chargés attirent aussi des objets neutres, parce qu'ils modifient, par induction, la position des électrons des objets neutres.	Essayer d'attirer de petits morceaux de papier avec un objet chargé.

Le courant électrique			
Il est suffisant de relier une seule borne d'une pile à une seule borne d'une ampoule pour que cette dernière s'allume. (0, 1)	Inférence basée sur l'établissement d'une analogie entre l'électricité et le carburant qui provient d'un réservoir.	Il faut relier les deux bornes de la pile aux deux bornes de l'ampoule pour que cette dernière s'allume.	Essayer d'allumer une ampoule en reliant une seule de ses bornes à une seule borne d'une pile.
Seuls les fils électriques sont conducteurs. (0, 1)	Restriction basée sur la façon la plus fréquente de conduire le courant électrique.	Tous les objets métalliques, le graphite et plusieurs solutions sont de bons conducteurs.	Essayer de faire passer du courant électrique dans divers objets.
Le courant produit par des piles de 1,5 V est dangereux. (1)	Extension basée sur le danger du courant domestique.	Le courant produit par quelques piles de 1,5 V est sans danger.	Toucher simultanément à la borne positive et à la borne négative d'une petite pile de 1,5 V.
Les ampoules placées vers la fin d'une série s'allumeront avec une intensité moins forte que celles qui sont placées au début. (2, 3)	Inférence basée sur l'établissement d'une analogie entre l'électricité et un carburant dont la quantité diminue à mesure qu'il est consommé.	Dans un circuit en série, toutes les ampoules s'allument avec la même intensité.	Mesurer, à l'aide d'un multimètre, l'intensité du courant en divers points d'un circuit qui comporte plusieurs ampoules en série.

Seuls les métaux sont conducteurs. (1)	Restriction basée sur le fait que les métaux sont les conducteurs les plus fréquemment utilisés.	Certains matériaux, tels que le graphite, et certaines solutions, telles qu'une solution de sel de table, sont de bons conducteurs.	Essayer de faire passer le courant d'une pile dans un morceau de graphite et dans de l'eau salée.
Le courant électrique domestique est produit par la prise. (0, 1)	Établissement d'un lien direct entre la prise de courant et la provenance du courant électrique.	Le courant électrique domestique provient des centrales de la compagnie d'électricité.	Observer l'intérieur d'une prise de courant.
Le courant électrique domestique est produit par de grosses piles. (0, 1)	Extension basée sur la connaissance de circuits dont la source d'énergie électrique est constituée de piles.	Le courant électrique domestique n'est pas du courant continu, comme celui des piles, mais du courant alternatif produit par des turbines.	Examiner un schéma du réseau électrique.
Une pile emmagasine une certaine quantité de courant qui est consommé par les ampoules ou les autres appareils qui y sont branchés. (2, 3)	Inférence basée sur l'impression que le courant électrique est une sorte de carburant.	Le courant électrique n'est pas consommé par les ampoules ni les appareils, mais la pile ne peut pas faire circuler les électrons indéfiniment.	Mesurer l'intensité du courant produit par une pile dont les bornes ont été reliées pendant quelques minutes par un simple fil électrique.
Il y a moins de courant qui retourne à la pile qu'il y en a qui en sort. (2, 3)	Inférence basée sur l'impression que le courant électrique est une sorte de carburant qui est en partie consommé par les ampoules et les autres appareils électriques d'un circuit.	Il y a la même quantité d'électrons qui sortent de la pile et qui y retournent.	Mesurer l'intensité du courant électrique près de la borne positive et près de la borne négative de la pile.
Du courant positif sort de la pile et du courant négatif y retourne. (2)	Établissement d'un lien direct entre le signe des bornes de la pile et le signe du courant électrique.	Le courant électrique est une circulation d'électrons, qui sont tous négatifs.	Vérifier, à l'aide d'un multimètre, le sens du courant électrique près de la borne positive et près de la borne négative de la pile.
Une pile de 1,5 V libère la même quantité de courant dans tout circuit. (2, 3)	Établissement d'un lien direct entre le voltage indiqué sur la pile et la quantité de courant qui circule dans un circuit.	La quantité de courant libéré par une pile de 1,5 V dépend des appareils qui composent le circuit.	Mesurer, à l'aide d'un multimètre, le voltage et l'ampérage en divers points d'un circuit électrique.

Le magnétisme et l'électricité sont deux phénomènes indépendants. (2, 3)	Restriction basée sur l'observation de phénomènes magnétiques et électriques indépendants.	Le déplacement d'un champ magnétique peut créer un courant électrique et un courant électrique crée un champ magnétique.	– Placer une boussole près d'un fil dans lequel circule un courant électrique. – Déplacer un aimant à l'intérieur d'une bobine de fil branchée à un ampèremètre.
Le courant, le voltage, l'ampérage, la puissance et l'énergie désignent tous la même chose. (2, 3)	Formation d'une catégorie mentale générale pour tous les termes relatifs au courant électrique.	Le voltage, l'ampérage et la puissance désignent diverses caractéristiques du courant qui est produit par une source d'énergie électrique.	Trouver la définition des diverses unités électriques.

Chimie

Les éléments et les molécules

Conceptions fréquentes	Mécanismes d'élaboration	Concepts scientifiques	Exemples d'activités
	Les éléments chimiques		
Il n'existe que quelques éléments. (2, 3)	Restriction basée sur la connaissance de quelques substances de base.	Il existe environ une centaine d'éléments.	Examiner un tableau périodique.
Toutes les substances pures, telles que l'eau distillée, sont des éléments. (2, 3)	Formation d'une catégorie mentale générale pour les substances pures et les éléments.	Plusieurs substances pures, telles que l'eau distillée et l'alcool, sont des composés.	Faire l'électrolyse de l'eau.
Le verre est un élément. (2, 3)	Formation d'une catégorie mentale générale pour les substances pures et les éléments.	Le verre est un mélange homogène de sable, de soude et de chaux.	Fabriquer un petit morceau de verre.
La mine de crayon et le diamant n'ont rien en commun. (2, 3)	Restriction basée sur le fait que l'apparence et les propriétés physiques de la mine et du diamant sont très différentes.	La mine de crayon et le diamant sont deux sortes de carbone pur.	Lire un texte portant sur les propriétés physiques du graphite et du diamant.

	La classification périodique		
Tous les métaux sont solides, durs et brillants. (1)	Extension, à tous les métaux, des caractéristiques de métaux tels que l'aluminium, le cuivre ou l'argent.	Il existe des métaux mous et mats, tels que le sodium et le potassium, ou liquides, tels que le cuivre.	Examiner des échantillons de calcium et de mercure.
	Les molécules		
Les molécules sont semblables à de petites billes sans propriétés électriques. (2, 3)	Inférence basée sur les représentations schématiques et les modèles usuels de molécules.	Plusieurs molécules, telles que les molécules d'eau, manifestent des attractions électriques entre elles.	Déposer un trombone à la surface de l'eau.
	Les liaisons chimiques		
Il existe plusieurs types de réactions chimiques (3).	Inférence basée sur le grand nombre de composés chimiques différents.	Il n'existe que deux grands types de liaisons chimiques : les liaisons covalentes et les liaisons ioniques.	Regarder un documentaire sur les réactions chimiques.
	Les cristaux		
Seules les pierres précieuses sont des cristaux. (1)	Restriction basée sur la connaissance de la nature cristalline des pierres précieuses.	Des substances telles que la glace, le sel et le sucre sont aussi des cristaux.	Examiner de petits grains de sel au microscope.
Le verre est un cristal. (2)	Formation d'une catégorie mentale générale pour tous les corps durs et transparents.	Le verre est un corps amorphe qui n'a pas de structure cristalline.	Examiner de petits éclats de verre au microscope.
Tous les cristaux sont des solides. (2, 3)	Extension, à tous les cristaux, des caractéristiques des cristaux les plus connus.	Il existe aussi des liquides qui ont des propriétés cristallines, comme ceux qui sont utilisés dans la fabrication des écrans plats.	Observer le petit écran d'une calculatrice.

Les réactions chimiques

Conceptions fréquentes	Mécanismes d'élaboration	Concepts scientifiques	Exemples d'activités
	Notions de base		
Tous les objets peuvent rouiller. (0)	Extension basée sur le fait que plusieurs objets métalliques rouillent.	Seuls les objets en fer ou en acier qui sont mal protégés peuvent rouiller.	Mouiller fréquemment divers objets métalliques et non métalliques exposés à l'air libre.

La rouille apparaît sur les objets qui vieillissent. (1)	Établissement d'un lien direct entre la présence de rouille et l'âge d'un objet.	La rouille apparaît quand un objet en fer ou en acier réagit avec l'oxygène de l'air.	Observer de très vieux objets en fer ou en acier qui ont été conservés dans de bonnes conditions.
Une cuillère en acier brûle dans la flamme d'une bougie. (1)	Inférence basée sur le fait que la cuillère devient noire.	La cuillère en acier ne brûle pas, mais est recouverte par de la suie.	Placer une cuillère en acier dans la flamme d'une bougie et la nettoyer après l'avoir retirée de la flamme.
Le frottoir noir d'une pochette d'allumettes en carton est un morceau de papier de verre. (1)	Formation d'une catégorie mentale générale pour le frottoir de toutes les pochettes et boîtes d'allumettes.	Contrairement au frottoir de certaines boîtes d'allumettes en bois, le frottoir noir des petits paquets d'allumettes est un produit chimique.	Essayer d'allumer une allumette d'une pochette d'allumettes en carton en la grattant sur du papier de verre.
Une réaction chimique peut transformer un élément en un autre élément. (2)	Inférence basée sur la confusion entre un élément chimique et un composé chimique.	Seules des transmutations nucléaires peuvent transformer un élément en un autre élément.	Lire un texte portant sur les tentatives de transmutation par les alchimistes.
La masse des produits est parfois moindre que la masse des réactifs. (2, 3)	Inférence basée sur l'observation des cendres laissées par la combustion du papier ou du bois.	Bien que certains produits soient parfois des gaz, la masse des produits est toujours égale à celle des réactifs.	Faire brûler du bois et recueillir les gaz produits.
La rouille est causée par une réaction chimique avec l'eau. (2, 3)	Inférence basée sur le fait que plusieurs objets métalliques rouillent quand ils sont exposés à la pluie.	La rouille est une réaction chimique avec l'oxygène de l'air qui est facilitée par la présence d'eau.	Placer des objets métalliques dans de l'eau distillée qu'on a d'abord fait bouillir.
Les bijoux en argent ternissent en raison de la pollution de l'air. (1, 2)	Établissement d'un lien direct entre la couleur de l'oxyde d'argent et celle de certains polluants.	Les bijoux en argent ternissent parce que leur surface réagit avec l'oxygène de l'air.	Laisser un objet en argent dans un endroit situé à la campagne, où l'air est peu pollué.
Le papier journal jaunit à la lumière. (2)	Inférence basée sur le fait que le papier journal exposé au Soleil jaunit rapidement.	Le papier journal jaunit parce qu'il réagit avec l'oxygène de l'air. La présence de lumière accélère cette réaction.	Envelopper du papier journal dans de la pellicule plastique et l'exposer à la lumière.
Les métaux ne brûlent pas. (2)	Restriction basée sur le fait que plusieurs ustensiles de cuisine sont en métal.	Certains métaux, tels que le sodium et le magnésium, brûlent très facilement.	Placer un morceau de limaille de fer dans la flamme d'une chandelle.

Les catalyseurs sont des réactifs. (3)	Inférence basée sur le rôle actif joué par les catalyseurs pendant les réactions chimiques.	Les catalyseurs ne réagissent pas, mais facilitent une réaction chimique.	Observer le convertisseur catalytique d'une voiture qui roule depuis quelques mois.
		Le feu	
De la fumée s'échappe d'une bouilloire lorsque l'eau bout. (0)	Formation d'une catégorie mentale générale pour toutes les substances d'allure vaporeuse.	C'est de la vapeur d'eau, invisible, et de l'eau sous forme liquide, qui forme de la buée, qui s'échappe d'une bouilloire.	Recueillir, par condensation, le gaz qui s'échappe d'une bouilloire.
Le feu est emprisonné dans la tête des allumettes. (1)	Inférence basée sur le fait que du feu jaillit aussitôt que l'on gratte l'allumette.	Le feu est causé par une réaction chimique qui est amorcée par le grattement de la tête de l'allumette.	Couper la tête d'une allumette avec des ciseaux.
Les liquides ou les solides projetés par un extincteur ont la même efficacité que de l'eau. (1)	Inférence basée sur l'impression que tous les liquides ou solides éteignent les feux de la même façon.	Les liquides ou les solides projetés par un extincteur sont plus efficaces que l'eau, car ils étouffent les flammes.	Éteindre un feu à l'aide d'eau, puis un feu semblable à l'aide d'un mélange de vinaigre et de bicarbonate de sodium.
Seule l'eau peut permettre d'éteindre un feu. (0, 1)	Restriction basée sur la substance la plus couramment utilisée pour éteindre des feux.	Un feu peut aussi être éteint à l'aide d'une couverture, de sable ou de mousse carbonique.	Éteindre un feu à l'aide de sable, de terre ou de bicarbonate de sodium.
Tous les liquides peuvent éteindre un feu. (1)	Extension, à tous les liquides, des propriétés de l'eau.	Certains liquides, tels que l'alcool, l'essence et l'huile sont inflammables.	Verser un peu d'huile végétale sur un petit feu.
Tous les extincteurs contiennent une bonne proportion d'eau. (1)	Extension, aux extincteurs, de la substance la plus utilisée pour éteindre des feux.	Certains types d'extincteurs, surtout pour les feux de nature électrique, ne contiennent pas d'eau.	Lire la liste des produits chimiques utilisés dans les extincteurs pour feux de nature électrique.
Une flamme est faite d'une substance particulière, toujours la même, qui se trouve dans les matériaux inflammables. (2)	Inférence basée sur l'apparence extérieure des flammes de matériaux inflammables communs.	Une flamme n'est pas faite d'une substance particulière, mais de particules incandescentes dont la nature dépend du matériau qui brûle.	Faire dévier dans un tube les gaz qui se trouvent dans la flamme d'une bougie et dans la flamme d'un morceau de papier, puis essayer de les faire brûler.
Les flammes d'un feu de bois ou de charbon sont plus chaudes que les braises. (1, 2)	Établissement d'un lien direct entre la luminosité des flammes et leur température.	Les braises sont plus chaudes que les flammes.	À l'aide d'un thermomètre pour très hautes températures, mesurer la température des flammes et de la braise.

Il ne peut y avoir de feu à la surface de l'eau. (2)	Restriction basée sur le fait que l'eau est souvent utilisée pour éteindre des feux.	De l'huile peut brûler à la surface de l'eau.	Faire brûler de l'huile qui flotte à la surface d'un petit récipient d'eau.
L'électrochimie			
Toutes les piles contiennent des produits chimiques dangereux. (1)	Restriction basée sur les substances utilisées dans certains types de piles.	Certaines piles ne contiennent qu'un liquide faiblement acide.	Fabriquer une pile avec un citron, un morceau de cuivre, un morceau de zinc et du fil électrique.
Dans une pile, le courant est produit par la circulation d'un liquide. (1)	Formation d'une catégorie mentale générale pour le fonctionnement d'une pile et le fonctionnement d'une turbine.	Dans une pile, le courant est produit par une réaction chimique qui cause la circulation d'électrons.	Observer si un liquide circule dans une pile formée de pièces de monnaie en cuivre, de pièces de monnaie en zinc et de buvard imbibé d'acide.
Les acides et les bases			
Seuls les acides, et non les bases, peuvent être des substances corrosives. (2)	Restriction basée sur le fait que les acides sont les substances corrosives les plus connues.	Certaines bases, telles que la soude caustique, sont extrêmement corrosives.	Observer l'étiquette d'un produit utilisé pour déboucher les tuyaux.
Seuls les papiers de tournesol peuvent servir d'indicateurs de pH. (2, 3)	Inférence basée sur l'impression que les indicateurs de pH sont des produits chimiques difficiles à produire.	Le jus de chou rouge et le thé, par exemple, peuvent également servir d'indicateurs de pH.	Verser du thé (ou de l'eau dans laquelle du chou rouge a bouilli) dans des liquides acides ou alcalins.

Les composés chimiques

Conceptions fréquentes	Mécanismes d'élaboration	Concepts scientifiques	Exemples d'activités
La chimie minérale			
Les bulles d'une boisson gazeuse sont de petites bulles d'air. (1)	Extension, aux bulles d'une boisson gazeuse, des bulles qui se forment en soufflant dans l'eau.	Les bulles d'une boisson gazeuse sont de petites bulles de gaz carbonique.	Recueillir le gaz qui s'échappe d'une boisson gazeuse dans une éprouvette et placer une allumette allumée dans ce gaz.
Les bulles d'une boisson gazeuse sont de petites gouttes d'eau. (1)	Extension, aux bulles d'une boisson gazeuse, des gouttes d'eau qui se forment à la surface d'un verre froid.	Les bulles d'une boisson gazeuse sont de petites bulles de gaz carbonique.	Laisser tomber de petites gouttes d'eau dans une boisson gazeuse.

Les composés et les éléments dont ceux-ci sont formés ont des propriétés semblables. (3)	Inférence basée sur l'impression que les propriétés des éléments s'additionnent dans les composés.	Certains composés comestibles sont formés de deux poisons. Le sel de table, par exemple, est formé de chlore et de sodium.	Examiner du carbone, de l'hydrogène, de l'oxygène et du sucre.
Le mélange de deux liquides incolores donne nécessairement un liquide incolore. (2)	Inférence basée sur l'impression que les propriétés des éléments s'additionnent dans les composés.	Une solution de nitrate de plomb mêlée à une solution d'iodure de potassium, par exemple, donne une solution jaune d'iodure de plomb.	Mélanger quelques gouttes d'une solution de nitrate de plomb et d'une solution d'iodure de potassium.
Il n'y a pas de différence entre un composé et un mélange. (3)	Inférence basée sur l'impression d'une certaine homogénéité macroscopique.	Il y a d'assez forts liens chimiques entre les atomes d'un composé, ce qui n'est pas le cas dans un mélange.	– À l'aide d'une loupe, séparer des grains de sel et des grains de sucre. – Essayer de séparer les éléments qui constituent les grains de sel ou de sucre.
	La chimie organique		
Tous les alcools sont comestibles. (2)	Extension, à tous les alcools, des propriétés de l'éthanol.	Certains alcools, tels que le méthanol, sont des poisons.	Lire l'étiquette d'une bouteille d'alcool à friction.
Un feu follet est un insecte semblable à une luciole. (1)	Établissement d'une catégorie mentale générale pour deux petites sources de lumière naturelles.	Un feu follet est une petite flamme causée par la combustion d'un gaz dans les régions marécageuses.	Lire un texte portant sur les feux follets.
La cuisson des aliments a pour seul but de modifier leur texture et leur goût. (0)	Restriction basée sur les rôles les plus évidents de la cuisson.	La cuisson entraîne diverses réactions chimiques qui rendent aussi les aliments moins vulnérables aux moisissures et aux bactéries.	Observer de la pâte crue et de la pâte cuite.
	L'analyse chimique		
Tous les liquides montent de la même façon dans les fibres d'un papier-filtre. (2, 3)	Inférence basée sur l'impression que la façon dont les liquides montent ne dépend que des fibres du papier-filtre.	Certains liquides montent plus facilement que d'autres, ce qui permet de les séparer : c'est le principe de la chromatographie.	Faire tremper l'extrémité d'un morceau de papier-filtre dans une teinture d'une couleur secondaire telles que les couleurs verte et orangée.

La synthèse chimique			
Les produits synthétiques sont toujours moins bons ou plus nocifs que les produits naturels. (2)	Inférence basée sur la connotation négative souvent donnée au mot *synthétique*.	Il n'y a aucune différence entre plusieurs produits synthétiques et leur équivalent naturel.	Examiner la composition chimique de certains produits naturels ou synthétiques tels que l'aspirine et la vitamine C.

TECHNOLOGIE DES SCIENCES PHYSIQUES

Les techniques du mouvement

Conceptions fréquentes	Mécanismes d'élaboration	Concepts scientifiques	Exemples d'activités
Les machines automatiques			
Dans une machine automatique, toute rétroaction exige la présence d'un mécanisme de contrôle électronique. (3)	Inférence basée sur l'impression que la rétroaction est un processus complexe.	Une rétroaction peut se faire à partir d'un mécanisme de contrôle mécanique.	Observer le fonctionnement d'un régulateur à boules (pour axe de rotation) ou d'un thermostat à lames de métal.
Les moyens de transport			
Les montgolfières montent dans les airs grâce à l'action du vent. (0)	Inférence basée sur l'observation de sacs en papier qui sont emportés par le vent.	Les montgolfières montent dans les airs parce qu'elles contiennent de l'air chaud.	Faire monter un modèle réduit de montgolfière par vent nul.
Les navires flottent grâce à la forme en V de leur coque. (0)	Établissement d'un lien direct entre la forme de la coque et la flottabilité.	Les navires flottent parce qu'ils sont moins denses que l'eau.	Observer la forme de la coque d'une chaloupe en bois ou d'une barge.
Plus un ballon de caoutchouc contient d'air, plus il est léger. (1)	Inférence basée sur l'impression que l'air ne pèse rien ou qu'il a un poids négatif.	Plus un ballon contient d'air, plus il est lourd.	Peser des ballons identiques qui sont plus ou moins gonflés.
Les montgolfières sont remplies d'hélium. (1)	Inférence basée sur l'expérience de l'effet de l'hélium dans un ballon.	Les montgolfières sont remplies d'air chaud.	Fabriquer une petite montgolfière en papier de soie.
Les avions sont plus légers que l'air. (1)	Inférence basée sur l'expérience de l'effet de l'hélium dans un ballon.	Les avions sont plus lourds que l'air.	Comparer le poids d'un modèle d'avion en balsa avec le poids d'un ballon de baudruche de volume semblable.

Ce sont les moteurs qui maintiennent les avions dans les airs. (1, 2)	Inférence basée sur l'observation des moteurs au décollage.	C'est la baisse de pression causée par l'écoulement de l'air au-dessus des ailes qui maintient les avions dans les airs.	Observer le vol d'un planeur.
Les navires flottent parce qu'ils sont munis de gros flotteurs. (1)	Extension basée sur l'observation de radeaux ou de canots munis de flotteurs.	Les navires flottent parce qu'ils sont moins denses que l'eau.	Observer l'extérieur et l'intérieur d'un modèle réduit de navire qui flotte.
Les navires flottent parce qu'ils sont faits d'un métal léger. (1)	Établissement d'un lien direct entre la densité du métal de la coque et la flottabilité.	Le métal dont sont faits les navires n'est pas spécialement léger, mais l'ensemble du navire est moins dense que l'eau.	Observer et mesurer la densité d'un morceau du métal utilisé dans la construction des gros navires.
Un vaisseau spatial peut aller plus vite que la lumière. (2)	Inférence basée sur le visionnement de films de science-fiction.	La vitesse maximale d'un vaisseau spatial est très inférieure à celle de la lumière.	Regarder un documentaire ou lire un texte portant sur la conquête de l'espace.
Les navires sont plus lourds que le poids du volume d'eau qu'ils déplacent. (2)	Inférence basée sur le fait que l'acier est beaucoup plus lourd que l'eau.	Les navires sont moins lourds que le poids de l'eau qu'ils déplacent, sans quoi ils ne pourraient flotter.	Peser divers modèles de navires et le poids du volume d'eau qu'ils déplacent.
La ligne de charge d'un navire est indépendante du type d'eau ou de la température. (3)	Inférence basée sur l'impression que la ligne de charge dépend de la forme du bateau et non de l'eau, qui est partout semblable.	La ligne de charge d'un navire varie avec le type d'eau et la température de l'eau.	Observer la ligne de charge d'un modèle de navire placé dans de l'eau douce et de l'eau plus ou moins salée, à diverses températures.
Dans un moteur, toute l'énergie chimique de l'essence se transforme en énergie mécanique. (3)	Inférence basée sur le fait que l'énergie mécanique est la plus évidente.	Une partie de l'énergie chimique de l'essence se transforme en chaleur.	Lire un texte portant sur l'efficacité des moteurs thermiques.

Les techniques de la lumière

Conceptions fréquentes	Mécanismes d'élaboration	Concepts scientifiques	Exemples d'activités
	L'éclairage		
Les ampoules électriques contiennent un gaz brillant. (1)	Inférence basée sur l'observation de divers gaz qui brûlent.	C'est un filament incandescent qui fait briller les ampoules électriques.	Examiner une ampoule électrique transparente allumée.
Lorsqu'elles sont allumées, toutes les sortes de lampes sont très chaudes. (1)	Extension basée sur la température des ampoules à incandescence.	Les lampes à fluorescence ne chauffent pas tellement.	Toucher à une lampe à fluorescence allumée.

Les rayons lasers sont solides. (1)	Inférence basée sur le visionnement de certains films de science-fiction.	Les rayons lasers sont des rayons de lumière.	Passer sa main à travers un faisceau laser.
Les hologrammes sont imprimés sur des papiers très épais. (2)	Inférence basée sur la profondeur apparente des images virtuelles obtenues.	Les hologrammes sont imprimés sur du papier photographique relativement mince.	Observer un hologramme et le papier sur lequel il est imprimé.
Une lampe à fluorescence ne peut s'allumer que si elle est branchée. (2, 3)	Restriction basée sur la façon habituelle d'allumer une lampe.	Une lampe à fluorescence peut s'allumer si elle est placée dans le champ magnétique d'une ligne à haute tension.	– Approcher l'extrémité d'une lampe à fluorescence d'un ballon chargé d'électricité statique. – La nuit, placer une lampe à fluorescence sous une ligne à haute tension.
	Les principaux instruments d'optique		
Les roues des carrioles, dans les films westerns, tournent parfois à l'envers. (2)	Inférence basée sur une illusion d'optique courante.	Les roues d'une carriole qui avance tournent toujours dans le même sens, mais l'obturateur de la caméra peut causer une illusion d'optique.	Éclairer une roue qui tourne à l'aide d'un stroboscope ou de la lumière émise par un téléviseur.
Les instruments d'optique ne contiennent que des lentilles. (2, 3)	Restriction basée sur la connaissance du fonctionnement d'une lunette ou d'un microscope rudimentaire.	Plusieurs instruments d'optique contiennent aussi des prismes ou des miroirs.	Examiner l'extérieur et l'intérieur d'un télescope, d'un appareil photo ou d'un microscope.
Le grossissement de jumelles ou d'un télescope est leur caractéristique la plus importante. (2, 3)	Inférence basée sur l'importance donnée au grossissement maximal dans la description des jumelles et des télescopes.	Leur caractéristique la plus importante est l'ouverture, qui détermine la quantité de lumière recueillie.	Observer le ciel à l'aide de jumelles et de télescopes de divers grossissements et ouvertures.

Les techniques du son

Conceptions fréquentes	Mécanismes d'élaboration	Concepts scientifiques	Exemples d'activités
Un amplificateur est indispensable pour entendre les sons enregistrés sur un disque microsillon. (1, 2)	Inférence basée sur l'impression que l'aiguille capte un signal de nature électrique.	Il est possible d'entendre les sons à l'aide d'une aiguille et d'un cornet acoustique.	Écouter un disque microsillon au moyen d'une aiguille plantée au fond d'un contenant en carton.

Les fils téléphoniques transmettent le son directement, comme de petits tubes ou comme des ficelles qui vibrent. (1)	Inférence basée sur l'expérience du fonctionnement de téléphones rudimentaires.	Les fils téléphoniques transmettent un courant électrique qui est recodé en sons.	Placer une membrane de carton, puis un voltmètre, au bout d'un fil téléphonique.
La radio permet l'émission et la réception directes d'ondes sonores. (1, 2)	Restriction basée sur la connaissance du mode habituel de propagation des ondes sonores.	La radio fonctionne grâce à la transmission d'ondes électromagnétiques inaudibles.	Débrancher les haut-parleurs d'un poste de radio muni de témoins lumineux de volume et de basse.
Les émissions de radio et de télévision arrivent par les fils électriques. (1)	Inférence basée sur le fait que les postes de radio et de télévision sont branchés sur le secteur, et parfois aussi sur un réseau câblé.	Sauf dans le cas de la réception par câble, les émissions de radio et de télévision arrivent par des ondes électromagnétiques qui se propagent dans l'air.	Allumer un poste de radio et de télévision qui fonctionnent à l'aide de piles.
Une aiguille ou une tête magnétique se déplacent sur la surface d'un disque compact. (2)	Extension, au fonctionnement d'un lecteur de disques compacts, de la connaissance du fonctionnement d'un lecteur de disques microsillon ou de cassettes magnétiques.	Un petit rayon laser éclaire un disque compact qui tourne.	Examiner le schéma du fonctionnement d'un lecteur de disques compacts.
Un appareil téléphonique contient des piles. (2)	Inférence basée sur le fait que le téléphone fonctionne pendant les pannes d'électricité.	Un appareil téléphonique fonctionne sans piles, sauf s'il est muni de certains dispositifs spéciaux.	Observer l'intérieur d'un appareil téléphonique.
Un téléphone cellulaire contient des cellules électroniques. (2)	Inférence basée sur l'impression que les cellules dont il est question sont très petites.	Un téléphone cellulaire fonctionne au moyen d'un émetteur-récepteur qui couvre une petite zone géographique appelée *cellule*.	Examiner un schéma du principe de fonctionnement de la téléphonie cellulaire.

Les techniques de la chaleur

Conceptions fréquentes	Mécanismes d'élaboration	Concepts scientifiques	Exemples d'activités
	Le chauffage et la réfrigération		
Tout chauffage implique une combustion. (1)	Inférence basée sur l'observation d'un feu de foyer ou d'un feu de gaz.	Plusieurs systèmes de chauffage fonctionnent au moyen d'éléments électriques.	Examiner un système de chauffage électrique.

Un four à micro-ondes chauffe à l'aide d'une lumière chauffante. (1)	Établissement d'un lien direct entre le fonctionnement d'un incubateur et celui d'un four à micro-ondes.	Un four à micro-ondes réchauffe les aliments en faisant vibrer les molécules d'eau qu'ils contiennent.	Faire chauffer des aliments dans un four à micro-ondes dont on a retiré l'ampoule.
Un réfrigérateur comporte un puissant ventilateur qui refroidit les aliments. (1)	Inférence basée sur la sensation de froid ressentie devant un ventilateur.	C'est la dilatation d'un gaz comprimé qui refroidit les aliments dans un réfrigérateur.	Examiner l'intérieur et l'extérieur d'un réfrigérateur.
Un autoclave cuit les aliments rapidement grâce à son épaisse paroi métallique. (2)	Inférence basée sur le fait que le métal est un bon conducteur de chaleur.	Un autoclave cuit les aliments rapidement, car la pression et la température y sont plus élevées qu'à l'intérieur d'une casserole ordinaire.	Observer la façon dont un autoclave est scellé ainsi que les dispositifs de sécurité dont il est muni.
	Les moteurs		
Dans un moteur, toute l'énergie chimique de l'essence se transforme en énergie mécanique. (2)	Inférence basée sur le fait que l'énergie mécanique est la plus évidente.	Une partie de l'énergie chimique de l'essence se transforme en chaleur.	Lire un texte portant sur l'efficacité des moteurs thermiques.

Les techniques de l'électron

Conceptions fréquentes	Mécanismes d'élaboration	Concepts scientifiques	Exemples d'activités
Les ordinateurs pensent comme les êtres humains. (0, 1)	Inférence basée sur les nombreuses possibilités de l'ordinateur.	Un ordinateur ne fait qu'exécuter des instructions programmées.	Essayer de demander à un ordinateur de faire ce qui lui plaît le plus.
L'unité centrale d'un ordinateur fonctionne comme un cerveau vivant. (0, 1)	Inférence basée sur une analogie couramment utilisée.	L'unité centrale d'un ordinateur effectue automatiquement des opérations mathématiques et logiques sur des données.	Construire un ordinateur rudimentaire avec quelques transistors.
Les centrales hydroélectriques produisent de l'électricité parce que l'eau est un conducteur. (2)	Formation d'une catégorie mentale générale pour tout ce qui concerne l'eau et l'électricité.	Les centrales hydroélectriques produisent de l'électricité au moyen de turbines actionnées par l'eau qui coule.	Examiner le schéma du fonctionnement d'une centrale hydroélectrique.
Un tube cathodique est traversé par des rayons lumineux qui éclairent l'écran. (2)	Inférence basée sur l'observation de points lumineux à la surface de l'écran d'un téléviseur.	Un tube cathodique est traversé par des électrons invisibles, mais dont les impacts produisent des points lumineux sur l'écran.	Examiner le schéma du fonctionnement d'un tube cathodique, tel que celui d'un téléviseur.

Les logiciels sont semblables à des livres écrits sur des disquettes. (2)	Inférence basée sur la nature du contenu de certaines disquettes.	Les logiciels comportent un ensemble d'instructions écrites dans un langage de programmation.	Rédiger les instructions d'un programme qui trace des figures géométriques.

L'industrie chimique

Conceptions fréquentes	Mécanismes d'élaboration	Concepts scientifiques	Exemples d'activités
Notions de base			
Toutes les huiles sont fabriquées à partir des mêmes matières premières. (1)	Formation d'une catégorie mentale générale pour toutes les sortes d'huiles.	Les huiles de lubrification sont fabriquées à partir du pétrole et les huiles comestibles proviennent de diverses plantes.	Lire des textes portant sur la fabrication des huiles de lubrification et des huiles utilisées en cuisine.
Les produits naturels			
La mèche est la seule partie de la bougie qui brûle. (1)	Établissement d'un lien direct entre l'endroit où se trouve la flamme d'une bougie et la partie de la bougie qui brûle.	La plus grande partie de la cire d'une bougie brûle.	Peser une bougie avant de l'allumer et après qu'elle a brûlé quelques minutes.
Le beurre et la margarine sont tous deux fabriqués avec des produits laitiers. (1)	Formation d'une catégorie mentale générale pour la matière première de tous les produits qui ont l'apparence et la consistance du beurre.	Le beurre est fabriqué à partir de la crème, mais la margarine est fabriquée à partir d'huile végétale.	Lire les ingrédients qui entrent dans la composition du beurre et de la margarine.
Le papier d'aluminium ou la pellicule plastique sont faits de fibres végétales. (1)	Formation d'une catégorie mentale générale pour tout ce qui ressemble à du papier.	Le papier d'aluminium et la pellicule plastique ne sont pas vraiment des papiers et ne contiennent pas de fibres végétales.	Observer des déchirures de papier blanc, de papier d'aluminium et de pellicule plastique.
Toutes les fibres sont d'origine animale ou végétale. (1)	Extension, à toutes les fibres, de la connaissance de la provenance de la laine et du coton.	De nombreux tissus synthétiques, tels que le polyester, sont faits de fibres de matières plastiques.	– Regarder un documentaire portant sur la fabrication des fibres synthétiques. – Fabriquer du nylon à partir de solutions d'acide hexanedioïque et de diaminohexane.

Une gomme à effacer laisse une mince couche d'une substance propre par-dessus l'écriture à la mine. (1)	Formation d'une catégorie mentale générale pour la gomme à effacer et le correcteur liquide.	La gomme à effacer adhère aux particules de graphite laissées par le crayon à mine et les décolle du papier.	Observer attentivement ce qui se passe lorsqu'on efface des caractères écrits à la mine de plomb.
La margarine contient moins de calories que le beurre. (2)	Inférence basée sur le fait que certaines margarines sont meilleures pour la santé que le beurre.	Une cuillerée à thé de margarine et de beurre contiennent toutes deux 100 calories ou 420 kilojoules.	Mesurer la quantité de chaleur produite par la combustion d'une même quantité de margarine et de beurre.
Le savon dissout les graisses. (2)	Inférence basée sur une façon fréquente de décrire l'action du savon.	Le savon ne dissout pas les graisses, mais permet de les enlever car ses molécules possèdent une extrémité qui adhère aux matières grasses.	Essayer de dissoudre du beurre ou de la margarine dans du savon.
Le savon est fait à partir de produits qui ont des propriétés contraires à celles des graisses. (2)	Inférence basée sur le principe que des graisses ne pourraient pas nettoyer des graisses.	Le savon est fait avec de la graisse et une base forte.	Fabriquer du savon en faisant bouillir de la graisse et de l'huile végétale avec de l'hydroxyde de sodium.
Les matières plastiques			
Toutes les matières plastiques sont des dérivés du pétrole. (2, 3)	Extension, à tous les plastiques, de la connaissance des matières premières utilisées dans la fabrication de certains plastiques.	Il existe des plastiques dérivés de la cellulose, tels que la rayonne, et des plastiques à base de silicium, tels que les silicones.	Lire un texte portant sur la fabrication de la rayonne et du polyester.
Seules des substances comme le polyéthylène sont des plastiques. (2, 3)	Restriction basée sur l'omniprésence des thermoplastiques.	Il existe aussi des peintures, des fibres, des mousses et des gommes à base plastique.	Lire un texte portant sur les principaux plastiques.
Il n'existe pas de vêtements en plastique. (2, 3)	Restriction basée sur l'impression que tous les plastiques sont durs et rigides.	Plusieurs fibres synthétiques, telles que l'acrylique, le nylon et le polyester, sont faites de plastiques.	Examiner les étiquettes de divers vêtements.
Les combustibles fossiles			
Le seul dérivé du pétrole est le carburant (essence et gazoil) pour les voitures. (1)	Restriction basée sur le dérivé du pétrole le plus connu.	Le bitume, les huiles lubrifiantes, le kérosène et plusieurs matières plastiques sont également des dérivés du pétrole.	Examiner un schéma des produits de la distillation du pétrole.

Le gaz naturel, le charbon et le pétrole sont des substances minérales qui ont toujours été présentes dans l'écorce terrestre. (2)	Extension, à tout ce qui est tiré de l'écorce terrestre, de la connaissance de minerais tels que le mirerai de fer ou le minerai de cuivre.	Tous les hydrocarbures sont des produits de la décomposition de plantes préhistoriques.	Regarder un documentaire ou lire un texte portant sur la formation du gaz naturel, du charbon et du pétrole.
Les métaux			
Le laiton ou le bronze sont des métaux purs. (2)	Extension, aux alliages, de la connaissance de la nature de métaux tels que le cuivre ou l'argent.	Le laiton est un alliage de cuivre et de zinc, et le bronze est un alliage de cuivre et d'étain.	Examiner un tableau portant sur la composition des principaux alliages.
Le fer et l'acier			
L'acier est du fer très pur. (2)	Inférence basée sur l'impression que plus un métal est pur, plus il est solide.	L'acier est un alliage de fer et de carbone.	Lire un texte portant sur la fabrication de l'acier.

SCIENCES DE LA TERRE

La Terre dans l'Espace

Conceptions fréquentes	Mécanismes d'élaboration	Concepts scientifiques	Exemples d'activités
La forme et la taille de la Terre			
La Terre est plate, s'étend à l'infini et est recouverte d'une couche d'air horizontale qui s'étend elle aussi à l'infini. (0)	Inférence basée sur l'observation de la Terre et de l'atmosphère dans la vie de tous les jours.	La Terre a une forme sphérique et est recouverte d'une atmosphère de quelques centaines de kilomètres d'épaisseur.	Observer un globe terrestre et des photos de la Terre prises de la Lune.
La Terre ne tourne pas. (0)	Inférence basée sur le fait qu'on ne sent pas la Terre tourner.	La Terre tourne sur elle-même en 24 heures.	– Examiner un globe terrestre. – Observer le « déplacement » du Soleil au cours de la journée.
Dans l'hémisphère Sud, les gens vivent la tête en bas, l'eau sort des verres et les roches lancées dans les airs ne retombent pas sur le sol. (0, 1)	Inférence basée sur l'impression qu'il y a un « haut » et un « bas » dans l'Univers.	L'attraction gravitationnelle est dirigée vers le centre de la Terre et produit les mêmes effets dans les deux hémisphères.	Regarder un documentaire portant sur l'Australie, la Nouvelle-Zélande ou l'Argentine.

Une roche passerait à travers un trou percé du pôle Nord au pôle Sud et continuerait à tomber vers le bas. (2)	Inférence basée sur l'impression qu'un trou qui traverse la Terre aux pôles est vertical.	Une roche lancée dans un trou percé du pôle Nord au pôle Sud oscillerait pendant quelque temps puis finirait par s'arrêter au centre de la Terre.	Regarder un documentaire portant sur les mines de diverses régions du globe.
Les calottes glaciaires			
Toute l'eau d'un lac finit par geler en hiver. (0)	Extension basée sur l'observation de la surface d'un lac.	Seule l'eau de la surface d'un lac gèle.	Observer une personne qui perce un trou dans la glace d'un lac.
Il neige beaucoup plus au pôle Nord et au pôle Sud qu'à Montréal ou à Québec. (1)	Établissement d'un lien direct entre le fait qu'il y a toujours de la neige aux pôles et les précipitations annuelles.	Aux pôles, il fait souvent tellement froid que l'air contient très peu de vapeur d'eau et qu'il y a peu de précipitations.	Trouver, dans un atlas, la quantité annuelle moyenne de précipitations au pôle Nord, au pôle Sud, à Montréal et à Québec.
La portion émergée d'un iceberg est aussi grande que sa portion immergée. (1)	Inférence basée sur l'observation de navires.	La portion émergée ne représente que le cinquième du volume d'un iceberg.	Faire flotter des morceaux de glace dans un bac.
L'eau des lacs et l'eau des océans gèlent à la même température. (1)	Extension, à l'eau salée, de la température de congélation de l'eau douce.	L'eau salée des océans gèle à une température plus basse que l'eau douce des lacs.	Noter la température de congélation de l'eau douce et de l'eau salée.
Les calottes glaciaires du pôle Nord et du pôle Sud reposent toutes deux sur un continent. (2)	Inférence basée sur l'observation de l'accumulation de la neige et de la glace en hiver.	Seul le pôle Sud repose sur un continent. Les glaciers du pôle Nord flottent sur l'océan Arctique.	Examiner des cartes géographiques du pôle Nord et du pôle Sud.
Les saisons			
Les saisons dépendent de la distance entre la Terre et le Soleil. (1)	Inférence basée sur l'expérience de la chaleur ressentie à différentes distances d'un feu.	Les saisons dépendent de l'inclinaison de l'axe de rotation de la Terre par rapport au plan de son orbite autour du Soleil.	Mesurer la distance entre la Terre et le Soleil, en été et en hiver, sur un schéma à l'échelle de l'orbite de la Terre autour du Soleil.
En hiver, il fait froid parce que le Soleil est moins fort. (1)	Établissement d'un lien direct entre la façon dont le Soleil réchauffe une partie de la Terre et la quantité d'énergie qu'il émet.	Il fait froid en hiver parce que les rayons du Soleil frappent la Terre moins directement.	Observer le Soleil au télescope en hiver et en été.

Les saisons ont lieu aux mêmes périodes dans l'hémisphère Nord et l'hémisphère Sud. (1)	Extension, à toute la Terre, du calendrier des saisons de l'hémisphère Nord.	Quand c'est l'été dans l'hémisphère Nord, c'est l'hiver dans l'hémisphère Sud, et inversement.	Trouver, dans un atlas, la température mensuelle moyenne de villes telles que Santiago ou Buenos Aires.
Il fait plus chaud à l'équateur, parce que ces régions sont plus rapprochées du centre de la Terre qui est chaud. (2)	Établissement d'un lien direct entre le fait que l'équateur est à égale distance des pôles et le fait qu'il soit plus près du centre de la Terre.	Les régions situées à l'équateur sont à peu près à la même distance du centre de la Terre que les régions situées plus au nord ou au sud.	À l'aide d'un schéma d'une coupe de la Terre, comparer la distance entre le centre de la Terre et les pôles et la distance entre le centre de la Terre et un point situé sur l'équateur.
	Latitudes, longitudes et fuseaux horaires		
Il fait jour ou nuit en même temps sur toute la surface de la Terre. (1)	Formation d'une catégorie mentale pour le jour ou la nuit en tout lieu de la Terre.	Une moitié de la surface de la Terre est éclairée par le Soleil tandis que l'autre moitié se trouve dans l'obscurité.	Éclairer un globe terrestre avec une lampe de poche et observer la partie du globe qui se trouve dans l'obscurité.
Quand il est 21 h 00 à Montréal, il est 21 h 00 partout ailleurs sur la Terre. (1)	Formation d'une catégorie mentale générale pour l'heure qu'il est, en tout lieu de la Terre.	La surface de la Terre est divisée en 24 fuseaux horaires, et il y a donc 24 heures différentes au même moment dans le monde.	Examiner une carte des fuseaux horaires.
Il faut une horloge ou une montre pour savoir l'heure qu'il est. (2)	Inférence basée sur la façon habituelle de savoir l'heure qu'il est.	Il est possible d'estimer l'heure à partir de la position du Soleil ou des étoiles dans le ciel.	Construire un cadran solaire.

La structure de la Terre

Conceptions fréquentes	Mécanismes d'élaboration	Concepts scientifiques	Exemples d'activités
	L'intérieur de la Terre		
L'intérieur de la Terre est plein d'air. (0)	Inférence basée sur l'impression que la Terre est comme un gros ballon qui flotte dans l'Univers.	L'intérieur de la Terre est fait de matière solide et semi-liquide très dense.	Examiner une maquette d'une coupe de la Terre.

L'intérieur de la Terre est fait de terre. (0)	Extension, à toute la Terre, de la terre présente en certains endroits de la surface.	La terre n'est qu'une très mince couche d'humus et de composés minéraux qui recouvre l'écorce terrestre à certains endroits.	Observer la composition du sol creusé pour construire les fondations d'un gros édifice.
Toute la Terre est solide comme l'écorce terrestre. (1)	Extension, à toute la Terre, de la connaissance de la composition de l'écorce terrestre.	Une partie importante de la Terre, le manteau, est constituée d'un magma semi-liquide très chaud.	Examiner un schéma de la structure de la Terre.
Le centre de la Terre est une grosse boule de matière en fusion. (1, 2)	Extension basée sur la nature de la lave des volcans.	Bien que le manteau soit constitué d'un magma semi-liquide de matière en fusion, le noyau interne de la Terre est composé de métaux à l'état solide.	Examiner un schéma du noyau de la Terre.
Le magnétisme terrestre			
La position du pôle magnétique Nord et du pôle magnétique Sud est immuable et identique à la position des pôles géographiques. (2)	Formation d'une catégorie mentale générale pour les pôles géographiques et les pôles magnétiques.	Les pôles magnétiques se déplacent constamment par rapport aux pôles géographiques.	Examiner la position précise des pôles magnétiques et géographiques sur des cartes de navigation.
Les aurores polaires sont causées par la réflexion de rayons solaires ou lunaires sur les calottes glaciaires des pôles. (2)	Extension, aux aurores polaires, des connaissances découlant de l'observation de lumière réfléchie.	Les aurores polaires sont causées par des particules chargées en provenance du Soleil.	Regarder un documentaire portant sur la formation des aurores polaires.
La tectonique des plaques			
Les continents sont immobiles. (2)	Restriction basée sur le fait que le mouvement des continents est presque imperceptible à l'échelle de la vie humaine.	Les continents, portés par les plaques tectoniques, dérivent d'environ 1 cm par an.	Examiner l'ouest de l'Afrique et l'est de l'Amérique du Sud sur une carte du monde.
Les volcans et les séismes			
Pendant un tremblement de terre, c'est toute la Terre qui tremble. (1)	Extension, à toute la Terre, des secousses ressenties à l'endroit où se produit le tremblement de terre.	Bien que de faibles vibrations se propagent dans tout le globe, un tremblement de terre se produit dans une région d'aire relativement réduite.	Regarder un bulletin de nouvelles dans lequel il est question d'un tremblement de terre.

La lave d'un volcan provient du volcan lui-même. (1)	Restriction basée sur l'impression que l'intérieur du volcan est constitué de matière en fusion.	La lave d'un volcan provient du manteau de la Terre.	Examiner une maquette ou un schéma d'une coupe d'un volcan.
	Les montagnes		
Toutes les montagnes sont d'anciens volcans. (1)	Extension, à toutes les montagnes, de la façon dont se forment les volcans.	La plupart des montagnes sont des plissements de l'écorce terrestre.	Regarder un documentaire ou lire un texte portant sur la formation des chaînes de montagnes.
Les montagnes ont toujours été telles qu'elles sont maintenant. (2)	Restriction basée sur le fait que les modifications du relief de la Terre sont presque imperceptibles à l'échelle de la vie humaine.	Le relief des montagnes change constamment par l'action combinée du mouvement des plaques tectoniques et de l'érosion.	Observer des photographies de fossiles recueillis en montagne.

L'histoire de la Terre

Conceptions fréquentes	Mécanismes d'élaboration	Concepts scientifiques	Exemples d'activités
	L'origine de la Terre		
La Terre est un morceau du Soleil. (1)	Inférence basée sur le fait que le Soleil est le plus gros corps du Système solaire.	La Terre résulte de l'accrétion de gaz et de poussières qui étaient en orbite autour du Soleil.	Regarder un documentaire ou lire un livre sur la formation du Système solaire.
La composition de l'atmosphère terrestre a toujours été la même. (2)	Extension basée sur la composition actuelle de l'atmosphère.	L'atmosphère primitive comportait principalement de la vapeur d'eau, du méthane et de l'ammoniac.	Regarder un documentaire sur l'histoire de la Terre.
L'atmosphère a toujours contenu de l'oxygène. (2, 3)	Extension basée sur la composition actuelle de l'atmosphère.	L'atmosphère, formée par photosynthèse, est apparue il y a un milliard d'années.	Regarder un documentaire sur l'histoire de la Terre.
	Couches de roches et fossiles		
Il n'y a pas de relation entre la profondeur d'un fossile dans le sol et son âge. (1)	Inférence basée sur l'impression que les fossiles sont dispersés de façon aléatoire dans le sol.	Les fossiles les plus anciens sont généralement situés dans les strates les plus profondes.	Examiner des fossiles de sa région trouvés à diverses profondeurs.
Les fossiles sont des restes de plantes et d'animaux qui ont durci. (2)	Inférence basée sur l'observation de certains restes animaux ou végétaux.	Un fossile peut être un moule en creux ou une empreinte formée de minéraux qui ont pris la place de l'animal ou de la plante.	Faire des fossiles artificiels avec de petites figurines, de la pâte à modeler et du plâtre.

Tous les fossiles datent de la même époque. (1)	Formation d'une catégorie mentale générale pour l'âge de tous les fossiles.	Les premiers fossiles datent d'environ 570 millions d'années, tandis que d'autres n'ont que quelques milliers d'années.	Regarder un documentaire portant sur divers fossiles.
	Le temps géologique		
Les dinosaures et les êtres humains ont déjà coexisté à la surface de la Terre. (0)	Inférence basée sur certains films de science-fiction.	Les dinosaures sont disparus des dizaines de millions d'années avant l'apparition des premiers hominidés.	Examiner une échelle des temps géologiques.

Les roches et les minéraux

Conceptions fréquentes	Mécanismes d'élaboration	Concepts scientifiques	Exemples d'activités
	Les roches		
Toutes les roches sont plus ou moins semblables et sont des entassements de terre et de sable. (0)	Restriction basée sur les caractéristiques de roches sédimentaires communes.	Il existe une grande variété de roches, formées d'une variété de composés minéraux.	Observer des échantillons de roches ignées, de roches sédimentaires et de roches métamorphiques.
Toutes les roches sont très dures. (1)	Extension, à toutes les roches, de la dureté de roches courantes.	Il existe des roches, telles que les roches composées de talc ou de gypse, qui peuvent être facilement rayées avec un ongle.	Rayer des échantillons de talc, de gypse et de calcite avec un ongle ou un petit couteau.
Il y a très peu d'air entre les grains de sable ou les particules de terre d'un sol. (1, 2)	Inférence basée sur l'impression que le sable ou la terre occupent tout le volume dans lequel on les trouve.	Tous les sols comportent une assez bonne proportion d'air.	Mesurer le volume d'eau qu'il est possible de verser dans un pot plein de sable ou de terre.
Il fait toujours chaud dans le désert. (2)	Extension, à tous les déserts et à toutes les heures du jour et de la nuit, de la température qu'il fait le jour dans les déserts les plus connus.	Il existe des déserts situés dans des régions froides et, même dans les déserts situés près de l'équateur, les nuits peuvent être très froides.	– Examiner, sur une carte, les endroits où sont situés les déserts du monde. – Se documenter au sujet des températures minimales dans les divers déserts du monde.

Les minéraux			
Il n'existe que quelques variétés de minéraux.	Restriction basée sur la connaissance des minéraux très communs.	Il existe plus de 1000 minéraux différents.	Examiner une collection de roches et de minéraux.
Tous les minéraux ont la même dureté.	Formation d'une catégorie mentale générale pour la dureté de tous les minéraux.	La dureté des minéraux varie énormément.	Essayer de rayer divers minéraux à l'aide d'un clou ou d'un couteau.
Les pierres précieuses			
Les pierres précieuses sont artificielles.	Inférence basée sur le fait que les pierres précieuses sont souvent taillées pour leur donner des formes très régulières.	Les pierres précieuses sont des cristaux naturels.	Regarder un documentaire portant sur la provenance des pierres précieuses.

L'évolution des paysages

Conceptions fréquentes	Mécanismes d'élaboration	Concepts scientifiques	Exemples d'activités
L'érosion			
Toute l'érosion est causée par l'eau.	Restriction basée sur une des causes les mieux connues de l'érosion.	Les variations de température, le vent, de même que des processus chimiques et biologiques, sont des causes d'érosion.	Trouver, dans son environnement, des exemples d'érosion causée par le vent et le gel.
Les êtres vivants ne peuvent être une cause d'érosion.	Restriction basée sur l'impression que les roches sont trop dures pour être érodées par des êtres vivants.	La pression des racines et les acides de l'humus sont des causes d'érosion.	Trouver, dans son environnement, des exemples d'érosion causée par l'activité humaine.
Toutes les roches s'usent à la même vitesse.	Formation d'une catégorie mentale générale pour la vitesse d'érosion de toutes les roches.	La vitesse d'érosion varie selon la composition des roches.	Passer du papier de verre sur divers types de roches et constater les différences d'usure.
L'eau			
L'eau s'infiltre facilement dans tous les sols.	Extension basée sur la perméabilité des sols les plus courants.	Certains sols sont imperméables.	Verser de l'eau sur divers types de sols placés dans des pots.
Une source est de l'eau qui remonte dans le sol jusqu'à la surface.	Inférence basée sur le fait que l'eau de certaines sources jaillit du sol.	Une source coule par gravité et peut sortir du sol au pied d'une pente.	Examiner la topographie d'un lieu où se trouve une source d'eau.

Les cours d'eau			
Une rivière ou un fleuve conserve toujours la même trajectoire.	Inférence basée sur le caractère souvent imperceptible des changements de trajectoire.	Avec le temps, les rivières et les fleuves forment des méandres.	Examiner des rivières et des fleuves sur des cartes géographiques ou des photos aériennes.
Les régions arides			
Les déserts ne reçoivent jamais de précipitations.	Inférence basée sur le climat aride des déserts.	Dans les déserts, les précipitations sont rares, mais pas totalement absentes.	Consulter un atlas pour connaître les précipitations des déserts.
Tous les déserts sont situés dans des régions chaudes.	Formation d'une catégorie mentale générale pour tous les déserts.	Il existe des déserts, tels que l'Antarctique, dans les régions froides.	Consulter un atlas pour connaître l'emplacement des principaux déserts.
Les dunes ont toutes des formes semblables.	Formation d'une catégorie mentale générale pour la forme de toutes les dunes.	Il existe des dunes en forme de paraboles, de croissants, de tas et de vagues.	Former des dunes miniatures avec du sable et un ventilateur.
Les étendues de glace			
Toutes les étendues de glace sont des glaciers.	Formation d'une catégorie mentale générale à partir des étendues de glace les plus connues.	Les plus grandes étendues de glace sont les inlandsis des calottes polaires.	Examiner une carte du monde.
Les glaciers sont immobiles.	Inférence basée sur le mouvement imperceptible des glaciers.	Les glaciers, situés en montagne, s'écoulent lentement sous l'action de la gravité.	Regarder un documentaire sur le mouvement des glaciers.
Les grandes étendues de glace ont toujours été situées près des pôles.	Restriction basée sur l'emplacement actuel des grandes étendues de glace.	La glace a déjà recouvert d'immenses portions de certains continents.	Trouver des indices du passage des glaciers dans sa région.
La glace ne cause pas autant d'érosion que l'eau.	Restriction basée sur le fait que l'érosion causée par la glace est moins connue que celle qui est causée par l'eau.	La glace cause une érosion importante qui explique de nombreuses formations géologiques.	Trouver des traces d'érosion glaciaire dans sa région.
Le sol			
Le sol est formé de débris rocheux.	Restriction basée sur le fait que plusieurs sols contiennent des roches.	Le sol est un mélange de débris rocheux et organiques.	Examiner divers sols à la loupe et au microscope.
Tous les sols sont semblables.	Formation d'une catégorie mentale générale pour tous les sols.	Il existe plusieurs types de sols qui peuvent être classés selon diverses caractéristiques.	Classer les sols selon diverses caractéristiques.

Les océans et les mers

Conceptions fréquentes	Mécanismes d'élaboration	Concepts scientifiques	Exemples d'activités
Les îles sont des morceaux de terre qui flottent sur l'eau et qui pourraient couler. (0)	Formation d'une catégorie mentale générale pour les bateaux et pour les îles.	Les îles ne flottent pas, mais peuvent être comparées à des montagnes dont le sommet est plus élevé que la surface de l'eau.	Dans un bac en plastique, construire une petite île avec des roches et du sable.
Le fond des océans est plat partout. (1)	Établissement d'un lien direct entre la surface et le fond de l'océan.	Le relief du fond des océans est aussi accidenté que celui des continents.	Examiner une carte des fonds océaniques.
Les vagues sont causées par le déplacement de gros navires. (0)	Extension basée sur la cause de certaines vagues.	La plupart des vagues sont causées par le vent.	Observer les vagues au bord d'un lac, d'un fleuve ou de la mer. Prendre note de la vitesse du vent pendant chacune des observations.
La profondeur des océans représente une portion appréciable du rayon de la Terre. (2)	Inférence basée sur la grande profondeur des océans.	Toutes proportions gardées, les océans peuvent être comparés à une mince couche de buée à la surface d'une boule de billard.	Observer un schéma d'une coupe de la Terre sur laquelle les océans sont représentés à l'échelle.
Toutes les villes situées à la même latitude connaissent des climats à peu près identiques. (2)	Inférence basée sur l'impression que les climats ne dépendent que de l'angle d'incidence des rayons du Soleil.	En raison des courants océaniques, le climat de certaines villes situées à la même latitude est très différent.	Comparer le climat de Gaspé, au Québec, avec le climat de Saint-Malo, en France.
Les marées sont causées par la rotation de la Terre. (2)	Inférence basée sur l'impression que l'eau des océans ne suit pas tout à fait la rotation de la Terre.	Les marées sont causées par l'attraction gravitationnelle de la Lune.	Examiner un schéma expliquant la cause des marées.

L'atmosphère et le temps

Conceptions fréquentes	Mécanismes d'élaboration	Concepts scientifiques	Exemples d'activités
	L'atmosphère		
La vapeur d'eau rend le ciel bleu. (0)	Établissement d'un lien direct entre le fait que l'eau paraît souvent bleue et la couleur du ciel.	Le ciel est bleu parce que l'air diffuse mieux la lumière bleue, et serait bleu même si l'air ne contenait pas de vapeur d'eau.	Observer la vapeur d'eau qui sort d'une bouilloire.

Le soleil couchant est rouge quand des nuages passent devant. (1)	Établissement d'un lien direct entre la couleur du Soleil couchant et la présence fréquente de nuages à l'horizon.	Le Soleil couchant est rouge parce que sa lumière doit traverser une grande quantité d'air.	Observer la couleur du Soleil couchant quand il n'y a aucun nuage dans le ciel.
L'air est formé uniquement d'oxygène. (2)	Inférence basée sur la connaissance de l'importance de l'oxygène.	L'air est un mélange d'azote et d'oxygène.	Faire brûler une allumette dans l'air et en faire brûler une autre dans de l'oxygène pur.
L'air est formé principalement d'oxygène et de gaz carbonique. (2)	Inférence basée sur le fait que l'oxygène et le gaz carbonique sont les deux gaz dont on entend parler le plus souvent.	L'air est un mélange d'azote et d'oxygène et ne contient qu'une infime proportion de gaz carbonique.	Faire barboter de l'air, puis du gaz carbonique dans de l'eau de chaux.
On respire mieux au sommet de hautes montagnes. (1)	Inférence basée sur le fait que l'air des montagnes n'est pas pollué.	Il est plus difficile de respirer au sommet de hautes montagnes parce que l'air y est raréfié.	Regarder un documentaire ou lire un texte portant sur l'ascension du mont Everest.
L'atmosphère s'étend indéfiniment, jusqu'aux limites de l'Univers. (1)	Inférence basée sur l'impression qu'il n'y a pas de différence entre l'atmosphère et le vide.	À une altitude supérieure à 450 km, la densité de l'air est presque nulle.	Examiner un schéma d'une coupe de l'atmosphère.
La couche d'ozone est très épaisse. (2)	Inférence basée sur la connaissance de l'importance de la couche d'ozone pour la vie sur Terre.	Bien qu'elle soit épaisse de plusieurs kilomètres, la couche d'ozone n'équivaut qu'à une couche de trois millimètres d'épaisseur à la pression atmosphérique du niveau du sol.	Examiner un schéma d'une coupe de l'atmosphère.
La pression et le vent			
Le vent est causé par la rotation de la Terre. (2)	Inférence basée sur le fait que la rotation rapide d'un objet peut causer un déplacement d'air.	Bien que la rotation de la Terre contribue à l'orientation des vents dominants, les vents sont surtout causés par les différences de température et de pression dans l'atmosphère.	Examiner la direction des vents sur une carte météorologique.

Les nuages et les précipitations			
La rosée, c'est une fine pluie qui tombe durant la nuit. (1)	Établissement d'un lien direct entre le fait que la rosée laisse un peu d'eau sur les plantes et les objets, et le résultat d'une pluie.	La rosée résulte d'une condensation, sans précipitation, de la vapeur d'eau contenue dans l'air.	Observer l'herbe, tôt le matin, après une nuit de beau temps.
Les nuages sont comme des éponges qui se vident lorsqu'il pleut. (0)	Inférence basée sur l'impression que les nuages sont solides.	Les nuages sont formés de gouttelettes d'eau ou de petits cristaux de glace en suspension.	Observer les nuages au ras du sol, par temps de brouillard.
Les nuages sont formés de la fumée qui s'échappe des cheminées. (0)	Formation d'une catégorie mentale générale pour la fumée, les nuages et la vapeur d'eau.	Les nuages sont formés de gouttelettes d'eau ou de petits cristaux de glace en suspension.	Observer la différence entre la buée qui sort de la bouche, par temps froid, et la fumée produite par un petit feu.
La neige et la glace sont deux substances différentes. (0)	Inférence basée sur la différence de densité, de texture et d'apparence de la neige et de la glace.	La neige et la glace sont de l'eau à l'état solide.	Faire fondre de la neige et de la glace.
Une précipitation d'un centimètre de neige contient la même quantité d'eau qu'une précipitation d'un centimètre de pluie. (1)	Inférence basée sur l'impression que toutes les précipitations sont équivalentes.	Une précipitation de dix centimètres de neige contient la même quantité d'eau qu'une précipitation d'un centimètre de pluie.	Laisser fondre la neige accumulée dans un seau pendant une tempête.
La neige, c'est de la pluie qui gèle en tombant. (1)	Établissement d'un lien direct entre la nature de la neige, qui est de l'eau à l'état solide, et la façon dont elle se forme.	La neige se forme dans les nuages. Il arrive parfois que la pluie gèle en tombant, mais il s'agit alors de grésil.	Comparer de la neige et du grésil.
Le givre est formé de flocons de neige qui collent aux fenêtres. (1)	Inférence basée sur la ressemblance entre les cristaux de givre et les cristaux de glace.	Le givre se forme quand de la vapeur d'eau se solidifie sur une surface froide.	Observer la formation du givre sur une fenêtre.
Les nuages sont formés de vapeur d'eau. (1, 2)	Inférence basée sur une description fréquente des nuages et sur l'impression qu'il est possible de voir de la vapeur d'eau.	La vapeur d'eau est invisible et les nuages sont formés de gouttelettes d'eau ou de petits cristaux de glace.	Observer, au-dessus d'une bouilloire, la différence entre la vapeur d'eau et le petit nuage de gouttelettes d'eau.
Les gouttes de pluie ont la même forme que les larmes. (2)	Inférence basée sur une représentation fréquente des gouttes de pluie.	En tombant, les gouttes de pluies ont la forme d'un beignet rond qui n'est pas complètement percé.	Examiner des photos de gouttes d'eau qui tombent.

		Les masses d'air et les tempêtes	
Le tonnerre est le bruit d'un éclair qui frappe le sol. (1)	Inférence basée sur l'impression qu'un bruit très fort est toujours causé par des objets ou des substances solides.	Le tonnerre est le bruit causé par l'air surchauffé autour de l'éclair.	Regarder un documentaire ou lire un texte portant sur les orages.
Seuls les objets en métal peuvent être frappés par la foudre. (1)	Établissement d'un lien direct entre la conductivité des métaux et la nature électrique de la foudre.	Tout objet, arbre ou être vivant exposé peut être frappé par la foudre.	Observer des endroits où la foudre est déjà tombée.
Ouragan et *tornade* sont des synonymes. (2)	Formation d'une catégorie mentale générale pour les phénomènes météorologiques qui comportent des vents violents.	Un ouragan est une immense tempête, tandis que la tornade est un tourbillon très localisé.	Regarder un documentaire ou lire un texte portant sur les ouragans et les tornades.
Un anticyclone est un ouragan qui tourne en sens contraire. (2)	Inférence basée sur la présence du mot *cyclone* dans le mot composé *anticyclone*.	Un anticyclone est une zone de haute pression et de beau temps.	Observer le temps qu'il fait pendant un anticyclone.
		Les climats	
Un front chaud amène du beau temps et un front froid amène du mauvais temps. (2)	Inférence basée sur la connotation positive du mot *chaud* et la connotation négative du mot *froid*.	Les fronts chaud et froid amènent tous deux du mauvais temps.	Observer le temps qu'il fait au passage d'un front chaud et d'un front froid.

ASTRONOMIE

Le Système solaire

Conceptions fréquentes	Mécanismes d'élaboration	Concepts scientifiques	Exemples d'activités
		Le Soleil	
Le Soleil est à la même distance que les nuages. (0)	Formation d'une catégorie mentale générale pour les objets qui paraissent hauts dans le ciel.	Les nuages sont situés à quelques kilomètres d'altitude, tandis que le Soleil est à 150 millions de kilomètres de la Terre.	Comparer, à l'aide d'un globe terrestre et d'une maquette du Système solaire, l'altitude des principaux nuages et la distance Terre-Soleil.

Le Soleil brille moins fort le soir et s'éteint la nuit. (0)	Inférence basée sur le fait que le Soleil est moins brillant à l'horizon qu'au zénith.	L'intensité lumineuse réelle du Soleil est toujours la même.	Éclairer un globe terrestre avec une lampe de poche et observer la partie du globe qui se trouve dans l'obscurité.
Le Soleil est une boule de feu. (2)	Inférence basée sur la cause la plus connue de chaleur et de lumière.	Le Soleil est une boule de gaz en fusion thermonucléaire.	Regarder un documentaire ou lire un texte portant sur le Soleil.
On pourrait vivre sans Soleil, sauf qu'il ferait toujours noir comme en pleine nuit. (2)	Restriction basée sur l'impression que le Soleil n'est qu'une source de lumière.	Sans le Soleil, toute forme de vie serait impossible sur Terre car la température y serait beaucoup trop froide.	Trouver, dans une encyclopédie, la température de la surface de la planète Pluton, qui est très éloignée du Soleil.
		Mercure	
Il y a alternance relativement rapide du jour et de la nuit sur toutes les planètes. (2)	Extension basée sur l'alternance du jour et de la nuit sur Terre.	Sur Mercure, le jour et la nuit durent près de 30 jours terrestres, et Pluton est tellement éloignée du Soleil qu'il y a peu de différence entre le jour et la nuit.	Trouver, dans une encyclopédie, la vitesse de rotation des planètes sur elles-mêmes.
		Vénus	
Tous les points lumineux visibles la nuit, dans le ciel, sont des étoiles. (1)	Formation d'une catégorie mentale générale pour tous les points lumineux visibles dans le ciel.	Certains points lumineux sont des planètes.	Observer les points lumineux les plus brillants à l'aide de jumelles ou d'un télescope.
Vénus est la plus grosse planète. (1)	Inférence basée sur le fait que Vénus est la planète la plus brillante dans le ciel.	Vénus est environ de la même taille que la Terre et beaucoup plus petite que Jupiter ou Saturne.	Examiner un dessin qui présente les planètes à la même échelle.
		La Terre	
La Terre est le centre du Système solaire. (0)	Inférence basée sur le fait que tous les astres semblent tourner autour de la Terre.	Toutes les planètes tournent autour du Soleil.	Examiner une maquette à l'échelle du Système solaire.
		La Lune	
La Lune est plus éloignée de la Terre que le Soleil. (0)	Établissement d'un lien direct entre la luminosité d'un corps céleste et la distance à laquelle il se trouve de la Terre.	Le Soleil est situé 375 fois plus loin de la Terre que la Lune.	Comparer, à l'aide d'une maquette à l'échelle, la distance Terre-Lune et la distance Terre-Soleil.

La Lune est plus grosse que les étoiles. (0)	Inférence basée sur le diamètre apparent de la Lune et des étoiles.	Les étoiles sont des milliers de fois plus grosses que la Lune.	Comparer, à l'aide d'un dessin à l'échelle, la grosseur de la Lune et d'une étoile moyenne.
La Lune émet de la lumière et de la chaleur comme le Soleil et les étoiles. (1)	Formation d'une catégorie mentale générale pour la nature de tous les astres.	La Lune n'émet aucune lumière ni aucune chaleur.	Observer le premier ou le dernier croissant de la Lune.
Pendant une éclipse de Lune, le Soleil nous cache la Lune. (1)	Extension, aux éclipses de Lune, d'un mécanisme semblable à celui qui cause les éclipses du Soleil.	Pendant une éclipse de Lune, la Terre cache le Soleil à la Lune.	Examiner un schéma des positions respectives de la Lune, de la Terre et du Soleil pendant une éclipse de Lune.
La Lune occupe une portion du ciel beaucoup plus grande lorsqu'elle est près de l'horizon que lorsqu'elle est près du zénith. (1, 2)	Inférence basée sur la perception du diamètre de Lune lorsqu'elle paraît se trouver près d'objets connus.	Le diamètre apparent de la Lune est toujours le même, mais elle paraît plus grosse près de l'horizon, car on la voit à côté d'objets familiers.	Mesurer le diamètre apparent de la Lune à l'horizon et au zénith.
La surface de la Lune est molle est élastique. (2)	Inférence basée sur le fait que les astronautes qui marchent sur la Lune semblent rebondir facilement.	La surface de la Lune est faite de roches recouvertes d'une mince couche de poussière.	Observer sa démarche dans une piscine dont le fond est dur.
Il y a plus de naissances pendant les nuits de pleine lune. (2)	Inférence basée sur une croyance populaire au sujet de la pleine lune.	Il n'y a pas plus de naissances pendant les nuits de pleine lune.	À l'aide d'un almanach astronomique, trouver la phase de la Lune du jour de la naissance de tous les élèves de la classe.
Les cratères de la Lune sont les restes d'anciens volcans. (2)	Formation d'une catégorie mentale générale pour les cratères lunaires et les cratères volcaniques terrestres.	Les cratères de la Lune résultent d'impacts de météorites.	– Observer les cratères de la Lune à l'aide de jumelles ou d'un télescope. – Comparer les cratères lunaires à des photographies de cratères volcaniques et météoriques terrestres.
		Mars	
À la surface de la planète Mars, la température est très élevée. (2)	Établissement d'un lien direct entre la couleur rouge de Mars et sa température.	La température à la surface de Mars ne dépasse jamais 22 °C.	Trouver, dans une encyclopédie, la température de la surface de la planète Mars.

Les astéroïdes			
Tous les astéroïdes sont des roches de petite taille. (2)	Inférence basée sur la grosseur des météorites présentées dans certains musées.	Les plus gros astéroïdes ont un diamètre de quelques centaines de kilomètres.	Regarder un documentaire portant sur les astéroïdes.
Jupiter			
La surface de toutes les planètes serait assez solide pour pouvoir y marcher. (2)	Extension basée sur la surface de la Terre et de la planète Mars.	Plusieurs planètes, telles que Jupiter et Saturne, sont de grosses boules gazeuses et n'ont pas de surface solide.	Trouver, dans une encyclopédie, la nature de la matière qui compose les diverses planètes.
Saturne			
Les anneaux de Saturne sont solides et continus, comme de grands cerceaux. (2)	Inférence basée sur l'apparence des anneaux de Saturne observés à une grande distance.	Les anneaux sont formés d'une multitude de morceaux de roche et de glace en orbite autour de Saturne.	Examiner des photographies ou des dessins des anneaux de la planète Saturne tels qu'ils sont vus à une petite distance.
Uranus et Neptune			
Uranus et Neptune sont des boules denses, à la surface solide comme la Terre ou Mars. (2)	Formation d'une catégorie mentale générale pour la surface de toutes les planètes.	Uranus et Neptune sont des boules de gaz qui entourent un noyau de roche et de métal.	Regarder un documentaire portant sur le Système solaire.
Les comètes			
Les comètes sont de grosses étoiles filantes. (1)	Formation d'une catégorie mentale générale pour les comètes et les étoiles filantes.	Les comètes sont des amoncellements de roche et de glace en orbite autour du Soleil.	Regarder un documentaire ou lire un texte portant sur les comètes.
Les météorites			
Les météorites sont des étoiles qui possèdent une queue brillante. (1)	Formation d'une catégorie mentale générale pour les étoiles, les comètes et les météorites.	Les météorites sont de petits fragments de matière qui entrent dans l'atmosphère de la Terre, où la friction avec l'air les fait brûler.	Visiter un planétarium et examiner des météorites trouvées sur la Terre.
Les météorites sont des astres chauds et brillants, même avant d'avoir pénétré dans l'atmosphère. (1)	Formation d'une catégorie mentale générale pour tous les astres.	Les météorites sont des roches relativement froides avant de pénétrer dans l'atmosphère.	Regarder un documentaire portant sur les météorites.

Les étoiles et les galaxies

Conceptions fréquentes	Mécanismes d'élaboration	Concepts scientifiques	Exemples d'activités
	Les étoiles		
Les étoiles sont beaucoup plus petites et plus froides que le Soleil. (0)	Inférence basée sur l'apparence du Soleil et des autres étoiles.	Le Soleil est une étoile de grosseur moyenne.	Examiner un schéma des divers types d'étoiles.
Les étoiles ont cinq pointes. (0)	Établissement d'un lien direct entre la façon courante de représenter une étoile et sa forme réelle.	Les étoiles ont une forme sphérique, tout comme le Soleil.	Observer des étoiles à l'aide de jumelles ou d'un télescope.
Les étoiles s'allument le soir et s'éteignent le matin. (0)	Inférence basée sur le fait que les étoiles sont invisibles en plein jour.	Les étoiles brillent constamment, mais la lumière du Soleil nous empêche de les voir pendant le jour.	Examiner des photographies du ciel prises pendant une éclipse du Soleil.
Les étoiles réfléchissent la lumière du Soleil. (1)	Formation d'une catégorie mentale générale pour la façon dont la Lune et les étoiles éclairent.	Les étoiles émettent de la lumière, comme le fait le Soleil.	Regarder un documentaire ou lire un texte portant sur l'énergie des étoiles.
Toutes les étoiles sont blanches. (1)	Formation d'une catégorie mentale générale pour la couleur de toutes les étoiles.	En observant attentivement les étoiles, on constate qu'il y en a des rouges, des jaunes, des blanches et des bleues.	Observer attentivement la couleur des étoiles à l'aide de jumelles ou d'un télescope.
Les étoiles sont des corps solides. (2)	Extension basée sur la surface de la Terre et de la planète Mars.	Les étoiles sont des boules de gaz en fusion thermonucléaire.	Examiner un schéma de la composition et de la structure du Soleil.
Toutes les étoiles ont la même grosseur. (2)	Formation d'une catégorie mentale générale pour toutes les étoiles.	Il existe des étoiles qui sont des dizaines de fois plus grosses ou plus petites que le Soleil.	Examiner un schéma des divers types d'étoiles.
Les étoiles sont plus brillantes à la campagne, car l'air est moins pollué. (2, 3)	Établissement d'un lien direct entre la luminosité des étoiles et la présence de polluants dans l'air.	Bien que l'absence de pollution joue un rôle, les étoiles sont plus brillantes surtout parce qu'il y a moins de lumière.	À la ville, comparer la luminosité apparente des étoiles dans un endroit très éclairé et dans un endroit très peu éclairé.

	Les constellations		
La position des étoiles dans le ciel est la même pendant toute la nuit. (1)	Inférence basée sur l'impression que les étoiles sont fixées à une voûte céleste immobile.	En raison de la rotation de la Terre, la position des étoiles change, pendant la nuit, de la même façon que celle du Soleil change pendant le jour.	– Observer le ciel pendant quelques heures. – Examiner une carte céleste munie d'un cache mobile.
Les constellations sont formées d'étoiles qui sont réellement à proximité les unes des autres. (2)	Inférence basée sur la distance apparente entre les étoiles d'une même constellation.	Les étoiles de certaines constellations sont extrêmement éloignées les unes des autres.	Observer durant la nuit, à l'extérieur, des ampoules de diverses intensités qui sont placées à diverses distances.
La position des planètes et des constellations du zodiaque influence nos vies. (2, 3)	Inférence basée sur l'astrologie.	La position des planètes et des constellations du zodiaque n'a aucune influence sur nos vies.	Lire des horoscopes dont les signes ont été intervertis.
	Les galaxies		
Plusieurs des étoiles visibles à l'œil nu sont situées à l'extérieur de notre Galaxie.	Inférence basée sur la connaissance du fait que notre Galaxie ne contient qu'une petite proportion des étoiles de l'Univers.	Toutes les étoiles visibles à l'œil nu sont situées à l'intérieur de notre Galaxie.	Assister, dans un planétarium, à un spectacle sur les étoiles et les constellations.
	La taille de l'Univers		
La taille de l'Univers se limite à celle du Système solaire ou de la Galaxie. (1)	Inférence basée sur l'importance donnée au Système solaire et à la Galaxie lorsqu'il est question d'astronomie.	L'Univers connu contient des milliards d'étoiles semblables au Soleil, ainsi que des milliards de galaxies semblables à notre Galaxie.	Examiner un schéma qui situe le Système solaire dans la Galaxie et un schéma qui situe la Galaxie dans l'amas local de galaxies.
La lumière des étoiles nous parvient instantanément. (2)	Inférence basée sur l'impression que la vitesse de la lumière est infinie.	La lumière de la plupart des étoiles visibles à l'œil nu prend des dizaines et souvent des centaines d'années à nous parvenir.	Diviser la distance entre la Terre et quelques étoiles par la vitesse de la lumière.
	L'origine de l'Univers		
L'Univers a été créé ou est apparu sous sa forme actuelle. (2)	Inférence basée sur l'impression que l'Univers est immuable.	L'Univers a probablement débuté par une explosion appelée le *Big Bang*.	Regarder un documentaire portant sur la formation de l'Univers.

Trous noirs, quasars et pulsars			
Un trou noir est un espace sans matière et sans énergie. (2)	Inférence basée la connotation du terme *trou noir*.	Un trou noir est une étoile de très grande densité.	Lire un texte portant sur les trous noirs, les quasars et les pulsars.

TECHNOLOGIE DES SCIENCES DE LA TERRE ET DE L'ESPACE

La prospection minière

Conception fréquente	Mécanisme d'élaboration	Concept scientifique	Exemple d'activité
Le forage est la seule façon de faire de la prospection minière. (2)	Extension basée sur l'étape la mieux connue de la prospection.	Il existe des méthodes géologiques, géochimiques et géophysiques de prospection.	Regarder un documentaire portant sur la prospection minière.

La prévision météorologique

Conceptions fréquentes	Mécanismes d'élaboration	Concepts scientifiques	Exemples d'activités
Les météorologues choisissent et déterminent le temps. (1)	Inférence basée sur la façon dont les journalistes s'expriment parfois.	Les météorologues prédisent le temps.	Regarder un documentaire portant sur le travail de météorologues.
Le thermomètre est l'instrument de mesure le plus utile pour prévoir le temps. (2)	Inférence basée sur le fait que le thermomètre est l'instrument le plus connu et le plus courant.	C'est le baromètre qui est l'instrument de mesure le plus utile pour prévoir le temps.	Essayer d'établir des prévisions météorologiques à partir des variations de température, de pression et d'humidité.
Les instruments météorologiques sont tous complexes et coûteux. (2)	Restriction basée sur la connaissance de certains instruments vendus dans le commerce.	Il est possible de construire des instruments météorologiques rudimentaires avec du matériel peu coûteux.	Fabriquer un baromètre, un hygromètre, un anémomètre et un pluviomètre rudimentaires.

Observer, mesurer et explorer l'Univers

Conception fréquente	Mécanisme d'élaboration	Concept scientifique	Exemple d'activité
Les astronautes doivent porter une combinaison spatiale parce qu'il fait très froid à l'extérieur de la navette spatiale. (2)	Restriction basée sur l'utilité des vêtements sur la Terre.	Les astronautes portent une combinaison spatiale surtout pour pouvoir respirer et pour que leur corps demeure soumis à une pression égale à la pression atmosphérique.	Regarder un documentaire ou lire un texte portant sur les sorties dans l'espace ou sur la Lune.

BIOLOGIE

La cellule

Conceptions fréquentes	Mécanismes d'élaboration	Concepts scientifiques	Exemples d'activités
		La cellule végétale	
La cellule végétale est identique à la cellule animale. (2)	Formation d'une catégorie mentale générale pour toutes les cellules vivantes.	La cellule végétale possède une paroi cellulaire rigide et réalise la photosynthèse, ce qui n'est pas le cas de la cellule animale.	– Observer la paroi cellulaire rigide des cellules végétales. – Observer les chloroplastes et les vacuoles.
		La cellule animale	
Toutes les cellules du corps humain ont la même durée de vie que le corps. (2)	Formation d'une catégorie mentale générale pour toutes les cellules du corps.	Certaines cellules, comme celles de l'estomac, ne vivent que quelques jours, alors que d'autres, comme les neurones, vivent aussi longtemps que le corps.	Lire un texte portant sur la durée de vie de divers types de cellules du corps.
		Le mouvement des molécules	
L'osmose est un simple passage de liquide à travers une membrane, sans direction particulière. (2)	Inférence basée sur le résultat d'expériences telles que mouiller ses vêtements.	L'osmose est un passage de liquide de la solution la moins concentrée vers la solution la plus concentrée.	Placer un œuf cuit dur, sans sa coquille, dans de l'eau douce.
		Les tissus et les organes	
Les nerfs, les os et le sang ne sont pas des tissus. (2)	Inférence basée sur l'impression qu'un tissu vivant doit ressembler à un tissu textile.	Les nerfs sont du tissu nerveux, tandis que les os et le sang sont du tissu conjonctif.	Lire un texte portant sur la définition de *tissu* en biologie.

La biochimie

Conceptions fréquentes	Mécanismes d'élaboration	Concepts scientifiques	Exemples d'activités
		Notions de base	
Seuls les êtres vivants peuvent produire les composés de la matière vivante. (2)	Restriction basée sur l'impression que les composés de la matière vivante entrent dans une catégorie distincte.	Plusieurs composés organiques, tels que l'urée, la vitamine C et l'hormone de croissance, peuvent être synthétisés en laboratoire.	Examiner des produits synthétiques tels que la vitamine B ou C.

Les glucides			
Seules les sucreries contiennent du sucre. (0)	Restriction basée sur le goût des sucreries.	Un très grand nombre d'aliments contiennent des sucres simples ou des sucres complexes.	Goûter à divers aliments qui contiennent du sucre.
Le coca-cola contient plus de sucre que le ketchup. (1, 2)	Inférence basée sur le fait que le goût du coca-cola semble plus sucré que celui du ketchup.	Le ketchup contient près de trois fois plus de sucre que le coca-cola.	Lire la liste des ingrédients du coca-cola et du ketchup.
L'amidon et la cellulose ne sont pas des sucres. (3)	Inférence basée sur la différence entre le goût et la texture de l'amidon et de la cellulose, d'une part, et le goût et la texture du sucre de table, d'autre part.	L'amidon et la cellulose sont des sucres formés de plusieurs molécules de glucose.	– Examiner des schémas de molécules de divers sucres, d'amidon et de cellulose. – Noter le changement de goût d'un morceau de pain qui reste longtemps dans la bouche.
Tous les aliments de couleur pâle contiennent de l'amidon. (3)	Extension basée sur le fait que des aliments tels que le pain et la pomme de terre contiennent de l'amidon.	Un aliment comme la chair de la pomme, par exemple, ne contient pas d'amidon.	Laisser tomber une goutte d'iode sur du pain, des pommes de terre, des pommes, des haricots jaunes, etc.
Le lait ne contient pas de sucre. (2, 3)	Restriction basée sur la connaissance du goût et de l'apparence du sucre de table.	Le lait contient une assez grande proportion de lactose, sucre simple.	Faire chauffer un peu de lait dans une casserole.
Les lipides			
Le beurre ne peut être fabriqué qu'en usine. (0, 1)	Inférence basée sur l'impression que la fabrication du beurre fait intervenir un procédé complexe.	Il est facile de fabriquer du beurre en agitant de la crème.	Faire du beurre à partir de la crème.
Seuls les aliments à texture graisseuse, comme l'huile et le beurre, contiennent des matières grasses. (1, 2)	Restriction basée sur les propriétés évidentes des matières grasses.	De nombreux aliments, tels que les biscuits, les céréales pour le petit-déjeuner, les viandes et le lait, contiennent des matières grasses.	Lire la liste des ingrédients de divers aliments tout préparés.
La cire est le seul matériau avec lequel on puisse fabriquer une bougie. (2)	Restriction basée sur le matériau habituellement utilisé pour la fabrication de bougies.	Il est possible de fabriquer une bougie avec toute matière grasse solide.	Fabriquer une bougie avec du beurre ou de la margarine.

Une galette de bœuf haché conserve le même poids après la cuisson. (2)	Inférence basée sur l'impression que la cuisson ne change que la couleur et la texture de la viande.	Le poids d'une galette de bœuf haché est moindre après la cuisson, parce que de l'eau s'évapore et que des matières grasses fondent.	Peser une galette de bœuf haché avant et après la cuisson.
Les protéines			
Seuls la viande et le poisson contiennent des protéines. (1)	Restriction basée sur l'importance accordée à la viande et au poisson dans le régime alimentaire usuel.	Les produits laitiers, les céréales, les noix et plusieurs végétaux, tels que le soja, sont de bonnes sources de protéines.	Examiner un guide alimentaire.
Des végétaux comme le soja contiennent tous les acides aminés nécessaires à l'organisme. (2, 3)	Inférence basée sur la connaissance de l'importance de végétaux comme le soja dans la diète de végétariens.	Aucun végétal ne contient tous les acides aminés nécessaires à l'organisme et les végétariens doivent respecter certaines combinaisons alimentaires pour ne pas souffrir de carences alimentaires.	Lire un texte portant sur l'alimentation végétarienne.
Les vitamines et les minéraux			
L'alimentation des lapins leur permet d'avoir de très bons yeux. (1)	Extension basée sur le fait que les carottes contiennent de la vitamine A qui est importante pour la santé des yeux.	Malgré leur alimentation riche en vitamine A, les lapins n'ont pas une vue extraordinaire.	Lire un texte portant sur la vue des animaux.
Des surplus de vitamines et de minéraux causent des effets inverses de ceux qui sont engendrés par les carences (exemple : un surplus de vitamine A améliore la vision). (2)	Inférence basée sur la façon dont est parfois justifiée la consommation de vitamines.	Des surplus de vitamines et de minéraux ne causent pas d'effet inverse de ceux qui sont engendrés par les carences et peuvent même être toxiques.	Lire un texte portant sur les sources, les fonctions, les carences et les surplus de vitamines et de minéraux.
La peau produit de la vitamine C sous l'action du Soleil. (2)	Établissement d'un lien direct entre la vitamine C, souvent associée à la saveur de l'orange, et le Soleil.	La peau produit de la la vitamine D sous l'action du Soleil.	Lire un texte portant sur le rôle du Soleil dans le maintien de la santé.

	L'énergie et la respiration		
L'air expiré a la même composition que l'air inspiré. (1)	Formation d'une catégorie mentale générale pour l'air qui entre dans les poumons et pour celui qui en ressort.	L'air expiré contient plus de gaz carbonique et moins d'oxygène que l'air inspiré.	Placer une bougie allumée sous un pot renversé qui contient de l'air et une autre bougie allumée sous un pot identique qui contient de l'air expiré.
Toutes les formes de respiration nécessitent de l'oxygène. (3)	Extension, à toutes les formes de respiration, des connaissances usuelles sur la respiration.	La respiration anaérobie des muscles qui fournissent un effort intense ne nécessite pas d'oxygène.	Observer l'apparition de douleurs musculaires au cours d'un exercice soutenu.
Seuls les liquides utilisés pour fabriquer de la bière, du vin et des spiritueux peuvent fermenter. (3)	Restriction basée sur les fermentations les plus connues.	La plupart des liquides qui contiennent des sucres peuvent fermenter dans certaines conditions.	Placer des morceaux de carottes et de l'eau dans une bouteille dont l'embouchure est fermée par un ballon de caoutchouc.
L'oxygène que l'on respire ne va que dans les poumons. (2, 3)	Restriction basée sur le fait que l'oxygène est fréquemment associé aux poumons.	L'oxygène que l'on respire est acheminé par le sang à toutes les cellules du corps.	Regarder un documentaire ou lire un texte portant sur le rôle des globules rouges.

La transmission des caractères héréditaires

Conceptions fréquentes	Mécanismes d'élaboration	Concepts scientifiques	Exemples d'activités
	Le code génétique		
Les caractéristiques visibles d'un être vivant sont toujours identiques à son bagage génétique. (2)	Inférence basée sur l'impression que le phénotype est toujours directement lié au génotype.	Le bagage génétique d'un d'un être vivant comporte des caractéristiques non exprimées qui pourraient être visibles à la génération suivante.	Regarder des photos des membres de générations successives d'une même famille.
	Les chromosomes		
Tous les êtres vivants ont le même nombre de chromosomes. (2)	Restriction basée sur la connaissance du nombre de chromosomes des êtres humains.	Le nombre de chromosomes est très variable d'une espèce à l'autre.	Observer des photographies qui montrent l'ensemble des chromosomes de divers êtres vivants.

	L'hérédité		
Un homme et une femme qui ont les yeux bruns ne peuvent pas avoir d'enfants qui ont les yeux bleus. (1)	Inférence basée sur l'impression que le phénotype est toujours directement lié au génotype.	Un homme et une femme aux yeux bruns, qui possèdent l'allèle récessif des yeux bleus, peuvent avoir des enfants qui ont les yeux bleus.	Demander à des enfants qui ont les yeux bleus quelle est la couleur des des yeux de leur père et de leur mère.
Un homme ou une femme à la peau blanche ne peuvent pas être des Métis. (1)	Restriction basée sur l'impression que le génotype s'exprime toujours de façon évidente.	Certains Métis ont peu de caractéristiques visibles qui les distinguent des Blancs.	Regarder un documentaire portant sur les Métis.
Les caractéristiques d'un animal ou d'un être humain sont déterminées par le mélange du sang de ses parents. (2)	Inférence basée sur une conception fréquente des mécanismes de l'hérédité.	Les caractéristiques d'un animal ou d'un être humain sont déterminées par son bagage génétique.	Discuter du cas d'enfants qui ne ressemblent pas tellement à leur père ou à leur mère.

L'évolution

Conceptions fréquentes	Mécanismes d'élaboration	Concepts scientifiques	Exemples d'activités
	La théorie actuelle de l'évolution		
Toutes les espèces animales et végétales ont été créées telles qu'elles existent maintenant. (1)	Inférence basée sur les théories créationnistes de l'origine des espèces.	Toutes les espèces animales et végétales ont évolué à partir des premières cellules apparues sur la Terre.	Observer des fossiles de végétaux et d'animaux préhistoriques.
Les espèces évoluent en raison de la transmission des caractères acquis pendant la vie des individus. (2)	Inférence basée sur certaines croyances populaires concernant la transmission des caractères acquis.	Les espèces évoluent grâce au processus de la sélection naturelle.	Observer les petits de souris de laboratoire qui font, et ne font pas, d'exercice physique.
L'évolution se fait toujours nécessairement dans le sens d'une amélioration des espèces. (2, 3)	Inférence basée sur une façon fréquente de présenter la théorie de l'évolution.	Certaines espèces évoluent parfois dans le sens d'une simplification, comme le monotrope, plante qui a perdu sa chlorophylle au cours de son évolution.	Observer des monotropes (pipe d'Indien) qui poussent dans les sous-bois.
	L'histoire de la vie		
Les dinosaures furent les premiers êtres vivants sur Terre. (1)	Inférence basée sur le fait que les dinosaures sont les espèces préhistoriques les plus connues.	Lors de l'apparition des premiers dinosaures, la vie existait déjà sur Terre depuis plus de 4 milliards d'années.	Regarder un documentaire ou lire un texte portant sur l'évolution de la vie sur la Terre.

Les dinosaures et les êtres humains ont déjà cohabité sur la Terre. (1)	Inférence basée sur certaines bandes dessinées et certains films de science-fiction.	Les premiers êtres humains sont apparus plus de 60 millions d'années après la disparition des derniers dinosaures.	Examiner une échelle des temps géologiques.
	L'origine de la vie		
La vie provient d'une météorite tombée sur la Terre. (2)	Inférence basée sur certaines théories populaires concernant l'origine de la vie.	Bien que cette hypothèse soit plausible, il est plus probable que la vie soit apparue dans les océans.	Examiner la distance que des cellules venues d'ailleurs auraient dû parcourir, ainsi que les conditions dans lesquelles elles auraient voyagé.
	L'évolution de l'homme		
Les êtres humains sont les descendants d'une espèce de singe semblable à celle des chimpanzés. (1)	Inférence basée sur la croyance répandue que « l'homme descend du singe ».	Les êtres humains et les grands singes qui existent à l'heure actuelle ont un ancêtre commun qui vivait il y a plus de 15 millions d'années.	Lire un texte portant sur l'évolution des primates.

La classification des êtres vivants

Conceptions fréquentes	Mécanismes d'élaboration	Concepts scientifiques	Exemples d'activités
Les chauves-souris sont des oiseaux et les baleines sont des poissons. (1)	Inférence basée sur l'habitat et l'apparence extérieure des chauves-souris, des oiseaux, des baleines et des poissons.	Les chauves-souris et les baleines sont des mammifères.	Examiner des schémas de la physiologie de la chauve-souris, de l'oiseau, de la baleine et du poisson.
Les unicellulaires appartiennent au règne des animaux. (2)	Inférence basée sur l'observation de paramécies et d'amibes au microscope.	Les unicellulaires ne sont pas des animaux et font partie de règnes distincts.	Examiner un schéma du système de classification à cinq règnes.
Les champignons appartiennent au règne des végétaux. (2)	Inférence basée sur les ressemblances entre certains champignons et certaines plantes.	Les champignons ne sont pas des végétaux et font partie d'un règne distinct.	Lire un texte portant sur les caractéristiques des champignons et des végétaux.

Les virus et les micro-organismes

Conceptions fréquentes	Mécanismes d'élaboration	Concepts scientifiques	Exemples d'activités
		Les virus	
Il est facile d'attraper un rhume ou une grippe au pôle Nord. (1)	Extension basée sur le fait que nous attrapons plus souvent le rhume ou la grippe en hiver.	Il est rare que l'on attrape un rhume ou une grippe au pôle Nord, car c'est une région peu peuplée où le risque de contamination virale est faible.	Lire un texte portant sur le mode de transmission du rhume et de la grippe.
Les virus sont semblables aux bactéries et peuvent être éliminés par des antibiotiques. (2)	Formation d'une catégorie mentale générale pour tous les « microbes ».	Les antibiotiques, efficaces contres les bactéries, ne sont d'aucune utilité contre les virus.	Regarder un documentaire ou lire un texte portant sur l'efficacité des antibiotiques contre les rhumes et les grippes.
Les médicaments nous permettent de guérir d'une grippe. (2)	Inférence basée sur une façon courante de décrire l'action des médicaments contre la grippe.	Les médicaments ne permettent que d'atténuer les symptômes d'une grippe.	Lire les étiquettes de médicaments courants contre la grippe.
Un vaccin est l'injection d'un médicament dans l'organisme. (2)	Extension basée sur le mode d'action des médicaments les plus connus.	Un vaccin est l'injection d'un virus atténué qui entraîne la production d'anticorps par l'organisme.	Regarder un documentaire ou lire un texte portant sur le mode d'action des vaccins.
		Les unicellulaires sans noyau	
Toutes les bactéries sont nuisibles. (1)	Restriction basée sur la connaissance de bactéries dangereuses.	Il existe des bactéries utiles, comme celles qui sont utilisées dans la fabrication du yaourt et du fromage.	Examiner les étiquettes de diverses marques de yaourt et de fromage.
Tous les êtres vivants ont besoin d'oxygène pour vivre. (2)	Extension basée sur le fait que les êtres vivants les mieux connus ont besoin d'oxygène pour vivre.	Il existe des bactéries anaérobies qui peuvent vivre sans oxygène.	Regarder un documentaire ou lire un texte portant sur les bactéries.
		Les unicellulaires avec noyau	
Les protozoaires sont des animaux minuscules qui possèdent des yeux, un cœur et des membres. (1)	Inférence basée sur l'impression que tous les êtres vivants mobiles possèdent des organes équivalents.	Les protozoaires sont des organismes unicellulaires.	Examiner des amibes, des paramécies et des cellules de divers tissus humains au microscope.

Le plancton est constitué de grosses plantes que les baleines mangent. (1)	Établissement d'un lien direct entre la grosseur de la baleine et la grosseur de ses aliments.	Le plancton est constitué d'organismes unicellulaires microscopiques.	Examiner des photographies des organismes qui constituent le plancton.
Le corail est une structure rocheuse qui se trouve au fond des océans. (2)	Formation d'une catégorie mentale générale pour toutes les formations à base de composés minéraux.	Le corail est composé de l'accumulation des squelettes calcaires des polypes, petits animaux marins.	Regarder un documentaire ou lire un texte portant sur la formation des récifs de corail.
Seules les plantes font de la photosynthèse. (2)	Restriction basée sur les organismes qui sont le plus souvent mentionnés lorsqu'il est question de photosynthèse.	Il existe des unicellulaires qui font de la photosynthèse: les protophytes ou algues unicellulaires.	Observer des algues unicellulaires au microscope.

Les champignons

Conceptions fréquentes	Mécanismes d'élaboration	Concepts scientifiques	Exemples d'activités
Toutes les moisissures sont toxiques. (1)	Extension basée sur la toxicité de certaines moisissures.	Certaines moisissures sont comestibles, telles que les moisissures qui entrent dans la fabrication de certains fromages.	Manger un morceau de roquefort.
Tous les champignons sont relativement gros, semblables aux champignons comestibles communs. (1, 2)	Formation d'une catégorie mentale générale pour tous les champignons.	Il existe des champignons de très petite taille.	Observer des moisissures et des levures à la loupe et au microscope.
Les moisissures apparaissent spontanément sur des aliments humides. (2)	Inférence basée sur l'impression que rien ne semble se déposer sur les aliments qui moisissent.	Les aliments laissés à l'air libre moisissent en raison des spores transportées par l'air.	Observer des aliments en conserve dans des pots de verre et des aliments laissés à l'air libre.
Les levures et les moisissures ne sont utiles que pour la fabrication du pain, de la bière et de certains fromages. (2)	Restriction basée sur les usages les plus connus des levures et des moisissures.	Les bactéries meurent autour de l'endroit où la goutte de pénicilline a été déposée.	Placer une goutte de pénicilline dans un milieu de culture qui contient des bactéries.
Le lichen est une sorte de mousse. (2)	Formation d'une catégorie mentale générale pour toutes les petites plantes qui poussent sur les rochers et les troncs d'arbre.	Le lichen est une association entre une algue microscopique et un champignon.	Observer du lichen et de la mousse au microscope.

Les végétaux

Conceptions fréquentes	Mécanismes d'élaboration	Concepts scientifiques	Exemples d'activités
	L'embranchement des bryophytes		
Toutes les espèces d'algues vivent dans la mer. (2)	Restriction basée sur l'habitat le plus connu des algues.	Il existe des espèces d'algues qui vivent dans les eaux douces et d'autres espèces qui vivent sur des rochers ou des troncs d'arbres.	Observer la variété des végétaux qui vivent sur des rochers et des troncs d'arbres.
	L'embranchement des ptéridophytes		
Les fougères et les prèles peuvent produire des fleurs, des fruits et des graines. (1)	Extension, à toutes les plantes, des caractéristiques des plantes à fleurs.	Les fougères ne se reproduisent pas au moyen de fruits et de graines, mais au moyen de spores.	Observer des fougères et des prèles à diverses périodes de l'année.
Les spores sont de petits fruits. (1, 2)	Formation d'une catégorie mentale générale pour tout ce qui permet la reproduction.	Les spores sont de minuscules paquets de cellules sans structure définie.	Observer des spores au microscope.
Les taches brunes sous les feuilles des fougères sont des moisissures. (1)	Extension aux fougères de la nature fréquente de taches sur les plantes.	Les taches brunes sous les feuilles de fougères sont des spores.	Observer des spores au microscope.
	L'embranchement des spermaphytes		
Tous les arbres perdent leurs feuilles à l'automne. (0)	Extension basée sur le fait que les arbres les plus connus perdent leurs feuilles à l'automne.	La plupart des conifères ont des feuilles persistantes.	Observer des pins, des sapins et des épinettes en automne et en hiver.
Tous les conifères gardent leurs aiguilles en hiver. (1)	Extension basée sur le fait que la plupart des conifères gardent leurs aiguilles en hiver.	Certains conifères, tels que le mélèze, perdent leurs aiguilles à l'automne.	Observer des mélèzes en automne et en hiver.
Les conifères n'ont pas de feuilles et, par conséquent, pas de chlorophylle. (2)	Inférence basée sur l'impression que les aiguilles des conifères n'ont rien en commun avec les feuilles des arbres feuillus.	Les aiguilles sont de petites feuilles recouvertes d'une couche protectrice.	Observer des aiguilles de conifères au microscope.
Les samares qui tombent des érables sont des feuilles mortes qui ne servent à rien. (0)	Formation d'une catégorie mentale générale pour tout ce qui tombe des arbres.	Les samares contiennent les graines qui permettent la reproduction de l'arbre.	Faire germer la graine qui se trouve à l'intérieur de la samare.

Les plantes à fleurs sont toutes semblables à des tulipes, des roses ou des marguerites. (1)	Formation d'une catégorie mentale générale pour toutes les plantes à fleurs.	Il existe des plantes à fleurs très différentes des fleurs de jardin.	Observer des arbres, tels que le pommier ou l'érable, et des plantes, telles que le cactus, à diverses périodes de l'année.
Tous les feuillus perdent leurs feuilles en automne. (1, 2)	Extension basée sur le fait que les feuillus les plus connus perdent leurs feuilles à l'automne.	Il existe des feuillus à feuillage persistant, tels que le houx et le rhododendron.	Observer du houx en hiver.
La pomme de terre, la tomate, l'aubergine et le tabac ne peuvent faire partie de la même famille. (2)	Inférence basée sur le fait que les parties comestibles de la pomme de terre, de la tomate et de l'aubergine sont très différentes.	La classification des plantes à fleurs est basée principalement sur les caractéristiques des fleurs, qui sont semblables.	Observer les fleurs de la pomme de terre, de la tomate, de l'aubergine et du tabac ainsi qu'un tableau de classification.

La biologie végétale

Conceptions fréquentes	Mécanismes d'élaboration	Concepts scientifiques	Exemples d'activités
	L'anatomie végétale		
Le poids d'un fruit laissé à l'air libre est toujours le même. (1)	Inférence basée sur le fait que la forme et la couleur du fruit restent les mêmes tant qu'il ne moisit pas.	Le poids d'un fruit diminue à mesure que l'eau qu'il contient s'évapore.	Peser, tous les jours, une orange laissée à l'air libre.
Les rhizomes, les tubercules et les bulbes sont des parties des racines. (2)	Formation d'une catégorie mentale générale pour toutes les parties souterraines des plantes.	Les rhizomes, les tubercules et les bulbes sont des tiges souterraines.	Lire un texte portant sur l'anatomie végétale.
Le bois est une substance minérale, comme de la roche. (1)	Inférence basée sur l'impression que le bois est dur comme du plastique ou de la pierre.	Le bois est formé de couches de cellules mortes renforcées par une substance qui les rend rigides.	Observer un petit morceau de bois au microscope.
Tout le tronc d'un arbre est formé de cellules vivantes. (3)	Formation d'une catégorie mentale générale pour toutes les parties d'un être vivant.	Seule une mince couche située entre l'écorce et le tronc est formée de cellules vivantes. Tout le reste du tronc est composé de cellules mortes.	Observer un arbre coupé.

La photosynthèse			
Le seul rôle des végétaux, pour le maintien de la vie animale, est d'être une source de nourriture. (1)	Restriction basée sur le rôle le plus connu des végétaux.	L'un des rôles les plus importants des plantes est de produire l'oxygène qui permet aux animaux de respirer.	Placer un insecte dans un pot fermé qui contient des plantes séchées, et un autre insecte dans un pot fermé qui contient des plantes vivantes.
Les plantes utilisent et rejettent les mêmes gaz que le système respiratoire des animaux. (1)	Extension, aux plantes, de la respiration animale.	La plante utilise du gaz carbonique et rejette de l'oxygène.	Recueillir dans une éprouvette les gaz produits par une plante aquatique et placer la flamme d'une allumette dans l'embouchure de l'éprouvette.
Les plantes ne peuvent pas manger d'animaux. (1)	Restriction basée sur le mode de vie des plantes les plus connues.	Il existe des plantes carnivores qui puisent certains composés dans le corps de certains insectes.	Observer des plantes carnivores.
La respiration des animaux et des êtres humains finira par épuiser l'oxygène de l'air. (1)	Inférence basée sur le fait que les besoins en oxygène de tous les animaux et êtres humains de la Terre sont considérables.	Les plantes et les algues unicellulaires renouvellent constamment l'oxygène de l'air.	Regarder un documentaire ou lire un texte portant sur le rôle du phytoplancton et des végétaux.
Les plantes n'ont pas besoin d'oxygène, elles ne font qu'en produire. (2)	Restriction basée sur le fait que les plantes sont souvent présentées comme des producteurs d'oxygène.	Pendant la nuit, les plantes utilisent un peu d'oxygène et rejettent un peu de gaz carbonique.	Se documenter sur la raison pour laquelle il ne faut pas laisser trop de plantes dans la chambre d'une personne malade.
Les végétaux puisent leur nourriture dans le sol. (2, 3)	Inférence basée sur l'impression que les racines sont le système digestif de la plante et sur l'importance accordée aux engrais.	La matière dont est formée une plante provient surtout de l'eau et du gaz carbonique.	– Peser la terre d'un pot avant et après la croissance d'une plante. – Lire un texte portant sur la photosynthèse.
La chlorophylle des arbres feuillus change de couleur à l'automne. (2)	Inférence basée sur l'impression que la chlorophylle est le seul pigment des arbres feuillus.	La chlorophylle disparaît à l'automne et les pigments secondaires deviennent visibles.	Lire un texte portant sur la photosynthèse.
Les systèmes de transport			
Les plantes ont un cœur qui pompe la sève. (0)	Extension basée sur la façon dont le sang circule dans le corps des animaux.	La sève monte dans la plante grâce à la capillarité et à la traction de transpiration de la sève des feuilles.	Disséquer une plante et observer son anatomie.

La rosée est la transpiration des plantes. (1)	Établissement d'un lien direct entre la rosée et l'eau transpirée par le corps humain.	La rosée est formée par de la vapeur d'eau de l'atmosphère qui condense au cours de la nuit.	Placer une plante dans un endroit très chaud.
La sève monte jusqu'aux feuilles uniquement par capillarité. (2, 3)	Inférence basée sur l'impression que la capillarité est le seul mécanisme qui puisse expliquer la montée de la sève.	La capillarité ne peut faire monter l'eau que de quelques centimètres et la traction de transpiration est donc nécessaire.	– Tremper dans l'eau l'extrémité de tubes capillaires de différents diamètres. – Lire un texte portant sur les systèmes de transport des végétaux.
La croissance des plantes			
Les plantes sont des êtres inertes, qui ne réagissent pas à leur environnement. (1)	Inférence basée sur l'impression que les plantes sont immobiles et ne semblent pas posséder de sens (vue, ouïe, odorat, goût, toucher) comme les animaux.	L'existence d'un phototropisme, d'un géotropisme et d'un hydrotropisme montre que la plante réagit à son environnement.	– Observer la croissance de plantes éclairées d'un seul côté. – Observer la croissance de plantes retournées pour que les racines soient vers le haut. – Observer la croissance de racines placées dans un pot dont on n'arrose qu'un côté.
Une plante n'a besoin que d'eau pour grandir. (1)	Restriction basée sur une condition importante de la croissance d'une plante.	Plusieurs facteurs, tels que les engrais et la quantité de lumière, peuvent avoir un impact sur la croissance d'une plante.	Faire pousser diverses plantes en faisant varier la quantité d'eau, de lumière et d'engrais ainsi que la température ambiante.
Un obstacle peut facilement empêcher une graine de germer et une plante de pousser. (1)	Restriction basée sur l'impression qu'une petite pousse est très fragile.	La pression exercée par l'augmentation du volume d'une plante est considérable.	– Faire germer une graine de haricot sous une pièce de monnaie. – Observer de jeunes pousses de plantes dans les fentes d'un trottoir.
Une plante verte grandit surtout grâce à l'allongement de la tige. (2, 3)	Extension basée sur le fait que le tronc des arbres âgés est plus long que celui des jeunes arbres.	Une plante pousse plus rapidement aux extrémités et le feuillage pousse à un rythme plus rapide que la tige.	Mesurer régulièrement sur une plante la longueur de la tige et de ses ramifications.

La structure des fleurs			
Les fleurs de toutes les plantes possèdent un pistil et des étamines. (2)	Extension, à toutes les plantes, de la structure de certaines fleurs bien connues.	Certaines plantes ont des fleurs qui ne renferment qu'un pistil ou que des étamines.	Observer plusieurs espèces de fleurs d'un jardin.
Toutes les fleurs sont des fleurs uniques semblables aux fleurs du rosier. (2)	Formation d'une catégorie mentale générale pour tous les types d'inflorescence.	Il existe des fleurs uniques, en capitule, en épi, en ombelle et en grappe.	Observer les fleurs de plusieurs espèces de plantes.
La pollinisation et les graines			
La pollinisation par les insectes est équivalente à l'autofécondation à l'intérieur d'une même fleur. (2)	Inférence basée sur l'impression que tous les grains de pollen d'une même espèce de fleurs sont identiques.	La pollinisation croisée, qui résulte en bonne partie du transport de pollen par les insectes, produit des variations génétiques importantes pour la santé des espèces de plantes.	Regarder un documentaire ou lire un texte portant sur l'autofécondation et la pollinisation croisée.
Les fruits			
La tomate, le concombre ou les haricots sont des légumes et non des fruits. (1, 2)	Inférence basée sur la façon usuelle de désigner la partie comestible de certaines plantes.	La formation des tomates, des concombres et des haricots résulte de la fécondation des fleurs et il s'agit donc de fruits. De plus, le terme *légume* peut difficilement être défini de façon univoque.	– Observer la formation des tomates, des concombres et des haricots dans un jardin. – Lire un texte portant sur la définition des termes *fruit* et *légume*.
Tous les fruits sont des fruits simples, comme le bleuet ou la cerise. (2)	Formation d'une catégorie mentale générale pour tous les fruits.	Il existe des fruits simples, des fruits multiples, des fruits composés et des faux fruits.	Observer l'anatomie des fleurs et des fruits du bleuet, de la cerise, de l'orange, de l'ananas et de la fraise.
Pour faire pousser des bananes, on utilise les graines noires qui sont à l'intérieur. (2)	Extension basée sur la présence de vraies graines dans presque tous les fruits.	Les points noirs de la chair des bananes sont des ovules avortés. La fécondation ne se fait plus chez les bananes et on utilise des techniques de reproduction asexuée.	Essayer de faire germer les graines noires qui sont à l'intérieur des bananes.

Les animaux

Conceptions fréquentes	Mécanismes d'élaboration	Concepts scientifiques	Exemples d'activités
	L'embranchement des spongiaires		
Certains invertébrés simples, comme l'éponge, sont des végétaux. (1)	Inférence basée sur l'apparence extérieure de certains invertébrés simples.	L'anatomie des invertébrés simples est très différente de celle des végétaux.	Examiner des schémas de l'anatomie de végétaux et d'invertébrés simples.
	L'embranchement des annélides		
Les vers de terre aiment se chauffer au soleil. (0)	Inférence basée sur la ressemblance entre la forme du ver de terre et celle du serpent.	Les vers de terre ne peuvent survivre que dans un milieu humide, à l'abri des rayons du Soleil.	Observer des vers de terre qui sont restés exposés au soleil après l'évaporation de l'eau d'une pluie.
Les vers et les chenilles appartiennent à la même famille. (1)	Inférence basée sur l'apparence extérieure des vers et des chenilles.	Les vers conservent la même forme toute leur vie, tandis que les chenilles connaissent des métamorphoses, ce qui les situe dans des familles très différentes.	Observer des vers et des chenilles pendant une assez longue période.
	L'embranchement des mollusques		
Les mollusques sont tous de petits animaux comme l'escargot, la limace et la moule. (1)	Restriction basée sur la taille des mollusques les plus courants.	L'anatomie de l'escargot, de la limace, de la pieuvre et du calmar est semblable.	Examiner des schémas de l'anatomie d'animaux tels que l'escargot, la limace, la pieuvre et le calmar.
	L'embranchement des arthropodes		
L'araignée et le mille-pattes sont des insectes. (1)	Formation d'une catégorie mentale générale pour tous les petits animaux qui ressemblent à des insectes.	L'araignée est un arachnide et le mille-pattes un myriapode.	Compter le nombre de pattes de quelques arthropodes et insectes.
Toutes les araignées sont vénéneuses. (1)	Extension, à toutes les araignées, des caractéristiques de certaines araignées dangereuses.	Plusieurs espèces d'araignées sont inoffensives.	Prendre une faucheuse dans sa main.
Le mille-pattes possède réellement mille pattes. (1)	Établissement d'un lien direct entre le nom du mille-pattes et son nombre de pattes.	Les mille-pattes les plus communs ont environ 200 pattes.	Compter le nombre de pattes d'un mille-pattes.

Un fil d'araignée est beaucoup moins solide qu'un fil d'acier de la même grosseur. (2)	Inférence basée sur le fait qu'il est facile de briser une toile d'araignée.	La soie d'araignée est l'un des matériaux les plus résistants au monde.	Exercer une traction sur un fil d'araignée et un fil d'acier de la même grosseur.
Les insectes ne sont pas des animaux. (0, 1)	Restriction basée sur l'impression que les animaux sont nécessairement plus gros.	Les insectes, les araignées, les mille-pattes et les vers sont tous des animaux.	Examiner un schéma de la classification des êtres vivants.
La luciole émet de la lumière pour voir où elle va la nuit. (1)	Inférence basée sur une des raisons pour laquelle les êtres humains utilisent des sources de lumière la nuit.	La luciole émet de la lumière pour attirer des partenaires.	Lire un texte portant sur la luciole.
Les pattes d'un insecte sont reliées aux trois parties de son corps. (1)	Inférence basée sur l'établissement d'un lien entre les trois parties du corps et les trois paires de pattes.	Les six pattes d'un insecte sont reliées à son thorax.	Observer les pattes de plusieurs espèces d'insectes.
La luciole peut électrocuter. (1)	Établissement d'un lien direct entre la présence de lumière et la présence d'un courant électrique.	La luciole produit de la lumière au moyen d'une réaction chimique.	Prendre des lucioles dans ses mains.
Le battement de ses ailes et son faible poids permettent à la mouche de marcher au plafond. (1)	Établissement d'un lien direct entre le battement des ailes, le faible poids de la mouche et le fait qu'elle puisse marcher au plafond.	L'extrémité des pattes de la mouche comporte de petites griffes et des coussinets gluants.	Observer le bout des pattes d'une mouche à la loupe ou au microscope.
Le nombre d'espèces d'insectes est relativement petit, de l'ordre de quelques dizaines. (2)	Inférence basée sur le fait que les insectes sont souvent désignés par le nom de leur famille (ex. : papillon) plutôt que par le nom de leur espèce.	Il existe plus d'un million d'espèces d'insectes, et l'on découvre environ 10 000 espèces nouvelles par année.	Regarder un documentaire ou lire un texte portant sur les insectes.
Les chenilles ont un grand nombre de paires de pattes. (1, 2)	Extension basée sur une observation rapide des chenilles.	Les chenilles, comme tous les insectes, n'ont que trois paires de vraies pattes.	Observer attentivement les chenilles de diverses espèces d'insectes.
L'embranchement des échinodermes			
Les oursins peuvent lancer leurs épines comme des dards. (1)	Inférence basée sur une croyance populaire au sujet des animaux munis d'épines.	Les épines ne sont qu'une protection passive.	Regarder un documentaire ou lire un texte portant sur les échinodermes.

L'embranchement des cordés : les poissons			
Les poissons possèdent des poumons. (0, 1)	Extension, à tous les vertébrés, du système respiratoire des amphibiens, des reptiles et des mammifères.	Les poissons ne possèdent pas de poumons, mais des branchies.	Disséquer un poisson et observer son système respiratoire.
Les poissons ne peuvent pas sentir. (1)	Restriction basée sur le fait que les poissons ne semblent pas avoir de narines.	Les poissons sont munis de deux petites narines et de cellules olfactives.	Disséquer un poisson et observer ses narines.
Les anguilles sont des serpents qui vivent dans l'eau. (1)	Formation d'une catégorie mentale générale pour les animaux longilignes.	Les anguilles sont des poissons et les serpents sont des reptiles.	Examiner des schémas de l'anatomie des anguilles et des serpents.
Tous les poissons ont un squelette osseux. (2)	Extension, à tous les poissons, du type de squelette des poissons les plus connus.	Le requin possède un squelette cartilagineux.	Observer le squelette d'un requin.
L'embranchement des cordés : les amphibiens			
Le crapaud est le mâle de la grenouille. (0)	Inférence basée sur une croyance populaire au sujet du crapaud.	Le crapaud et la grenouille sont deux espèces différentes d'amphibiens.	Observer des crapauds et des grenouilles qui se reproduisent.
Les amphibiens se reproduisent et se développent de la même façon que les reptiles. (1, 2)	Formation d'une catégorie mentale générale pour tous les animaux à sang froid.	Tous les amphibiens, contrairement aux reptiles, doivent passer les premiers temps de leur vie dans l'eau.	Regarder un documentaire ou lire un texte portant sur la reproduction et le développement des amphibiens et des reptiles.
L'embranchement des cordés : les reptiles			
Tous les reptiles mettent leurs petits au monde comme des mammifères. (0, 1)	Extension, aux reptiles, d'une caractéristique des mammifères.	Les reptiles pondent des œufs.	Regarder un documentaire ou lire un texte portant sur les reptiles.
Si l'on pose un caméléon sur du papier fleuri, il deviendra fleuri. (0, 1)	Extension basée sur le fait que la peau des caméléons peut changer de couleur.	Le changement de couleur ne permet pas de reproduire un motif défini.	Regarder un documentaire ou lire un texte portant sur le caméléon.
Les reptiles sont des animaux à sang chaud, comme les mammifères. (2)	Extension, aux reptiles, d'une caractéristique des mammifères.	Les reptiles sont des animaux à sang froid et la température de leur corps n'est pas constante.	– Observer des reptiles qui s'exposent aux rayons du soleil. – Lire un texte portant sur les reptiles.

Les œufs des reptiles sont semblables à ceux des amphibiens. (2)	Formation d'une catégorie mentale générale pour les œufs de tous les animaux à sang froid.	Les œufs des reptiles, contrairement à ceux des amphibiens, sont des œufs amniotiques hermétiquement clos, ce qui rend les reptiles mieux adaptés à une vie sur la Terre ferme.	Observer des œufs de reptiles et d'amphibiens.
Il est impossible qu'un reptile mette au monde un petit qui ne soit pas dans un œuf. (2, 3)	Extension, à tous les reptiles, de fait que la plupart des reptiles sont ovipares.	Il existe aussi des reptiles ovovivipares, tels que la vipère, dont la femelle conserve les œufs dans son corps jusqu'à ce qu'ils éclosent.	Regarder un documentaire ou lire un texte portant sur la vipère.
	L'embranchement des cordés: les oiseaux		
Tous les oiseaux peuvent voler. (0)	Extension basée sur le fait que la plupart des oiseaux peuvent voler.	Certaines espèces d'oiseaux, tels que l'autruche, l'émeu et le manchot, ne peuvent pas voler.	Observer des coqs, des autruches et des pingouins.
Les oiseaux sont plus légers que l'air. (1)	Inférence basée sur l'impression que tout ce qui vole est moins dense que l'air.	La masse volumique d'un oiseau est beaucoup plus grande que celle de l'air.	Comparer la masse volumique d'un oiseau à la masse volumique de l'air.
Tous les oiseaux ont une durée de vie relativement courte. (1)	Restriction basée sur la durée de vie des moineaux et d'autres oiseaux bien connus.	Certaines espèces d'oiseaux, telles que le perroquet, ont une longévité qui se compte en dizaines d'années.	Consulter un tableau qui donne la longévité de certaines espèces d'oiseaux.
Seuls les oiseaux sont migrateurs. (2)	Restriction basée sur le fait que les animaux migrateurs les plus connus sont des oiseaux.	Il existe aussi des espèces de poissons et d'insectes migrateurs.	Regarder un documentaire ou lire un texte portant sur les migrations de certains insectes et poissons.
Les flamants roses sont naturellement roses. (2, 3)	Inférence basée sur l'origine de la couleur de la plupart des oiseaux.	La couleur des flamants roses provient d'un pigment présent dans les crevettes qui constituent l'essentiel de leur alimentation.	Lire un texte portant sur les flamants roses.
	L'embranchement des cordés: les mammifères		
Les vaches sont les seuls animaux qui produisent du lait. (0)	Restriction basée sur l'animal qui produit le lait vendu dans les épiceries.	Tous les mammifères femelles produisent du lait et allaitent leurs petits.	Observer des mammifères qui prennent soin de leurs petits.

Un animal qui pond des œufs ne peut pas être un mammifère. (1, 2)	Restriction basée sur l'impression que les poissons, les amphibiens, les reptiles et les oiseaux sont les seuls vertébrés qui pondent des œufs.	Il existe trois espèces de mammifères qui pondent des œufs.	Regarder un documentaire ou lire un texte portant sur les monotrèmes.
La poche ventrale des marsupiaux sert simplement à transporter et à tenir au chaud les petits. (1)	Restriction basée sur le rôle de la poche ventrale dans les histoires et les contes pour enfants.	La poche ventrale des marsupiaux permet surtout le développement des petits qui naissent incomplètement développés.	Regarder un documentaire ou lire un texte portant sur les marsupiaux.
Les moutons et les vaches sont toujours en train de manger. (1)	Établissement d'un lien direct entre le fait que les moutons et les vaches mastiquent presque constamment et le fait de manger.	Les moutons et les vaches sont des ruminants qui mastiquent une deuxième fois la nourriture déjà ingérée.	Regarder un documentaire ou lire un texte portant sur les ruminants.
La mouffette se défend en arrosant avec son urine. (1)	Formation d'une catégorie mentale générale pour le liquide avec lequel la mouffette se défend et l'urine.	Le liquide nauséabond de la mouffette n'est pas de l'urine et est produit par une glande située dans son abdomen.	Examiner un schéma de l'anatomie de la mouffette.
Les gorilles sont les plus proches parents des êtres humains. (2)	Inférence basée sur l'impression que la taille des gorilles est une caractéristique déterminante de la parenté avec les êtres humains.	Les chimpanzés sont les plus proches parents des êtres humains.	Regarder un documentaire portant sur l'évolution des primates et des êtres humains.

La biologie animale

Conceptions fréquentes	Mécanismes d'élaboration	Concepts scientifiques	Exemples d'activités
	L'alimentation		
Les animaux sont herbivores, carnivores ou omnivores. (1, 2)	Inférence basée sur les régimes alimentaires les plus connus.	Il existe également des animaux suceurs, détritivores, filtreurs et saprophages.	Observer en quoi consiste le régime alimentaire des pucerons, des holothuries, des baleines et des vers de terre.
	Les dents et les mâchoires		
Les dents sont des morceaux de matière minérale inerte. (1)	Inférence basée sur la dureté des dents.	Malgré sa dureté, la dent est un organe irrigué par des vaisseaux sanguins.	Examiner un schéma d'une dent humaine.

		L'appareil digestif	
Seul l'estomac est impliqué dans la digestion. (0, 1)	Restriction basée sur l'organe le plus connu du système digestif.	Le système digestif comprend plusieurs organes, dont l'estomac, les intestins, le foie et le pancréas.	Examiner un schéma de l'appareil digestif.
Une vache mâche toujours l'herbe qu'elle vient d'avaler. (1)	Formation d'une catégorie mentale générale pour le système digestif de tous les mammifères.	La vache, qui est un ruminant, mâche souvent de la nourriture régurgitée.	Examiner un schéma de l'appareil digestif d'une vache.
La salive sert uniquement à humecter les aliments. (2)	Inférence basée sur le rôle le plus évident de la salive.	Le goût du pain devient plus sucré à mesure qu'une enzyme de la salive commence à digérer l'amidon.	Manger de petits morceaux de pain blanc.
Seuls l'estomac et l'intestin sont impliqués dans la digestion. (2)	Inférence basée sur l'impression que le système digestif n'est constitué que des organes à l'intérieur desquels passent les aliments.	D'autres organes, tels que le foie, la vésicule biliaire et le pancréas, jouent un rôle important dans la digestion.	Examiner un schéma de l'appareil digestif.
		Les échanges gazeux	
Les poissons ne respirent pas. (0)	Restriction basée sur le fait que l'eau ne semble pas contenir d'air.	Les poissons respirent l'air dissous dans l'eau.	Regarder un documentaire portant sur les poissons.
Les poissons remontent à la surface de l'eau pour respirer. (0)	Inférence basée sur le fait que l'eau ne semble pas contenir d'air.	Les poissons respirent l'air dissous dans l'eau.	Observer le comportement des poissons d'un aquarium.
Tous les animaux possèdent des poumons. (1)	Extension, à tous les animaux, du système respiratoire des amphibiens, des reptiles et des mammifères.	De nombreuses espèces d'animaux, tels que les vers, les insectes et les poissons, n'ont pas de poumons.	Examiner le schéma du système respiratoire de diverses espèces d'animaux.
Un insecte tombé à l'eau peut respirer pourvu qu'il ait la tête hors de l'eau. (1)	Extension, à tous les animaux, de la façon dont les amphibiens, les reptiles et les mammifères respirent.	La présence d'orifices respiratoires sur tout le corps d'un insecte risque de causer sa mort par noyade s'il tombe à l'eau.	Examiner le schéma du système trachéen d'un insecte.
Les branchies permettent au poisson d'extraire l'oxygène dont sont constituées les molécules d'eau (H_2O). (2)	Inférence basée sur l'impression qu'il est facile de séparer les atomes d'oxygène des atomes d'hydrogène.	Le poisson respire de l'air dissous dans l'eau, et non l'oxygène des molécules d'eau.	Observer le fonctionnement de la pompe d'un aquarium.

Les grenouilles ont la peau gluante pour échapper à leurs prédateurs. (2)	Inférence basée sur une utilité secondaire de la peau gluante.	La grenouille respire par ses poumons mais aussi par sa peau, qui doit demeurer humide pour que se produisent les échanges gazeux.	Lire un texte portant sur le système respiratoire de la grenouille.
	Les poumons		
Chez l'être humain, l'inhalation se fait seulement grâce à la dilatation de la cage thoracique. (2)	Restriction basée sur le fait que la cage thoracique est mieux connue et plus visible que le diaphragme.	Le diaphragme joue un rôle important dans l'inhalation.	– Observer son thorax et son abdomen pendant la respiration. – Lire un texte portant sur la respiration pulmonaire.
	Le cœur		
Tous les animaux ont un (et un seul) cœur. (0, 1)	Restriction basée sur l'anatomie des animaux les plus connus.	Certains animaux, tels que les éponges, n'ont pas de cœur, tandis que d'autres animaux, tels que les vers de terre, en ont dix.	Examiner l'anatomie de plusieurs espèces d'animaux.
Le cœur humain a la forme d'un cœur de la Saint-Valentin. (0, 1)	Inférence basée sur une représentation fréquente du cœur.	Le cœur a plutôt la forme d'une grosse pomme de terre.	Examiner un schéma du système vasculaire.
Seul le stéthoscope d'un médecin permet d'entendre les battements du cœur. (1)	Restriction basée sur l'impression que le stéthoscope d'un médecin est un appareil électronique complexe.	Il est possible d'entendre les battements du cœur en collant son oreille contre le thorax d'une autre personne ou en utilisant un stéthoscope rudimentaire.	Écouter les battements du cœur à l'aide d'un entonnoir placé sur le cœur et d'un tube de caoutchouc qui va du bec de l'entonnoir à l'oreille.
Tout le cœur humain se contracte en même temps. (2)	Inférence basée sur l'impression que chaque battement correspond à une contraction de tout le cœur.	Les cavités du cœur humain se contractent suivant une séquence déterminée.	Regarder un film d'animation portant sur les battements du cœur de l'être humain.
	L'appareil circulatoire		
Tout le sang qui arrive au cœur est le produit de la digestion des aliments. (2, 3)	Inférence basée sur l'impression que la circulation ne forme pas un circuit fermé et que les veines ne sont pas reliées aux artères.	La quantité de sang qui passe par le cœur chaque jour est beaucoup plus grande que le volume des aliments ingérés, et l'appareil circulatoire forme un circuit fermé.	Calculer la quantité approximative de sang qui passe par le cœur chaque jour.

Le sang circule dans tout le corps humain en une seule boucle. (2, 3)	Restriction basée sur la structure des circuits fermés les plus simples.	Contrairement aux poissons, par exemple, les oiseaux et les mammifères possèdent un système circulatoire à deux boucles : une pour les poumons et l'autre pour le reste de l'organisme.	Comparer des schémas de la circulation sanguine des poissons, des oiseaux et des mammifères.
On peut entendre le bruit de la mer dans un coquillage. (2)	Inférence basée sur le fait que, dans un coquillage, on entend le bruit d'un liquide qui circule.	Le coquillage amplifie et réfléchit le bruit du sang qui circule dans notre propre oreille.	– Écouter les bruits que l'on entend dans un coquillage. – Lire un texte portant sur la circulation du sang.
		Le sang	
Les plaies cessent de saigner parce que la peau repousse immédiatement. (1)	Inférence basée sur le fait que de la peau finit éventuellement par recouvrir une plaie.	Les plaies cessent de saigner grâce aux plaquettes du sang qui servent à la coagulation.	– Observer une plaie qui guérit. – Lire un texte portant sur la composition du sang.
Le sang est un liquide rouge uniforme. (2)	Inférence basée sur l'apparence du sang.	Le sang est constitué de sérum, de globules rouges, de globules blancs et de plaquettes.	Lire un texte portant sur la composition du sang.
La principale fonction du sang est de transporter des nutriments. (2, 3)	Restriction basée sur l'impression que le sang est semblable à la sève des arbres.	La principale fonction du sang est d'amener l'oxygène dans toutes les parties du corps.	Lire un texte portant sur les fonctions du sang.
		Combattre la maladie	
Les seuls micro-organismes contre lesquels l'organisme doit se défendre sont les bactéries et les virus. (3)	Restriction basée sur la connaissance des seuls bactéries et virus.	L'organisme doit parfois se défendre contre des champignons et contre des protistes tels que les amibes.	Lire un texte portant sur les agents pathogènes les plus fréquents.
		L'homéostasie	
L'urine est le surplus d'eau de notre corps. (1)	Établissement d'un lien direct entre le fait d'uriner et le fait de boire.	Bien que le fait de boire beaucoup en augmente la quantité, l'urine sert surtout à éliminer les déchets du sang filtrés par les reins.	Lire un texte portant sur le fonctionnement des reins.

La transpiration et le frissonnement sont des réflexes sans utilité particulière. (1)	Inférence basée sur l'impression que la transpiration et le frissonnement ne changent rien au fonctionnement du corps.	La transpiration et le frissonnement contribuent à régler la température du corps.	– Mesurer la température du corps dans des environnements chauds et froids. – Lire un texte portant sur la température du corps.
La sueur est de la graisse fondue. (1)	Inférence basée sur une croyance populaire au sujet de la sueur.	La sueur contient surtout de l'eau.	Faire brûler quelques gouttes de graisse fondue et essayer de faire brûler quelques gouttes de sueur.
Les reins sont la partie du système digestif qui produit les déchets liquides. (2, 3)	Inférence basée sur l'impression que le système digestif se divise en deux parties, une qui produit des déchets solides et l'autre qui produit des déchets liquides.	Les reins ne font pas partie du système digestif et sont des organes qui débarrassent le sang de ses déchets.	Examiner des schémas ou des modèles du système digestif et des reins.
L'éléphant a de grandes oreilles pour mieux entendre. (2, 3)	Établissement d'un lien direct entre la grandeur des oreilles de l'éléphant et le sens de l'ouïe.	L'éléphant se sert de ses oreilles comme éventail et pour libérer de la chaleur par de petits vaisseaux sanguins.	Regarder un documentaire ou lire un texte portant sur l'éléphant.
	Les hormones		
Les hormones et les enzymes sont identiques. (3)	Formation d'une catégorie mentale générale pour tous les produits biochimiques du corps.	Les enzymes servent principalement à la digestion, tandis que des hormones sont des messagers chimiques.	Lire un texte portant sur le rôle des hormones et des enzymes.
	Les squelettes		
Les seuls squelettes sont les squelettes osseux internes. (1, 2)	Restriction basée sur la connaissance du squelette osseux interne.	Il existe aussi des exosquelettes, des squelettes hydrostatiques et des endosquelettes cartilagineux.	Examiner la carapace d'un insecte, les cavités de liquide d'un ver de terre et le squelette d'un requin.
Les os sont des morceaux de matière minérale inerte. (1)	Formation d'une catégorie mentale générale pour tout ce qui est très dur.	L'os est une substance vivante et plusieurs os sont remplis de moelle rouge qui produit les globules rouges du sang.	– Observer l'intérieur d'un fémur de poulet. – Examiner un schéma de l'os.

Les os des enfants sont plus fragiles que ceux des adultes. (2)	Établissement d'un lien direct entre la taille des enfants et la fragilité de leurs os.	Les os des enfants comportent encore une bonne proportion de cartilage, ce qui les rend plus flexibles et moins cassants.	Comparer les os d'un poulet à ceux d'un coq ou d'une poule.
Le calcium du lait se colle à nos os. (2)	Établissement d'un lien direct entre l'absorption de calcium et l'endroit où il se dépose.	Après la digestion, le calcium se retrouve dans le sang avant de parvenir aux os.	– Observer des os à la loupe. – Lire un texte portant sur l'assimilation des minéraux.
		La peau	
Les poils sont des végétaux qui poussent sur la peau. (0)	Formation d'une catégorie mentale générale pour tout ce qui ressemble à des tiges avec des racines.	Les poils sont des excroissances de la peau qui poussent à partir des follicules pileux.	Examiner les poils sur un schéma de la peau.
Les lignes de la peau du bout des doigts sont identiques chez tous les êtres humains. (1)	Restriction basée sur une observation rapide de la peau du bout des doigts de plusieurs personnes.	Les empreintes digitales sont comme une signature spécifique à chaque personne.	Relever les empreintes digitales de plusieurs personnes.
Les cheveux blancs sont des cheveux morts. (1, 2)	Établissement de liens directs entre les cheveux blancs, le vieillissement et la mort.	Tous les cheveux, sauf leurs racines, sont formés de cellules mortes. Dans les cheveux blancs, il y a de petites bulles d'air à la place de la mélanine.	Observer des cheveux normaux et des cheveux blancs au microscope.
		Les muscles	
Seuls les membres sont munis de muscles. (1)	Restriction basée sur les muscles les plus connus.	Il y a des muscles dans toutes les parties de notre corps.	– Découvrir les parties du corps que l'on peut faire bouger. – Examiner un schéma des muscles du corps.
Tous les muscles sont soumis à un contrôle conscient. (1)	Restriction basée sur le mode d'action des muscles des membres.	Il est possible, par exemple, de contracter volontairement les muscles de l'abdomen, mais impossible de contracter volontairement les muscles qui entourent l'estomac.	Essayer de contracter son estomac.
Les insectes sont trop petits pour avoir des muscles. (1, 2)	Restriction basée sur l'impression que tous les muscles sont relativement gros.	Tous les animaux ont des muscles.	Observer les pattes d'une sauterelle à la loupe ou au microscope.

La fatigue et la douleur musculaire sont causées par un manque de sucre. (3)	Établissement d'un lien direct entre la consommation de glucose par les muscles et la fatigue ou la douleur musculaire.	Manger du sucre peut redonner de l'énergie mais n'a pas d'impact sur la fatigue et la douleur des muscles.	Pendant un exercice, manger un peu de sucre quand les muscles deviennent fatigués et douloureux.
Les mouvements			
Le mouvement des vers de terre est identique au mouvement des serpents. (1)	Formation d'une catégorie mentale générale pour les mouvements de tous les animaux longilignes.	Le mouvement des vers de terre est longitudinal et celui des serpents est ondulatoire.	Observer la différence entre le déplacement d'un ver de terre et celui d'une couleuvre.
Les nerfs			
Les neurones ne se retrouvent que dans le cerveau. (2)	Restriction basée sur la connaissance du fait que le cerveau contient des neurones.	Il y a des neurones dans toutes les parties du corps.	Examiner un schéma du système nerveux.
Tous les neurones sont des neurones d'association, comme ceux du cerveau. (3)	Restriction basée sur la connaissance du rôle des neurones du cerveau.	Il existe des neurones sensitifs et des neurones moteurs, en plus des neurones d'association.	Examiner un schéma du système nerveux.
Le système nerveux			
Toutes les espèces animales dorment couchées, les yeux fermés. (0, 1)	Extension, à toutes les espèces animales, de la façon de dormir de certains animaux bien connus.	Les espèces animales dorment de diverses façons. Il existe, par exemple, des espèces d'oiseaux qui dorment pour de très courtes périodes pendant qu'ils volent.	Regarder un documentaire portant sur le sommeil des animaux.
Le fait d'utiliser souvent la main gauche nous rend gaucher. (1)	Inférence basée sur l'impression que la latéralité est un caractère acquis.	La latéralité est un caractère inné.	Utiliser souvent sa main gauche (ou sa main droite, pour les gauchers) pour accomplir certaines tâches.
L'intérieur du corps ressent la douleur de la même façon que la peau. (2)	Extension, à toutes les parties du corps, de la façon dont la peau ressent la douleur.	Plusieurs organes internes sont peu sensibles à la douleur.	Lire un texte portant sur les neurones sensitifs.
L'encéphale			
Le cerveau humain est formé de quelques milliers de neurones. (2, 3)	Inférence basée sur l'impression que les neurones sont relativement gros.	Le cerveau humain contient quelque mille milliards de neurones.	Lire un texte portant sur le cerveau humain.

Les deux hémisphères du cerveau ont la même importance dans le contrôle du corps. (3)	Inférence basée sur l'impression que le côté droit et le côté gauche du corps fonctionnent exactement de la même façon.	Un des deux hémisphères du cerveau est dominant.	– Donner un coup de pied sur une balle avec le pied gauche, puis le droit. – Placer une main fermée dans son autre main.
	La vue		
Les yeux sont munis d'une petite source lumineuse qui nous permet de voir. (0)	Établissement d'un lien direct entre la perception et l'émission de lumière.	Les yeux ne font que percevoir la lumière.	Essayer de voir des objets dans l'obscurité totale.
Les glandes lacrymales sécrètent des larmes seulement quand nous pleurons. (0)	Restriction basée sur un des rôles les plus évidents des glandes lacrymales.	Les glandes lacrymales humidifient constamment la surface de l'œil.	Observer la surface de l'œil dans un endroit bien éclairé ou couper un oignon.
Les yeux envoient des « rayons de vision » vers les objets et captent leur réflexion, un peu selon le principe d'un radar. (1)	Extension, aux yeux, d'un mécanisme connu au sujet des oreilles de la chauve-souris.	Les yeux n'émettent aucun rayon et ne permettent pas de voir dans l'obscurité totale.	Essayer de voir des objets dans l'obscurité totale.
Tous les animaux perçoivent les formes et les couleurs comme les êtres humains. (1)	Extension, à tous les animaux, de la perception des formes et des couleurs par les êtres humains.	Certains animaux ne perçoivent pas de formes distinctes et plusieurs animaux ne perçoivent pas les couleurs.	Examiner des dessins de paysages tels que perçus par divers animaux.
Les chats peuvent voir dans l'obscurité parce que leurs yeux éclairent. (1)	Établissement d'un lien direct entre le fait que les yeux de chats paraissent brillants, dans certaines conditions, et le fait qu'ils émettent de la lumière.	Les yeux des chats n'émettent pas de lumière, mais leur rétine la réfléchit très bien.	– Observer les yeux d'un chat dans un endroit où l'obscurité est presque totale. – Observer les yeux d'un chat dans un endroit obscur où se trouve une faible source de lumière.
Les taureaux sont excités par la couleur rouge. (1, 2)	Inférence basée sur le fait que les toréadors utilisent un morceau de tissu rouge.	Les taureaux ne perçoivent pas les couleurs.	Regarder un documentaire ou lire un texte portant sur la tauromachie.

La profondeur et le relief peuvent être aussi bien perçus par un œil que par deux. (1)	Extension, à une vision monoculaire, des caractéristiques de la vision binoculaire.	La profondeur et le relief sont bien mieux perçus par la vision binoculaire.	– Essayer de toucher un point situé sur une table, au bout de son bras, en fermant un œil. – Marcher sur un terrain accidenté en fermant un œil.
La grosseur de la pupille varie selon la distance des objets regardés. (1)	Inférence basée sur le fait que le diamètre de la pupille varie parfois lorsqu'on se rapproche d'un miroir.	Le diamètre de la pupille varie selon la quantité de lumière.	Observer la grosseur des pupilles d'une personne qui regarde un objet qui s'éloigne.
Tous les objets d'assez grande taille et assez bien éclairés situés devant un œil sont visibles. (2)	Restriction basée sur le fait que l'œil perçoit une proportion importante des objets.	Il existe une tache aveugle dans le champ de vision d'un œil.	Fixer une feuille sur laquelle sont dessinés deux points distants de 5 cm.
Le sens de la vue permet toujours de percevoir notre environnement tel qu'il est. (2)	Extension basée sur la fiabilité du sens de la vue dans la plupart des situations courantes.	La vue dépend autant de l'analyse des images par le cerveau que des yeux.	Observer diverses illusions d'optique.
Une image qui sort du champ de vision cesse immédiatement d'être perçue. (2)	Restriction basée sur l'arrêt relativement rapide de la perception.	Les dessins animés, par exemple, paraissent animés parce qu'ils persistent sur la rétine pendant une fraction de seconde.	Faire une série de petits dessins sur le coin des pages d'un vieil annuaire téléphonique.
	L'ouïe		
Les oreilles de tous les animaux sont situées de chaque côté de leur tête. (0)	Restriction basée sur l'anatomie des vertébrés les plus connus.	Plusieurs espèces d'insectes, par exemple, ont des organes auditifs situés sur leurs pattes antérieures.	Observer l'anatomie des insectes.
Le pavillon des oreilles est indispensable pour entendre. (1)	Établissement d'un lien direct entre l'oreille externe et le sens de l'ouïe.	L'oreille externe amplifie un peu les sons, mais n'est pas indispensable pour entendre.	Écouter des bruits à travers un carton percé d'un petit trou.
Les insectes n'entendent pas. (1)	Établissement d'un lien direct entre l'absence d'oreilles externes évidentes et le sens de l'ouïe.	Les insectes ont des oreilles situées à des endroits insoupçonnés, tels que les pattes ou le thorax.	Capturer un insecte et observer son comportement lorsqu'un bruit soudain se produit.
Les poissons n'entendent pas. (1)	Établissement d'un lien direct entre l'absence d'oreilles externes évidentes et le sens de l'ouïe.	Les poissons ont des oreilles, mais pas d'oreilles externes apparentes.	Observer le comportement d'un poisson d'aquarium lorsqu'un bruit soudain se produit.

Les yeux des chauves-souris fonctionnent même dans l'obscurité. (1)	Établissement d'un lien direct entre le sens de la vue et le fait que les chauves-souris se dirigent et repèrent leurs proies dans l'obscurité.	Les chauves-souris se dirigent et repèrent leurs proies à l'aide de sons réfléchis.	Regarder un documentaire ou lire un texte portant sur les chauves-souris.
La surdité est toujours causée par un bris des tympans. (2)	Extension, à tous les types de surdité, de la cause de surdité la plus connue.	La surdité, outre qu'elle est produite par un bris des tympans, peut aussi être causée par divers problèmes de l'oreille moyenne ou interne.	Examiner un modèle de l'oreille.
Les chauves-souris ont des yeux à l'infrarouge. (2)	Inférence basée sur le fait que les instruments qui captent l'infrarouge permettent de voir dans l'obscurité.	Les chauves-souris se dirigent et repèrent leurs proies à l'aide de sons réfléchis.	Regarder un documentaire ou lire un texte portant sur les chauves-souris.
Le toucher et l'équilibre			
Toutes les parties de la peau perçoivent les contacts de la même façon. (1)	Extension, à toutes les parties de la peau, de la sensibilité des parties les plus utilisées.	Certaines parties du corps sont plus sensibles que d'autres parce qu'elles renferment plus de récepteurs.	– Constater la différence de sensibilité entre le dos et le visage en les touchant avec deux cure-dents distants de 1 cm. – Lire un texte portant sur le toucher.
Les doigts permettent toujours de bien estimer la température d'une substance. (1)	Impression basée sur le fait qu'il arrive qu'on se brûle ou qu'on se gèle les doigts.	La perception d'une température est influencée par la température perçue auparavant.	Tremper une main dans de l'eau froide, l'autre main dans de l'eau chaude, puis les tremper toutes les deux dans de l'eau tiède.
Les doigts n'ont pas une grande sensibilité tactile. (1)	Restriction basée sur le fait que les doigts supportent assez bien d'assez grandes différences de températures.	Le bout des doigts détecte facilement les différences de texture et d'épaisseur entre les échantillons de papier et de tissu.	Se bander les yeux et palper divers échantillons de papier et de tissu.
L'oreille ne sert qu'à entendre. (1, 2)	Restriction basée sur la fonction la plus connue de l'oreille.	L'oreille interne joue aussi un grand rôle dans la perception de l'équilibre.	– Tourner rapidement sur place puis s'arrêter. – Examiner une maquette de l'oreille interne.

Seule l'oreille interne est responsable de l'équilibre. (2)	Restriction basée sur la connaissance du rôle important de l'oreille interne dans l'équilibre.	En plus de l'oreille interne, les yeux jouent un rôle important dans la perception de l'équilibre.	Essayer de marcher sur une poutre en se fermant les yeux.
	Le goût et l'odorat		
Les goûts sont perçus par toute la surface de la langue. (1, 2)	Inférence basée sur l'impression que les papilles gustatives sont toutes identiques et dispersées sur toute la langue.	La langue possède quatre sortes de papilles gustatives situées sur des parties différentes de la langue.	Goûter des solutions sucrées, salées, acides et amères.
La langue est seule responsable des perceptions de la flaveur des aliments. (1, 2)	Restriction causée par la connaissance du rôle de la langue dans le goût.	La langue ne perçoit que les goûts acide, sucré, salé et amer et ne distingue pas les nuances de la flaveur (combinaison du goût et de l'odorat).	Goûter diverses sortes d'agrumes en se bouchant le nez.
La langue goûte aussi bien les aliments secs que les aliments humides. (1, 2)	Inférence basée sur le fait qu'un régime alimentaire usuel contient à la fois des aliments secs et des aliments humides.	La langue ne détecte que le goût des solutions, et la salive est un solvant.	Déposer un peu de sucre sur le bout de la langue préalablement asséchée avec un papier essuie-tout.
	La communication		
Les chants et les cris des oiseaux expriment des émotions. (1)	Extension, aux oiseaux, des raisons pour lesquelles les êtres humains chantent et crient.	Les chants et les cris des oiseaux servent à délimiter un territoire, attirer un partenaire ou donner l'alerte.	– Observer le comportement des oiseaux. – Lire un texte portant sur le comportement des oiseaux.
Le perroquet comprend ce qu'il dit. (0, 1)	Établissement d'un lien direct entre les mots prononcés par le perroquet et leur signification.	Le perroquet ne fait que répéter des sons qu'il a appris.	Poser une question à un perroquet qui parle.
Les abeilles dansent, dans une ruche, parce qu'elles sont nerveuses et agitées. (1)	Inférence basée sur l'impression que le mouvement des abeilles dans la ruche est désordonné.	La danse des abeilles indique aux autres butineuses où trouver la nourriture qui est à distance.	– Observer la danse des abeilles. – Lire un texte portant sur la danse des abeilles.
Tous les poissons sont silencieux. (1, 2)	Restriction basée sur le fait que la plupart des poissons sont silencieux.	Certains poissons, tels que le scorpion de mer, peuvent émettre des grognements et des cris.	Regarder un documentaire ou lire un texte portant sur les façons dont les animaux communiquent.

Le comportement			
Les gros animaux sont plus dangereux que les petits animaux. (0)	Établissement d'un lien direct entre la grosseur d'un animal et son agressivité.	Il existe de petits animaux dangereux, tels que le scorpion, et de gros animaux inoffensifs, tels que l'éléphant.	Observer le comportement de gros animaux, tels que la vache, et de petits animaux, tels que la vipère.
Tous les bébés animaux ont besoin de leurs parents pendant les premiers mois de leur vie. (1)	Formation d'une catégorie mentale générale pour le mode de vie de tous les bébés animaux.	Les petits d'un grand nombre d'espèces animales se débrouillent seuls dès la naissance.	Observer le comportement de poissons d'aquarium.
Les oiseaux couvent leurs œufs pour qu'ils ne soient pas mangés. (0, 1)	Restriction basée sur une des raisons pour laquelle certaines espèces d'animaux couvent leurs œufs.	Les oiseaux couvent leurs œufs surtout pour les maintenir à une température suffisante.	Observer des œufs dans un incubateur.
Les porcs-épics lancent leurs aiguilles quand ils se sentent menacés. (1)	Inférence basée sur une croyance populaire au sujet des porcs-épics.	Les aiguilles des porcs-épics sont une protection passive.	Lire un texte portant sur le comportement des porcs-épics.
Tous les comportements des animaux sont acquis et doivent être enseignés par les parents. (2)	Extension, à tous les animaux, de la façon dont les êtres humains éduquent leurs enfants.	De nombreux comportements des animaux sont innés et ne nécessitent aucun apprentissage.	– Observer une araignée qui tisse sa toile. – Lire un texte portant sur le comportement des araignées et des insectes.
Les chiens mangent vite parce qu'ils sont nerveux. (2)	Inférence basée sur une des raisons pour laquelle des êtres humains peuvent parfois manger vite.	Il s'agit d'un comportement inné chez tous les canidés qui mangent vite pour ne pas se faire prendre leur nourriture par d'autres membres de leur meute.	Regarder un documentaire ou lire un texte portant sur les loups et observer leur façon de manger.
La reproduction animale			
Un chien et une chatte pourraient avoir des petits. (0)	Inférence basée sur la façon dont les chiens et les chats sont parfois présentés.	Le chien et le chat sont deux espèces différentes qui ne peuvent se reproduire entre elles.	Regarder un documentaire portant sur la reproduction des mammifères.
L'embryon existe déjà, sous forme miniature, dans le spermatozoïde ou dans l'ovule. (1)	Inférence basée sur l'impression qu'un être humain ne peut se former qu'à partir d'un petit être humain.	Au tout début de son développement, l'embryon humain est un groupe de cellules peu différenciées.	Regarder un documentaire ou lire un texte portant sur la fécondation et le développement de l'être humain.

Une poule doit être fécondée par un coq pour pondre des œufs. (2)	Formation d'une catégorie mentale générale pour tout ce qui permet aux oiseaux de se reproduire.	Une poule peut pondre des œufs qui ne sont pas fécondés.	Observer des poules pondeuses dans un poulailler.
La reproduction de tous les animaux est sexuée. (2)	Extension, à tous les animaux, du mode de reproduction des animaux les plus connus.	Certains animaux simples se reproduisent par simple division.	Observer la division d'amibes ou de paramécies.
La reproduction sexuée nécessite un individu mâle et un autre individu femelle. (2, 3)	Extension, à toute reproduction sexuée, du type de reproduction sexuée le plus courant.	Certains animaux, tels que les escargots, possèdent à la fois les organes sexuels mâle et femelle.	Lire un texte portant sur la reproduction de certaines espèces de limaces.
La reproduction humaine			
Quand une femme est enceinte, une partie de la nourriture qu'elle mange tombe sur le fœtus. (1)	Formation d'une catégorie mentale générale pour toutes les cavités situées à l'intérieur de l'abdomen.	L'utérus est séparé du système digestif et le fœtus se nourrit par le cordon ombilical qui le relie au placenta.	Lire un texte portant sur la façon dont se nourrit le fœtus.
L'embryon humain n'a rien de semblable à l'embryon d'un poisson. (2)	Inférence basée sur l'impression que l'anatomie d'un être humain n'a rien en commun avec l'anatomie d'un poisson.	À ses débuts, l'embryon humain possède des fentes branchiales et une queue et ressemble à l'embryon d'un poisson.	Regarder un documentaire ou lire un texte portant sur le développement de l'embryon humain.
La forme du ventre d'une femme enceinte permet de connaître le sexe du fœtus. (2)	Inférence basée sur une croyance populaire.	Il n'y a pas de relation entre la forme du ventre d'une femme enceinte et le sexe du fœtus.	Examiner des photographies du ventre de femmes qui portent des fœtus mâles et du ventre de femmes qui portent des fœtus femelles.
Le développement			
Le temps de gestation est semblable chez tous les mammifères. (1)	Extension, à tous les mammifères, du temps de gestation des êtres humains ou d'autres mammifères.	Le temps de gestation des espèces de mammifères varie entre quelques jours et quelques mois.	Lire un texte portant sur le temps de gestation de diverses espèces de mammifères.
La métamorphose			
Les chenilles et les papillons sont deux espèces différentes. (1)	Inférence basée sur la grande différence entre l'apparence des chenilles et celle des papillons.	La chenille est la larve du papillon.	Observer la métamorphose d'une chenille.

Les petits papillons deviennent de grands papillons. (0, 1)	Extension basée sur la croissance des animaux les plus connus.	Le papillon d'une espèce donnée, qui est l'état adulte de l'insecte, ne change presque pas de taille.	Observer la croissance d'un papillon.
Les papillons sont les seuls insectes à subir une métamorphose. (2)	Restriction basée sur le fait que la métamorphose du papillon est la plus connue.	Il n'y a pas que les papillons qui subissent une métamorphose. La coccinelle, par exemple, passe aussi par les états de larve et de nymphe.	Observer le développement d'un œuf de coccinelle.
Toutes les métamorphoses comportent un état de nymphe. (2)	Extension basée sur la connaissance de la métamorphose complète des papillons.	Une sauterelle a toujours la même forme, mais grossit en passant par les mues successives d'une métamorphose incomplète.	Observer les mues d'une sauterelle.

L'écologie

Conceptions fréquentes	Mécanismes d'élaboration	Concepts scientifiques	Exemples d'activités
	Notions de base		
La biosphère est la surface des continents. (2, 3)	Restriction basée sur l'impression que la vie ne se trouve qu'à la surface des continents.	La biosphère est plus que la surface des continents. Elle s'étend des profondeurs de l'océan aux basses couches de l'atmosphère et inclut aussi une certaine épaisseur de l'écorce terrestre.	– Lire la définition du terme *biosphère*. – Trouver divers milieux où se trouvent des êtres vivants.
	Le cycle biogéochimique		
Le cycle de l'eau ne peut s'observer que dans la nature. (1, 2)	Inférence basée sur l'impression que le cycle de l'eau se déroule uniquement à l'échelle d'un pays.	Il est possible d'observer le cycle de l'eau à petite échelle.	Placer une casserole qui contient de la glace au-dessus d'une bouilloire.
	Les chaînes alimentaires		
Les décomposeurs jouent surtout un rôle de nettoyage. (2)	Restriction basée sur le rôle le plus évident des décomposeurs.	Les décomposeurs ne font pas que nettoyer, ils jouent le rôle fondamental de retourner les matières premières dans l'environnement.	– Observer un morceau de bois qui se décompose. – Examiner le schéma d'une chaîne alimentaire.

Les interactions			
Toutes les relations entre deux espèces sont bénéfiques aux deux espèces. (2)	Restriction basée sur le fait que les relations de symbiose et de commensalisme sont les plus connues.	Certaines relations ne sont pas bénéfiques aux deux espèces. Il existe aussi des relations de mutualisme et de parasitisme.	– Observer des pucerons et des fourmis. – Observer des puces dans la fourrure d'un animal. – Lire un texte portant sur le lichen. – Lire un texte portant sur le poisson-clown.

TECHNOLOGIE DES SCIENCES BIOLOGIQUES

Le génie génétique

Conception fréquente	Mécanisme d'élaboration	Concept scientifique	Exemple d'activité
Toutes les manipulations génétiques sont néfastes.	Inférence basée sur certaines manipulations controversées.	Certaines manipulations génétiques permettent de prévenir des maladies.	Regarder un documentaire portant sur les manipulations génétiques.

La protection de la nature

Conceptions fréquentes	Mécanismes d'élaboration	Concepts scientifiques	Exemples d'activités
La présence de très nombreuses plantes dans un lac est un bon signe. (1)	Inférence basée sur l'impression que plus il y de la vie, plus la nature est en santé.	L'eau d'un lac où poussent de très nombreuses plantes contient peu de poissons.	Observer l'eau d'un lac où poussent de très nombreuses plantes.
Tous les produits enfouis dans la terre peuvent se décomposer. (1)	Extension, à tous les déchets, de la décomposition de certains déchets organiques.	Certains produits ne se décomposent pas.	Enfouir divers types de déchets et les examiner quelques mois plus tard.
Un lac dont l'eau est claire et limpide n'est pas pollué. (2, 3)	Formation d'une catégorie mentale générale pour toute eau qui ressemble à de l'eau distillée.	Le taux d'acidité des lacs dont l'eau est claire et limpide est parfois très élevé.	Mesurer le taux d'acidité des lacs dont l'eau est claire et limpide.
Les pluies acides proviennent d'eau acide qui s'évapore. (2)	Extension, au mécanisme de formation des pluies acides, du mécanisme de formation des pluies.	Les pluies acides proviennent des émissions d'anhydride sulfureux de certaines usines.	Mesurer le taux d'acidité de l'eau recueillie au-dessus d'une petite casserole de vinaigre qui bout.

Un lac dont l'eau est trouble est pollué. (2)	Formation d'une catégorie mentale générale pour toute eau qui ressemble à de l'eau d'égout.	Certains lacs dont l'eau est trouble ont une faune et une flore saines et variées.	Observer la faune et la flore et vérifier la qualité de l'eau de quelques lacs dont l'eau est trouble.
La déforestation massive est dangereuse parce qu'on risque de manquer de bois. (2, 3)	Inférence basée sur le rôle évident des arbres dans la construction des maisons et la fabrication de papier.	La principale conséquence de la déforestation est la réduction des précipitations.	Regarder un documentaire ou lire un texte portant sur les effets de la déforestation.
L'effet de serre est un phénomène récent, aux aspects uniquement négatifs. (2, 3)	Inférence basée sur le fait que l'effet de serre est souvent présenté comme nouveau et néfaste.	L'effet de serre est un phénomène normal et bénéfique, sauf s'il devient trop prononcé.	Regarder un documentaire ou lire un texte portant sur l'effet de serre.

BIBLIOGRAPHIE

ASTOLFI, J.-P. (1997), *L'erreur, un outil pour enseigner*, Paris: Collection Pratiques et enjeux pédagogiques, ESF éditeur.

ASTOLFI, J.-P. (1993), *L'école pour apprendre*, Paris: Collection Pédagogies, ESF éditeur.

ASTOLFI, J.-P., et M. DEVELAY (1989), *La didactique des sciences*, Paris: Collection Que sais-je ?, Presses Universitaires de France.

ASTOLFI, J.-P., DAROT, É., GINSBURGER-VOGEL, Y., et J. TOUSSAINT (1997), *Mots-clés de la didactique des sciences*, Paris-Bruxelles: De Boeck Université.

ASTOLFI, J.-P., PETERFALVI, B., et A. VÉRIN (1998), *Comment les enfants apprennent les sciences*, Paris: Retz.

ARDLEY, N. (1994), *Dictionnaire jeunesse de la science*, Paris: Seuil.

BACHELARD, G. (1938), *La formation de l'esprit scientifique*, Paris: Librairie philosophique J. Vrin.

BEDNARZ, N., GARNIER, C., et collaborateurs (1989), *Construction des savoirs. Colloque international Obstacle épistémologique et conflit socio-cognitif*, Montréal: CIRADE et Agence d'Arc inc.

BOUTIN, G., et L. JULIEN (2000), *L'obsession des compétences*, Montréal: Collection Éducation, Éditions Nouvelles.

BRIEN, R. (1994), *Science cognitive et formation*, 2e éd., Québec: Presses de l'Université du Québec.

BROUSSEAU, G. (1986), *Fondements et méthodes de la didactique des mathématiques*, Grenoble: La Pensée Sauvage.

BRUNER, J.S. (1960), *The Process of Education*, Cambridge (Mass.): Harvard University Press.

BURNIE, D. (1994), *Dictionnaire jeunesse de la Nature*, Paris: Seuil.

CHALMERS, A.F. (1988), *Qu'est-ce que la science ?*, Paris: Éditions La Découverte.

CHAMPAGNE, A.B. (1992), « Cognitive research on thinking in academic science and mathematics : Implications for practice and policy », *in* Halpern D.F. (éd.), *Enhancing thinking skills in the sciences and mathematics*, Hillsdale (NJ) : Lawrence Erlbaum Associates.

CHARNAY, R. (1987), « Apprendre par la résolution de problèmes », *Grand N*, n° 42.

CHEVALLARD, Y. (1985), *La transposition didactique. Du savoir savant au savoir enseigné*, Grenoble : La Pensée Sauvage.

CONSEIL SUPÉRIEUR DE L'ÉDUCATION (1990), *L'initiation aux sciences de la nature chez les enfants du primaire*, Avis au ministre de l'Éducation et à la ministre de l'Enseignement supérieur et de la Science, Québec : Conseil supérieur de l'éducation.

DÉSAUTELS, J., et M. LAROCHELLE (1989), *Qu'est-ce que le savoir scientifique ? Points de vue d'adolescents et d'adolescentes*, Québec : Presses de l'Université Laval.

DE LANDSHEERE, G. (1992), *Évaluation continue et examens. Précis de docimologie*, 6e éd., Paris : Fernand Nathan.

DE SERRES, M., et collaborateurs (2003), *Intervenir sur les langages en mathématiques et en sciences*, Montréal : Collection Astroïde, Modulo Éditeur.

DE VECCHI, G. (1992), *Aider les élèves à apprendre*, Paris : Collection Pédagogies pour demain, Hachette Éducation.

diSESSA, A. (1993), « Toward and epistemology of physics », *Cognition and Intruction*, vol. 10, nos 2 et 3.

DOISE, W., et G. MUGNY (1981), *Le développement social de l'intelligence*, Paris : Interéditions.

DRIVER, R. (1989), « Students' conceptions and the learning of science. » *International Journal of Science Education*, vol. 1, n° 5.

DRIVER, R., GUESNE, E., et A. TIBERGHIEN (1985), *Children's Ideas in Science* Milton Keynes (Grande-Bretagne) : Open University Press.

DUIT, R. (1991), « Student's conceptual frameworks : Consequences for learning science », *in* Glynn, S.M. Yeany, R.H., et B.K. Britton (éd.), *The psychology of learning science*. Hillsdale (NJ) : Lawrence Erlbaum Associates.

DUSCHL, R.A. (1994), « Research on the history and philosophy of science », *in* Gabel, D.L. (dir.), *Handbook of research on science teaching and learning*, New York : Macmillan.

FEYERABEND, P.K. (1979), *Contre la méthode*, Paris : Éditions du Seuil.

FEYERABEND, P.K. (1989), *Adieu la raison,* Paris : Éditions du Seuil.

FOUREZ, G. (1996), *La construction des sciences,* 3e éd. rev., Paris-Bruxelles : De Boeck Université.

GAGNÉ, B. (1993), « L'histoire des sciences : un outil pour l'enseignement des sciences », *Vie pédagogique,* vol. 84.

GIORDAN, A., et G. DE VECCHI (1987), *Les origines du savoir. Des conceptions des apprenants aux concepts scientifiques,* Lausanne : Delachaux & Niestlé.

GIORDAN, A., et collaborateurs (1978), *Quelle éducation scientifique pour quelle société ?,* Paris : Presses Universitaires de France.

JOHSUA, S., et J.-J. DUPIN (1993), *Introduction à la didactique des sciences et des mathématiques,* Paris : Collection Premier Cycle, Presses Universitaires de France.

KUHN, T.S. (1983), *La structure des révolutions scientifiques,* Paris : Flammarion.

LAKATOS, I., et A. MUSGRAVE (dir.) (1970), *Criticism and the growth of knowledge,* 3e impression en 1974, Cambridge : Cambridge University Press.

LAROCHELLE, M., DÉSAUTELS, J., et F. RUEL (1992), *Autour de l'idée de science. Itinéraires cognitifs d'étudiants et d'étudiantes,* Sainte-Foy et Bruxelles : Les Presses de l'Université Laval et De Boeck-Wesmael.

LEGAY, J.-M. (1997), *L'expérience et le modèle. Un discours sur la méthode.* Paris : Collection Sciences en questions, INRA Éditions.

LEGENDRE, R. (1993), *Dictionnaire actuel de l'éducation,* 2e éd., Paris et Montréal : Eska et Larousse.

MATTHEWS, M.R. (1994), *Science teaching: the role of history and philosophy of science,* New York : Routledge.

Ministère de l'Éducation du Québec (MEQ) (1980), *Programme d'études en sciences de la nature au primaire,* Gouvernement du Québec.

Ministère de l'Éducation du Québec (MEQ) (2001), *Programme de formation de l'école québécoise, Éducation préscolaire, Enseignement primaire,* Gouvernement du Québec.

Ministère de l'Éducation du Québec (MEQ) (2002). *L'évaluation des apprentissages au préscolaire et au primaire : cadre de référence,* Gouvernement du Québec.

MORISSETTE, D., avec la collaboration de L. LAURENCELLE (1993), *Les examens de rendement scolaire,* 3e édition, Les Presses de l'Université Laval.

National Science Teachers Association (NTSA) (1993), *Safety in the elementary science classroom*, Washington, D.C.

PERRET-CLERMONT, A.-N. (1979), *La construction de l'intelligence dans l'interaction sociale*, Berne : Peter Lang.

PIAGET, J. (1970), *L'épistémologie génétique*, Paris : Presses Universitaires de France.

POPPER, K.R. (1978), *La logique de la découverte scientifique*, Paris : Payot.

POTVIN, P. (2002), *Regard épistémique sur une évolution conceptuelle en physique au secondaire*, Thèse de doctorat non publiée, Université de Montréal.

RESNICK, L. (1989), « Convictions ontologiques dans l'apprentissage de la physique », *in* Bednarz, N. et C. Garnier (éd.), *Construction des savoirs. Colloque international Obstacle épistémologique et conflit socio-cognitif.* Montréal : CIRADE et Agence d'Arc inc.

RESNICK, L. (1982), *A New Conception of Mathematics and Science Learning*, Learning Research and Development Center, University of Pittsburgh.

REY, B. (1996), *Les compétences transversales en question*, Paris : Collection Pédagogies-Recherche, ESF Editeur.

ROBARDET, G. (1990), « Enseigner les sciences physiques à partir de situations-problèmes », *Bulletin de l'Union des physiciens.*

ROBERT, S. (1993), *Les mécanismes de la découverte scientifique*, Ottawa : Collection Philosophica, Les Presses de l'Université d'Ottawa.

RUMELHARD, G. (1986), *La génétique et ses représentations dans l'enseignement*, Berne : Peter Lang.

STEPANS, J. (1994), *Targeting Students' Science Misconceptions*, Riverview (Floride) : Idea Factory.

STINNER, A., et H. WILLIAMS (1998), « History and philosophy of science in the science curriculum », *in* F. Tobin (éd.), *International Handbook of Science Education*, Londres (Grande-Bretagne) : Kluwer Academic Publishers.

STRIKE, K.A., et G.J. POSNER (1982), « Conceptual change and science teaching », *European Journal of Science Education*, vol. 4, n° 3.

TARDIF, J. (1998), *Intégrer les nouvelles technologies de l'information*, Paris : Collection Pratiques et enjeux pédagogiques, ESF éditeur.

TARDIF, J. (1992), *Pour un enseignement stratégique : l'apport de la psychologie cognitive*, Montréal : Les Éditions Logiques.

THOUIN, M. (2004), *Explorer l'histoire des sciences et des techniques : activités, exercices et problèmes*, Québec : Éditions MultiMondes.

THOUIN, M. (2001), *Notions de culture scientifique et technologique : concepts de base, percées historiques et conceptions fréquentes*, Québec : Éditions MultiMondes.

THOUIN, M. (1999), *Problèmes de sciences et de technologie pour le préscolaire et le primaire*, Québec : Éditions MultiMondes.

VIENNOT, L. (1979), *Le raisonnement spontané en dynamique élémentaire*, Paris : Hermann.

VYGOTSKI, L.S. (1985), *Pensée et langage*, Paris : Éditions sociales.

WANDERSEE, J.H. (1992), « The historicality of cognition : implications for science education research », *Journal of Research in Science Teaching*, vol. 29, n° 4.

A

abeilles 73
abysses 52
accélération 28
accrétion 48
accrétion de matière 46
acide 35
acide désoxyribonucléique 65
acide ribonucléique 65
acides aminés 64
acides carboxyliques 36
acides nucléiques 65
acier 43
acoustique 31
acquérir un vocabulaire scientifique de base 220
acquisition des langages des sciences et de la technologie 219
actinides 33
actinopodes 68
actinoptérygiens 74
activité avec manipulation 175, 186
activité de résolution de problème 149, 195
activité scientifique 5
activités d'intégration 177
activités de structuration 177, 197
activités fonctionnelles 165, 194
addition des couleurs 30
adénosine-triposphate 71
adhésif 42
ADN 65
adrénaline 79
aéroglisseur 38
affiche et dépliant (lecture) 168
affiche et dépliant (lecture ou production) 183
agaves 70
âge glaciaire 51
agnathes 74
aigles 76
ailes 38
ails 69
aimant 32
air 27, 52
aïs 77
albatros 76
alcalins 33
alcools 36
algues bleues 68
algues unicellulaires 68
Alhazen, Ibn al-Haythaam 235
alimentation 78
alizés 53
allèles dominants 65
allèles récessifs 66
allergies 79, 301
alliage 42
alligators 75
aloès 69
aloses 75
alouettes 76

Alpha du Centaure 59
AM 39
amaryllidacées 70
amibes 68
amidon 64
ampères 33
amphibiens 75
amplitude 29, 31
ampoule électrique 38
anacardiacées 70
analogique 39
analyse chimique 37
analyse qualitative 37
analyse quantitative 37
analyse volumétrique 37
ananas 69
anapsidés 75
anatifes 73
anatomie végétale 70
anémomètre 60
anémones 70
anémones de mer 72
ânes 77
angiospermes 69
anguilles 75
anguilliformes 75
animaux 67, 72
année 56
années bissextiles 45
années-lumière 59
annélides 73
annuelles 71
anoures 75
ansériformes 76
Antarctique 50
anthozoaires 72
anthropoïdes 78
anticorps 79
anticyclones 52
apiacées 70
apodes 75
apodiformes 76
appareil circulatoire 79
appareil digestif 78
appareil photo 38
apprendre à s'exprimer oralement 221
apprendre à synthétiser de l'information 221
approche par compétences 87
aptérygiformes 76
arapaïmas 75
arbre de transmission 37
archosauriens 75
arécacées 69
arénicoles 73
Aristarque de Samos 240
ARN 65
arthrophytes 69
arthropodes 73
articuler sa pensée par l'utilisation de liens grammaticaux 221
artiodactyles 77
ascomycètes 68
astéracées 70
astérides 74
astéroïdes 57
athériniformes 75
atmosphère 52

atmosphère primitive 48
atteinte d'objectifs opératoires 86
aubergines 70
aurins 75
aurores polaires 47
australopithèques 66
autoévaluation et évaluation
par les pairs 282
automobiles 37
autorité 9
autres métaux 33
autruches 75
avantages d'une perspective
historique 226
avions 38
avoines 69
azote 52

B

babouins 78
Bachelard, Gaston 89
bacille de la tuberculose 67
bacille *Escherichia coli* 67
bacilles 67
Bacon, Francis 13
bactéries 67
balanoglosses 74
baleines franches 77
baleines grises 77
ballons 38
ballons-sondes 60
bambous 69
bananiers 70
bande magnétique 39
baromètre 28, 60
base 35
base de connaissances 87
bases azotées 65
basidiomycètes 68
bassin versant 50
bâtonnets 81
batraciens 75
baudroies 75
belettes 77
bélougas 77
Berthollet, Claude-Louis 236
Big Bang 59
biochimie 64
biodiversité 84
biologie animale 78
biologie végétale 70
biomasse 83
biosphère 83
blastula 82
blés 69
blocs erratiques 51
blocs montagneux 48
bois 70
boîte de vitesses 37
boîte noire 149
boussole 32
boutons-d'or 70
bouturage 72
bovidés 77
brachiopodes 74
brachioptérygiens 74
bradipodidés 77
branchies 78
branchiopodes 73

brassicées 70
brochets 75
brocolis 70
broméliacées 69
bronches 79
bryophytes 69
bulbe rachidien 80
bulbes 70
buses 76
butors 76

C

cacatoès 75
cachalots 77
cactacées 70
cactus 70
calaos 76
calcul 171
calmars 73
calmophytes 69
calotte glaciaire du pôle Nord 45
calotte glaciaire du pôle Sud 45
calottes glaciaires 45
came 29
camélidés 77
caméra de cinéma 38
caméra vidéo 38
canards 76
canaux semi-circulaires 81
canevas pour la conception de problématiques 190
canidés 77
canines 78
caoutchouc naturel 41
capillarité 27, 71
caprimulgiformes 76
capsules historiques 231
capteur 37, 265
caractéristiques d'un projet transdisciplinaire 257
caractéristiques des conceptions 91
caractéristiques générales d'une bonne problématique 189
carbonates 49
carbone 34, 36
carbone 14 28
carences 64
carnet scientifique de l'élève 283
carnivores 77, 78
carotène 71
carottes 70
carpes 75
carte (lecture ou production) 182
carte (lecture) 169
carte conceptuelle 263
carte d'exploration 166, 264
carte génétique 65
casoars 76
casse-tête (éléments abstraits) 185
casse-tête (éléments concrets) 167
castors 77
casuariiformes 76
catalyseur 35
caviomorphes 77
CD-ROM et DVD 262
cébidés 78
cécilies 75
cèdres 69
cellule animale 63

cellule photoélectrique 39
cellule végétale 63
cellules de circulation 53
cellulose 64
centrale hydroélectrique 40
centrale nucléaire 27, 40
centrale thermique 40
céphalocordés 74
céphalopodes 73
céphéides 61
céramique 41
cercopithèques 78
cerisiers 70
cerveau 80
cervelet 80
cervidés 77
cestodes 72
chaînes alimentaires 83
chaînes de montagnes 48
chaleur latente 26
chambre noire 235
chameaux 77
champ magnétique terrestre 32
champignons 67
changement conceptuel 89
changement de couleur des feuilles 71
charadriiformes 76
charbon 42
châtaigniers 70
chats 77
chauffage 39
chauves-souris 77
chênes 70
chevaux 77
cheveux 80
chèvres 77
chevreuils 77
chiens 77
chimie minérale 36
chimie organique 36
chimiorécepteurs 81
chimpanzés 66, 78
chiroptères 77
chlorophycées 68
chlorophylle 63, 71
choléra 67
chondrichthyens 74
chondrostéens 74
chouettes 76
choux pommés 70
choux-fleurs 70
chromatographie 37, 236
chromatographie sur papier 235
chromosomes 63, 65
chrysophycées 68
ciconiiformes 76
cigognes 76
ciment 41
circuit intégré 40
circuit parallèle 32
circuit série 32
circulation simple 79
cires 64
cirripèdes 73
cirrus 53
citrouilles 70
clarophycées 68

classe 67
classification (à partir d'une taxonomie) 179
classification (à partir de critères empiriques) 172
classification des êtres vivants 66, 67
classification des sols 51
classification périodique 33
clé de correction analytique 288
clé de correction synthétique 288
clepsydre 237
climat 54
climat de montagne 54
climat océanique 54
clitellates 73
clonage 82
cloportes 73
clupéiformes 75
cnidaires 72
cobayes 77
coccinelles 73
code génétique 65
codons 65
cœlacanthe 74
cœur 79
coléoptères 73
colibris 76
coliiformes 76
colious 76
collage 167
collection 175
colloïde 26
colombes 76
columbiformes 76
comatules 74
combustibles fossiles 42, 84
combustion spontanée 35
comète de Halley 57
comètes 57
commensalisme 83
communication 81
communication chimique 81
communication sonore 81
communication tactile 81
communication visuelle 82
compétence 1 129
compétence 2 132
compétence 3 136
compétences 125
compétences de type production 88
compétences de type reproduction 88
compétences disciplinaires semblables 257
compétences transversales 255
comportement 82
comportement acquis 82
comportement instinctif 82
composé 26
composé chimique 33
composées 70
composés minéraux 36
conception anarchique des sciences 10
conception dogmatique des sciences 10
conceptions initiales 3

conceptions rationalistes des sciences 11
concepts 6
concepts unificateurs 140
concombres 70
concombres de mer 74
conducteur thermique 31
conducteurs 32
conduit auditif 81
cônes 81
conférence (personne invitée) 178
conflits de centrations 90
conflits sociocognitifs 90
coniférales 69
connaissances procédurales 88
connaître quelques symboles 222
consommateurs primaires 83
consommateurs secondaires 83
constellations 58
constellations de l'hémisphère Nord 239
constructivisme 90
constructivisme didactique 89
constructivisme épistémologique 89
contexte de l'évaluation 270
contrat didactique 119
contrat didactique idéal 121
convection 31
convertisseur 43
coquelicots 70
coques 67
coraciiformes 76
coraux 72
corbeaux 76
cordés 74
cormorans 76
corps aérodynamique 28
correctionnisme 16
corrélation 7
cosmétiques 41
cotonniers 70
couche d'ozone 84
coucous 76
couleurs 30
couleurs primaires 30
couleurs secondaires 30
coulombs 32
courant alternatif 32
courant continu 32
courant électrique 32
courants chauds 52
courants de convection 47
courants froids 52
courants jets 53
coureurs des routes 76
courges 70
courriel 262
courrier électronique 262
cours d'eau 50
coussin d'air 38
crabes 73
crapauds 75
cratères 56
crevettes 73
crinoïdes 74
cristallin 81
cristaux 34
cristaux liquides 34

critères généraux de scientificité 12
critique de la modélisation 22
crocodiles 75
crocus 69
croissance des plantes 71
Croix du Sud 59
Crookes, William 231
crossoptérygiens 74
croûte terrestre 46
crustacés 73
cuculiformes 76
cucurbitacées 70
culture générale 227
cumulonimbus 53, 54
cumulus 53
cupressacées 69
cyanobactéries 68
cycadales 69
cycas 69
cycle biogéochimique 83
cycle de l'azote 83
cycle de l'eau 53, 83
cycle du carbone 83
cycle du phosphore 83
cyclones 54
cygnes 76
cylindres 37
cypéracées 70
cyprès 69
cypriniformes 75
cyprinodontiformes 75
cytoplasme 63

D

daims 77
Darwin, Charles 252
dasypodidés 77
datation 49
dauphinelles 70
dauphins 77
DDT 37
débat 178
décibels 31
déclinaison 47
décloisonnement disciplinaire 255
décomposeurs 83
décontextualisation 117
découvertes astronomiques
de Galilée 237
déduction 9
définition et rôles de l'évaluation 268
déforestation 84
degrés Celsius 31
delphinidés 77
delta 50
dénombrement 171
densité 25
densité de la Terre 46
dents 78
dépersonnalisation 117
dépressions 52
dermaptères 73
derme 80
descripteurs généraux 190
déserts 50
désintégration 47

dessin, schéma et diagramme (lecture ou production) 182
dessin, schéma et diagramme (lecture) 167
désyncrétisation 117
détergent 42
détritivores 78
deuxième cycle du primaire 129
deuxième principe de la thermodynamique 32
développement 82
développement durable 84
dévolution 120
Dewar, James 251
diabète 247
diagramme de Hertzprung-Russell 58
diagrammes 219
diaphragme 79
diaporamas électroniques 261
diastole 79
diatomées 68
dicotylédones 69, 70
didactique 1
difficultés conceptuelles des élèves 226
difficultés d'enseignement et d'apprentissage 291
difficultés d'ordre religieux et culturel 296
difficultés en lecture 295
difficultés en mathématiques 295
difficultés liées à la compréhension des consignes 294
difficultés liées à la conception des problématiques 295
difficultés liées à la nouveauté des termes et des symboles 292
difficultés liées à une mauvaise transposition didactique 293
difficultés liées au contrat didactique 294
difficultés liées au degré d'abstraction du contenu 292
difficultés liées aux conceptions fréquentes 291
difficultés liées aux écarts aux démarches attendues 293
difficultés liées aux obstacles didactiques 293
difficultés liées aux obstacles épistémologiques 291
difficultés liées aux peurs des élèves 296
diffusion 30, 64
dilatation 31
dindes 76
dinosaures 49
diode 40
diplopodes 73
dipneustes 74
diptères 73
dirigeables 38
discours quotidien 217
discours scientifique 217
disque compact 39
disque microsillon 250
disque vinyle 39
distances Terre-Lune et Terre-Soleil 240
distillation 26

distillation fractionnée 42
document vidéo (visionnement ou production) 185
document vidéo (visionnement) 168
dogmatisation 116
dollars des sables 74
domaines généraux de formation 255
dorsales médio-océaniques 47
dossier 182
dossier d'apprentissage 284
double circulation 79
douves 72
dromadaires 77
drosophile 65
ductilité 27
dunes 51
dureté 27
dureté des minéraux 49
dynamite 42
dysenterie amibienne 68

E

eau 27, 50, 64
eau de Javel 42, 236
échanges gazeux 78
échelle de Beaufort 53
échelle de Mercalli 48
échelle de Mohs 49
échelle de Richter 48
échelle du temps (lecture ou construction) 185
échelle du temps (lecture) 170
échinides 74
échinodermes 74
écho 31
éclairage 38
éclairs 54
éclipse de Lune 56
éclipse du Soleil 56
écosystèmes 83
écouter, visualiser et traduire 223
écureuils 77
effet de serre 84
effet Doppler 31, 61
effraies 76
élans 77
élasticité 27
électricité statique 32
électroaimant 32
électrochimie 35
électrolyse 35
électrolytes 36
électronégativité 34
électronique 40
électrons 27
électroscope 32
élément 26
éléments chimiques 33
éléments radioactifs 33
éléphantidés 77
éléphants 77
élopiformes 75
émail 41
embranchement 67
embryon 82
émeus 76
empreintes digitales 252
encéphale 80

enclume 81
encre de Chine 26
endosquelettes 80
endothermiques 35
énergie chimique 29
énergie cinétique 29
énergie électrique 29
énergie éolienne 84
énergie mécanique 29
énergie non renouvelable 84
énergie nucléaire 29, 84
énergie potentielle 29
énergie rayonnante 29
énergie renouvelable 84
énergie solaire 84
énergie thermique 29
englenophycées 68
engoulevents 76
énoncés d'observation 6
enquête 173
enregistrement du son 39
enregistrement sonore (écoute ou production) 181
enregistrement sonore (écoute) 168
enrichissement 197
entrevue 181
entropie 32
environnement 83
enzymes 64, 78
éperviers 76
éphémères 73
éphéméroptères 73
épicentre 48
épiderme 80
épinoches 75
éponges 72
épuration des eaux usées 246
équation chimique 34
équidés 77
équilibre 81
équilibre chimique 35
équinoxe d'automne 46
équinoxe de printemps 46
ères 49
érosion 50
érosion éolienne 50
érosion glaciaire 51
escargots 73
espèce 67
esprit martien 178
estérification 35
esters 36
esturgeons 74
établissement d'un lien direct 97
étamines 71
étapes de l'évaluation 269
étapes de la modélisation 20
état de choc 304
états de la matière 26
étiquette, la brochure technique et le guide (lecture ou production) 184
étiquette, la brochure technique et le guide (lecture) 169
étoile filante 58
étoile Polaire 59
étoiles 58
étoiles de mer 74
étourneaux 76
êtres humains 78

étrier 81
euthériens 77
eutrophisation 84
évaluation des apprentissages 267
évaluation formatrice 267
évolution de l'homme 66
évolution des conceptions 89
ExAO 264
exemple de problème au sujet de l'univers matériel 155
exemple de problème au sujet de l'univers vivant 161
exemple de problème au sujet de la Terre et de l'Espace 158
exemples de conceptions fréquentes 96
exocets 75
exosphère 52
exosquelettes 80
exothermiques 35
expansion de l'Univers 59
expansion des fonds 47
expérience 7
expérience personnelle 9
expérimentation assistée par ordinateur 264
explosions 35
expo-science 187
exposé 183
extension 97
extincteur 35, 297
extraction du minerai 41

F

fabacées 70
fabrication 175
fabrication (illustration et synthèse de concepts) 186
facettes 81
façons non scientifiques d'acquérir des connaissances 8
fagacées 70
failles 47
faisans 76
falconiformes 76
famille 67
faucons 76
fauvettes 76
faux fruits 72
félidés 77
fer 46
fermentation 35
fermentation alcoolique 65
fermentation lactique 65
feu 35
Feyerabend, Paul K. 10
fibre optique 31, 39
fibres synthétiques 41
fiche d'appréciation 281
fiche d'appréciation avec une échelle numérique 282
fiche d'appréciation pour un carnet scientifique 284
fiche d'appréciation pour un dossier d'apprentissage (portfolio) 285

fichier 181
figures géométriques 219
filament 38
filicopsidés 69
filteurs 78
filtration 26
fission 27
fissipèdes 77
fixisme 66
fjords 51
flamants 76
flamme 35
flaveur 81
fleurs 71
fluorescence 30
FM 39
fœtus 82
forage 60
foraminifères 68
force centripète 28
force de Coriolis 52
forces 28
formation d'une catégorie mentale générale 97
former un réseau de concepts 223
formule chimique 33
fossiles 49, 66, 243
Foucault, Léon 241
foudre 32
fougères 69
foulques 76
four à micro-ondes 40
fourmis 73
fous 76
fraisiers 70
frégates 76
fréquence 29, 31
frissonnement 79
front chaud 53
front froid 54
fructose 64
fruit composé 72
fruit multiple 72
fruit simple 72
fruits 72
fullerènes 36
fureteurs 263
fuseaux horaires 46
fusible 32
fusion 27

G

gadiformes 75
galaxie d'Andromède 59
galaxies 59
Galilée 237
galliformes 76
Galton, Francis 252
galvanisation 43
galvanoplastie 35
gangas 76
gastéropodes 73
gastérotéiformes 75
gastrula 82
gaviiformes 76
gaz inertes 33
gaz naturel 42
géantes rouges 58
gène 65
générateur 40

génération spontanée 243
genévriers 69
génie génétique 83
génotype 65
genre 67
géotropisme 71
geysers 48
gibbons 78
ginkgoale 69
ginkgos 69
girafes 77
giraffidés 77
girouette 60
glaciers 51
glaïeuls 69
glandes 79
glandes surrénales 79
globules blancs 79
globules rouges 79
glossaire 198
glucides 64
glucose 64
gnathostomes 74
goélands 76
Goldmark, Peter 250
Gondwana 47
gorilles 67, 78
goût 81
goûts de base 81
graisses 64
graphiques cartésiens 219
gravimétrie 60
gravitation 28
grèbes 76
greffage 72
grenouilles 75
grille d'observation 272
grille d'observation avec une échelle numérique 272
grille d'observation de la compétence 1 du deuxième cycle 274
grille d'observation de la compétence 1 du troisième cycle 278
grille d'observation de la compétence 2 du deuxième cycle 275
grille d'observation de la compétence 2 du troisième cycle 279
grille d'observation de la compétence 3 du deuxième cycle 276
grille d'observation de la compétence 3 du troisième cycle 280
grille d'observation de la compétence du premier cycle 273
grillons 73
grives 76
Groenland 51
grues 76
gruiformes 76
guacharos 76
guêpes 73
Gulf Stream 52
guppys 75
gymnospermes 69
gyroscope 241

H
habitats 83
halogènes 33
hannetons 73
harengs 75
haricots 70
harmonique 31
haut-fourneau 43
haut-parleur 39
hélicoptères 38
hématozoaire 68
hémicordés 74
hémiptères 73
hémoglobine 79
Heng, Zhang 241
hépatiques 69
herbivores 78
hérédité 65
hérissons 77
hermines 77
hérons 76
hertz 29
hêtres 70
hexapodes 73
hiboux 76
Hill, Archibald Vivian 244
hippocampes 75
hirondelles 76
histoire de la vie 66
histoire des sciences
  et de la technologie 225
hologramme 39
holostéens 74
holothurides 74
homards 73
homéostasie 79
hominoïdes 78
Homo habilis 66
Homo sapiens 66
Hooke, Robert 231
hormones 79
hormones de croissance 79
hormones sexuelles femelles 79
hormones sexuelles mâles 79
huards 76
huiles 41, 64
humidité relative 53
humus 51
huppes 76
hurleurs 78
hyænidés 77
hydrates de carbone 36
hydres 72
hydrocarbures 36
hydrofoil 38
hydrogène 33
hydrolyse 35
hydrophile 42
hydrophobe 42
hydrotropisme 71
hydrozoaires 72
hyènes 77
hygromètre 60
hyménoptères 73
hypermétropie 30
hypophyse 79
hypothalamus 80
hypothèse 7
hystricomorphes 77

I

ibis 76
icebergs 45
ifs 69
immunoglobuline 64
impacts et les limites des sciences et des techniques 226
incandescence 30
incisives 78
indices de lisibilité 261
induction 9
induction électrostatique 32
induction magnétique 32
industrie chimique 41
inertie 28
inférence 96
infusoires ciliés 68
inlandsis 51
insectes 73
insectivores 77
intelligence artificielle 41
intensité d'un séisme 48
interactions 83
interférence 30
intérieur de la Terre 46
Internet 263
interpréter divers types de graphiques 223
interpréter un tableau et tracer un graphique 222
intrusion de magma 49
inversions magnétiques 47
ion négatif 34
ion positif 34
ionosphère 52
iridacées 69
iris 69
irréversibles 35
isolant thermique 31
isolants 32
isomères 36
isomorphisme 34
isoptères 73
isotopes 33

J

jacamars 76
jeu de table (utilisation ou conception) 179
jeu de table (utilisation) 166
jeu-questionnaire 167
joncacées 70
joncs 70
journal de bord 179
jumelles 38
Jupiter 57

K

kaléidoscope 38
kangourous 76
kelvins 31
kiwis 76
koalas 76
Kuhn, Thomas S. 15

L

labiées 70
laboratoires virtuels 265
labyrinthe 81
lactose 64
laîches 70

lait 26
laitues 70
lamiacées 70
laminés 42
lampe à fluorescence 38
lampe au néon 38
lamproies 74
lancelets 74
langage 89
langage des sciences 17
langage graphique 219
langage naturel 218
langage symbolique 218
langages des sciences et de la technologie 136, 217
laser 38
latitudes 46
Laurasie 47
lémurs 78
lentille concave 30
lentille convexe 30
lentilles 235
Léonard de Vinci 249
lépidophytes 69
lépidoptères 73
lépidosauriens 75
lépidosiènes 74
lépisostées 74
leviers 29
levures 68
lézards 75
liaisons chimiques 34
liaisons covalentes 34
liaisons ioniques 34
libellules 73
lichens 68
lien avec des compétences transversales 258
lien avec les domaines généraux de formation 257
ligne de charge 38
lignine 70
liliacées 69
limaces 73
lingules 74
lions 77
lipides 64
lis 69
logiciels 41
logiciels d'aide à la navigation 263
logiciels de cartographie conceptuelle 263
logiciels de dessin 262
logiciels de simulation 264
logiciels de traitement de texte 260
loi de Boyle-Mariotte 31
loi de Charles 31
loi de Gay-Lussac 31
loi de Hooke 27, 231
loi de Pascal 28
loi des proportions définies 33
lois 6
lombrics 73
longitudes 46
longueur d'onde 29, 31
lophiiformes 75
loris 78
loups 77
loutres 77
lumière 29

lumière visible 29
luminescence 30
Lune 56
lunes de Jupiter 237
luzules 70
lycopodes 69
lycopsidées 69
lymphocytes 79
lys de mer 74

M

macaques 78
machines automatiques 37
machines simples 29
mâchoires 78
magma 47
magnétisme terrestre 47
magnétométrie 60
magnitudes 58
magnoliacées 70
magnolias 70
maïs 69
malacostracés 73
malaria 68
malléabilité 27
malvacées 70
mammifères 76
manchots 76
mandrills 78
manguiers 70
manque de temps 256
manteau 46
maquereaux 75
maquette 184
marche 80
marcottage 72
marées 52
margarine 41
marguerites 70
Mars 56
marsupiaux 76
marteau 81
Martin, Archer 235
martinets 76
martins-pêcheurs 76
masse d'air 53
masse volumique 25
masses d'air arctique continental 53
masses d'air polaire maritime 53
masses d'air tropical continental 53
masses d'air tropical maritime 53
matériel 41
matériel didactique 3
matière 25
matières plastiques 42
méandres 50
mécanisme de contrôle 37
mécanismes d'élaboration
des conceptions 96
mécanorécepteurs 81
méduses 72
mélange 26
mélèzes 69
melons 70
mémorisation de concepts 85
menthes 70
Mercure 55
méridiens 46
mers 51, 56
mésosphère 52

mesure 171
métamorphose 82
métamorphose complète 82
métamorphose incomplète 82
métaux 33, 42
métaux alcalino-terreux 33
métaux de transition 33
météorites 58
micro-ondes 29
microphone 39
microprocesseur 40
microscope 38, 245
microscope électronique 38
microsporidies 68
minéraux 49, 64
miroir concave 30
miroir convexe 30
mise en situation 165
mitochondries 63
modèle 7, 19
modèle réduit 174
modélisation 19
modulation d'amplitude 39
modulation de fréquence 39
moelle 80
moelle épinière 80
moineaux 76
moisissures 68
molaires 78
molécules 33
molécules chirales 36
mollusques 73
monocotylédones 69
monodontidés 77
monotrèmes 76
montagnes 48
mormyres 75
morses 77
morues 75
morula 82
moteur à combustion externe 40
moteur à combustion interne 37, 40
moteur à deux temps 40
moteur à quatre temps 40
moteur de recherche 263
moteur rotatif 40
moteurs à hélice 38
moteurs à réaction 38
moteurs thermiques 40
mots croisés, mots cachés et mots mystères (utilisation ou conception) 179
mots croisés, mots cachés et mots mystères (utilisation) 166
mouches 73
mouffettes 77
moules 73
mousses 69
moustiques 73
moutons 77
mouvement 28
mouvement ciliaire 80
mouvement flagellaire 80
mouvement longitudinal 80
mouvement ondulatoire 80
mouvements 80
moyens de transport 37
muguets 69
musacées 70
musaraignes 77

muscles 80
muscles lisses 80
muscles striés 80
mustélidés 77
myctophiformes 75
myomorphes 77
myopie 30
myrmécophagidés 77
mysticètes 77

N

nage 80
naines blanches 58
nandous 76
nappe phréatique 50
narcisses 70
narvals 77
navigateurs 263
navires 38
nébuleuses 58
nématodes 73
Neptune 57
nerfs 80
neurones 80
neutrons 27
newtons 28
niches écologiques 83
niveau conceptuel élevé des savoirs 257
nombre chromosomique 65
non-métaux 33
nova 58
noyau 63
noyau externe 46
noyau interne 46
nuage d'Oort 58
nuages 53
numérique 39

O

oasis 50
observation 172
observer et commenter 222
obstacles épistémologiques 92
océans 51
odeurs de base 81
odobénidés 77
odonates 73
odontocètes 77
odorat 81
œuf à la mer 199
OHERIC 13
ohms 33
oies 76
oiseaux 75
olympiade scientifique 187
omnivores 78
ondes 29
ondes électromagnétiques 29
ondes infrarouges 29
ondes radar 29
ondes radio 29
ondes sismiques 46, 48
ondes ultraviolettes 29
ongles 80
opérationnalisation 117
ophiures 74
opossums 76
orages 54
orangs-outans 78

orbite géostationnaire 40
orchidacées 69
orchidées 69
ordre 67
oreille externe 81
oreille interne 81
oreille moyenne 81
oreillettes 79
organismes génétiquement modifiés 83
organismes microscopiques 245
organismes transgéniques 83
organites 63
origine de l'Univers 59
origine de la Terre 48
origine de la vie 66
origine des conceptions 93
orignaux 77
ornithorynques 76
orphidiiformes 75
orques 77
orthoptères 73
oryctéropes 77
osmose 27, 64
ostéichthyens 74
ostéoglossiformes 75
otaries 77
otariidés 77
ouïe 81
ouistitis 78
ouragans 54
ours 77
oursins 74
outardes 76
outils d'évaluation en sciences et technologie 271
ovaires 79
ovipares 82
ovovivipares 82
ovules 71
oxydation 35
oxydes 49
oxygène 46, 48, 52

P

p-prims 95
palmiers 69
palourdes 73
panais 70
pandas 77
Pangée 47
pangolins 77
Panthalassa 47
paons 76
papavéracées 70
papier 41
papillons 73
parachute 249
paradisiers 76
parallaxe 61
parallèles 46
paramécie 68
parasite 83
parchemin 41
paresseux à trois doigts 77
pascals 28
passériformes 76
Pasteur, Louis 244
pavillon 81

pavots 70
peau 80
pécaris 77
peinture 42
pélécaniformes 76
pélécypodes 73
pélicans 76
pellicule photographique 39
pendule 28
pénicilline 68
perce-neige 70
perce-oreilles 73
perches 75
perciformes 75
perdrix 76
périodes 49
périscope 39
perissodactyles 77
perroquets 75
perruches 75
persils 70
perspective historique 226
pétrels 76
pétrole 42
peupliers 70
pH 36
phase lumineuse 71
phase obscure 71
phases de la Lune 56
phénotype 65
phéophycées 68
Philon de Byzance 232
phocidés 77
pholidotes 77
phoques 77
phosphorescence 30
photo (lecture ou production) 181
photo (lecture) 168
photons 29
photorécepteurs 81
photosynthèse 48, 71
phototropisme 71
phycoérythrine 71
phycomycètes 68
physétéridés 77
physique 25
Piaget, Jean 89
piciformes 76
pics 76
pierres précieuses 50
pieuvres 73
pigeons 76
pigment 71
pile 35
pile à combustible 35
pile électrique 233
pile photovoltaïque 40
pile simple 40
pile solaire 40
piments 70
pinacées 69
pingouins 76
pins 69
pinsons 76
pistachiers 70
pistes d'intégration 191
pistil 71
pistons 37
plaine alluviale 50
plancton marin 68

planète bleue 56
planète rouge 56
plans inclinés 29
plaques tectoniques 48
plaquettes 79
plasma 79
plateau continental 52
plathelminthes 72
pleuronectiformes 75
plies 75
plissements montagneux 48
plongeons 76
pluies acides 84
Pluton 57
pluviers 76
pluviomètre 60, 242
poacées 69
podicipédiformes 76
poids 28
poils 80
poireaux 69
poiriers 70
pois 70
poissons 74
poissons sans mâchoire 74
poissons-lanternes 75
poivrons 70
pôle magnétique Nord 47
pôle magnétique Sud 47
pollen 71
pollinisation 72
pollinisation croisée 72
polychètes 73
polymères 42
polyptères 74
pommes de terre 70
pommiers 70
pompe à chaleur 39
Pompéi 48
Popper, Karl R. 14
porcs-épics 77
portance 38
portfolio 284
positivisme logique 13
postulats 9
pot catalytique 37
poudre à canon 42
poulies 29
poumons 79
le pour et le contre 170
pousse verte 210
poussée 28
pratiques sociales de référence 226
préalables 191
précession des équinoxes 56
précipitations 60
prédateur 83
prêles 69
premier cycle du primaire 126
premier principe
de la thermodynamique 32
premiers soins 303
prémolaires 78
prendre conscience de l'importance
de bien rédiger 221
presbytie 30
pression 28
pression atmosphérique 52, 60
pression racinienne 71
prévision météorologique 60

primates 78
primitives phénoménologiques 95
principe d'Archimède 28
principe de conservation de l'énergie 29
principe de conservation de la masse 34
principe de recoupement 49
principe de superposition 48
problématiques 189
problèmes de type boîte noire 149
proboscidés 77
procaryotes 67
procédé chimique 41
procédé Haber 41
procellariiformes 76
procyonidés 77
producteurs 83
production de l'électricité 40
produire un tableau de résultats 222
produits 34
produits naturels 41
produits synthétiques 42
programmation 117
Programme de formation de l'école québécoise 123
proies 83
projecteur 38
projection de Mercator 45
projets transdisciplinaires 255
promisiens 78
propriétés physiques de la matière 27
propulsion par réaction 80
prospection 60
prospection électrique 60
prospection sismique 60
protéacées 70
protection de la nature 84
protection des aliments 243
protées 70
protéines 64
protistes 67, 68
protons 27
protothériens 76
protozoaires 68
pruniers 70
psittaciformes 75
psychologie cognitive 87
ptéridophytes 69
ptéroclidiformes 76
ptérophytes 69
puces 73
puces d'eau 73
puffins 76
puissance 29
pulsar 59
punaises 73
pyrolyse 35

Q

quasars 60
question à choix de réponse 286
question à choix simple 287
question à réponse courte 287
question d'appariement 287
question de type compléter la phrase 288
questionner la nature 256, 259
questions écrites à correction objective 286

questions écrites
à développement 288
questions orales et échanges
avec l'élève 285
quetzals 76

R

racines 70
radar 61
radio 39
radioactivité 27
radiolaires 68
radiomètre 231
radiotélescope 61
raffinerie 42
raies 74
râles 76
rapport 187
ratons laveurs 77
rats 77
rayonnement électromagnétique 29
rayonnement thermique 31
rayons cosmiques 29
rayons gamma 29
rayons X 29
raz-de-marée 48
réacteur nucléaire 27
réactifs 34
réaction 28
réaction chimique 34
réactions nucléaires 27
réalisme des projets 258
recherche scientifique 7
recyclage 41, 84
Redi, Francesco 243
réduction 35
réflexion 30
reformulation 117
réfraction 30
réfrigération 39
réfutationnisme 14
régions arides 50
régions polaires 54
régions tempérées 54
régions tropicales 54
règne 67
régulation de l'enseignement 268
régulation des apprentissages 267
régulations interactives 268
régulations proactives 268
régulations rétroactives 268
reins 79
remue-méninges 173
renards 77
renonculacées 70
renoncules 70
repères culturels 138
reportage (utilisation
ou production) 185
reproduction animale 82
reproduction humaine 82
reptiles 75
requins 74
réseau notionnel 263
réseau notionnel
(ou trame conceptuelle) 186
réseaux de concepts 219
résolution de problèmes 90
respiration 64
respiration aérobie 65

respiration anaérobie 65
respiration des plantes 244
restriction 96
résumé 181
rétine 81
rétroaction 37
réversibles 34
rhéiformes 76
rhinocéros 77
rhinocérotidés 77
rhizomes 70
rhizopodes 68
rhodophycées 68
riz 69
Robert, Serge 16
robotique 266
robots industriels 37
roches 49
roches magmatiques 49
roches métamorphiques 49
roches sédimentaires 49
rôle de l'enseignant 194
rôle des élèves 194
rongeurs 77
rorquals 77
rosacées 70
roses 70
rotor 38
ruminants 78
rupture épistémologique 7
ruptures de contrat 121

S

Sahara 50
saisons 45
salamandres 75
salicacées 70
salmoniformes 75
sang 79
sangsues 73
sapins 69
saprophages 78
sardines 75
satellite artificiel 61
satellites de télécommunications 40
satellites météorologiques 60
Saturne 57
saules 70
saumons 75
saumure 252
sauterelles 73
savoirs essentiels des deuxième et troisième cycles 140
savoirs essentiels du premier cycle 128
savoirs scientifiques 5
savon 42
science 123
sciences et la technologie 8
scirpes 70
sciuromorphes 77
scyphozoaires 72
sécurité 297
sédiments 50
séismes 48
séismoscope 241
sel 35
sélection des savoirs 116
Senebier, Jean 244
sens commun 9

séquence didactique 165, 177
séquences didactiques complètes 189
séquoias 69
sériation 172
serpents 75
servomécanismes 37
sève 71
silicates 46, 49
silicium 46
silicones 42
simulation (premier contact) 174
simulation
(synthèse et application) 184
singes de l'Ancien-Monde 78
singes du Nouveau-Monde 78
siphonaptères 73
sismographe 48
situations-problèmes
(ou problématiques) 3
socio-constructivisme 90
sol 51
solanacées 70
Soleil 55
soles 75
solstice d'été 46
solstice d'hiver 46
soluté 26
solution 26
solution colloïdale 26
solution de problèmes en sciences 17
solvant 26
son 31
sonar 39
sonde spatiale 61
sortie dans la nature
(premier contact) 174
sorties dans la nature 302
souchets 70
source 50
souris 77
sous-marins 38
soustraction des couleurs 30
Spallanzani, Lazzaro 244
spatules 76
spectre 30
spectrographie 61
spectroscopie 37, 61
spermaphytes 69
sphénisciformes 76
sphénodons 75
sphénopsidées 69
spiracles 78
spirilles 67
spongiaires 72
spores 69
sporozoaires 68
squelettes 80
squelettes hydrostatiques 80
station spatiale 61
stations météo 60
stéréochimie 36
sternes 76
stratégies 147
stratégies d'exploration 147
stratégies d'instrumentation 147
stratégies de communication 148
strates 48
stratosphère 52

stratus 53
streptocoque 67
strigiformes 76
structure de la Terre 46
structure des savoirs scientifiques 6
struthioniformes 75
substance amorphe 34
suceurs 78
sulfates 49
sulfures 49
supernova 58, 59
symbiose 83
symbole chimique 33, 218
symboles d'opération 218
synapse 80
Synge, Richard 235
syngnathiformes 75
synthèse automatique d'un texte 261
synthèse chimique 37
synthèse des connaissances 177
syphilis 67
système cubique 34
système d'échappement 37
système immunitaire 79
système nerveux 80
système orthorhombique 34
système rhomboédrique 34
Système solaire 54
systèmes cristallins 34
systole 79

T

tableau et graphique (lecture ou production) 183
tableau et graphique (lecture) 169
tableau périodique 33
tableaux de données 219
tableurs 261
tache rouge 57
taille de l'Univers 59
tamarins 78
tapiridés 77
tapirs 77
tarpons 75
tarsiens 78
tatous 77
taupes 77
taux d'humidité 60
taxacées 69
taxodiacées 69
tayassuidés 77
technologie 8, 123
technologies de l'information et des communications 259
tectonique des plaques 47
télécopieur 39
télédétection 60
téléostéens 75
téléphone 39
téléphone cellulaire 39
télescope 38
télescope réflecteur 61
télescope réfracteur 61
télévision 40
température 31, 60
temps de gestation 82
temps géologique 49
ténias 72
tension superficielle 27

tension superficielle de l'eau 34
térébenthacées 70
térébenthine 41
termites 73
Terre 56
testicules 79
tétraodontiformes 75
tétrodons 75
texte à long développement (lecture ou production) 183
texte à long développement (lecture) 170
textiles 41
théorie actuelle de l'évolution 66
théories 7
thérapie génique 83
thériens 76
thermodynamique 31
thermomètre 60
thermoplastiques 42
thermos 31, 251
thermoscope 232
thermostat 37
thuyas 69
TIC et technologie 260
tige 70
tigres 77
timbre 31
tinamiformes 76
tinamous 76
tirer profit de la lecture d'un manuel scolaire 220
tissu conjonctif 64
tissu épithélial 64
tissu musculaire 64
tissu nerveux 64
tomates 70
tonnerre 54
tornades 54
torreyes 69
tortues 75
toucans 76
toucher 81
tour 190, 248
tour de table 166
tournesols 70
trachéates 73
trachée 79
traction de transpiration 71
traitement de texte 261
transdisciplinarité 257
transformation des savoirs 116
transformisme 66
transistor 40
transpiration 79
transposition didactique 3, 115
travail 29
travail de recherche en bibliothèque ou dans Internet 180
trématodes 72
tremblements de terre 48, 241
trempe 42
treuils 29
triangle didactique 3
triode 40
tritons 75
trognoniformes 76
trois lois de Newton 28
troisième cycle du primaire 129
troposphère 52

trou noir 59
trousse de premiers soins 297
truffes 68
truites 75
tsunami 48
tube à décharge 38
tube cathodique 40
tubercules 70
tubulidentés 77
tulipes 69
tuniciers 74
turbines 40
turboréacteur 40
turbot 75
tympan 81
typhons 54

U

ultrason 31
unicellulaires avec noyau 68
unicellulaires sans noyau 67
unité astronomique 55
unités de mesure 218
univers social 226
Uranus 57
urocordés 74
urodèles 75
ursidés 77
utilisation des technologies de l'information et de la communication 148

V

vaches 77
vaisseaux sanguins 79
valence 33
Van Leeuwenhoek, Antonie 245
variable 7
variable dépendante 7
variable indépendante 7
vasoconstriction 79
vasodilatation 79
vautours 76
vecteur 83
végétaux 67, 68
vent dominant 53
ventricules 79
vents 60
Vénus 56
vérificationnisme 13
verre 34, 41
verres de sécurité 297
vertébrés 74
vilebrequin 29, 37
vis 29
viscosité 27
visées communes des sciences 5
visite d'un musée (premier contact) 173
visite d'un musée (synthèse et application) 180
visite industrielle (premier contact) 173
visite industrielle (synthèse et application) 180
visons 77
vitamines 64
vitesse de la lumière 29
vitesse du son 31, 38
vivaces 71
vivipares 82

vol plané 80
vol ramé 80
volcans 47
volcans de point chaud 48
Volta, Alessandro 233
volts 33
voyage autour de la Terre 205
vue 81
vulcanisation 41
Vygotski, Lev 90

W

watts 33
Web 263
Willis, Thomas 247

X

xanthophylles 71
xénarthres 77
Xénophane 243

Z

zèbres 77
zéro absolu 31
zodiaque 59
zone de collision 47
zone de subduction 47
zone proximale 91
zooflagellés 68
zygophycées 68